22 février 05

À

Craig

J'espère que la lecture de
cet ouvrage te permettra
de mieux comprendre
le dossier des Premières
Nations

Bonne lecture

Bernard.

CAPTEUR DE RÊVES

Photographies :
Pierre Gill

Mise en pages :
GillCom Communications

Collaboration spéciale :
**GillCom Communications de Mashteuiatsh,
expert-conseil en édition**

ISBN 2-9800923-1-2
Dépôt légal – Bibliothèque nationale du Québec – 2002
Dépôt légal – Bibliothèque nationale du Canada – 2002

Visitez le site wed de la piste amérindienne au :

www.autochtones.com

Bernard Cleary

Capteur de rêves

Mes remerciements

Cet ouvrage est le fruit de quelque 5,000 heures de labeur et de quarante ans d'observations, d'échanges et de combats pour une profession que j'ai adorée - le journalisme - et pour une cause qui m'était tellement chère.

Des gens ont passé dans cette vie que certains professeurs du Petit séminaire de Chicoutimi avaient imaginée qu'elle serait plutôt ratée. Ils m'ont jugé jadis avec leurs normes de la réussite assurée.

Merci à mes proches de leur compréhension et soutien, Lise, Chantal, Dominic, Benoît, Bérangère, Élie-Jeanne, Henri et Charles-Édouard. Ils ont sûrement souffert de mes absences ou de mes distractions.

Merci à mon père Roland Cleary, « Rolland » comme l'appelaient les aînés montagnais à son retour de l'Ouest canadien, où il avait passé toute son enfance et sa jeunesse. Merci aussi à ma mère, Cédée Martel, à mon oncle Fernand Fortin et à ma tante Yvonne Martel qui m'ont élevé parce que ma mère, avec ses douze enfants, était toujours malade. Enfin, merci à mes soeurs Gladys, Suzanne et Marlène et à mes frères, Robert, Guy, Jean et André.

Merci à mes amis d'enfance, Alain Haddad, Marcel Gilbert et Roma Caron et à mes cousines, Bibiane et Louise Martel. Ils ont, tour à tour, joué un rôle important dans ma vie. Tout comme pour mes soeurs et pour mes frères, mes obligations professionnelles ont fait de moi un étranger qu'ils suivaient de loin par les médias écrits et électroniques.

Merci à mes principaux collaborateurs, René Boudreau, Hélène LeBlond, Renée Dupuis, Paul Charest et Michel Jolin.

Un merci aux négociateurs d'en face: Gilles Jolicoeur, Barry LeBlanc et Armand Leblond, pour le gouvernement du Québec, Ovila Gobeil, Daniel Tétrault et Normand Levasseur, pour le gouvernement du Canada. En aucun temps, ils doivent interpréter mon argumentaire aux tables de négociation comme des attaques personnelles.

Enfin un merci très spécial à Margot Rankin, co-éditrice de cet ouvrage. Sans elle, ce livre n'aurait pas pu paraître à ce moment-ci, période des plus propice pour sa publication. Plus encore, elle a été une lectrice attentive. Par sa connaissance du milieu des Premiers peuples, elle a favorisé une meilleure compréhension du contenu de l'ouvrage.

Bernard Cleary

Avant-propos

LES ANCIENS
DOIVENT REPRENDRE LEUR RÔLE

OBSERVATEUR ATTENTIF
DES ANNÉES EMBALLANTES DU QUÉBEC

À titre de témoin professionnel, tout yeux, tout oreilles, de la scène politique et sociale de la province de Québec, du début des années soixante à aujourd'hui, j'ai coudoyé les manifestations du difficile passage des Québécois de la grande noirceur des années de Maurice « Le Noblet » Duplessis à la lumière éblouissante d'une nouvelle vision de société beaucoup plus emballante: Celle de Daniel Johnson, père, avec « égalité ou indépendance », celle de Jean Lesage, avec « maître chez-nous », et celle de René Lévesque, avec la stature d'un « grand peuple », pour l'État du Québec.

Je l'ai fait d'abord dans le domaine des communications de masse, comme simple journaliste, chroniqueur et analyste politique à l'*Assemblée nationale* du Québec puis à titre chef de pupitre et de chef des nouvelles pour le quotidien *LE SOLEIL* et directeur de l'information dans la presse écrite hebdomadaire et électronique, à la télévision.

Ensuite, comme éditorialiste pour la presse hebdomadaire régionale, recherchiste pour une émission d'affaires publiques à la radio de *Radio-Canada*, PRÉSENT régional, professeur d'université, pendant plus d'une douzaine d'années, en journalisme et en communication de masse, à l'université *Laval*, écrivain et conférencier sur plusieurs tribunes de prestige, j'ai participé, à ma façon, à esquisser ce Québec en devenir. J'ai donc risqué quelques traits de pinceaux sur cette oeuvre collective des gens d'ici.

Enfin, par mon rôle de négociateur et de défenseur de la cause autochtone, j'ai travaillé à aménager certains éléments d'une société québécoise plus juste et plus responsable. Cette responsabilité doit maintenant s'exprimer en mettant en place des formules de partenariat entre le Peuple québécois et les Premiers peuples. Il ne faut pas oublier que le Québec de maintenant a été l'endroit des pas originels des colonies, française et britannique, en Amérique du Nord.

Donc, à ma manière, je crois avoir été un des acteurs de cette modernité du Québec. J'ai fait, autant pour les Autochtones que pour les Québécois, une très grande place aux principes fondamentaux de base, à la fierté retrouvée, au respect de notre spécificité propre et mutuelle, au dépassement et à l'étalement de toutes nos compétences.

Pour certains Québécois cependant, la vision d'avenir prend racine et même parfois toute sa raison d'être dans les échecs répétés des *Canayens-français* dans l'histoire des colonies de la France et de l'Angleterre. Ces échecs ont commencé par l'historique bataille des *Plaines d'Abraham*.

Dans cette perception de la société, on oublie hélas qu'à cette période, des nouveaux acteurs, les Autochtones et les Immigrants, n'ont pas été impliqués. Les Premiers peuples n'y ont pas été invités à titre de peuples fondateurs tandis que les nouveaux arrivants européens, ou d'ailleurs, n'y étaient pas. C'est pour cette raison que ces derniers voient surtout l'avenir de leurs descendants dans ce projet de société. Ce futur doit être le réel fondement du projet de société de **TOUS** les Québécois.

Après bien des efforts, cette révélation de la société québécoise doit d'abord ouvrir, toute grande, la porte permettant de circuler dans le vaste couloir d'un demain prometteur. Elle a éliminé, une à une, presque toutes les limites véritables sur le chemin tortueux de son devenir, sauf celles que la peur, alimentée par les sempiternels « bons-hommes-sept-heures », ne permettra jamais de franchir.

J'ai commencé mes activités publiques hors de la région du Saguenay - Lac-Saint-Jean, en faisant partie, à la fin des années 1950, de la bien timide Laurentie, pourtant considérée à ce moment-là comme révolutionnaire. C'était la période où j'étais un universitaire fougueux aux premiers jours de l'existence de l'*Université de Sherbrooke*.

Cette nouvelle université québécoise, se situant hors des sentiers battus par les universités traditionnelles telles que celle de *Laval*, à Québec, celle de l'*Université de Montréal* et celle de l'*Université McGill*, rassemblait les éléments hors-normes de l'instruction publique. Ces étudiants étaient issus de classes sociales plus humbles que celles des filles ou des fils de médecins, de juges, d'avocats et de notaires qui fréquentaient la très grande majorité des universités du Québec.

Plus tard, en mission journalistique, j'ai assisté au défilé officiel, exagérément protégé, de la reine Élisabeth II d'Angleterre à Québec. Au carré d'Youville, j'ai subi la charge des *boeufs* de la *Police provinciale* à Wagner, ministre de la *Justice du Québec* sous le gouvernement de Jean Lesage.

La force du faible, dans un grand moment de nervosité collective, a conduit à commettre de tels impairs. Le gouvernement libéral voulait, coûte que coûte, préserver la réputation internationale de notre pays en surprotégeant Sa Majesté la Reine du Canada contre les manifestations potentielles des extrémistes d'une gauche québécoise débutante.

J'ai *couvert*, à titre de reporter, l'assemblée qui a donné naissance au *Rassemblement pour l'indépendance nationale* du Québec (R.I.N.). Quelques années plus tard, j'assistais à la journée funèbre où ce parti politique d'occasion s'est fait harakiri pour faire place au *Parti québécois*.

Comme le fier samouraï japonais, le R.I.N. a posé ce geste fatal à la suite de la constatation sincère et honnête de son *leader* politique, Pierre Bourgault. Ce dernier croyait que cette formation, marquée au fer rouge comme extrémiste de gauche, devait laisser la place à un parti de pouvoir. Cette nouvelle formation politique plus centriste, engendrée des entrailles des vieux partis, le *Parti québécois*, faisait beaucoup moins peur.

Pierre Bourgault mettait ainsi un bémol à la stratégie de René Lévesque qui a toujours secrètement souhaité un parti extrémiste beaucoup plus à gauche parmi les indépendantistes. Ce parti politique aurait pu rassembler, sous la même bannière, les soi-disant révolutionnaires et ainsi purifier le *Parti Québécois* de ces indésirables qui faisaient inutilement peur.

Pour ces grains de sable jetés dans l'engrenage, René Lévesque en a toujours voulu à Pierre Bourgault. Après l'avoir insulté vertement en public, il a même tenté, plus tard, de faire croire aux Québécois que Pierre Bourgault dirigeait toujours les groupuscules de gauche extrémistes composés de marxistes-léninistes (M.L.), ses têtes de Turc préférées.

J'ai accompagné le général Charles de Gaule, président de la France, à titre de journaliste, sur la route des pionniers, entre Québec et Montréal et, de plus, j'ai découvert une partie de la petite histoire, riche et méconnue, de cette « belle province ». J'ai entendu son « Vive le Québec libre » du bas du balcon de l'hôtel de ville de Montréal. Ce cri d'encouragement politique a fait vibrer à l'unisson tous les membres nationalistes de la foule présente.

Je faisais partie des journalistes qui avaient suivi le crescendo des déclarations publiques du général de Gaule au cours de cette journée mémorable, ce personnage politique de stature et de portée internationales, la manchette mondiale du jour. À titre de reporters, nous étions en attente de cet appui inédit pour l'indépendance du Québec.

J'ai observé son « bon ami Johnson », comme le général de Gaule se plaisait à appeler familièrement Daniel Johnson père, le Premier Ministre du Québec à cette époque. Comme on le sait, celui-ci n'arrivait pas à se brancher définitivement entre les deux choix de la propre alternative canadienne pour le Québec de ce politicien nationaliste: « Egalité ou indépendance ».

J'ai assisté, de la tribune de la presse du congrès du *Parti libéral du Québec*, au *Château Frontenac* de Québec, surpris et même éberlué, à l'expulsion manu militari d'un certain René Lévesque, idole déchu de ce parti politique, accompagné des deux autres mousquetaires: Jean-Roch Boivin, cet homme d'action qui a accompagné plusieurs Premiers Ministres du *Parti québécois* à titre de principal collaborateur, et Marc Brière, qui a fait carrière comme juge québécois au *Tribunal du travail*. Ce dernier a vécu beaucoup plus dans l'ombre à cause de sa fonction de juge et d'écrivain employant un pseudonyme.

J'étais présent le jour de la fondation du *Mouvement souveraineté-association* et, plus tard, du *Parti québécois*. J'ai perçu, pour une première fois, des lueurs d'espoirs dans les yeux de vieux nationalistes de la *Société Saint-Jean-Baptiste du Québec*, usés par l'attente, et dans ceux de jeunes indépendantistes impatients et disponibles.

Quelques mois plus tard, j'ai été témoin de la dernière scène - une campagne électorale totalement manquée - de la triste fin de régime de l'orgueilleux Jean Lesage et de sa femme Corinne, emportant avec lui les espoirs suscités par la révolution tranquille inachevée.

J'ai suivi les tripotages de Paul Desrochers, l'illustre marionnettiste du *Parti libéral du Québec*, pour faire couronner Robert Bourassa. Il l'avait auparavant sorti des griffes de René Lévesque et de ce qui allait être plus tard le *Mouvement souveraineté-association* (M.S.A.), pour lequel il devait réaliser la partie économique.

J'ai assisté à la « nuit des longs couteaux » (en langage de bois: Une période intensive de tractations politiques pour s'attirer les faveurs de l'électorat des congressistes comme chef de parti) du congrès à la chefferie du *Parti libéral du Québec* où l'organisation du candidat Robert Bourassa, formée à l'américaine - la mode du temps - et dirigée d'une main de maître par Paul Desrochers, a déclassé les candidats Pierre Laporte et Robert Wagner.

J'étais témoin du spectacle de mise en marché politique, au *Colisée de Québec*, qui annonçait le fameux « projet du siècle » à la Baie-James. C'était le début d'une ère de patronage éhonté, toujours dirigé de main de maître par Paul Desrochers. Cette période de favoritisme, complétée par d'autres époques semblables, qui sont venues plus tard, à l'occasion '67 et des Jeux olympiques, toujours sous la gouverne du *Parti libéral du Québec*, était le prélude de la crise actuelle des finances publiques du Québec. Je me suis dit, comme Innu (Montagnais), que l'occupation pacifique moderne franchissait un pas de géant et que les relations entre les Autochtones et les Québécois ne seraient plus jamais les mêmes.

Ensuite, avec des membres en larmes du P.Q., j'ai assisté, à titre de journaliste en mission, à la soirée d'élection où le Parti québécois a connu sa première « victoire morale ». À cette campagne, malgré un pourcentage élevé de votants lui étant favorables, cette formation souverainiste a tout juste fait élire six députés. Deux de ces députés, Marc-André Bédard, de Chicoutimi, et Lucien Lessard, de Baie-Comeau, dans le comté de Saguenay, étaient des confrères de classe du *Petit séminaire de Chicoutimi*.

Le système électoral québécois connaissait alors un de ses effets les plus pervers. La représentation des députés élus n'a pas été proportionnelle au nombre de personnes qui ont appuyé globalement ce parti politique.

D'ailleurs, aucun parti politique, pas plus le *Parti québécois* que l'*Union nationale* et que le *Parti libéral du Québec*, ne s'est depuis attaqué sérieusement à cette question de la représentation proportionnelle. Ils ont toujours préféré, à tour de rôle, tripoter les cartes électorales à leurs avantages plutôt que de faire une refonte électorale en profondeur. Elle aurait affecté le système politique actuel favorisant le défectueux bipartisme qui existe depuis toujours au Québec. Il faut ajouter que ce bipartisme favorise les partis politiques établis, ceux qui, habituellement, sont élus à tour de rôle...

Par la suite, j'ai surveillé et analysé les gestes du premier mandat de Robert Bourassa comme chroniqueur politique à l'*Assemblée nationale du Québec*.

J'étais journaliste au Parlement lorsque Jean Marchand, à ce moment ministre libéral fédéral, est venu clandestinement au bureau du Premier Ministre du Québec à l'édifice du Parlement. Il venait chercher, pour Pierre Elliott-Trudeau, Premier Ministre du Canada, l'approbation obligatoire du Premier Ministre du Québec, Robert Bourassa, pour mettre en force la fameuse *Loi sur les mesures de guerre*.

J'étais probablement sur la liste des suspects lors de la crise d'octobre, dont l'acteur principal était le *Front de libération du Québec* (F.L.Q.), comme me l'a mentionné, plus tard, Gabriel Loubier, député de l'*Union nationale*, et chef de l'Opposition officielle, en me demandant de le rappeler sur un téléphone public. Il prétendait à ce moment-là que mes lignes téléphoniques, à la tribune de la presse et à mon domicile à Sainte-Foy, étaient tapées par la surveillance policière parce que j'étais considéré comme un élément subversif. Je ne faisais pourtant que mon travail de journaliste parlementaire en surveillant les faits et gestes d'un gouvernement qui se croyait effrontément tout permis...

Le chimérique don Quichotte des libertés individuelles sur papier, Pierre Elliott-Trudeau, venait de se montrer sous son vrai jour. Il avait fait emprisonner, certains pendant plusieurs mois, des centaines d'innocents sans aucune raison valable autre que celle, strictement politique, d'utiliser la *Loi sur les mesures de guerre* pour tenter d'écraser une grande partie de ces séparatistes populaires et connus. Aujourd'hui, les héritiers intellectuels de cet héros de vaudeville craignent d'affecter les droits et libertés des *hells angels,* des *rocks machines* et des *bandidos.* Quelle stupidité du formalisme juridique hérité de ce farceur...

Le rêve inavoué de Pierre Elliott-Trudeau était de découvrir des preuves qui auraient pu lier ces personnages populaires et d'autres membres influents du *Parti québécois* au *Front de libération du Québec.* Aucune preuve n'a été découverte et aucune poursuite n'a été déposée en Cour de justice contre qui que ce soit. Cela démontrait, hors de tout doute sérieux, la fumisterie de ce guignol de la politique.

Il avait abusé du pouvoir politique de façon extrême comme un Premier Ministre fantoche d'un vugaire régime de bananes tel que lui avait sans doute enseigné son grand ami Fidel Castro.

Plus tard, en l'an 2000, au cours d'un spectacle de mauvais goût pour un professeur de théâtre, sans talent réel, télévisé à travers le Canada par la télévision d'État, son fils Justin tentera de tronquer l'histoire. Il souhaitait ainsi, sûrement aidé par les faiseurs d'images du *Parti libéral du Canada,* préparer une plate-forme électorale fondée sur la mort de son père. Il voulait faire croire faussement aux Québécois et aux Canadiens de 40 ans et moins, qui ne connaissaient pas vraiment Pierre Elliott-Trudeau, que ce dernier était l'incarnation même des libertés individuelles et du respect des autres.

Le subterfuge était pourtant trop gros...

Quel manque de respect d'ailleurs envers les ignorants Québécois et Canadiens qui allaient, sans intelligence et sans culture politique, gober ces facéties. Et quelle farce monumentale ratée... J'espère qu'il deviendra maintenant l'arroseur arrosé car, comme son père, il est déjà un dangereux personnage politique, en plus d'être un vrai plaisantin, tout juste bon pour un spectacle minable et en décrépitude au festival *Juste pour rire...*

Faut croire qu'il est allé à la bonne école ?

J'ai *couvert* la campagne électorale qui a conduit le *Parti québécois* au pouvoir et à la formation d'un gouvernement dont la qualité de l'équipe ministérielle, selon plusieurs observateurs politiques, n'a jamais été égalée depuis.

A titre d'observateur, professionnellement très intéressé, puisque j'étais propriétaire de quatre journaux hebdomadaires dans la région de la Capitale du Québec et éditorialiste, LE ROND-POINT, de Sainte-Foy, LA VIE, de Charlesbourg, LE COURRIER, de Limoilou, et LA COTE, de Beauport, j'ai constaté la valeur de ce bon gouvernement.

Au cours de son dernier mandat, cette fois-ci à titre de directeur d'information puis de vice-président à l'information et aux affaires publiques à Télé-Capitale (T.V.A.), j'ai assisté à la descente aux enfers de René Lévesque. Avec beaucoup de tristesse et de déception, j'ai vu ternir l'image du politicien adulé pendant des décennies parce qu'il n'avait pas su partir au bon moment, le grand défaut de plusieurs politiciens.

J'ai constaté la mesquinerie politique de certains de ses proches. Des journalistes, qui l'avaient soutenu pendant toute sa carrière politique, lui ont donné les derniers coups de couteaux dans le dos, puis ont signé triomphalement son arrêt de mort politique.

Il a tenté, par la suite, de reprendre sa carrière d'animateur de télévision, mais l'ardeur n'y était plus et le format de l'émission ressemblant à *Point de mire* était passé date.

Enfin, au cours des 17 dernières années, j'ai vécu les hauts et les bas du dossier autochtone et des luttes continuelles et obligatoires des Premiers peuples. J'ai alors constaté, avec acuité, l'absence totale de volonté politique des gouvernements. J'ai palpé l'état d'esprit de certains fonctionnaires, très nombreux d'ailleurs, du Québec et du Canada, surtout les juristes de l'Etat, qui ne croient pas, mais pas du tout, aux droits ancestraux des Autochtones.

J'ai heurté de plein front la solide muraille construite par les *lobbyistes* des utilisateurs actuels des territoires revendiqués qui ne permettront jamais, par intérêt évident, une place réelle aux Premières Nations. Il faudra que les gouvernements leur imposent cette reconnaissance des droits territoriaux des Premiers peuples en utilisant des *mâchoires de vie* - instrument pour sortir les corps coincés dans une automobile après un accident - pour leur ouvrir l'esprit.

J'ai malheureusement rencontré certains Autochtones qui se détruisent par leurs gestes inconsidérés soulevant les passions négatives et racistes des Québécois et des Canadiens. Comme négociateur, j'ai subi nos luttes fratricides et nos divisions internes profondes et j'en ai souvent souffert. J'ai dû combattre l'irréaliste de l'imaginaire de certains Indiens et le manque évident d'analyses sérieuses, politiques et sociologiques, de la situation actuelle.

J'ai été le promoteur très actif du *Forum paritaire Québécois-Autochtones*, qui a permis un rapprochement salutaire entre certains Autochtones et certaines personnalités influentes québécoises, des forces vives reconnues. Cette expérience enrichissante pour tous a permis d'évaluer nos divergences, mais surtout de découvrir nos convergences. De cet exercice sur plus de deux ans, est sorti un manifeste de grande qualité. Il a été déposé aux audiences de la *Commission royale sur les peuples autochtones du Canada*. Il a été considéré par le co-président de cette commission royale, le juge René Dussault, comme une pièce maîtresse des audiences publiques canadiennes de cette commission.

Par ailleurs, je demeure profondément chagriné par l'évidence du racisme anti-autochtone d'autres Québécois. Cet état d'esprit est surtout alimenté par un manque total de professionnalisme de la presse québécoise - surtout les émissions de lignes ouvertes.

Les journalistes ne rapportent, dans leurs médias, que les « gros faits divers», comme la vente des cigarettes et d'armes. Ils oublient systématiquement tout ce qui peut se faire de positif en milieu autochtone, ou ne recherchent que les éléments négatifs pour alimenter leur dossier noir contre les Premiers peuples.

À preuve, ils n'ont presque pas parlé du manifeste du *Forum paritaire Québécois-Autochtones* et charrié d'une manière gênante et surtout fausse que les Indiens ne payaient pas leur électricité. J'ai démontré, au cours d'une émission d'affaires publiques à la télévision sur les médias, que la vérité était toute autre. Citant des chiffres officiels donnés par le vice-président d'Hydro-Québec, attaché aux affaires autochtones, j'ai prouvé que le pourcentage des mauvais payeurs chez les Premiers peuples était de beaucoup moins élevé que chez les Québécois.

Je suis foncièrement renversé par l'attitude mesquine des politiciens de tout acabit du Québec et du Canada, partis au pouvoir et de l'Opposition. Ils se font du capital politique avec le dossier autochtone en manquant totalement de sens des responsabilités.

Après ce trentième anniversaire de la tristement célèbre crise d'octobre du F.L.Q., je conseillerais d'ailleurs aux membres du gouvernement actuel du Québec de méditer sur l'attitude du fondateur de leur parti politique, René Lévesque, au cours de cette période importante où la sagesse politique était de mise. Ils y trouveraient des leçons à tirer qui les aideraient à passer à travers la crise autochtone actuelle.

Voilà donc, en quelques paragraphes seulement, un résumé bien liminaire de 40 ans d'une vie professionnelle et publique des plus active au Québec qui me donne droit, je l'espère, aux observations que je vous livre dans cet ouvrage.

LES ANCIENS SONT LES DÉPOSITAIRES DU SAVOIR ET DE LA SAGESSE

Les anciens portent des noms divers dans les sociétés autochtones: Les vieux, les sages, les grands-mères et les grands-pères et, chez les Métis, les sénateurs. Ce sont des précepteurs, des philosophes, des linguistes, des historiens, des guérisseurs, des juges, des conseillers, ont prétendu les commissaires de la *Commission royale sur les peuples autochtones du Canada* dans leur rapport.

Les anciens incarnent les traditions et les cultures autochtones. Grâce aux dons du Créateur et aux années qu'ils ont passées sur cette terre, ils ont acquis les connaissances et l'expériences nécessaires pour vivre et prospérer dans le monde physique. Ils sont en harmonie avec la terre, les cycles et les rythmes de la nature et de la vie, souligne le rapport de la *Commission royale...*

« Les anciens sont les dépositaires du savoir spirituel qui a soutenu leur peuple pendant des milliers d'années - celui des cérémonies et des activités traditionnelles, des lois et de règles fixées par le Créateur pour permettre aux leurs de vivre en tant que nation ».

Ces deux formes de connaissance, selon les commissaires, sont également importantes et valables. Il y a fusion, ont-ils dit, entre le spirituel et le temporel, entre le naturel et le surnaturel qui forment comme une torsade autour de l'acte de vivre quotidien. Le royaume du sacré devient un élément de vie de tous les jours.

« Tous les anciens ne sont pas des personnes âgées, pas plus que toutes les personnes âgées ne sont des anciens. Certains sont fort jeunes. Les anciens ont cependant une perspicacité et des capacités de communication qui leur permettent de transmettre la sagesse collective des générations passées ».

Les anciens ne thésaurisent pas leur savoir, a souligné le rapport de la *Commission royale...* Leur tâche la plus importante est, au contraire, de transmettre cette connaissance de manière à ce que la culture de leur peuple demeure vigoureuse et capable de s'adapter au changement. La continuité de leur nation en dépend.

Pour les commissaires, ces derniers transmettent leurs coutumes et leurs cultures par l'action et par l'exemple et la tradition orale par les histoires et par les plaisanteries qu'ils racontent et par les jeux et les autres activités communes.

« L'expérience est purement personnelle; l'événement est également partagé par celui qui le raconte et par celui qui l'écoute. Ceux qui écoutent ces histoires et cet enseignement sentent les peines et les joies et revivent les victoires et les défaites de leur peuple. À travers le temps, ils rejoignent les leurs. Le passé, le présent et l'avenir ne font plus qu'un ».

Pour la *Commission royale...*, il ne fait pas de doute que, grâce à l'aide de leurs anciens, les nations autochtones ont réussi, non sans mal, à conserver leurs valeurs traditionnelles, leurs langues et leur savoir. Ils l'ont fait en dépit des vigoureux efforts déployés de l'extérieur pour les détruire. Les Autochtones, ont souligné les commissaires, se sont férocement battus pour conserver leurs traditions. Ils savaient très bien que celles-ci sont la source principale de leur identité, de leur fierté et de leur force en tant qu'individus et nations.

Les commissaires ont mentionné qu'aujourd'hui nous sommes témoins d'une forte résurgence de l'intérêt des Autochtones pour leurs langues et pour leurs traditions dont plusieurs s'estompaient encore tout récemment. Ils ont ajouté que les intervenants aux audiences de la *Commission royale*... ont déclaré que les nouvelles institutions des Premiers peuples devront s'appuyer sur les enseignements fondamentaux de la tradition autochtone. Elles (les institutions) devront utiliser la vision contemporaine du monde qu'offrent les anciens.

Mais faire revivre la tradition, ont dit les commissaires, ne signifie pas qu'il faille retourner en arrière. La plupart des habitants de notre planète vivent en conformité avec des religions et des philosophies qui remontent à des milliers d'années. « De la même manière, les traditions et les enseignements autochtones ont été façonnés il y a bien longtemps, mais il est possible de les remodeler pour qu'ils conservent leur utilité dans le monde moderne ».

Les anciens, selon les commissaires, ont joué un rôle précieux dans plusieurs initiatives judiciaires, en particulier au sein des cercles de consultation où l'on détermine la peine à infliger. Ils pourraient l'être dans des domaines comme l'éducation, les soins de santé et l'autonomie gouvernementale.

Enfin, ont ajouté les commissaires de la *Commission royale...*, les Autochtones veulent que les méthodes utilisées par leurs ancêtres soient reconnues, protégées et utilisées. « Il importe que les anciens aient accès aux lieux sacrés pour y tenir des cérémonies et pour cueillir des plantes traditionnelles. Ils seront en mesure de partager leur perspicacité et leur savoir avec la nation. Il doit en être ainsi car les anciens sont indispensables à la perpétuation et au renouvellement du mode de vie autochtone ».

Les commissaire ont conclu en soulignant que les anciens leur ont dit qu'ils avaient beaucoup plus à offrir qu'on leur demandait.

ÊTRE CONSIDÉRÉS COMME ANCIENS N'EST PAS L'APANAGE DE TOUS LES VIEUX INDIENS

Bernard, respectes-tu les personnes âgées, m'a dit un jour Jean Malec, un jeune Innu de Natashquan, au cours d'une entrevue à la radio communautaire de cette réserve indienne de la Basse-Côte-Nord, sur le territoire ancestral des Indiens de *Mamit Innuat*. J'étais en tournée d'information sur les négociations territoriales globales, tripartites, qui étaient entreprises par le *Conseil des Atikamekw et des Montagnais* auprès des gouvernements du Canada et du Québec.

— Bien sûr, lui dis-je en souriant. D'autant plus que je commence sérieusement à avancer en âge.

J'avais, à l'époque, près de cinquante ans.

— Donc, tu es d'accord avec tout ce que font les personnes âgées à cause de leur sagesse.

— Ce n'est pas ce que je t'ai dit, Jean. Tu m'as demandé si je respectais les personnes âgées et je t'ai répondu affirmativement. Tu ne m'as pas interrogé en cherchant à savoir si je croyais que toutes les personnes âgées étaient sages...

Dans ma vie, j'ai rencontré des jeunes qui étaient sages et d'autres qui étaient niaiseux. J'ai fréquenté des vieux qui étaient sages et d'autres qui étaient niaiseux. Donc, ce n'est pas parce que tu es jeune que tu es nécessairement niaiseux; pas plus d'ailleurs que, parce que tu es âgé, tu sois obligatoirement sage.

Conclusion, il y a donc des vieux qui sont sages et des vieux qui sont niaiseux...

Le lendemain quand je me promenais sur la réserve, les vieux qui avaient écouté l'entrevue de la radio communautaire me demandaient, en riant, s'ils étaient des vieux sages ou des vieux niaiseux. Et je leur répondais en blaguant que, s'ils me le demandaient, c'est qu'ils n'étaient pas convaincus eux-mêmes d'être des vieux sages... Tout en me moquant gentiment d'eux, je concluais en leur mentionnant qu'ils ne pouvaient pas me demander d'en être moi-même convaincu...

Il est pour moi indéniable, comme l'a si bien décrit le rapport de la *Commission royale sur les peuples autochtones du Canada*, dans le sujet précédent de cet avant-propos, que les anciens et leur sagesse ont joué un rôle de premier plan dans la société autochtone au cours des ans, même les plus difficiles.

J'ai connu, il y a une douzaine d'années, à Natashquan, un chef dans la trentaine qui était déjà, selon moi, un ancien d'une très grande sagesse. Il s'appelait Joseph Tettaut. Il était un chef de file politique et social, sincère et honnête, à l'écoute de sa population, mais aussi d'un environnement qui dépassait les limites de sa réserve. Il consultait beaucoup et avait l'intelligence d'utiliser sagement le fruit de ses consultations pour prendre les bonnes décisions.

Un jour, il m'a dit avec beaucoup de lucidité que, comme négociateur en chef pour les Innus, je devais me préoccuper de l'avenir de ses enfants et de ses petits enfants. J'étais avec lui au cours d'une expédition de chasse à l'orignal, sur le territoire ancestral du chasseur Élie Bellefleur. Une partie de son territoire est sur la pointe d'une presqu'île de la magnifique rivière Natashquan, aux portes québécoises du Labrador.

Comme vous le verrez dans un autre chapitre de ce livre, nous étions, ce soir-là, recroquevillés sur un magnifique tapis de branches odoriférantes de sapin dans la grande tente montagnaise d'Élie. Nous discutions d'une manière très animée de l'avenir des Innus. François, l'adolescent d'Élie, et Dominic, le mien, buvaient et savouraient, comme un délicieux nectar, les paroles du jeune sage Joseph Tettaut.

Il nous soulignait avec beaucoup de clairvoyance que, pour se développer, l'avenir d'une grande partie des jeunes Innus ne devait pas se construire exclusivement autour de la pratique des activités traditionnelles de chasse, de pêche et de piégeage. Le territoire ancestral des Innus de *Mamit* possède des richesses naturelles autres que la faune. Cette terre est couverte de bois dans la forêt et contient des mines dans ses entrailles; elle est peuplée d'animaux à fourrure et de magnifiques oiseaux migrateurs la survolent. Cette richesse est la nature entière sous toutes ses formes et sa beauté fait l'envie des visiteurs, disait-il.

Ces richesses, qui doivent être développées avec prudence selon la philosophie autochtone de la conservation pour les générations futures, sont les véritables sources de la subsistance autochtone, leur développement économique. Plus encore, mentionnait-il, il faut que les jeunes Innus se fassent instruire pour être aussi compétents, dans d'autres secteurs de l'économie nouvelle, que le sont leurs petits compagnons *blancs*.

Joseph Tettaut était convaincu que les Innus devaient s'ouvrir sur le monde extérieur. Il croyait que les métiers d'avenir pour les jeunes n'étaient pas nécessairement reliés au développement des activités de chasse, de pêche, de piégeage et de cueillette. Il souhaitait que ces derniers occupent, dans la société moderne, la place qui leur revient.

Selon Joseph Tettaut, le projet d'avenir de la société innue, arrêté par l'ensemble des membres de la nation, démontre que la fonction publique des futurs gouvernements autonomes exige une préparation différente pour les Innus. Ils devront être instruits selon les méthodes modernes, être compétitifs dans une société différente et, surtout, rayonner dans des champs d'actions où la culture ancestrale des Indiens n'est pas nécessairement un atout.

Bien sûr, dans l'esprit de Joseph Tettaut, il n'était pas du tout question de renier les enseignements du passé par les anciens. Au contraire, il fallait que cette connaissance millénaire retrouve sa vraie raison d'être; c'est-à-dire de dégager, des actes posés, les philosophies ancestrales des Premiers peuples dans la pratique de leurs activités de survivance. Cette philosophie a toujours fait appel à la fierté, à l'honneur, à l'entraide, au respect des autres éléments de ce grand cercle de la vie, même des animaux ou de la nature, aux croyances et à l'existence d'un être supérieur, à la vaillance, à la débrouillardise, à l'esprit compétitif, etc.

Je sais que ces principes fondamentaux retrouvés constituent, dans le cas de la génération présente, la pierre d'achoppement pour une guérison complète et entière. Plus encore, le fait de reconstruire une base résistant à toutes les épreuves promet un avenir des plus reluisant pour la réalisation d'un nouveau projet de société.

Nos jeunes ayant emmagasiné le meilleur des civilisations millénaires pourront évoluer en chefs de file dans la société actuelle. Après avoir comparé les avantages des usages récupérés avec les inconvénients d'une perte évidente de principes de la part des sociétés dites plus modernes, ils se retrouveront en position de force. Il ne faut pas oublier que notre petit nombre de personnes, ce qui constitue souvent un handicap de taille dans certaines situations, est un avantage lorsque l'on parle de guérison individuelle et collective. L'effort en vaut, sans aucun doute, la chandelle...

Il fallait d'abord, croyait Joseph Tettaut, commencer par soigner et, par la suite, par guérir les défauts de société qui écrasent certains membres de nos communautés et nous empêchent ainsi de nous développer.

Religieux sincère, il croyait dès lors que la guérison, sous toutes ses formes, devait précéder les espoirs d'une réelle prise en main de notre destiné. Pour lui, être autonome débutait par cette libération.

Plus tard, cette autonomie véritablement affirmée dans chacun de nous ramènera la fierté collective de nos peuples marginalisés. Et, alors seulement, nous serons devenus des actifs pour notre société, capables de se prendre en main et de réaliser les espoirs les plus grands de nos ancêtres.

J'ai souvenance d'une tournée d'information sur la négociation territoriale globale des Innus que j'avais effectuée dans les quatre communautés de la Basse-Côte-Nord. Au cours d'une longue soirée d'information à La Romaine, où mes propos étaient traduits du français en langue innue par Zacharie Mollen, de Mingan, membre de l'équipe des négociations, j'ai constaté que le mot *tshishelnu* revenait continuellement dans la conversation.

Après la réunion, j'ai demandé à Zacharie ce que voulait dire ce mot *tshishelnu*. Il m'a répondu qu'il pouvait se traduire en français par « le vieux ». Je lui ai alors souligné en souriant: Tu ne crois pas qu'à cinquante ans, me traiter de vieux continuellement, fait en sorte que tu me diminues aux yeux des autres Innus et que tu charries un peu...

Non, m'a-t-il répondu, vraiment peiné. Au contraire, je ne te manque pas de respect du tout et les gens de La Romaine non plus. Constatant qu'il semblait sincère, je n'ai pas insisté. Ce n'est qu'à l'été 2000 que j'ai vraiment réalisé qu'il était loin de me manquer de respect. Au contraire, ils m'honoraient sincèrement, lui et la population de La Romaine...

Lors d'une rencontre entre des aînés québécois et des Innus de la Basse-Côte-Nord, dans la ville de Québec, j'ai eu le plaisir de revoir un ancien de La Romaine, William-Mathieu Mark. Comme un enfant, il m'a sauté dans les bras pour me donner une énergique accolade. Cette effusion d'amitié est pourtant rare de la part des Innus, surtout chez les plus vieux. Il était heureux de me rencontrer et je l'étais, autant que lui, de le croiser.

Il faut souligner que, comme il était un Innu unilingue et que moi je ne parlais pas notre langue ancestrale, nous n'avions pas eu l'occasion de discuter très souvent ensemble. Cependant, il était évident, par les rares conversations que nous avions eues, traduites par quelqu'un d'autre, que nous étions sur la même longueur d'onde sur la presque totalité des sujets.

Au cours des échanges que j'animais à cette réunion à Québec, j'ai raconté l'anecdote de la traduction de Zacharie Mollen en badinant sur le fait que ce dernier passait son temps à me traiter de vieux, *tshishelnu*.

C'est alors que William-Mathieu Mark, cet ancien renommé, qui a représenté les Innus de Mamit dans plusieurs tournées sur les vols à basse altitude en Europe, m'a fait le plus beau témoignage d'estime reçu de toute ma vie. Les propos de l'aîné innu étaient traduits en français par sa fille.

Il a souligné avec beaucoup de gravité que, loin de me manquer de respect, les Innus de la Basse-Côte-Nord m'honoraient profondément en m'appelant *tshishelnu*. Ces derniers reconnaissaient ainsi la sagesse de mes propos et de mes gestes. Ils soulignaient, a prétendu William-Mathieu Mark, leur appui au travail que j'effectuais à ce moment-là dans la négociation territoriale globale avec les gouvernements du Canada et du Québec.

Pour les Innus de la Basse-Côte-Nord, ce mot *tshishelnu* signifie ancien, vieux, sage. Il n'a pas de signification péjorative que l'on pourrait lier à toute diminution possible due à l'âge.

Je me suis rappelé l'appui général, indéfectible, comme j'ai pu le constater par les propos actuels de William-Mathieu Mark, donné par les habitants des quatre communautés de la Basse-Côte-Nord, Mingan, Natashquan, La Romaine et Pakuashipi (Saint-Augustin).

Le vice-président de Mamit Innuat, feu Edmond Malec, avec les quatre chefs des Conseils de Bande ont fait signer une pétition par la population innue de la Basse-Côte-Nord. Cette pétition avait comme objectif de m'appuyer comme négociateur en chef du *Conseil des Atikamekw et des Montagnais* dans un conflit qui m'opposait au président du conseil d'administration d'alors, Georges Bacon, de Mashteuiatsh.

Quatre-vingt-dix-sept pour cent (97%) des adultes de 18 ans et plus des quatre communautés, enregistrés au registre des Indiens du gouvernement fédéral, ont signé cette pétition pour affirmer qu'ils étaient derrière moi comme négociateur dans ce conflit. Ils reconnaissaient tout le travail qui avait été fait pour eux dans la négociation globale, mais aussi dans certains cas ponctuels comme, par exemples, les vols à basse altitude et la négociation avec *Parcs Canada*.

Plusieurs, parmi les Indiens que j'ai fréquentés, possèdent cette sagesse comme anciens.

Ils sont, entre autres, les William-Mathieu Mark, ancien, membre influent de la communauté de La-Romaine, feu Mathieu André, ancien, ex-chef de Uashat mak Mani Utenam, Philippe Piétacho, ancien, ex-chef de Mingan, son fils Jean-Charles Piétacho, ancien, actuel chef de la communauté de Mingan, Harry Kurtness, ancien, ex-chef de la communauté de Mashteuiatsh, son fils Rémy Kurtness, ancien, ex-chef de Mashteuiatsh, Edouard Robertson, ancien, membre de la communauté innue de Mashteuiatsh, Georges-Ernest Grégoire, ancien, membre du Conseil de Bande de Uashat mak Mani Utenam, Rolland Cleary, mon père, ancien, membre de la nation innue, Joseph Tettaut, ancien, ex-chef de Natashguan, feu Edmond Malec, de Natashguan, ex-vice-président du *Conseil des Atikamekw et des Montagnais*, Edmond Mestanapéo, chef actuel de La Romaine, Ghislain Picard, ancien, président de l'*Assemblée des Premières Nations du Québec et du Labrador* et Innu de Betsiamites, feu Desneige Mestococho-Mollen, ancienne et Innue de Mingan, Julienne Malec, ancienne de la Nation innue de Natashguan, Joseph Noat Guanish, ancien et ex-chef de la Nation Naskapi de Kawachikamach, Gaston McKenzie, ancien, ex-chef de Matimekosh (Schefferville), ex-président du *Conseil des Atikamekw et des Montagnais*, Alexandre McKenzie, ancien, ex-chef de la communauté de Matimekosh, René Simon, ancien, ex-chef de Betsiamites et ex-président du *Conseil des Atikamekw et des Montagnais*, Jean-Marie « Jack » Picard, ancien, membre de la communauté de Betsiamites, Clifford Mooar, ancien, chef actuel de Mashteuiatsh, Georges Bacon, ancien, ex-président du *Conseil des Atikamekw et des Montagnais*, de Mashteuiatsh, Jacques Cleary, ancien, de Mashteuiatsh, Denis Ross, ancien, chef de la communauté innue d'Essipit, Réginald Moreau, ancien, membre de la communauté d'Essipit, Marc Genest, ancien, membre de la communauté d'Essipit, Léonard Paul, ancien, ex-chef de Betsiamites et ex-vice-président du *Conseil des Atikamekw et des Montagnais*, Pascal Bacon, ancien, de la communauté de Betsiamites, Aurélien Gill, ancien, ex-chef de Mashteuiatsh (Pointe-Bleue), membre-fondateur de l'*Association des Indiens du Québec* et du *Conseil des Atikamekw et des Montagnais* et membre actuel du Sénat canadien, Marcel Boivin, ancien, chef de Weymontachie, Simon Awashish, ancien, ex-chef d'Opiciwan, Judith Kawiasiketct, ancienne de la Nation atikamekw de Manawan, Charles Coocoo, ancien et poëte de la Nation atikamekw de Manawan, feu César Néwashish, ancien respecté de la Nation atikamekw, Ernest Ottawa, ancien, ex-vice président du *Conseil des Atikamekw et des Montagnais*, Mathiew Coon Come, ancien, président de l'*Assemblée des Premières Nations du Canada*, ex-Grand-Chef du *Grand Conseil des Cris*, Roméo Saganache, ancien, ex-vice-président du *Grand Conseil des Cris*, Ted Moses, ancien, Grand Chef du *Grand Conseil des Cris*, Michelle Rouleau, ancienne, ex-présidente de l'*Association des femmes autochtones du Québec*, membre de la nation Ojibwe, William Commanda, ancien et chef spirituel de la Nation algonquine de Kitigan Sipi, Jean-Guy Whiteduck, ancien, chef de Kitigan Sipi, Robert Tanasco, ancien, ex-Grand Chef du Conseil Nation Anishnabek, Richard Kistabish, ancien, ex-chef de la Nation algonquine, Tom Rankin, décédé, ex-chef de la Nation Abitibiwinni de Pikogan, membre-fondateur de l'*Association des Indiens du Québec*, Margot Rankin, ancienne, fille de feu Tom Rankin, Helen Hunter, ancienne de Winneway, son fils Jimmy, ancien, chef de la Nation algonquine de Winneway et Grand Chef de la Nation Anishnabek, feu Bernard Assiniwi, ancien de la Nation algonquine, Jean Papatie, ancien et ex-chef de la Nation algonquine du Lac Simon, Catherine Anichinapéo, ancienne de Kitcisakik, Nicole O'Bomsawin, ancienne, membre de la Nation abénaquise d'Odanak, feu Joseph Gray, de la Nation micmaque de Listujug, John Martin, ancien, Grand Chef de la Nation de Gesgapigiag, Alma Vicaire, ancien de la Nation micmaque de Gesgapegiag, Vivianne Gray. ancienne et membre de la Nation micmaque de Listiguj, Max Gros-Louis « Oné Onti » , ex-chef de la Nation huronne/wendat et membre-fondateur de l'*Association des Indiens du Québec*, Wellie Picard, ancien, chef de la nation huronne/wendat, Andrew Delisle, ancien, ex-chef des Mohawks de Kanawake et membre-fondateur de l'*Association des Indiens du Québec*, Joe Norton, ancien, chef de Kanawake, Myra Cree, ancienne, membre de la Première Nation mohawk de Kanesetake, feu Mary Two-axe Early, ancienne de la Nation mohakw de Kahnawake, fondatrice de l'*Association des femmes autochtones*, Joe Deer, ancien de la Nation mohawk de Kahnawake, Lily Blakesmith, ancienne de la Nation crie de Waswanipi, Billy Diamond, ex-Grand-Chef du *Grand Conseil des Cris*, Anne Archambault, ancienne et chef de la Nation Malécite de Viger, Fernand Chalifoux, ancien et Grand Chef de l'*Alliance autochtone du Québec*, Gilles Bérubé, ancien, de l'*Alliance autochtone du Québec*, Mitiarjuk et Naalak Nappaaluk, deux anciens respectés de Kangiqsujuaq.

Il est évident qu'en nommant certaines personnes, je peux malheureusement en oublier plusieurs autres qui auraient mérité que je mentionne leur nom. J'ai pris ce risque parce que je crois qu'il est important de souligner aux lecteurs de cet ouvrage que plusieurs Indiens du Québec connus actuellement font partie, selon moi, de cette catégorie d'anciens. Le mérite d'avoir travaillé à l'avancement de leur peuple respectif est digne d'être souligné.

La sagesse de ces leaders autochtones n'est pas nécessairement palpable en tout et ne signifie surtout pas que, dans leur carrière respective, ils en aient toujours été empreints. Comme nous tous, ils sont des femmes et des hommes qui ont posé certains gestes d'humains, d'*Innus*. Ils se sont bien sûr trompés à certaines occasions et ils ont pu commettre des erreurs importantes. Cependant, au cours de leur carrière publique, ils ont démontré, à maintes occasions, une sagesse qui sortait de l'ordinaire.

Pour les autres, les oubliés, qui sont très nombreux, je m'en excuse vraiment et sincèrement.

Par contre, quelques vieux Indiens, passablement détruits par les tares amenées par une civilisation d'ailleurs, telles que, par exemple, les boissons alcooliques, ont tenté de faire croire à leur peuple que leur âge avancé annulait leurs défauts nuisibles et les plaçait dans une catégorie vénérable.

Ils ont voulu se faire respecter comme anciens alors qu'ils en n'avaient pas les qualités, ni la sagesse. Plus encore, pour certains, ils nuisaient véritablement au développement de leur nation et détruisaient la réputation des Indiens.

Cela a donné, dans certains cas, des résultats désastreux car les jeunes Indiens, respectueux de l'enseignement des anciens, ont suivi les mauvais guides. Ces derniers, par ignorance crasse, les ont conduits dans des sentiers tumultueux qui menaient nulle part.

Certains jeunes Indiens, déjà assis entre deux chaises, mais très souvent de bonne foi, ont cherché, dans ces faux sages, souvent leurs proches, des modèles à suivre. Malheureusement, les seuls enseignements que ces derniers pouvaient leur livrer étaient de défendre, bêtement et sans nuance, la fréquentation des territoires ancestraux, coûte que coûte, pour la pratique des activités traditionnelles de chasse, de pêche, de piégeage et de cueillette. Il s'agissait alors de simplement poursuivre l'exercice majeur pour une civilisation de survivance sans penser que le demain puisse être différent.

Comme leurs connaissances se limitaient qu'à l'acte de pratiquer ces activités pour survivre, donc uniquement pour se nourrir, tel que le commandaient les civilisations de survivance millénaires passées, ils n'ont pas su en dégager, avec toute la sagesse requise, les véritables préceptes. Ils ne saisissaient donc pas les nuances nécessaires qui auraient permis de ressortir et d'adapter les principes fondamentaux fort utiles pour ces jeunes.

Au contraire, en insistant auprès de certains parmi eux pour qu'ils ne fréquentent pas les lieux d'apprentissage autres que les forêts, tels les écoles, ils les privaient de se développer intellectuellement pour mieux se préparer à un avenir fort différent.

Tel qu'on le sait, les habilités exigées pour « survivre et faire vivre leur famille » dans le siècle présent ne sont plus les mêmes. Ils ont ainsi partiellement gaspillé quelques générations de jeunes. Ces derniers ne se sentaient pas à l'aise dans la civilisation enseignée par les aînés et ils n'étaient pas du tout préparés à de nouveaux, mais différents, horizons.

Plus encore, de faux leaders politiques sans conscience sociale ont voulu utiliser volontairement certains vieillards, sans véritable sagesse, comme anciens. Ils les ont amenés à servir à leurs fins personnelles et exclusives. Ils en ont fait des porte-étendards pour garder certains groupes d'Autochtones dans un état inacceptable; ce qui faisait leur affaire puisqu'ils pouvaient ainsi les dominer plus facilement.

Ils ont tenté de les ramener, d'une manière exclusive, à l'état primitif de chasseurs-cueilleurs pour l'éternité. Ils ont fait en sorte que ces groupes se soient contentés, pendant un certain temps, d'une étanche fermeture sur le monde extérieur, comme l'aurait fait instinctivement une huître, pour se protéger.

Ils n'ont donc pas su évoluer en dégageant des enseignements de la philosophie que contient la pratique de ces activités traditionnelles de chasse, de pêche, de piégeage, extrêmement utile pour une civilisation de survivance. Cette application est beaucoup moins indispensable aujourd'hui dans cette ère moderne des nouvelles technologies et de la mondialisation des marchés.

Cet enseignement, quant à moi erroné et destructeur, a créé d'énormes fossés entre les générations. Les jeunes, qui se faisaient instruire dans les écoles de *Blancs*, apprenaient autres choses que de simples moyens de survivance. Certains vieux, sans trop connaître les métiers du futur, qui les voyaient ainsi s'éloigner de leurs enseignements traditionnels, les boudaient. Ils leur reprochaient même une telle attitude de leur part qu'ils dénonçaient sans vergogne.

Certains allaient même jusqu'à les empêcher de se faire instruire parce que, prétendaient-ils, ces écoles les éloignaient d'eux et leur enseignaient des choses inutiles pour leur avenir de chasseur-cueilleur. Une telle attitude revancharde et négative, qui n'excuse rien, a conduit le fiduciaire des Indiens, le gouvernement du Canada, à forcer les parents à envoyer leurs enfants dans les pensionnats avec tout ce que l'on connaît de néfaste aujourd'hui.

Pratiquée sans nuance et avec une certaine agressivité, cette méthode du fiduciaire des Indiens, souvent appuyée par les missionnaires, a donné des résultats extrêmement négatifs. Il s'en est suivi une acculturation évidente et la disparition des langues autochtones dans certaines régions du Canada, une richesse collective perdue.

Ce demain, selon leur vision, se déroulait presque exclusivement sur le territoire ancestral de chasse familial. Il se résumait à fournir, à leur famille, la survivance la plus simple qui puisse exister. Elle consiste d'abord à nourrir ses proches. Cette continuation était reliée à la pratique de la chasse, de la pêche, du piégeage et de la cueillette. Ces Indiens ne voulaient surtout pas voir d'autres formules telles, par exemple, le développement économique des communautés autochtones.

Cela a ouvert, toute grande, la porte aux gouvernements du Canada et à ceux des provinces pour réduire, à sa plus simple expression, la portée des traités. Comme plusieurs Indiens prêchaient en faveur d'une définition rapetissée de la continuité, soit à chasser et à pêcher pour se nourrir, cela a fait l'affaire des juristes de l'État. Ils ont prétendu que le terme subsistance dans les traités signifiait chasser et pêcher pour se nourrir et non pas pour subvenir à d'autres besoins essentiels et primordiaux.

Nous aurons attendu quelque 25 ans, parsemés de luttes acharnées, avant que la *Cour suprême du Canada*, surtout avec le jugement *Marshall*, définisse plus généreusement ce terme employé dans un traité avec les Micmacs des provinces maritimes. Aujourd'hui, il ne fait plus aucun doute que cette appellation, lorsque l'on parle de ressources naturelles, n'a plus un sens rapetissé, mais bel et bien plus généreux qui permet maintenant aux Premiers peuples d'espérer un accès aux ressources naturelles pour se développer économiquement.

Par autoritarisme de très mauvais aloi, ces vieux imposaient leur autorité absolue en refusant aux jeunes adultes d'avoir droit au chapitre et d'exprimer librement leur façon d'envisager leur propre avenir, leur vie. J'ai entendu, à maintes reprises, au cours d'assemblées publiques, certains vieux empêcher ces jeunes de parler. Ils les rabrouaient souvent d'une façon inappropriée sur leur méconnaissance du territoire ancestral, le *nitassinan* en langue innue. Ils les insultaient vertement en leur reprochant cette faiblesse; ce qui n'avait pas l'heur de les grandir aux yeux des autres Indiens tout aussi bornés.

Ces jeunes ainsi humiliés et blessés, avec beaucoup de mal à l'âme, se renfrognaient. Ils ne se sentaient plus accepter par les leurs, surtout leurs aînés. Et, plus encore, ils ne pouvaient même pas trouver leur place dans la civilisation actuelle n'ayant pas les connaissances nécessaires. Ils étaient donc inconfortablement assis entre deux chaises...

Cela leur a malheureusement fait perdre confiance en la sagesse de certains anciens. Plusieurs jeunes avaient de la difficulté à accepter que ces derniers ne comprennent pas l'importance évidente pour eux qu'ils se fassent instruire dans les écoles.

Plus encore, de nombreux jeunes ne voulaient tout bonnement pas, par simple choix, consacrer leur vie à la chasse, à la pêche, à la trappe et à la cueillette. Par les moyens modernes de communications et leurs contacts plus nombreux avec les jeunes *Blancs*, ils voyaient bien qu'il était insensé, pour certains, de leur enseigner exclusivement la vie en forêt. Ils étaient convaincus que ce n'était pas dans la forêt qu'ils passeraient leur vie active comme l'ont fait les générations précédentes.

Bien sûr, ils continuaient à ne pas manquer de respect envers les aînés et surtout les anciens. Cependant, ils croyaient de moins en moins en l'infaillibilité pontificale de ces derniers sur cette question. Ils exigent maintenant d'eux de revoir leurs positions traditionnelles négatives et surtout de les appuyer dans la recherche de solutions valorisantes et prometteuses.

C'est d'ailleurs ce que font maintenant les vrais anciens. Ils ont compris que leurs enseignements ne pouvaient plus être exclusifs. Ils ont accepté que les jeunes Indiens fréquentent les institutions *blanches* de haut-savoir pour apprendre d'autres techniques aujourd'hui beaucoup plus nécessaires pour construire leur avenir. Ce qui ne signifie aucunement que leurs enseignements ne soient plus utiles. Au contraire, comme vous le verrez dans un des chapitres sur la *Commission royale sur les peuples autochtones du Canada*, les jeunes

Indiens reconnaissent qu'ils ont un réel besoin des anciens, entre autres, pour la guérison, la plaque-tournante de leur avenir.

La confiance des jeunes Amérindiens envers leurs anciens peut être multipliée à l'infini si ces derniers mettent de côté leurs enseignements qui a comme objectif exclusif de les confiner à la chasse, à la pêche, à la trappe et à la cueillette.

Je saisis très précisément que les enseignements d'une pratique millénaire peuvent être pourtant fort importants pour orienter l'avenir plus moderne des jeunes. Les préceptes de partage, d'entraide, de fierté, etc., sont une multitude de prismes nécessaires pour les jeunes Indiens qui les aideront dans leurs orientations.

Il faut que les anciens actuels redonnent à nos jeunes le sens des responsabilités dont la base ne peut être que le respect des principes fondamentaux qui se dégagent clairement d'un mode de vie et d'une histoire millénaires des Premiers peuples.

Il faut que les anciens sortent d'abord les jeunes Indiens des griffes du malin qui se retrouve dans les artifices de toutes sortes comme les boissons alcooliques et les drogues illicites de plus en plus fortes. Retrouver l'atmosphère paisible des territoires ancestraux constitue, pour plusieurs, un moyen infaillible pour se ressaisir et reprendre le droit chemin. Ce bain vivifiant dans la nature pourrait être le meilleur baume possible pour la santé morale et physique de nos jeunes.

Il ne faudrait surtout pas que les efforts mis de l'avant par les anciens pour sauvegarder, souvent envers et contre tous, le mode de vie, les cultures, les langues et les droits ancestraux des Premiers peuples, aient été sans importance, stériles et même vains. Voyons, tous ces efforts et tous ces sacrifices des anciens pour sauver, pour protéger et pour faire reconnaître ces droits des Premiers peuples auraient été complètement inutiles...

Les ghettos que sont les réserves indiennes ont aidé, à ne pas en douter, à protéger le mode de vie, les cultures et les langues autochtones, de l'intrusion des civilisations souvent destructrices et des méthodes préparant un génocide hypocrite que contenait la *Loi sur les sauvages* du fiduciaires des Indiens. Cependant, il ne faut surtout pas oublier que cet isolement hermétique pourrait favoriser notre dégénérescence si nous n'éliminons pas le fléau que constitue l'envahissement de nos réserves par les drogues illicites...

Que deviendront nos enfants et les enfants de nos petits enfants ?

Faut-il se rappeler collectivement que la maladie du sida, ce fléau des temps modernes, s'est développée d'une façon épidémique et avec une rapidité alarmante dans certains pays africains au cours des dernières années à cause de la ghettoïsation. Elle donne actuellement des maux de tête majeurs aux dirigeants politiques de plusieurs parmi ces pays. Eux aussi ne savent pas trop quoi faire pour enrayer cette maladie destructrice.

Que nous arrivera-t-il donc maintenant si nous ne prenons pas les grands moyens pour contrer cette calimité qui envahit, jour après jour, nos réserves. Elle s'incruste actuellement dans notre société au point de ne pas trop savoir quoi faire. Aurons-nous la force de caractère pour nettoyer la place des indésirables qui vendent des drogues fortes à nos jeunes, souvent des membres proches de notre famille?

Pour ce qui est de ma part, je ne le crois pas du tout. Il nous faut de l'aide extérieure, à ne pas en douter, et nous devons, au moins, la demander.

Je trouve totalement irresponsable le fiduciaire des Indiens, le gouvernement du Canada, qui connaît bien cette plaie et surtout ses effets pervers et qui ne lève même pas le petit doigt pour l'enrayer. Ses seuls prétextes sont de ne pas s'ingérer dans les affaires des Bandes indiennes au nom de l'autonomie et de manquer d'argent. Quant à moi, dans ce cas-là, l'autonomie gouvernementale, mon oeil... Et pour les finances publiques, c'est une farce monumentale inacceptable quand on sait ce qu'ils font avec l'argent... Que ferons-nous collectivement de cette autonomie gouvernementale quand nos enfants seront devenus des dégénérés?

Nous sommes comme ces marins sur un grand bateau au milieu de l'océan qui peintureraient la cabine du capitaine alors que la coque du navire prend l'eau de toute part. Dans quelques heures, le bâtiment va couler à pic avec une cabine du capitaine dont les murs seront nouvellement peinturés...

Il s'agit de se remémorer les tristes images, vues à la télévision, des jeunes Innus du Labrador qui respiraient sans aucune gêne de l'essence. Cela devrait nous convaincre qu'il faut agir maintenant car demain sera trop tard. Ces jeunes recherchaient sans aucun doute de l'aide... Ce sensationnalisme de mauvais goût par un réseau de télévision responsable, Radio-Canada, concernant des enfants, ne peut pas être moralement toléré.

Le *Conseil de presse du Québec* et le *Conseil de la radiodiffusion et des télécommunications canadiennes* (C. R. T. C.) auraient dû dénoncer un tel manquement à l'étique professionnelle d'autant plus qu'il s'agissait de jeunes. À quoi servent donc ces instances coûteuses qui devraient au moins protéger la population canadienne contre de tels manquements au sens des responsabilités. Si ces dernières ne le font pas, qui va donc le faire...

Elle est où la Coalition des Églises pour les droits autochtones (Projet nordique), en référence au contenu du chapitre quatorze: LES ABUSEURS DE LA NAIVETÉ AUTOCHTONE, qui fait voyager les leaders politiques des Innus du Labrador à travers le monde pour combattre les vols à basse altitude. Il serait bien plus important qu'elle investisse cet argent à sauver les jeunes de cette nation qui sont en train de se détruire collectivement.

D'abord, ces jeunes auront-ils vraiment eu cette aide des membres de leur peuple et de ceux qui les soutiennent? C'est de là que ça doit partir.

Cela m'a rappelé la rencontre que j'avais faite dans l'aéroport de Sept-Iles, il y a une quinzaine d'années, avec vingt-cinq jeunes Innus de huit à douze ans. Ils étaient tous là, en groupes et enjoués, tels que le sont des jeunes enfants de retour d'une vacance. Je m'informe d'eux auprès d'un Innu de la Basse-Côte-Nord qui travaillait avec moi aux négociations en lui demandant s'il s'agissait d'un échange d'étudiants entre une école indienne et une autre *blanche*.

Non, me dit-il gêné! Ces jeunes ne reviennent pas d'un échange scolaire, mais d'une cure de désintoxication de trois semaines dans une grande ville du sud. Et, ils en n'étaient d'ailleurs pas à leur première cure de désintoxication pour plusieurs d'entre-eux.

En regardant ces beaux et très jeunes enfants indiens, filles et garçons, j'en suis tombé à la renverse. Et, aujourd'hui, je pense souvent à ces jeunes, avec beaucoup de tristesse et de mal à l'âme. Je n'ai pas encore réussi à faire quelque chose de vraiment efficace pour ces derniers. Je suis convaincu que plusieurs parmi ces enfants ne se sont pas sortis de ce fléau. De nombreux jeunes rencontrés alors ont même dû se suicider...

Que fera-t-il, ce grand gouvernement, comme on le décrit par la traduction en langues autochtones, le fiduciaire des Indiens du Canada, lorsque le fléau ne sera plus contrôlable?

Il nous enverra une autre madame Jane Stewart, ministre des *Affaires indiennes et du Nord Canada*, s'excuser au nom du Canada pour ce qu'il aurait dû faire et qu'il n'a pas fait...

Pourtant, une commission royale, avec un budget de plus de 52 millions de dollars en période de restrictions budgétaires, leur aura donné un plan complet s'étalant sur 20 ans qu'il aura mis, d'une manière totalement inconséquente et irresponsable, sur une tablette.

Cette autre madame Stewart viendra dire aux Indiens que le gouvernement du Canada, leur fiduciaire et leur tuteur, s'excuse profondément de n'avoir rien fait pour leurs enfants devenus des dégénérés par les drogues fortes à cause de notre autonomie gouvernementale et du manque d'argent.

Voyons, c'est de la foutaise.

Il ne faut surtout pas oublier que nos sociétés ont passé difficilement à travers les épidémies des premiers temps de la colonie amenées par les nouveaux arrivants européens ou certains cadeaux, comme des couvertures de laine, les premières armes bactériologiques. Ces dernières étaient infestées par ce que l'on appellerait aujourd'hui des bactéries. Ce n'est que par miracles que nous n'ayons pas été complètement décimés à ce moment-là.

Je crois que nous faisons face à un problème tout aussi majeur aujourd'hui qui pourrait avoir des effets encore plus considérables et plus désastreux. Ce problème que constitue l'abus des drogues fortes dans nos réserves affecterait le coeur même de notre richesse naturelle la plus importante: Nos enfants et nos petits enfants.

À quoi nous auraient servis les efforts de nos anciens pour protéger notre mode de vie, nos cultures et nos langues autochtones et, pour nous, de faire reconnaître nos droits ancestraux si nos enfants et les enfants de nos petits enfants deviennent des dégénérés à cause des drogues fortes? Ils seront des dégénérés avec des droits ancestraux reconnus. C'est tout un avenir que nous leur aurons préparé...

Personnellement, ce n'est pas le lendemain que je cherche à laisser à mes enfants et aux enfants de mes petits enfants. Non, je préférerais abandonner le navire, que constituent les ghettos actuels, nos réserves, si je ne voyais pas de solutions pour eux.

J'ai rencontré dernièrement, à Opitciwan, communauté atikamèque, une jeune dame avec son conjoint et ses quatre enfants qui ont décidé d'aller vivre ailleurs, dans une grande ville québécoise, pour éloigner ses enfants des drogues. Elle a fui la réserve parce qu'elle croyait sincèrement que ces derniers étaient réellement en danger. Deux d'entre-eux, les plus vieux, avaient commencé à consommer dès l'âge de dix à douze ans. Elle ne voulait pas connaître les mêmes expériences avec ses plus jeunes...

Nous n'avons vraiment pas le droit de les laisser se détruire ainsi sans leur donner au moins une chance de survie. Si la seule éventualité était l'éclatement de nos réserves, j'opterais pour ce choix en acceptant le blâme parce que notre génération n'aura pas eu le sens des responsabilités assez développé pour faire le choix d'un tel remède de cheval.

Par la lâcheté et par la faiblesse des parents autochtones qui préféraient fermer les yeux, ou se détourner la tête pour ne pas voir, nous aurons permis à nos jeunes de gaspiller leur avenir en succombant à l'artifice des drogues illicites. Nous n'aurons pas eu la force de caractère de dénoncer à la justice des *Blancs*, parce que nous n'avons pas nos propres institutions, ceux qui pourrissaient et détruisaient nos enfants. Nous aurons donc laissé les destructeurs de société agir sur nos enfants et nos petits enfants.

Il nous faut maintenant influer sur nos enfants car demain sera trop tard.

Devant les commissaires en tournées de la *Commission royale sur les peuples autochtones du Canada*, les jeunes Indiens, à travers le Canada, ont imploré les anciens de leur venir en aide dans l'application des méthodes de guérison. Ils les ont suppliés de les soutenir pour qu'ils s'en sortent. Et nous, les aînés, nous faisons semblant de ne pas entendre et de ne pas voir. Nous avons peur de nous attaquer sérieusement au mal profond. Impuissants, nous regardons nos enfants se diriger vers leur perte. Ils marchent tout droit en direction du four crématoire et nous ne lèverons pas le p'tit doigt pour les arrêter. Voyons, ça n'a aucun sens...

Comme anciens, il faut leur apporter le soutien nécessaire en nettoyant prioritairement la place des indésirables. Ces derniers méritent sans aucun doute notre désaveu, même s'ils font partie de nos proches. Nous ne devons plus les protéger au détriment de nos enfants et de nos petits enfants. Ils doivent cesser d'agir tout croche ou porter le poids de leurs gestes. Expliquez-moi sincèrement la raison qui justifie ce choix de protéger les destructeurs de notre société, les vendeurs de drogues, au détriment de nos jeunes...

Où est donc passé ce merveilleux principe autochtone qui veut que les enfants soient l'objet principal de nos préoccupations. Ces jeunes doivent recevoir toute l'attention nécessaire car ils sont l'avenir de nos peuples. Ce sont eux qui vont continuer à défendre cette cause si chère aux anciens. Il nous faut donc les armer en conséquence et cela commence par la guérison pour qu'ils puissent se sortir de ce fléau moderne que constitue l'abus de consommation de boissons alcooliques et de drogues fortes.

C'est la façon qu'il nous reste pour regagner notre propre estime et celui de la population autochtone et de retrouver, comme chef de file spirituel, social et politique, le respect nécessaire pour nos enseignements.

Je suis convaincu que nous ne devons pas avoir peur de demander de l'aide. Ce problème est malheureusement trop important pour réussir à le solutionner seul. Le gouvernement du Canada, notre fiduciaire, doit nous aider. Il faut cesser de faire des colloques et enfin agir. Pendant que nous discutons, jour après jour, nos jeunes s'adonnent de plus en plus nombreux aux drogues fortes et se suicident... Le gouvernement fédéral, notre fiduciaire, a de l'argent pour nos palabres, mais n'en a pas pour appliquer de véritables solutions.

C'est à ce moment seulement que nous aurons retrouvé un sens réel rattaché à notre âge vénérable. Nous aurons notre place dans cette société en devenir et nous redeviendrons des membres utiles à notre peuple comme les anciens ont toujours su l'être à leur façon.

I

VISION DE SOCIÉTÉ
DES INDIENS DU CANADA

RAPPORT AU TERRITOIRE
ET PERSISTANCE DE CULTURES PARTICULIÈRES

Quelle que soit la façon de l'exprimer, une vision de société existe bel et bien chez les Amérindiens de cette terre d'Amérique du Nord depuis d'ailleurs très, très, longtemps. Elle se fonde essentiellement sur deux grandes notions: Le rapport à un territoire ancestral et la persistance de cultures particulières.

Le rapport à un territoire ancestral est toujours bien vivant. Il concerne autant les chasseurs de métier, qui y vivent régulièrement, que les autres, qui le fréquentent occasionnellement. Il fait partie de l'histoire, des mythes, des légendes et de l'identité aborigène.

La persistance de ces cultures distinctes est toute aussi vivante. Elle se caractérise par une façon différente d'envisager la vie, le temps, l'éducation, l'école, les enfants, le travail et les personnes âgées. Elle est cependant de plus en plus menacée. Nous vivons avec des voisins qui nous demandent de nous intégrer sans prendre la peine d'apprendre à connaître ces cultures propres qu'ils veulent que l'on renie.

Cette perception vise des objectifs précis qui sont d'assurer le maintien du rapport au territoire ancestral et l'existence des cultures autochtones différentes. Elle permettra aux Amérindiennes et aux Amérindiens de s'épanouir dans un contexte contemporain.

Certaines nations comme, par exemples, les Atikamekw, les Innus (Montagnais), les Micmacs de Gespeg (Gaspé), les Algonquins, les Mohawks, les Cris, les Inuits et les Wendat (Hurons) ont déjà travaillé à la définition de leur projet de société. Ils ont tenu de vastes consultations, bien souvent sous forme d'états généraux. Le portrait qui s'en dégage est très proche de ce que les Québécois ont réclamé et continuent de souhaiter pour eux-mêmes: Les pouvoirs nécessaires pour vivre et se développer comme ils l'entendent sur un territoire qui leur appartient et qu'ils peuvent exploiter suivant leur dynamique propre en harmonie avec leurs voisins. Ils y aménageront des ponts et des circuits d'échanges chaque fois qu'il est souhaitable de le faire.

Selon ces projets de société, les compétences législatives du gouvernement des Atikamekw, des Innus, des Micmacs de Gespeg, des Algonquins, des Mohawks, des Cris, des Inuits et des Wendats s'exerceraient, entre autres, dans les matières suivantes: La constitution, la propriété, la gestion des terres et des institutions qu'elles soient politiques, économiques, sociales et culturelles.

En même temps cependant, ces nations ne veulent rien entendre de petits pouvoirs locaux de type municipal ou scolaire et de la délégation de pouvoirs au lieu de la reconnaissance de compétences.

Je décèle que certains leaders des gouvernements veulent nous garder sous leur joug. Ils tardent à nous permettre d'exercer nos droits inhérents sur l'exploitation des ressources naturelles.

La remise de terres ancestrales et la capacité d'en exploiter les ressources sont les clés-maîtresses ouvrant les portes de la liberté des Indiens. Elles pourraient, comme l'a souligné la *Commission royale...*, tel que nous le verrons dans un autre chapitre, nous permettre de vaincre les marasmes sociaux actuels qui nous écrasent, liés à l'assistance gouvernementale sous toutes ses formes.

Les Amérindiens souhaitent vivre en harmonie et en solidarité avec leurs voisins québécois, sans jamais, cependant, délaisser leur identité propre. Nous sommes donc contre l'assimilation et la perte de nos droits collectifs.

Dites-moi donc en quoi nous sommes si différents des Québécois qui ne veulent pas perdre leur spécificité et leur caractère distinct dans l'univers nord-américain. Ils devraient donc être les derniers à nous reprocher nos luttes pour conserver ces mêmes droits pour nos nations et même, par solidarité, nous encourager.

Même l'argumentation du petit nombre de personnes touchées, au grand dam des illustres nationalistes québécois comme René Lévesque, Jacques Parizeau et Lucien Bouchard sonne faux.

Les Québécois francophones devraient-ils être écrasés à cause de leur, plus ou moins, 6 millions d'habitants en comparaison avec les quelque 300 millions d'Anglophones en Amérique du Nord ? Ne devraient-ils pas s'assimiler et devenir des Anglophones comme les autres ?

Si c'est vrai pour les peuples autochtones du Québec pourquoi ne le serait-ce pas pour le peuple québécois ?

La maturité du Québec de demain se mesurera sans doute à sa capacité d'ouverture à une voie qui n'est pas celle du fascisme, ou de l'écrasement des minorités, par une majorité dominatrice. Elle est celle de la reconnaissance des droits collectifs et historiques des Premières Nations. Ces dernières ont accueilli leurs ancêtres et y ont marié leurs fils et leurs filles. Il ne faut surtout pas l'oublier.

Je crois qu'un nationalisme responsable est un nationalisme qui traite avec justice toutes les composantes de sa société. Il cherche à protéger la richesse culturelle de sa majorité bien sûr, sans oublier cependant celle de ses minorités, encore moins celle de ses Premiers peuples. Il recherche l'équilibre politique nécessaire à la représentation équitable des peuples qui en composent le tissu social. Il souhaite éliminer la pauvreté, réduire les écarts de richesse et permettre l'accès à l'emploi sous toutes ses formes et à des conditions équitables aux hommes, aux femmes et aux jeunes. On le jugera par sa façon de traiter les membres les plus faibles de sa société.

Après la reconnaissance claire des droits collectifs des Autochtones, il sera élevé par sa générosité envers eux en leur donnant surtout la possibilité de se développer à partir de leurs propres choix de société.

DES SOUVERAINETÉS NÉCESSAIREMENT ASSOCIÉES

S'il n'est pas possible de refaire l'histoire comme on l'a si souvent répété au cours des dernières années, peut-on au moins mettre en place un nouveau contrat social entre les Autochtones et les Québécois. Ce modus vivendi favorisera un rôle nouveau pour les Premiers peuples à la hauteur des espérances de leurs ancêtres. Il redonnera, aux membres des Premières Nations, cette fierté mise en veilleuse au cours des dernières générations. Ce traité moderne réaménagera les pouvoirs des uns et des autres. Il précisera les modalités de la cohabitation sur le territoire.

Il ne faut surtout pas oublier que la presque totalité des nations autochtones ne réclame pas une souveraineté externe sous forme d'état-nation. Le réalisme aussi bien que l'évolution des sociétés modernes les amènent plutôt à revendiquer une plus grande autonomie possible à l'interne avec des pouvoirs spécifiques et clairs reconnus dans la *Constitution du Canada*, ou celle du Québec.

Depuis des générations, les Autochtones du Québec et du Canada dénoncent les conditions socio-économiques dans lesquelles ils vivent. Ils s'élèvent contre le génocide pacifique de l'assimilation et de l'extinction des droits dont ils sont victimes. Ils souhaitent que cesse le harcèlement injuste, mais souvent légal, qu'ils subissent dans tout ce qu'ils sont. Cette persécution se retrouve plus particulièrement dans la pratique de leurs activités traditionnelles de chasse, de pêche et de piégeage et dans la fréquentation de leurs territoires ancestraux.

Ils s'en prennent surtout à la négation de leurs droits fonciers ancestraux par les développements effectués sur leurs terres sans consultation. La plupart du temps, ils ne peuvent même pas profiter des retombées positives de certains d'entre-eux. Les miettes de quelques compensations monétaires volontairement publicisées par la très grande majorité des *développeurs* gouvernementaux, qui croient souvent pouvoir tout acheter, sont l'exception à la règle.

Tout ce processus dans son ensemble ne fait que mettre en évidence la dépossession des Autochtoness et leur refoulement dans les ghettos que sont les réserves indiennes. Plusieurs me diront que rien ne nous empêche d'en sortir et de devenir des citoyens québécois, ou canadiens, comme tous les autres. Je vous répondrai oui, c'est possible. J'ajouterai cependant que c'est peu probable puisque, par l'assimilation au plus grand nombre, nous y perdrions le peu de protection qu'on nous accorde. Il en serait de même pour la reconnaissance de nos droits collectifs.

Il est évident que la période actuelle est le moment propice pour définir les grandes lignes de ce que sera un nouveau contrat social entre les Premières Nations et les autres peuples fondateurs de ce nouveau pays qu'a été le Canada en 1867. Il ne faut cependant pas oublier que les Amérindiens ont toujours été, et le seront toujours, les Premiers peuples de cette terre d'Amérique.

Les nations autochtones doivent profiter de cette occasion unique pour faire reconnaître et inscrire dans la *Constitution du Canada* renouvelée, ou d'un Québec indépendant, qu'elles ont des droits de premiers occupants du territoire canadien. Cette reconnaissance doit être beaucoup plus explicite qu'elle ne l'est aujourd'hui à l'article 35 (1) de la *Constitution du Canada*. Ces constitutions doivent aussi mentionner qu'à ce titre les nations autochtones devront avoir une place prépondérante leur permettant de protéger leur caractère distinct. Il s'exprime en autres par la langue, par la culture et par le mode de vie.

Pour atteindre cet objectif ultime des Indiens du Canada, consacré dans plusieurs traités d'alliance signés au début de la colonie avec les Français, puis avec les Anglais, la constitution devra favoriser le principe des souverainetés associées. La plus haute instance de la société de droit canadienne actuelle, la *Cour suprême du Canada*, (cf. jugement Sioui sur la reconnaissance du Traité Murray) reconnaît encore aujourd'hui ces traités. Cette souveraineté interne partagée des nations autochtones doit dominer les futures relations des Amérindiens avec les Canadiens. L'*Organisation des nations unies* (O.N.U.) décrit cette forme de souveraineté dans le projet de déclaration universelle sur les peuples autochtones et la *Déclaration universelle des droits humains*.

Plusieurs pays au monde, dont en autres la Russie, ont vécu et vivent encore, en partie, ces formes de souveraineté interne.

Parlant de traités, la Commission royale sur les peuples autochtones du Canada souligne dans son rapport final que ces derniers doivent être entendus comme des ententes fondatrices. C'est-à-dire que les traités fixent, de manière durable (sinon permanente), les rapports entre la Couronne et les peuples autochtones. La *Commission royale...* cite dans son rapport les propos d'Alexander Morris, lieutenant-gouverneur des Territoires du Nord-Ouest, au moment des négociations du *Traité 4*, en 1874:

> « [...] les promesses que nous devons vous faire ne valent pas uniquement pour aujourd'hui, mais aussi pour demain, non seulement pour vous mais aussi pour vos enfants déjà nés et à naître, et ces promesses seront respectées aussi longtemps que le soleil brillera et que les rivières couleront ».

La constitution devra reconnaître le droit à l'autodétermination des nations autochtones, donc celui d'exister en tant que nations autochtones distinctes, et ainsi consacrer les bases d'un équilibre social nouveau. Ce gain majeur apportera, aux nations autochtones, un plus grand pouvoir de négociation sur lequel bâtir une véritable alliance.

Je pense que la future constitution devra reconnaître et définir, mais non pas de façon unilatérale, les droits collectifs des nations autochtones fondés sur cette souveraineté politique. Une telle souveraineté leur permettra de contrôler leurs propres institutions et de progresser selon leurs propres choix de société. Les nations autochtones seront ainsi associées comme partenaires égaux et importants au développement du pays actuel, ou du Québec de demain.

En favorisant un nouveau partage des responsabilités, la constitution reconnaîtra donc implicitement un droit inhérent à un gouvernement autonome non-ethnique et responsable envers ses citoyens pour les nations autochtones du Québec. Le fondement de ce gouvernement autonome sera le respect des souverainetés des nations fondatrices associées.

Il restera par la suite à concrétiser ce droit à l'autonomie gouvernementale avec des assises territoriales dans des ententes évolutives et négociées entre les parties concernées. Ces nouveaux traités modernes harmoniseront ainsi les relations de bon voisinage entre les populations utilisatrices du territoire. A cause de cette souveraineté associée, le palier de gouvernement autochtone ne devra pas, dans le cas du Canada renouvelé, être une créature des gouvernements provinciaux. Dans le cas d'un Québec indépendant, les pouvoirs de ce gouvernement autochtone devront être plus importants que ceux des gouvernements régionaux ou municipaux.

Ces ententes devront être conclues sans extinction des droits ancestraux et de traités des nations autochtones et réévaluées à la lumière des cours de justices et des amendements constitutionnels. Les parties devront obtenir toute la certitude politique et juridique nécessaire qui évitera des remises en cause à propos de tout et de rien.

Il faut réactualiser tous les traités existants conclus très souvent au cours d'une conjoncture de dépendance totale des Indiens créée par le Canada. Le Traité 9 des Algonquins de Pikogan, renié depuis sa signature par le gouvernement du Québec, en est un exemple concret. Souvent, le gouvernement du Canada et ceux des provinces ont abusé de leurs pouvoirs, surtout celui de fiduciaire du fédéral en étant juge et partie.

Même si le défi est de taille, les gouvernements ne peuvent plus traîner comme un boulet au pied les réclamations non-solutionnées des Amérindiens. Ils doivent faire en sorte que les nations autochtones, qui sont en période de renouveau incontestable, voire même de renaissance, connaissent un printemps nouveau à la hauteur de leurs espérances.

VERS UN NOUVEAU CONTRAT SOCIAL

Tous les Premiers peuples du Canada, presque sans exception, sauf peut-être pour quelques traités modernes signés au cours des dernières années, sont à la recherche d'un nouveau contrat social avec les gouvernements du Canada et des provinces. Chacun, à sa manière, tente donc de négocier ce nouveau pacte politique, social et économique, ou de réactualiser l'ancien.

Au Québec, le peuple algonquin a entrepris cette démarche de négociation territoriale globale et de réactualisation du Traité 9 par la Première Nation Abitibiwinni de Pikogan. Les Mohawks parlent d'autonomie gouvernementale à une table de négociation bipartite. Ils pourraient, sans aucun doute un jour, entreprendre une négociation territoriale globale puisque la *Cour suprême du Canada*, dans le jugement Côté-Décontie, a jugé que les droits ancestraux des Premiers peuples sur le territoire de la Colonie n'avaient pas été éteints par la *Proclamation royale de 1763*. Les Micmacs de Gespeg définissent actuellement leur nouvelle relation à une table tripartite et termineront, d'ici quelques mois, l'entente de principe. Pour leur part, les Malécites veulent conclure un premier contrat social.

Évidemment, puisqu'ils ont commencé à négocier en 1979, les Atikamekw et les Innus (Montagnais) sont rendus plus loin. Ils ont conclu une entente-cadre en 1987. Dans le cas de Mamuitun, chez les Innus du bloc centre, ils ont terminé une entente, entre négociateurs, sur l'approche commune afin de finaliser l'entente de principe.

On pourrait ajouter que d'autres Premières Nations négocient, avec le Québec, une série d'ententes administratives qui, aboutées l'une à l'autre, donneront une forme de nouveau contrat social sans aborder la question des droits ancestraux.

Depuis l'amendement de la politique fédérale des revendications territoriales en 1986, le gouvernement du Canada exige la conclusion d'une entente-cadre avant d'entreprendre les négociations.

Par la signature de l'*Entente-cadre* intervenue en 1987, le *Conseil des Atikamekw et des Montagnais* avait franchi une étape importante. Cette entente-cadre était d'ailleurs le premier plan de travail élaboré entre les gouvernements et un groupe autochtone en négociation. Comme j'étais le négociateur en chef des Atiklamekw et des Montagnais, je me servirai de cette entente-cadre que je connais bien comme modèle.

Ce premier plan de travail démontre bien, dans ses grandes lignes, que les Atikamekw et les Innus (Montagnais) souhaitaient négocier un nouveau contrat social avec les gouvernements à partir de leur propre projet de société. Ils avaient à l'esprit de se donner les leviers nécessaires pour leur développement social et économique. Il n'avait pas l'arrière-goût désagréable de vouloir enlever aux Québécois une partie de leurs moyens. Les Atikamekw et les Innus désiraient tout au plus éliminer quelques iniquités flagrantes. Ils se garantiraient ainsi un avenir plus prometteur en corrigeant une erreur historique monumentale.

La signature de cette entente-cadre avait donc permis un déblocage important sur la définition des grands principes de cette négociation territoriale globale.

D'abord, les parties ont réussi à définir la base de cette négociation territoriale globale qui part du territoire ancestral occupé et utilisé traditionnellement par les Atikamekw et les Montagnais. On reconnaît donc ainsi qu'il s'agit d'une véritable négociation territoriale fondée sur le titre aborigène:

> *Le territoire sur lequel les Atikamekw et les Montagnais ont établi leur revendication territoriale globale, fondée sur des titres ancestraux issus de l'utilisation et de l'occupation traditionnelle et continue des terres dont le gouvernement fédéral a accepté de négocier le règlement. La négociation tiendra compte des besoins actuels et futurs des Atikamekw et des Montagnais, de ceux de la population en général et des possibilités offertes sur le territoire.*

Comme on le sait, la politique des revendications territoriales globales du gouvernement du Canada exige d'abord la démonstration d'une occupation traditionnelle et continue du territoire revendiqué avant toute négociation territoriale. Cette condition doit être remplie avant qu'un groupe autochtone puisse seulement discuter avec les gouvernements du contenu et des règles d'applications de ses droits ancestraux..

Dans notre cas, nous avons démontré que le territoire ancestral des Atikamekw couvrait les régions de la Mauricie et de la Haute-Mauricie. Nous avons prouvé que celui des Innus s'étendait sur les régions du Lac-Saint-Jean, une partie du Saguenay, de la Côte-Nord, de la Moyenne et de la Basse-Côte-Nord et d'une partie du Labrador, à Terre-Neuve. La superficie totale pour l'ensemble de cette revendication atikamekw et innue couvre 700 000 kilomètres carrés. Une étude d'occupation sérieuse, réalisée par des chercheurs universitaires à la suite de témoignages contemporains des aînés et de textes historiques, a fait cette démonstration.

C'est donc sur la base de ce territoire ancestral que doit se tenir la négociation historique actuelle des Atikamekw et des Innus.

Il faut ajouter que les Algonquins du Québec ont, eux aussi, démontrer au gouvernement du Canada qu'ils avaient des prétentions sur une partie du territoire revendiqué des Atikamekw. Cette démonstration a fait la preuve qu'il existait un chevauchement réel des territoires de chasse et de trappe entre les chasseurs de deux nations. Comme il en existait un entre eux et les Cris de la Baie-James dont les droits ancestraux ont été éteints par la *Convention de la Baie-James et du Nord Est Québécois*, tel que couvert par l'article 2.14 de cette entente.

D'ailleurs, s'il respecte sa politique des revendications territoriales globales amendée en 1986 à la suite du rapport Coolican, il faudra que les Atikamekw et les Algonquins signent entre elles une entente sur les parties de terrains de chasse et de trappe chevauchées. Le gouvernement du Canada en a fait une condition sine qua non avant la signature de tout nouveau traité moderne afin de ne plus revivre ce que les Innus, les Atikamekw et les Algonquins ont vécu lors de la signature de l'entente des Cris en 1975.

Cela ne signifie aucunement que les Atikamekw et les Innus veulent récupérer entièrement cette superficie qui équivaut à environ le quart du Québec. Pas plus d'ailleurs qu'ils souhaitent obliger les Québécois à partir avec leur maison sous le bras habiter ailleurs. C'est plutôt le genre d'arguments qu'emploient certains détracteurs malhonnêtes lorsqu'ils ressortent leurs épouvantails à moineaux « pour faire peur au monde ».

Cependant, il ne faut jamais oublier qu'avant l'arrivée des Européens, les Atikamekw, les Innus et les Algonquins, en priorité et à tour de rôle, par les chevauchements sur une partie des territoires de chasse, vivaient en nomades sur ce territoire ancestral.

La *Proclamation royale de 1763* oblige les gouvernements à régler l'hypothèque actuelle sur ce territoire globale de 700,000 kilomètres carrés en signant principalement des traités modernes avec les Atikamekw et les Innus. Tant et aussi longtemps que ce ne sera pas fait, les titres de propriété ne seront pas clairs.

> *Attendu qu'il est juste, raisonnable, essentiel pour Notre intérêt et la sécurité de Nos colonies de prendre des mesures pour assurer aux nations ou tribus sauvages qui sont en relation avec Nous et qui vivent sous Notre protection, la possession entière et paisible des parties de Nos possessions et territoires qui ont été ni cédées ni achetées et ont été réservées pour ces tribus ou quelques-unes d'entre elles comme territoire de chasse.*

(Citation tirée de la *Proclamation royale de 1763*.)

L'occupation pacifique des colonisateurs et des *développeurs* s'est faite au cours des années sans que ce territoire ne soit ni acheté, ni cédé, ni conquis. Selon la *Proclamation royale de 1763*, il est donc toujours grevé de l'obligation pour les gouvernements du Canada et du Québec de signer un traité avec les Atikamekw et les Innus et les Algonquins sinon ces possessions demeurent « entières ». Nous détenons toujours des droits ancestraux sur ces terres, des droits protégés depuis 1982 par la *Constitution canadienne* à l'article 35(1).

Aucune partie de nos terres, de nos lacs, de nos rivières, de nos montagnes, de nos forêts, n'a fait l'objet de session de notre part au profit de quelque gouvernement que ce soit.

Plusieurs autres nations autochtones, situées dans les limites de certaines provinces, ont signé des traités éteignant ainsi leurs droits ancestraux.

Cette hypothèque sera là sur ce territoire tant et aussi longtemps que les parties n'auront pas défini l'application des droits des Innus et des Atikamekw et des Algonquins dans un traité moderne. Le Canada, en pays civilisé, doit faire face à ses obligations envers les Indiens du Québec comme il l'a fait pour tous les Amérindiens qui vivent dans les autres provinces.

Je sais que la *Loi constitutionnelle de 1982*, incluant la *Charte des droits et libertés*, constitue une reconnaissance formelle et une confirmation explicite des droits ancestraux des Autochtones.

C'est donc dans le contexte de la reconnaissance de nos droits ancestraux sur nos terres traditionnelles en territoire québécois que nous négocions l'application de ces droits. Nous aurions pu choisir la voie des tribunaux pour faire définir nos droits ancestraux. Nous avons préféré celle de la négociation que préconise d'ailleurs le gouvernement du Canada parce que nous croyons pouvoir arriver à un nouveau contrat social avantageux autant pour les Québécois que pour l'ensemble des nations autochtones.

D'ailleurs, la Cour suprême du Canada renvoie toujours les antagonistes amérindiens et gouvernementaux à la négociation pour la définition " large et libérale " et l'application, selon elle, de ces droits.

FIERTÉE RALLUMÉE
PAR LA FLAMME DU NATIONALISME

L'ex-ministre libéral désigné aux *Affaires autochtones du Québec*, M. Raymond Savoie, a souligné qu'il fallait corriger le plus tôt possible, par un traité moderne, « l'illogisme historique actuel face aux Atikamekw et aux Montagnais». Ce traité permettra aux populations concernées de se développer normalement. Le ministre québécois a fait cette déclaration au cours de la conférence de presse dévoilant le contenu de l'*Entente-cadre* entre le *Conseil des Atikamekw et des Montagnais* et les gouvernements du Canada et du Québec.

Il ne faisait aucun doute dans mon esprit, à ce moment-là, que le contenu de cette première entente-cadre avait une portée importante et ouvrait, toute grande, la porte à d'autres nations du Québec qui n'avaient pas encore négocié leur nouveau contrat social.

A l'instar de plusieurs leaders sociaux et politiques, le ministre reconnaissait donc qu'il y avait une erreur historique à corriger qui pèse lourd sur la réputation internationale du Canada et du Québec. Il aurait pu ajouter que permettre aux Indiens d'occuper la place qui leur revient est un gage de paix sociale face à une jeunesse moins bonasse, moins patiente et plus radicale, qui pousse. Une nouvelle relation peut aussi favoriser le renforcement du pays.

Dans l'évolution lente, mais constante, du dossier des Premières Nations au cours des 40 dernières années, il faut souligner que certains gouvernements ont cherché des moyens de s'approcher des Indiens.

Réunis dans des groupements politiques indépendants, les Indiens du Canada ont commencé à parler de prise en charge, d'autonomie, de coexistence, de négociations d'égal à égal et de peuples souverains.

Au cours des années 1960, j'ai constaté que, même parmi nous, ces mots ont fait peur. Nous avions si souvent été écrasés qu'il nous restait peu de confiance en nous-mêmes. Notre fierté s'est rallumée petit à petit comme la braise d'un feu de camp presque éteint.

Des fonctionnaires des gouvernements concernés par l'évolution des Amérindiens, aidés par des politiques d'assimilation, ont été réticents au départ face à ces marques normales d'évolution d'une société. Ils ont cherché des méthodes pour bloquer cette longue et lente marche vers la délivrance.

Certains chefs de file allochtones plus vigilants que les autres devraient comprendre que le mouvement est maintenant irréversible. Ils devraient saisir que les Autochtones, écrasés par de nombreuses années de domination, ont relevé la tête, redressé le dos et bombé le torse.

C'est toute une conception de mentalité différente que nous devons développer avec un nouveau discours qui l'accompagne. Ils doivent maintenant accepter que nous puissions parler en propriétaires et non plus en locataires. Ils doivent nous appuyer dans notre désir de construire un véritable projet de société qui planifie notre avenir.

Enfin, ils doivent applaudir cette fierté qui fait que nous voulons précéder, devancer et non pas suivre comme nous l'avons fait depuis l'arrivée des *Blancs*.

Je comprends que, face à cet « illogisme historique » dont a parlé le ministre Raymond Savoie et à tout ce débat actuel de société, plusieurs Québécois aient de sérieux remords. Ils ne peuvent pas cependant concevoir une réparation juste même s'ils le désirent. Ils ne croient pas que les Indiens soient capables de vivre à l'époque actuelle. Pour ces Québécois, comme semblaient le croire certains historiens, le développement des Amérindiens s'est arrêté il y a quelques siècles. La *machine à explorer le temps* a fait son oeuvre. Les Autochtones servent de souris blanches, objets de recherches scientifiques, aux anthropologues ou aux ethnologues.

La mauvaise graine semée a donc germé. Elle a donné le résultat que l'on perçoit souvent les Indiens comme des éléments d'un musée de cire. Les gens les regardent curieusement. On les voit comme des animaux préhistoriques dont on regrette la disparition, mais que l'on ne pourrait plus faire revivre dans le siècle présent.

Il s'ensuit donc une vision paternaliste dans laquelle les non-Autochtones se complaisent en se pardonnant leurs fautes historiques. Cette approche dans le pur style des « compensations monétaires pour inconvénients » a pour objet inavoué de faire revivre les derniers Amérindiens par les moyens toujours dégradants de l'assistance sociale déguisée. Ils croient sans doute que l'argent est la panacée.

Ces Québécois ont tendance à réagir dans le sens qu'il est trop tard pour faire quoi que ce soit qui puisse corriger d'une façon significative les erreurs historiques du passé, causées par les Européens et leurs descendants.

Bien sûr, l'argument massue de certaines gens bornées du nombre de personnes touchées par tout le branle-bas des négociations territoriales n'est pas la trouvaille du siècle. Elle est rapidement et bêtement brandie par les défenseurs du statu quo. Cet état de fait aurait comme résultat à brève échéance de ne pas respecter les droits ancestraux des Autochtones et de faire de ces derniers des Québécois, ou des Canadiens, comme les autres. Ils seraient toutefois plus défavorisés et beaucoup plus frustrés.

Un statu quo qui, entre parenthèses, sert bien les intérêts des dominants qui gagnent continuellement du terrain.

Je sais que les Indiens ainsi assimilés continueraient à être un fardeau pour une société qui semble beaucoup plus les tolérer par pitié que les accepter à titre de voisins égaux. Comme si les droits d'une majorité, du plus fort, pouvaient écraser ceux de toute minorité, du plus faible, sans aucune gêne.

Tous les gens intéressés par cette question devraient s'impliquer en participant à ce débat de société pour la reconnaissance des droits des Indiens à vivre selon leur propre projet de société. Il serait plus sain d'agir ainsi plutôt que de simplifier à outrance ce qui est un processus complexe, ou encore de préjuger de l'issue du débat.

Comment croire qu'au début de ce millénaire, les Amérindiens puissent se contenter des miettes comme la simple négociation d'un régime de chasse et de pêche alors qu'ils ont réalisé la force de leurs droits ancestraux ?

Comment croire qu'en l'an 2002, les Amérindiens puissent accepter de signer un traité moderne ne leur permettant pas une reconnaissance de titres fonciers clairs sur une partie importante des territoires de leurs ancêtres ?

Comment croire qu'en l'an 2002, les Amérindiens puissent accepter de signer un traité moderne ne leur permettant pas de récupérer les fruits de l'exploitation des richesses naturelles sur une partie importante des territoires ancestraux?

Comment croire qu'en l'an 2002, les Amérindiens puissent accepter de signer un traité moderne ne leur permettant pas de prendre leurs propres décisions et de retrouver la plus grande autonomie possible ?

SELON UN MODÈLE
QUI RESSEMBLE À CELUI DES QUÉBÉCOIS

Nous sommes convaincus que la récupération d'une minime partie des ressources naturelles de nos territoires ancestraux nous aiderait à développer notre économie. En constatant la rapidité avec laquelle certains s'enrichissent avec l'exploitation de nos forêts, de nos mines et de nos rivières, nous ne pouvons logiquement que déduire que nous pourrions en faire autant.

Elle permettrait de faire travailler nos jeunes pour leur assurer ainsi un avenir meilleur à la hauteur de leurs espérances. Ils auraient des carrières intéressantes et prospères.

Nous pourrions, sans aucun doute, le faire selon nos propres intérêts et dans le respect de cette nature que nous chérissons. Nous profiterons ainsi de retombées économiques importantes pour nous enrichir collectivement et vaincre les marasmes sociaux qui nous avilissent.

Je crois que nous ne sommes pas des peuples d'assistés sociaux. Nous désirons que cette tare amenée par d'autres disparaisse le plus tôt possible de nos communautés pour faire place à une activité sociale et économique souhaitée selon notre intérêt véritable et notre propre vision des choses.

Nous ne voulons pas que ce développement économique se fasse sur la base de principes importés d'ailleurs. Nous nous objectons contre des objectifs qui rejetteraient, par exemples, l'esprit de partage et de participation active aux décisions qui nous animent depuis toujours.

C'est pour cette raison que nous voulons conserver, la plus intacte possible, cette approche communautaire que la très grande majorité des Indiens souhaite. Et nous ne voulons surtout plus de cette formule communautaire employée par les fonctionnaires canadiens comme modèle pour la création des réserves, une forme de ghettoïsation inacceptable.

Puisque nous sommes les premiers habitants de ce pays avec une langue, une culture et un mode de vie différents, nous constituons donc une société tout aussi distincte que celle du peuple québécois. C'est une partie importante de cette distinction que nous souhaitons faire reconnaître dans notre nouveau contrat social avec les gouvernements du Canada et du Québec. Nous leur demandons surtout d'oublier leur désir de faire de nous des Canadiens et des Québécois comme les autres.

Avec peu de moyens, nous avons réussi au cours des siècles derniers à garder cette distinction presque intacte. Nous avons protégé, tant bien que mal et souvent envers et contre tous, cette spécificité que l'on voulait éteindre par toutes sortes de méthodes d'assimilation. Les gouvernements doivent cesser ces folies stériles et accepter que nous soyons différents.

Cette recherche d'identité ne peut se matérialiser que par la concrétisation d'un nouveau contrat social sur une base complètement différente entre les Québécois et nous. Ce nouveau contrat social nous permettra de réaliser nos propres choix de société. Le fait que les Québécois souhaitent un nouveau lien associatif avec le reste du Canada est une occasion idéale pour créer la même corrélation avec les Autochtones. Pour y arriver, il faut que les Québécois reconnaissent que les Indiens ont des compétences historiques propres qui se rapprochent de la nature.

L'histoire millénaire a démontré que les Autochtones ont été et le sont encore aujourd'hui les protecteurs de l'environnement. Cet environnement a été détruit au cours des 100 dernières années en Amérique, sous le règne incontesté des *Blancs*, beaucoup plus rapidement qu'il ne l'a jamais été sous celui des Autochtones pendant des millénaires. C'est à cause des gestes inconsidérés d'un développement trop rapide que la nature n'a pas pu supporter.

Les sages autochtones ont toujours prêché qu'il faille laisser reposer un territoire de chasse pendant un certain temps pour lui permettre de redevenir giboyeux.

Dans cette perspective de respect des équilibres écologiques qui a toujours été la nôtre, la protection de l'environnement passe par le respect des relations d'interdépendance des principaux éléments des écosystèmes: Sol, eau, végétation, faune, etc.

Notre éducation traditionnelle nous a appris à préserver les habitats des animaux terrestres et des poissons dont nous dépendons pour notre alimentation.

Malgré les connaissances impressionnantes accumulées par les biologistes, il semble que certains Allochtones ne se rendent pas compte que les activités industrielles, forestières, minières et hydroélectriques, poussées à l'exagération, ainsi que les loisirs pratiqués à outrance soient incompatibles avec le respect de la nature prôné par les peuples amérindiens.

Ce ne serait peut-être pas un geste d'humilité inutile des *Blancs* que de voir, dans la sagesse de la civilisation autochtone millénaire, des avantages certains pour la protection de l'environnement. Nous voulons tous sauvegarder cet environnement car il s'agit de notre survie sur cette planète.

Pour nous, ce n'est pas un thème électoral qui durera le temps que durent les roses pour permettre de distribuer des millions de dollars. Il s'agit bien d'un mode de vie que nous voulons conserver et en démontrer les bienfaits à nos voisins.

Je souhaite que, dans la foulée d'une plus grande ouverture d'esprit, les Québécois oublient certaines de leurs *bibites* face aux négociations territoriales. Ils doivent avoir bien ancré en tête qu'ils ne pourront jamais justifier leur inaction en se cachant derrière certains paravents comme celui qui prétend que les Autochtones ne sont pas prêts à une plus grande autonomie.

Une telle attitude dénote plutôt que les dominants veulent conserver sous leur joug, le plus longtemps possible, les dominés. Sans aucune originalité, ils emploient l'argument massue de tous les oppresseurs du monde. Et, si nous les laissons faire, nous ne serons jamais prêts...

Les Québécois doivent comprendre que nous ayons besoin de retrouver un champ pour nous développer et sortir de la tutelle des gouvernements par des méthodes d'assistance sociale. Notre seul moyen d'y arriver est la récupération d'une partie importante du territoire ancestral.

NOUS VOULONS VIVRE
DES RICHESSES DES TERRITOIRES ANCESTRAUX

Il est important de souligner en terminant ce premier chapitre que les Amérindiens ont en tête des négociations beaucoup plus sociales que juridiques.

Nous souhaitons mettre en place un projet de société qui nous permettra de nous développer selon nos propres choix et par nos propres leviers. Cette autonomie, sur un territoire retrouvé, est importante si les gouvernements veulent que les Autochtones se développent et soient considérés utiles à l'évolution de la société québécoise actuelle.

Les Québécois doivent comprendre que plus les Amérindiens se développeront à tous les niveaux, plus la société québécoise en ressortira grandie sur toute la ligne.

Nous ne voulons plus que les Québécois croient que nous vivons du produit des taxes qu'ils paient. Nous avons des territoire ancestraux riches en ressources de toutes sortes. Nous souhaitons vivre de ces richesses que nous pourrons exploiter nous-mêmes avec nos voisins comme partenaires dans le plus grand respect des uns comme des autres.

II

PLACE DES INDIENS
DANS LE QUÉBEC DE DEMAIN

UNE OCCASION EN OR DE CORRIGER L'HISTOIRE

À voir agir les chefs des Premières Nations, il est à se demander s'ils sont concients que l'élection du gouvernement du *Parti québécois* lui donne toute la marge nécessaire pour enclencher le processus référendaire à n'importe quel temps. Ce référendum pourrait conduire le Québec à son indépendance.

Face à cette éventualité, les chefs donnent l'impression qu'ils regardent béatement passer le train.

Si cela était une possibilité, voire une réalité, cette période historique pourrait leur donner une occasion en or de corriger l'histoire... Sinon de continuer la situation actuelle qu'il faudrait tout au moins améliorer en utilisant au maximum cette conjoncture politique exceptionnelle.

Il est prioritaire que les leaders politiques actuels des Premiers peuples évaluent sérieusement cette possibilité d'un état du Québec souverain dans une structure canadienne confédérale pour en connaître les aboutissants réels, avantages et désavantages. Ils doivent en outre imaginer la place potentielle que les nations autochtones pourraient, ou souhaiteraient, occuper dans un tel pays. Ils auront ainsi en main les justifications logiques et rationnelles pour supporter les gestes d'approbation, ou de contestation, qu'ils poseront dans l'avenir.

Je crois qu'il est essentiel pour les chefs de se demander si les Premières Nations du Québec ne peuvent pas tirer des profits plus importants de la mise en place d'un nouvel état. Comme le suggère le *Forum paritaire Québécois-Autochtones*, elles pourraient faire partie, dès la conception, d'égal à égal, de ce nouvel état du Québec. Les Premières Nations obtiendraient une place plus importante dans cette nouvelle constitution du Québec que celle qu'elles occupent dans la *Constitution du Canada* actuelle. Elles auraient sûrement la capacité de se faire reconnaître comme un des peuples fondateurs de ce nouvel état.

« La rencontre historique qui a eu lieu en 1534 a été compromise parce qu'elle était établie sur un rapport de force; elle doit se concrétiser maintenant dans un contexte de justice, d'équité et de respect mutuel. Nos solitudes sont devenues intolérables et les Québécois et les Autochtones doivent jeter les bases d'un équilibre social sur lequel bâtir une véritable alliance. » (Paragraphe tiré du manifeste du *Forum partaire Québécois-Autochtones*).

Je sais que les circonstances actuelles accroissent notre pouvoir de négociation par le fait que le gouvernement du Québec a tout intérêt à satisfaire les Premières Nations et à les associer à son projet de société. Il pourra ainsi faciliter sa reconnaissance comme pays indépendant sur la scène internationale.

Il ne fait donc aucun doute que les possibilités d'un nouveau contrat social satisfaisant à la hauteur des espérances de nos ancêtres sont là à portée de main. Plus encore, la reconnaissance d'une souveraineté interne pour les nations autochtones, maintes fois exprimée dans nos espoirs les plus grands, est assurément possible à ce moment-ci au Québec.

De tels gains, dans une partie du Canada, ou d'un nouveau pays d'Amérique du Nord, constitueraient une base de négociation inespérée. Cette souveraineté interne deviendrait une bouée de sauvetage pour les autres Indiens des provinces anglophones canadiennes et mêmes pour les Autochtones de tous les pays à travers le monde. Il faut espérer maintenant que les nations indiennes du reste du Canada ne sont pas inféodées à un point tel que leurs représentants soient aveuglés par l'unité canadienne à tout prix autour des purs et durs du fédéralisme centralisateur, au détriment de leur propre avenir. Si ce n'est pas le cas, elles comprendront sûrement leurs intérêts.

Enfin, cette démarche sincère des Premiers peuples pour connaître les véritables intentions du gouvernement face à leur rôle dans un futur état indépendant risque d'ouvrir des portes intéressantes. Il ne faut pas oublier que le plancher de la négociation doit être la situation canadienne actuelle. En tout cas, la période contemporaine invite à une telle démarche. Il serait presque inconscient de laisser passer une aussi belle occasion qui ne reviendra pas plus tard. C'est ce que viennent de comprendre enfin les Cris qui ont obtenu, dans leur dernière entente de partenariat, plus qu'ils n'auraient osé l'espérer.

Le travail effectué avec le gouvernement du Québec, dans un temps aussi favorable à la négociation, pourrait d'une façon ou d'une autre servir de base pour une reconnaisssance plus explicite dans la *Constitution du Canada*. Quel que soit l'avenir du Canada, ce travail sera utile. Il servira si jamais le gouvernement fédéral actuel renouvelle la *Constitution du Canada*, si les deux gouvernements en arrivent à une entente de partenariat entre états indépendants dans un futur Canada, ou si le Québec devient totalement indépendant. Il pourrait même être utile si le statu-quo actuel se perpétue.

La place de l'ensemble des nations autochtones dans une constitution canadienne renouvelée pourrait être plus importante si les Indiens du Québec réalisent des gains majeurs. Le Québec s'engagera à négocier, avec le gouvernement du Canada, la même reconnaissance dans la *Constitution du Canada* pour les Indiens vivant sur le territoire québécois qu'il est prêt à accepter dans la constitution d'un futur État du Québec.

« Nous n'accepterons jamais de vivre dans un Québec qui ne ferait plus partie du Canada », prétendent certains chefs, souvent sans grande période de réflexion. Voilà la seule défense qu'ils apportent actuellement à la prétention de quelque 50% des Québécois, favorables à une forme d'indépendance tout au moins égale à celle des autres Canadiens.

Tous les gens sensés savent pourtant qu'il serait impensable de croire que les nations autochtones habitant la partie très occupée du Québec peuvent se suffire par elles-mêmes. Ces réserves ne sont pas plus grandes que des pièces de dix cents. C'est donc dire qu'une telle menace n'est pas vraiment prise au sérieux.

D'autant plus qu'il serait bien surprenant que le Canada, dans l'éventualité de la séparation du Québec, accepte de conserver dans son giron ces enclaves perdues dans ce pays voisin. Il ne serait pas prêt, non plus, à les financer comme gouvernement autonome. Rappelons-nous que Jean Chrétien, lorsqu'il était ministre des *Affaires indiennes et du Nord Canada*, à la fin des années '60, a tout tenté pour transférer la responsabilité des Indiens aux provinces. Pourquoi ne profiterait-il pas aujourd'hui d'une aussi belle occasion en cette période de compressions budgétaires ?

Il serait donc beaucoup plus prudent pour nous d'avoir un engagement ferme du gouvernement du Canada le plus tôt possible dans un traité d'alliance. Cela nous éviterait de se retrouver « gros-gens-par-devant » lorsque tout sera consigné dans une entente entre les deux parties, le Canada et le Québec, où nous aurons eu peu à dire.

Même si le Québec décidait, par la voie d'un référendum, de se séparer du Canada, ce qui est peu probable selon moi, il faudra une association, ne serait-ce qu'économique, entre les parties. Les Américains et les Ontariens n'accepteront jamais de prendre des risques de perdre ce marché économique particulier. Ils vont favoriser ces formes d'ententes entre les parties.

Plus que ça, je suis de ceux qui croient qu'un « oui » au référendum va favoriser une plus grande ouverture d'esprit de la part des Canadiens anglais face à la volonté d'association des Québécois. Et, plus encore, je pense que ce « oui » serait l'élément déclencheur pour un véritable renouvellement du pacte confédératif.

C'est probablement à cet instant, et à ce moment-là seulement, que les Canadiens anglais pourraient accepter une véritable confédération entre états indépendants telle que ce mot est décrit dans les dictionnaires. Ces états confédérés pourraient être constitués parmi les Anglophones, les Francophones, les Indiens, les Métis et les Inuits.

Voilà, à mon sens, la réalité de ce troisième millénaire.

Les faux visionnaires à la Pierre Elliott-Trudeau et ses chevaliers servants intéressés de la *Fonction publique fédérale*, qui voyaient une centralisation à outrance au Canada, doivent maintenant admettre qu'ils se sont trompés et chercher ailleurs. La dernière élection fédérale a démontré les volontés régionalistes des composantes du Canada. Une telle vision des choses les oblige à abandonner leur volonté d'extinction des Premiers peuples, Indiens statués, Métis et Inuits, et du peuple québécois.

Au contraire, ils doivent favoriser un Canada renouvelé. Ce renouvellement nécessaire doit se faire dans le sens de favoriser l'épanouissement de cette notion de peuples, beaucoup plus prometteuse d'avenir. La *Constitution du Canada* de demain devra prendre en considération cette nouvelle situation. Elle devra tenir compte de ce phénomène toujours de plus en plus présent, depuis une quarantaine d'années, chez les peuples québécois, autochtones, métis et inuits.

Il serait même important et souhaitable que, dans cette bataille pour la reconnaissance réelle des peuples au Canada, les Québécois, les Amérindiens, les Métis et les Inuits travaillent ensemble parce qu'ils ont un même but. Leur force reliée se multiplierait et produirait des effets insoupçonnés.

Si ce n'est pas le cas et si les peuples autochtones, métis et inuits succombent aux chants des sirènes fédéralistes actuelles, les nations autochtones du Québec devront, encore une fois, conclure qu'elles ont été utilisées bêtement. Ils auront travaillé à soutenir une cause qui n'était pas vraiment la leur sans, pour autant, y retrouver leurs profits. Pourtant certaines langues fourchues nous promettaient monts et merveilles...

On s'imagine aisément tous ces chefs des Premières Nations, les doigts croisés et la tête dans le sable, qui se disent bravement: « Attendons d'être arrivés à la rivière avant de traverser le pont ». Ils souhaitent surtout, pour la majorité d'entre-eux, de ne jamais arriver à ce cours d'eau. O comble de joie, ils n'auraient pas à choisir!

Or, les ponts entre les Indiens et les Québécois n'existent plus, ou presque plus. Les stratèges libéraux de Robert Bourassa et de son ministre des affaires autochtones du temps, John Ciacia, ont tramé, en 1990, avec la *Sûreté du Québec*, le plan machiavélique de détruire à jamais la popularité de la cause autochtone. Pour y arriver, ils ont ressorti des boules à mites l'image fortement ancrée dans l'esprit des gens, pour l'éternité semble-t-il, par des centaines de films américains présentant les méchants Indiens contre les bons cowboys.

Ensuite, des malheureux *warriors* mohawks, de triste mémoire, en occupant le pont Mercier à Montréal au cours de l'été 1990, ont ramené la popularité de la cause autochtone à la case départ. Comme le faisait, vous vous en souvenez, le grand serpent du populaire *jeu de parchési* de notre enfance.

Mais au-delà de ces malheureuses constatations, il y a la période actuelle, marquée par la définition claire des grands enjeux politiques. Les relents avortés des Micmacs de Listiguj, par la fermeture de la route nationale traversant les limites de leur réserve à la fin de l'été 1998, n'auront rien changé. Les gouvernements inscriront obligatoirement ces enjeux dans une nouvelle constitution d'un état du Québec, ou celle d'un Canada renouvelé, à la suite d'un choix démocratique de la population.

Je constate que l'instant présent est le moment privilégié pour définir les grandes lignes de ce que sera le nouveau contrat social entre les Premières Nations et les autres peuples fondateurs de ce pays à rebâtir.

Le gouvernement du *Parti Québécois* doit dès maintenant assurer les Indiens que l'indépendance du Québec ne se fera pas sans considération particulière et évidente des Premières Nations. Ce nouvel état respectera intégralement leurs droits existants, reconnus à l'article 35 de la *Constitution canadienne*, ancestraux ou issus de traités, des acquis incontournables.

Comme on le sait, l'objectif principal de ce parti souverainiste est de réaliser le rêve québécois de souveraineté. Cependant, il doit faire en sorte que les Premiers peuples du Québec occupent la place qui leur revient de droit dans ce nouvel état à bâtir.

C'est donc sans arrière-pensée limitative qu'il doit accepter que les Amérindiens aient des droits de Premiers occupants du territoire du Québec. Il doit comprendre qu'à ce titre leurs nations puissent avoir une place prépondérante dans la constitution d'un futur Québec indépendant. Cette dernière leur permettra ainsi de protéger leur caractère distinct. Il s'exprime, entre autres, par la langue, par la culture et par le mode vie.

Le futur gouvernement doit veiller en outre à ce que la nation québécoise et les nations autochtones participent à la préparation et à la ratification de cet acte de naissance d'un Québec indépendant. La souveraineté de ce nouvel état devra être associée à celle des nations autochtones. Ce geste confirmera ainsi la volonté commune et ferme des membres de ces nations de vivre ensemble sur ce territoire.

Le gouvernement du Québec ne peut pas rejeter du revers de la main le fait que plusieurs membres des forces vives du Québec et les commissaires de la *Commission royale sur les peuples autochtones du Canada* reconnaissent le droit à l'autodétermination des nations autochtones. Cette reconnaissance s'appuie sur le droit international et sur les principes fondamentaux de la moralité politique.

Pour sa part, la *Commission royale...* fonde sa définition du droit à l'autodétermination sur la *Convention no. 169*, sur le *Projet de déclaration sur les droits des peuples autochtones* et sur les travaux du *Groupe de travail sur les peuples autochtones* de l'*Organisation internationale du travail* (O.I.T.). La *Commission royale...* limite cependant ce droit en soulignant qu'il ne s'accompagne pas d'un droit de sécession.

Selon la *Commission royale...*, l'autodétermination est le point de départ des initiatives autochtones en ce qui a trait à la fonction gouvernementale, mais n'est pas la seule base possible. Donc, pour cette dernière, le droit à l'autonomie gouvernementale se place côte à côte du droit à l'autodétermination, faisant en sorte que les nations indiennes puissent évoquer ces droits en même temps.

Il est indéniable que les arguments favorisant le droit à l'autodétermination des uns, Québécois ou Autochtones, peuvent être utilisés aux mêmes fins, par les autres, pour s'y opposer. La correspondance de l'argumentation, dans quelques situations qu'ils se trouvent, produit le même effet qu'une copie carbone.

Par l'inscription claire des grands principes du partage de la souveraineté, la future constitution d'un état indépendant démontrera que les nations autochtones sont des partenaires au développement du Québec. Ces dernières donneront donc tacitement leur accord pour élaborer un Québec souverain. Son acceptation sera par la suite entérinée par toutes ses composantes et démocratiquement endossée par les membres des nations concernées.

Plus encore, j'ajouterais qu'un travail sérieux, sincère et honnête des peuples autochtones du Québec avec le gouvernement actuel, pour définir ce nouvel état indépendant, permettrait de « sauver » le Canada. Il serait un gage de protection d'un Canada renouvelé. Les Indiens joueraient alors un véritable rôle de médiateur entre les extrémistes indépendantistes québécois et ceux d'un Canada centralisateur à la Trudeau.

Ce rôle diplomatique démontrerait la place réelle des Premiers peuples dans le Canada en devenir. Il confirmerait surtout que les Premières Nations ne seront pas utilisées négativement par qui que ce soit, mais qu'elles ont l'intention d'apporter leur sagesse millénaire à la définition de ce Canada future.

Plus encore, en favorisant la naissance d'un Québec indépendant dont le fondement sera le respect des souverainetés des nations fondatrices associées, la constitution québécoise reconnaîtra donc implicitement un droit inhérent à un gouvernement autonome. Ces gouvernements des nations autochtones du Québec seront responsables envers leurs citoyens.

Il est bon de souligner ici que la *Commission royale sur les peuples autochtones du Canada*, dans son rapport final, déclare que le droit à l'autonomie gouvernementale est un droit ancestral. Il l'est selon les termes mêmes de la doctrine des droits ancestraux. Pour cette source juridique qui sert à interpréter le droit, l'arrivée des droits français et britanniques n'a pas du tout invalidé le droit autochtone. Elle prétend même que l'autorité et la légitimité demeurent intactes, sans plus, ni moins.

Ce qui veut dire que ce droit ancestral n'est pas délégué, donc qu'il est existant, et qu'il se passe de la reconnaissance des autorités gouvernementales canadiennes. Pour la *Commission royale...*, l'arrêt de la *Cour supérieure du*

Québec, Connely vs Woolrich, en 1867, sert de démonstration et de confirmation à cette présomption.

Le jugement de la *Cour suprême du Canada*, Delgamuukw et Haaxw, concernant la reconnaissance des droits territoriaux des Bandes indiennes de Gitxsan et Wet'suwet'en, en Colombie-Britannique, ne peut pas être plus explicite. Les droits ancestraux des Bandes autochtones, découlant du titre indien, qui n'ont pas signé de traités avec la Couronne, donc qui n'ont pas éteint ces droits, existent et existaient avant l'arrivée des Européens, selon les concepts moraux et juridiques.

Ce qui signifie que les négociations territoriales globales et d'autonomie gouvernementale doivent avoir comme fondement la reconnaissance des droits ancestraux existants.

Enfin, la *Commission royale...*, même si cela ne fait pas consensus, prétend que la *Cour suprême du Canada*, dans le jugement *Sparrow*, en 1990, a classé l'autonomie gouvernementale parmi les droits ancestraux. Il serait un droit inhérent. *La Commission royale...* ajoute de plus que ce droit à l'autonomie gouvernementale se trouve ainsi constitutionnalisé et protégé par l'article 35(1) de la *Loi constitutionnelle de 1982* depuis cette date.

Pourquoi ce droit à l'autonomie gouvernementale est-il un droit existant selon la *Commission royale sur les peuples autochtones du Canada* ? Les raisons sont simples pour elle. Ce droit ancestral n'a jamais été éteint par une loi claire avant 1982, donc il a toujours existé, et il ne peut pas être éteint, donc il doit toujours exister. Comme le droit de conserver sa culture et ses traditions, celui de respecter sa propre spiritualité et celui de parler sa langue maternelle, le droit à l'autonomie gouvernementale est absolument nécessaire.

Les commissaires prétendent, dans leur rapport, que la souveraineté française n'a pas cru bon mettre fin à l'existence de droits ancestraux visés au paragraphe 35(1) de la *Loi constitutionnelle de 1982* à l'intérieur des frontières de ce que constituait la Nouvelle-France.

La *Cour suprême du Canada* a statué, dans les jugements *Adams et Côté-Décontie*, que la protection de la *Constitution du Canada* s'étend aux coutumes, pratiques et traditions des Autochtones du Québec. « La preuve qu'une coutume constituait, au moment du contact avec les Européens, un élément important de la culture distinctive d'un peuple suffira en règle générale à établir que cette coutume constituait également, avant le contact avec les Européens, un élément important de la culture en question. »

La Cour suprême du Canada démontre donc que les détracteurs des droits ancestraux des Autochtones n'ont pas raison de le faire. Elle fait la preuve que ces droits sont existants et qu'ils n'ont pas été éteints, à moins d'avoir été l'objet d'un traité. Elle ajoute surtout que ces droits ne peuvent pas être unilatéralement éteints par des lois. Elle va encore plus loin qu'elle n'a jamais été en rendant plus clairs plusieurs points importants sur la reconnaissance des droits ancestraux et sur l'interprétation de l'article 35(1) de la *Constitution du Canada*.

Pour la *Commission royale...*, le fait que la *Couronne britannique* ait conquis la colonie française et se soit établie sur cette terre d'Amérique n'a pas pu éteindre la compétence gouvernementale inhérente des nations autochtones. Au plus, cette compétence a été subordonnée, ou soumise, à la *Couronne britannique*. Ce qui n'enlève rien au droit de se gouverner de ses alliés autochtones.

La *Loi sur les Indiens* a effectivement eu pour effet de réduire les pouvoirs des gouvernements autochtones à des pouvoirs de types municipaux. La *Commission royale...* prétend cependant que cela ne signifie aucunement qu'elle visait expressément à éteindre l'autonomie gouvernementale des peuples autochtones. Quant à moi, le rôle de fiduciaire et de tuteur autorisait tout au plus le gouvernement canadien à limiter temporairement l'exercice de ce droit inhérent à l'autonomie gouvernementale.

La *Commission royale sur les peuples autochtones du Canada* affirme cependant que ce droit doit s'exercer au sein des limites de la *Constitution canadienne*, soit à l'intérieur du Canada. On peut donc conclure ici, pour les besoins de la cause, qu'il devrait aussi s'exercer au sein de la constitution d'un Québec souverain, donc à l'intérieur du Québec.

Elle précise sa pensée en soulignant que les gouvernements autonomes des nations autochtones, et non pas des Conseils de Bande, devront constituer un troisième ordre de gouvernement au Canada. Ils seront au-dessus de l'ordre municipal créé par les provinces. Ce qui signifie, selon la *Commission royale...*, que les nations autochtones, désagrégées sous l'effet de la colonisation et des législations fédérales et provinciales, devront se reconstituer. Pour elle, cela constitue une condition *sine qua non*, donc indispensable, à l'exercice de leur droit à l'autodétermination et à l'autonomie gouvernementale.

En suivant la logique juridique de la *Commission royale sur les peuples autochtones du Canada*, lorsque le gouvernement du Canada, par sa *Loi sur les Indiens* ou par d'autres moyens, éteint le titre aborigène, il pose un geste qui va à l'encontre de la *Loi constitutionnelle de 1982* et des jugements de la *Cour suprême du Canada*. Cette logique juridique de la *Commission royale...* est d'ailleurs appuyée par certains jugements de la *Cour suprême du Canada*. Cette loi n'a pas le pouvoir d'éteindre le titre aborigène contenu dans l'article 35(1). Elle peut tout au plus réduire les pouvoirs des gouvernements autochtones à des pouvoirs de types municipaux.

Doit-on maintenant en déduire qu'une partie de sa *Loi sur les Indiens* ne respecte pas la *Constitution du Canada*, depuis 1982, lorsqu'elle exige l'extinction du titre aborigène lors d'une session de terre.

J'expliciterai les grandes lignes de cette autonomie gouvernementale, telle que préconisée par la *Commission royale sur les peuples autochtones du Canada*, dans les quatre derniers chapitres de cet ouvrage.

Il restera par la suite à concrétiser l'application de ce droit inhérent à l'autonomie gouvernementale avec une assise territoriale rétrocédée dans des ententes évolutives entre les parties concernées. Ces traités modernes harmoniseront les relations de bon voisinage entre les populations utilisatrices du territoire du Québec.

Le *Parti Québécois* affirmera qu'il n'est pas possible de planifier le devenir politique spécifique des Québécois, qui est la souveraineté du Québec, sans reconnaître la souveraineté et le caractère distinct des nations autochtones.

Je suis convaincu qu'il faut que le futur contrat social entre le Québec de demain et les nations autochtones, la constitution d'un Québec indépendant, se construise à partir d'un tel constat. Sinon, les chances d'acceptation par les membres des Premières Nations sont nulles.

Dans un sens, ce que les Indiens souhaitent aujourd'hui est exactement ce que désiraient les Québécois du début des années '60 et qu'ils ont obtenu, en partie, par la suite. Ils aspiraient à plus de pouvoirs pour se développer selon leurs propres choix de société, au respect de leur spécificité et à la reconnaissance de leurs compétences.

Comme les Québécois, les Autochtones ont une volonté de vivre et de garder leur place au soleil. Plus ils seront eux-mêmes, plus les Québécois pourront dialoguer avec eux dans la paix, collaborer à des projets communs et apprécier la contribution des Autochtones dans ce pays du Québec.

L'avenir n'est certes pas dans l'opposition stérile, mais sûrement dans le partenariat constructif et respectueux des intérêts légitimes de chacun.

LE RÔLE MAJEUR
QUE DOIT JOUER LE *BLOC QUÉBÉCOIS*

Le *Bloc québécois*, qui joue un rôle effacé dans le débat sur la place des Premières Nations dans le futur état du Québec, doit s'impliquer de plus en plus. Il a même le devoir de prendre le leadership et surtout d'avancer des solutions avant-gardistes autant pour le Québec que pour le reste du Canada.

Je constate que le fait qu'il n'est pas le parti politique au pouvoir au Québec, véhiculant officiellement l'idée d'indépendance, le place dans une situation privilégiée. Il peut ainsi se permettre d'aller beaucoup plus loin dans le débat actuel parce que ses engagements n'ont pas la même portée que ceux du *Parti québécois*. Il pourrait même, quant à moi, contredire, corriger ou nuancer certaines positions actuelles du *Parti québécois*.

Puisque le *Bloc québécois* considère que le *Forum paritaire Québécois-Autochtones* a été un laboratoire impressionnant pour la recherche de solutions acceptables mutuellement, il doit s'inspirer de la réflexion riche de ces forces vives du Québec. Ces porte-parole dirigeaient des organisations dont certaines comptent des dizaines de milliers de membres. *Le Forum paritaire Québécois-Autochtones* propose une position claire sur l'avenir des nations autochtones dans ce Québec de demain.

Pendant plus de deux ans, le Forum a été un lieu de discussions sérieuses pour s'informer mutuellement des préoccupations de chacune des organisations et des nations. Ces sains débats permettaient de partager des analyses de la situation servant à mieux se comprendre de part et d'autre. Elles autorisaient les participants à tracer les lignes directrices d'un projet de société incluant ces préoccupations et ces analyses.

Cette position du *Bloc québécois* sur les nations autochtones du Québec doit évidemment prendre racine de la résolution de l'*Assemblée nationale du Québec*, le 20 mars 1985, intitulée: « MOTION PORTANT SUR LA RECONNAISSANCE DES DROITS AUTOCHTONES ». Elle reconnaît clairement les droits collectifs de ces derniers.

Elle peut aussi s'inspirer des 15 principes mis de l'avant en 1983 par le Premier Ministre René Lévesque, fondateur du *Parti québécois*. Ces grands principes sont:
-    Le droit à l'autonomie au sein du Québec
-    Le droit à leurs cultures, à leurs langues et à leurs traditions
-    Le droit de posséder et de contrôler des terres
-    Le droit de chasser, de pêcher, de piéger, de récolter et de participer à la gestion des ressources fauniques
-    Le droit de participer au développement économique et d'en bénéficier.

Je crois que le *Bloc québécois* peut réaffirmer et défendre la reconnaissance de ces droits d'une manière claire et sincère. Il doit surtout s'opposer catégoriquement à toutes les formes d'extinction juridique allant jusqu'à la nouvelle mode de la certitude *blindée*.

Je sais que le *Bloc québécois* est fondamentalement d'accord avec la très grande majorité des recommandations de la *Commission royale sur les peuples autochtones du Canada.* Donc, sa position sur les nations autochtones du Québec doit puiser dans le rapport et les études de cette commission royale pour un fondement sérieux de son analyse de la situation passée et actuelle. Il doit s'en inspirer pour dégager des solutions concrètes qui aideront les Indiens à occuper la place qui leur convient.

Enfin, les nouvelles orientations du gouvernement du Québec, dévoilées au début d'avril 1998, rencontrent les mêmes objectifs de partenariat que veut atteindre le *Bloc québécois.* Elles doivent sceller leur volonté de rendre publique une déclaration de principes avant-gardiste des députés du *Bloc québécois* sur les nations autochtones du Québec.

Au fur et à mesure qu'approche la réalisation du rêve québécois de souveraineté, les députés du *Bloc québécois* doivent interpréter plus largement leur rôle comme représentants d'un parti politique fédéral. Leur tâche, comme on le sait, vise à défendre les intérêts du Québec à la *Chambre des communes* et à faire la promotion de la souveraineté. Il doit expliquer aux Canadiens anglais que l'impasse actuelle ne peut disparaître que par l'accession du Québec à la souveraineté.

Enfin, il est extrêmement important que les Québécois croient que l'importance de la place des nations autochtones dans ce Québec souverain de demain mérite qu'on s'y arrête sérieusement. Plus encore, il faut qu'ils se convainquent que le traitement juste des Indiens du Québec sera un atout important pour la reconnaissance de ce Québec souverain par les autres pays du monde.

Quant à moi, les députés du *Bloc québécois* doivent prendre l'engagement formel de défendre sur toutes les tribunes possibles les grands principes ci-après énoncés. Un Québec souverain doit s'imprégner des principes suivants:

1) Les nations autochtones constituent un des trois peuples fondateurs du Canada actuel.

2) Comme parti politique siégeant à la *Chambre des Communes*, le *Bloc québécois* préconise dès lors que le gouvernement fédéral et les gouvernements provinciaux du Canada reconnaissent les nations autochtones comme troisième peuple fondateur de ce pays. Il souhaite que ces gouvernements acceptent de reconnaître le droit à l'autodétermination des Premières Nations. Il propose de rechercher le consensus sur le principe de coexistence entre les nations autochtones, le Québec et le Canada. Il préconise enfin que tout ce que le Québec reconnaîtra aux nations autochtones le soit aussi aux nations autochtones des autres provinces du Canada.

3) Il favorise la reconnaissance des nations autochtones comme peuples distincts ayant droit à leur culture, à leur langue, à leurs coutumes et à leurs traditions. Il leur accorde aussi celui d'orienter elles-mêmes le développement de cette identité propre.

4) Les nations autochtones devront participer avec la nation québécoise à la préparation et à la ratification de la constitution d'un Québec souverain.

5) La voie de la souveraineté du Québec implique que la Constituante de cet ensemble géopolitique comprenne les onze nations autochtones. Cette Constituante aura à définir les grandes lignes du cadre politique à établir entre les peuples autochtones et le peuple québécois. Elle définira les mécanismes appropriés comme, par exemple, une charte des droits individuels, collectifs et nationaux et un lieu politique commun.

6) Un Québec souverain prônera la signature d'un traité de coexistence entre les Québécois et les Autochtones. Ce traité aura une valeur supérieure aux lois

d'application générale du Québec et chapeautera les relations entre les peuples qui y vivent.

7) À la suite de l'élaboration de ce traité de coexistence, l'*Assemblée nationale du Québec* mettra en place un tribunal paritaire, pluriculturel, basé sur le pluralisme juridique et axé sur un système de valeurs multiples. Ce tribunal verra à l'application du traité de coexistence. Les jugements de ce tribunal dans son champ de compétences seront exécutoires et sans appel. Aux fonctions d'arbitrage de ce tribunal se grefferaient des pouvoirs de médiation, de recommandation et de conciliation.

Cette position avant-gardiste sur les nations autochtones du Québec s'inscrira donc dans le processus évolutif d'élaboration d'un projet de société dynamique des Québécois. Ce programme social fera une place importante aux Premières Nations, aux Anglophones, aux Néo-Québécois et aux nouveaux arrivants. Ce qui se veut en même temps une formule concrète de convivialité.

Cette déclaration se distinguera surtout par la reconnaissance du fait historique indéniable que les nations autochtones constituent un des trois peuples fondateurs du Canada actuel.

J'affirme donc que continuer à nier cette évidence est irrévérencieux envers les Premières Nations de ce coin de terre d'Amérique qui ont accueilli les bras ouverts les premiers Européens, ancêtres des Québécois.

Comment peut-on leur nier le titre de peuple fondateur du Canada en même temps que l'on reconnaît avec plus d'acuité que les Autochtones étaient bel et bien présents sur la terre québécoise au début de la colonie? Curieusement, on ne réfute pas que les premiers Européens, Français et Anglais, aient signé des traités d'alliance avec eux, de peuple à peuple. Enfin, pour les gouvernements, il est évident que les nations autochtones n'ont jamais été conquises et que, pour plusieurs, elles n'ont jamais cédé leurs territoires ancestraux,

Je crois que les députés du *Bloc québécois* doivent dénoncer cette hypocrisie en soulignant qu'une telle vision n'est plus tolérable aujourd'hui. Il faut que les Premières Nations occupent leur place dans le Canada actuel et le Québec de demain. C'est le seul moyen de leur démontrer que les Québécois souhaitent véritablement un nouveau projet de société inclusif dont nos petits-enfants et nos arrières petits-enfants seront fiers.

Les députés du *Bloc québécois* doivent être cependant conscients que la reconnaissance du droit à l'autodétermination des peuples autochtones soulèvera des débats passionnés. Il en sera de même du droit inhérent à l'autonomie gouvernementale.

Ils affirmeront que les députés du *Bloc québécois* sont cependant prêts à soutenir ces débats, convaincus qu'ils posent un geste d'ouverture. Cette action est sans aucun doute porteuse de promesses de cohabitation harmonieuse entre toutes les nations habitant le territoire du Québec. Ils souligneront qu'ils croient, en effet, que les nations autochtones du Québec ont un rôle de premier plan à jouer dans le Québec de demain. Il faut, selon eux, convaincre les Premiers peuples de faire partie de ce fameux projet de société de **TOUS** les Québécois.

Pour y arriver, les députés du *Bloc québécois* constatent que la côte est abrupte, que des efforts surhumains doivent être entrepris et, surtout, que le temps presse. Des concessions mineures n'attireront pas les Autochtones. Seule une reconnaissance évidente des droits des nations autochtones et surtout du rôle qu'elles auront à jouer dans ce Québec de demain aura des chances de les convaincre.

Les Québécois ont cependant à démontrer aux nations autochtones qu'elles sont les bienvenues dans ce Québec reconstitué. C'est la place qu'on leur réservera réellement qui aura une influence sur leur choix. La balle est donc dans le camp des Québécois et c'est à ces derniers de faire la démonstration que les Amérindiens sont encore chez eux au Québec.

Par cette déclaration de principes, le parti politique souverainiste fédéral pourrait sonner le départ d'une vaste campagne de sensibilisation auprès des Indiens et des Québécois. Elle démontrerait que l'avenir des nations vivant au Québec est intiment relié.

Moralement convaincus, les députés bloquistes croient qu'une meilleure connaissance de ce projet de société vraiment inclusif va faire en sorte que les uns et les autres comprendront leurs différences. Ils apprécieront, à ne pas en douter, leurs convergences. Enfin, les députés du *Bloc québécois* s'engagent fermement à animer ce débat de société en insistant désormais sur ces convergences.

UNE PLACE PRÉPONDÉRANTE AUX INDIENS

Au cours de la semaine du 16 août 1993, j'ai participé comme panéliste et analyste à quatre intéressantes soirées remplies de discussions constructives et surtout positives. Ces soirées ont eu lieu dans cette Mecque reconnue pour ses débats intellectuels qu'est la maison Bellarmin à Montréal. Elles étaient une initiative d'un des intellectuels québécois des plus incontestable et ouvert que j'ai connu, le regretté père Julien Harvey. Le débat a porté sur un sujet émotif pour plusieurs encore aujourd'hui: **Vers une culture publique commune au Québec**.

Par l'arrivée massive des immigrants de cultures différentes, les Québécois connaissent aujourd'hui ce que mes ancêtres innus ont vécu lors du premier arrivage des Européens: Une forme d'occupation pacifique dérangeante. Je dois vous avouer que notre sens beaucoup plus profond du partage nous a permis de mieux réagir à cette invasion de gens d'autres continents.

Nous comprenons donc mieux que quiconque la réaction défensive des Québécois à ce moment-ci qui veulent protéger les acquis, peut-être un peu trop jalousement cependant. Nous osons donc espérer que cette nouvelle expérience les portera à mieux accepter que nous puissions réagir comme ils le font actuellement. Les Québécois nous permettront sans aucun doute de retrouver une partie des territoires que nos ancêtres possédaient. À leur tour, ils doivent mettre en pratique le principe de partage qui anime les Premières Nations depuis toujours. Il ne se traduira pas cette fois-ci, faut-il l'espérer, par la générosité proverbiale de l'échange d'un oeuf contre un boeuf.

Donc, afin de mieux cerner les bases d'une culture publique commune au Québec, je vous livrerai une partie de ma propre réflexion sur la place des Premières Nations dans le Québec de demain. Cette culture publique commune doit faire une place importante et non pas folklorique à tous les groupes qui habitent sur ce territoire. Elle doit se donner les moyens démocratiques pour atteindre de tels objectifs.

En considérant ces prémices, je peux vous affirmer que je suis convaincu que la culture publique commune au Québec doit avoir un sens politique développé. Sous cet aspect, elle ne peut pas faire abstraction des droits collectifs des premiers occupants.

Se mettre la tête dans le sable, en se convainquant que les Amérindiens n'ont pas de droits propres, n'est pas digne d'un peuple qui se dit lui-même écrasé sous le joug du dominant fédéral. Puis, faire en sorte que l'on considère les

Autochtones comme les autres Québécois et tenter de les éliminer expriment un profond mépris envers les Premières Nations. Tout ça parce qu'elles constituent une minorité dérangeante et qu'elles prennent de plus en plus place dans la société actuelle. Il faut déduire qu'elles veulent seulement se faire respecter comme le fait le peuple québécois.

Je comprends qu'une telle vision obtuse des choses conduit inévitablement à des affrontements majeurs où l'image du Québec en sortira ternie sur le plan international face à son propre projet de société. De plus, elle crée un climat social invivable pour les générations futures.

Au contraire, je crois que la période actuelle, marquée par la définition claire des grands enjeux politiques, est le moment privilégié pour définir les grandes lignes de ce que sera un nouveau contrat social entre nous. Le temps présent est aussi l'occasion unique pour mettre en place les bases solides d'un nouveau partenariat respectueux entre les Québécois et les Autochtones. Il permettra à ces derniers de retrouver la fierté perdue au cours des années. Ce nouveau contrat social sera la rampe de lancement d'un avenir meilleur. Il atténuera les impacts négatifs des marasmes sociaux qui écrasent les habitants des Premières Nations. Il fera d'eux des actifs sociaux et économiques.

Les Indiens ne seront plus un poids pour la société, mais bel et bien un partenaire dans le développement d'un pays à l'image d'une société distincte...

UNE VISION DÉFORMÉE DES AMÉRINDIENS

Tout cela est de l'irréalisme de rêveurs poétiques et nostalgiques voulant faire renaître le « mythe du bon sauvage » pour plaire aux Européens, surtout les Français, signalent certains pourfendeurs québécois, heureusement sans méchanceté. Ces derniers cherchent surtout des excuses à l'inaction systématique des décideurs politiques.

J'ai eu l'occasion à maintes reprises de discuter avec certains *leaders* nationalistes du Québec de la place des Autochtones dans un Québec souverain. La vision *rapetissante* que certains chefs de file du *Parti québécois* ont des droits collectifs des Premières Nations me surprend et me renverse à chaque fois.

J'ai combattu avec acharnement cette perception même si je savais que je changerais peu de choses. Incrustée dans l'esprit des purs et durs de l'indépendance, souvent indécrottables, cette représentation bornée est incompréhensible. Plus encore, elle laisse peu de place à d'autres images plus nuancées. Ce qui m'a souvent porté à penser à l'adage qui veut que celui qui ait été écrasé soit souvent le pire tyran.

Je vais tenter de rassembler dans les prochains paragraphes les propos qui me sont exprimés par ces extrémistes sur le sujet des Premières Nations et surtout de leurs droits collectifs.

Ils admettent bien sûr devant moi, mais avec une certaine timidité de mauvais aloi, que les Amérindiens ont certains droits collectifs. Pour eux, les Premières Nations forment un ensemble géopolitique de « petites nations qui ont habité le vaste territoire de l'Amérique du Nord ». Comme si les Premières Nations ne l'habitaient plus aujourd'hui, ou encore que l'occupation pacifique n'avait jamais existé, ou enfin qu'elles avaient cédé leurs territoires après une conquête.

Les premières nations ont des droits historiques, tout le monde le reconnaît. Mais quels sont ces droits et surtout quel avenir peuvent-elles raisonnablement espérer ?

Il est d'abord faux de prétendre que tous reconnaissent que les Premières Nations ont des droits historiques. Ce n'est pas le cas de certains décideurs du gouvernement péquiste actuel et leurs chevaliers servants du ministère de la *Justice du Québec* tel qu'on le verra dans un prochain chapitre. Plus encore, « le raisonnablement » est rempli de sous-entendus comme si toutes les positions exprimées par les leaders autochtones étaient déraisonnables.

Certains nationalistes prétendent que le droit international reconnaît aux Premiers peuples le droit à l'autonomie, mais pas nécessairement à l'indépendance.

> *En somme, les Autochtones ont les mêmes droits que tous les peuples (donc, le droit à l'indépendance). S'ils peuvent constituer des nations viables alors la communauté internationale les reconnaîtra comme telles. C'est aussi simple que ça. Mais ce n'est pas évident pour autant.*

Exprimer de tels commentaires sans sourire et croire à ce genre de facéties frisent le ridicule.

> *Les Autochtones québécois sont onze petits peuples de quelques milliers de personnes... Ces nations ont la taille d'un village, d'une paroisse, si on ne compte pas leurs territoires de chasse et de pêche. Leur population est moindre que la minorité anglo-québécoise, forte de quelque 800,000 habitants, et inférieure en nombre à la plupart des autres collectivités ethniques du Québec. Selon le droit international, aucune de ces minorités n'a de droit de sécession. Seul le voisinage accueillant du Canada leur permettrait de prétendre à un avenir viable en dehors du Québec.*

On nous sert là, encore une fois, l'argument massue et privilégié de certains péquistes: La petitesse ou le *rapetissement*. Puis-je mentionner, comme le souligne le *Forum paritaire Québécois-Autochtones*, que « le nombre de personnes impliquées ne devrait influencer d'aucune façon le droit. La manière de moduler ce droit peut et doit cependant et sans aucun doute en tenir compte». Les Québécois plus instruits devraient au moins savoir cela, surtout s'ils ont une formation juridique, et ne pas se laisser aveugler par les préjugés politiques dépassés.

Pourquoi enlèverait-on les territoires de chasse et de pêche des Autochtones? Ils font partie de nos territoires ancestraux et de notre patrimoine. Ces droits ancestraux territoriaux sont reconnus à l'article 35(1) de la *Constitution du Canada*. Surtout que, pour la très grande majorité d'entre-nous, ces territoires n'ont pas été cédés, ni conquis, ni éteints, donc ils nous appartiennent toujours comme l'a déclaré la *Cour suprême du Canada*, entre autres, dans la cause *Calder*, en 1973.

Lorsque l'on souligne, pour défendre cette thèse, que la population est moindre que celle de la minorité anglo-québécoise, forte de quelque 800,000 habitants, et la plupart des autres collectivités ethniques du Québec, je suis sidéré. On est prêt à employer toutes sortes d'arguments, mêmes ceux qui favorisent leurs ennemis jurés, pour écraser les nations autochtones.

Une telle argumentation me porte à m'interroger sur ce qui est vraiment petit... Est-ce les nations autochtones à cause de leur nombre d'habitants, fortement affecté par les épidémies, ou toutes les maladies amenées par les Européens, par les guerres pour appuyer les colonisateurs et par les politiques d'assimilation qui ont eu l'effet, par la suite, d'un génocide ? ou les attitudes de certains Québécois à cause de leur mesquinerie ?

Pour ce qui est du « voisinage accueillant du Canada qui serait la seule raison qui nous permettrait de prétendre à un avenir viable en dehors du Québec », je répondrais : J'espère que nous ne sommes pas condamnés pour l'éternité à être sous la tutelle de quelqu'un. D'abord la France et l'Angleterre, puis le Canada et, si le Québec se sépare, l'État du Québec. Ça doit donc être ça l'avenir de la race dite inférieure dont parlaient les Premiers arrivants et rapportés avec emphase pas les historiens-politiciens.

> *Doit-on reconnaître à toutes les collectivités humaines quelles qu'elles soient le droit, non pas de se gouverner elles-mêmes - ce qui est acquis -, mais de choisir par qui elles veulent se faire gouverner, à quel autre pays elles veulent s'intégrer ? C'est là toute la question. L'ordre international ne permet pas une solution qui, toute sympathique qu'elle soit en principe, n'apporterait dans le monde que le chaos.*

Ces Québécois devraient au moins savoir que nous sommes les premiers habitants de ce pays. Ils devraient constater que nous n'avons pas l'intention de nous contenter de la délégation de pouvoirs, ou plutôt des miettes que le Québec daignera bien nous laisser tomber. Nous voulons choisir qui nous gouvernera et à quel pays nous voulons nous intégrer. C'est vraiment là toute la question comme on le souligne. De plus, il n'est pas de notre intention de favoriser quelque chaos que ce soit.

J'ajouterais de plus que, pour plusieurs Québécois sérieux que j'ai fréquentés, l'avenir va plutôt dans la direction de l'ouverture, du respect et de la grandeur. Elle ne va pas dans le sens de la petitesse d'esprit... Si les Québécois veulent que nous soyons avec eux dans ce projet de souveraineté, pourquoi ne pas faire les efforts nécessaires pour nous convaincre ? Pourquoi ne pas nous démontrer que l'intérêt de nos nations devrait aller dans ce sens ? Avoir la foi du charbonnier semble dépassé au début de ce millénaire, surtout que nous avons tellement perdu en l'ayant au début de la colonie.

C'est pourquoi les nations autochtones du Québec devraient se donner une vision un peu plus réaliste de leur avenir national, prétendent certains Québécois.

> *À mon humble avis, celui-ci est irrémédiablement lié à l'une ou l'autre des nations canadiennes ou québécoises et leur liberté de choix à cet égard dépend du Canada et du Québec. Si le Canada reconnaît à tous ses peuples autochtones le droit de décider de leur rattachement à la province canadienne de leur choix ou même aux pays de leur choix (Etats-Unis, Groenland, Russie ou bien l'Arabie Saoudite), alors le Québec devra en faire autant. Mais la chose est bien improbable.*

Le ton prêcheur de cet « humble avis » ne fera pas oublier le contenu désobligeant d'une analyse liminaire qui nous propose de choisir une vision plus réaliste de notre avenir national. Tout dépend du côté de la lorgnette que l'on regarde. Pour moi, ce genre de vision est loin d'être réaliste comparée à celle des Autochtones, ou plus particulièrement de la mienne. Ma propre conception a subi les affres des discussions avec des opposants et non seulement la complaisance des membres d'une même chapelle hermétiquement fermée d'un parti politique. Plus encore, cette approche a été débattue et acceptée en très grande partie par les militants du *Parti québécois* en congrès. Arrêtée par certaines forces vives du Québec des plus influentes après quelque deux ans de discussions sérieuses, elle a aussi fait l'objet d'un manifeste.

On peut prétendre que notre sort soit lié à l'une ou l'autre des nations, canadienne ou québécoise, mais que notre liberté de choix à cet égard dépende du Canada et du Québec m'apparaît pour le moins exagéré. Ou encore qu'il faudrait admettre que nous sommes sous leur joug et s'en réjouir *niaiseusement...* On a cru à la langue fourchue de certains *leaders* politiques qui parlaient d'une nouvelle relation d'égal à égal.

C'est une approche quelque peu mesquine que de lier la générosité du Québec à celle du Canada. Le Québec pourrait se distinguer par le mieux et non pas rechercher le nivellement par le pire. Une telle attitude de la part de certains *leaders* politiques d'un Québec indépendant n'est d'ailleurs pas très rassurante pour l'avenir de ce pays. Elle laisse plutôt un goût amer de régime de bananes. Plusieurs Québécois semblent rêver à l'écrasement des nations autochtones. Par l'extinction de leurs droits ancestraux, ils visent l'élimination des Amérindiens par une forme de génocide moderne et hypocrite, comme le fait d'ailleurs la *Loi sur les Indiens* du gouvernement fédéral qu'ils veulent pourtant éliminer, prétendent-ils.

Avec une telle attitude, comment nous faire croire que les Indiens n'ont rien à craindre d'un Québec souverain qui devra reconnaître fatalement les mêmes droits historiques que le Canada reconnaîtra à ses Autochtones. C'est donc constater que la générosité du Québec se limiterait au minimum.

> *La vérité est que ceux qui se disent prêts à réclamer la partition du Québec - certains anglophones des régions de Montréal et de l'Outaouais - se servent des Autochtones pour promouvoir leur cause. Ce moyen pour faire échouer la réalisation du choix démocratique des Québécois n'a aucune légitimité morale ou politique Il ne vise qu'à faire obstacle à l'accession du Québec à la souveraineté.*

Je puis affirmer que les Anglophones des régions de Montréal et de l'Outaouais ne se serviront pas de moi. Pas plus d'ailleurs que le *Parti québécois* ou plutôt ses plus plus fanatiques représentants pourraient le faire. J'ai réalisé mon indépendance personnelle depuis belle lurette par mes efforts. Je n'ai pas besoin des autres pour le faire entièrement. Seulement me tenir de tels propos m'insulte souverainement.

Plus encore, j'ai dénoncé à maintes reprises les gestes des partitionnistes, comme je le fais d'ailleurs plus loin dans cet ouvrage. J'ai invité les nations autochtones à se tenir très loin de ces derniers qui sèment la discorde pouvant même conduire à une guerre civile.

> *Les Autochtones n'ont rien à craindre d'un Québec souverain qui devra reconnaître les mêmes droits historiques que le Canada reconnaîtra à ses Autochtones, qu'il le veuille ou non.*

Une telle affirmation m'apparaît à ce moment-ci totalement fausse. La paranoïa de certains décideurs du ministère de la *Justice du Québec* est telle que ces derniers se débattent comme des diables dans l'eau bénite pour ne pas négocier avec les Autochtones. Ils craignent d'accepter la reconnaissance du droit inhérent à l'autonomie gouvernementale tel que le propose, en partie, le gouvernement du Canada.

L'attitude de plusieurs *leaders* péquistes me fait penser à certaines personnes suffisantes que j'ai côtoyées au cours de ma vie professionnelle. Tu as beau leur donner toute l'argumentation possible et imaginable sur un sujet quelconque, ils ont leur propre opinion, un point c'est tout. Elles ne t'écoutent même pas. C'est ce que j'en ai déduit souvent à la suite de discussions sur la question autochtone avec ces Québécois bornés.

J'avoue, même si ça ne sera pas très populaire aux yeux de ces personnes, que je perçois derrière leur attitude beaucoup de mépris envers ceux qui osent, comme moi, défendre la thèse des Premiers peuples. Leurs farces insipides à ce sujet en sont des témoignages.

C'est ce genre d'attitude de minoritaires qui ont tendance à écraser les plus petits qu'eux de la part de certains défenseurs de l'indépendance à tout prix qui m'horripile et m'exacerbe. Même à leur âge vénérable, pour certains, je crois qu'ils auraient intérêt à approfondir ces sujets et, qui sait, peut-être à changer d'opinion; ou tout au moins, ils devraient apporter certaines nuances à leur vision dogmatique.

Même au risque de paraître impertinent à leurs yeux, je crois que je me devais de faire cette intervention en termes clairs pour trois raisons bien précises.

D'abord, parce que je crois au travail que certains parmi nous et moi-même sommes en train de faire. Deuxièmement, parce que je pense que les défenseurs de la cause autochtone - situation déjà passablement difficile en cette période pour le moins raciste et anti-autochtone de certains Québécois frustrés - ne méritent pas un tel traitement. Enfin, parce que je souhaite que tous les Québécois comprennent bien que l'on ait bâti notre crédibilité au prix de telles mises au point; ce qui est devenu notre pain quotidien.

Comme le dit la maxime populaire, il y a toujours une goutte d'eau qui fait déborder le vase. Pour moi, de tels propos inconséquents sont cette goutte d'eau et, pour utiliser une phrase célèbre d'un premier ministre du Québec, Robert Bourassa: Assez, c'est assez...

On oublie toute la jurisprudence établie par de nombreux jugements de la *Cour suprême du Canada* sur la reconnaissance des droits ancestraux des Premières Nations, tel que vous le verrez dans un prochain chapitre de cet ouvrage.

Est-ce à dire, croient-ils, que ces peuples peuvent se comporter comme des nations indépendantes? Est-ce à dire aussi que ces peuples sont libres de proclamer leur souveraineté sur des territoires qu'ont occupés jadis leurs ancêtres et libres de choisir avec quel état ils voudraient s'associer ? Est-ce à dire enfin qu'ils sont libres de détacher n'importe quelle parcelle du territoire canadien, américain ou québécois pour le rattacher au pays de leur choix ? « Théoriquement peut-être, mais le prétendre en pratique est une imposture ou une intolérable provocation ».

Selon eux, personne ne croit qu'il serait admissible qu'une petite tribu de quelques milliers de personnes puisse avoir la possibilité de détacher une parcelle de terre du territoire québécois. Sauf, ajoutent-ils, pour ce qui est de quelques obscurs comités de Strasbourg ou quelques membres de comités éthérés de l'*Organisation des nations unies*. Qui admettrait que cette minuscule tribu peut rattacher cette parcelle de terre aux territoires du Nouveau-Brunswick, de l'Ile-du-Prince-Edouard, de l'Ontario ou des Territoires du Nord-Ouest, de l'État de New-York, du Michigan ou de l'Alaska ?

Je leur réponds habituellement que certaines forces vives du Québec ont signé le manifeste du *Forum paritaire Québécois-Autochtones* et ils en sont fiers. Ce dernier reconnaît aux nations autochtones et à la nation québécoise le droit à l'autodétermination. Ce manifeste souligne aussi que le nombre de personnes touchées ne doit en aucun temps influencer ou limiter la portée des droits concernés.

Certains *leaders* nationalistes font ressortir que l'appel des Cris et des Mohawks du Québec, lancé au Canada pour empêcher le Québec d'entraîner leurs territoires hors du giron canadien, est certes compréhensible. Ils ajoutent cependant qu'ils le considèrent indéfendable, complètement irréaliste et improductif.

Pourtant, le nouveau Premier Ministre du Québec, Bernard Landry, a tendu la main aux Cris. Il a signé avec eux, en 2002, la *Paix des braves*; ce qui a donné comme résultats que le Québec, par ce geste généreux, a été catapulté sur le champ au premier rang des nations au monde qui traitent le mieux ses premiers peuples. Il a ainsi retourné, comme on le fait pour une crêpe, la réputation négative qu'avait le Québec auprès des autres nations de la terre. Les Cris, des ennemis jurés du Québec depuis plus d'une génération, sont devenus ses meilleurs propagandistes.

Il n'est pas faux, selon certains leaders péquistes, de voir le gouvernement fédéral comme le fiduciaire des obligations de la *Couronne britannique* contractées envers les Premières Nations. Ils signalent que, si le Québec devient souverain comme le Canada l'est devenu en se séparant de l'*Empire britannique*, il deviendra l'héritier des droits et des obligations du gouvernement fédéral envers les Autochtones. Le Québec sera le nouveau fiduciaire des engagements pris envers les Premières Nations québécoises par les gouvernements passés.

Ils relèvent comme démonstration: « En quoi cela devrait-il être si catastrophique pour les Autochtones condamnés de vivre dans un Québec souverain ? On n'a fait aucune démonstration, bien au contraire, qu'ils avaient à envier à leurs congénères des autres provinces canadiennes ».

Ils sont convaincus que le Québec souverain n'aurait aucune objection à reconnaître aux Autochtones québécois les mêmes droits que ceux des autres provinces canadiennes. Ils ajoutent que le Québec serait prêt à s'engager à faire en sorte que le statut des Premières Nations du Québec soit au moins aussi avantageux que celui des Premières Nations des autres provinces canadiennes ou américaines.

Enfin, pour eux, tout le battage des tambours de guerre que les chefs autochtones font entendre leur apparait être de malheureuses bravades ou de coûteuses provocations susceptibles de ne laisser dans leur sillon qu'amertume ou violence.

Je n'accepterai jamais de croire que défendre nos droits, comme je le fais toute visière levée, ou comme le font certains chefs des Premières Nations, est une bravade et de la provocation « susceptibles de ne laisser dans leurs sillons qu'amertume ou violence ». Au contraire, s'y opposer avec autant d'acharnement, comme le font certains Québécois extrémistes, risquent beaucoup plus d'atteindre l'objectif dénoncé. C'est donc dire que ces dénonciateurs ont plutôt l'apparence d'arroseurs arrosés.

DE LA CATHÉCHÈSE AUTOCHTONE: « QU'OSSA DONNE »

Pouvez-vous (les Autochtones) au moins exprimer des demandes concrètes afin que nous puissions en juger la portée, prétendent certains Québécois ? Ils le font avec la candeur et le sourire figé du *p'tit futé* des clubs sociaux populaires qui croit pouvoir mettre en boîte le conférencier invité par sa question-piège.

Je puis vous affirmer que j'ai travaillé, plus particulièrement au cours des quinze dernières années, à plusieurs niveaux importants qu'il soient politiques, sociaux, religieux, universitaires ou d'affaires, à essayer de convaincre les décideurs québécois de corriger l'erreur historique de l'occupation pacifique. J'ai surtout cherché à redonner aux peuples autochtones cette fierté perdue et à les aider à retrouver leur place dans ce coin de terre d'Amérique.

Les tribunes publiques sur lesquelles je suis monté pour expliquer les demandes autochtones sont tellement nombreuses que je n'ose même plus les citer dans mon portrait de carrière de peur d'ennuyer les gens: Des étudiants d'universités, des membres d'associations anodines de toutes sortes, des journalistes en congrès ou dans leurs conseils de presse régionaux, des juristes de l'État, des participants de mouvements écologiques, des utilisateurs des territoires ancestraux comme les chasseurs et pêcheurs sportifs, des missionnaires et des religieuses, des intellectuels, des défenseurs de droits de toutes sortes, des hommes d'affaires, des associations syndicales, des commissions publiques, des groupements pacifiques, des professeurs, des clubs de lecture, des colloques de toutes sortes, des groupes féministes, des congrès de tout acabit, des clubs sociaux, etc.

A titre d'exemple plus significatif, j'ai accepté de travailler comme Amérindien sur un comité pour améliorer la section du programme politique du *Parti québécois* concernant les Premières Nations. Les députés David Cliche et Denis Perron m'avaient invité à participer aux travaux de ce comité avec d'autres chefs de file des Premières Nations, entre autres Max Gros-Louis, « One-Onti », Grand Chef de la Nation huronne wendat, et Roméo « Diom » Saganash, à ce moment-là, vice-président du *Grand Conseil des Cris*.

Avec l'acharnement qu'on me connaît du négociateur convaincu, j'ai suivi toutes les rencontres de travail. J'ai défendu les visions d'une très grande partie des Autochtones et les positions véhiculées aux tables de négociations que j'ai travaillées à rédiger et à négocier.

J'ai dû m'opposer farouchement à certaines exigences du chef du *Parti québécois* d'alors, monsieur Jacques Pariseau. MONSIEUR, comme l'appelaient ses proches, voulait éliminer certains passages de notre projet qui le dérangeaient. C'était, quant à nous, à prendre dans son entier ou à mettre à la poubelle. Jacques Parizeau a accepté de prendre l'ensemble du dossier.

A la demande de David Cliche et du député du comté de Duplessis, feu Denis Perron, alors responsables du dossier autochtone, j'ai conclu le débat sur le parquet. Avant le vote des participants du congrès, j'avais obtenu une permission spéciale de m'adresser aux militants pour conclure le débat. Il me fallait cette permission selon les statuts parce que je n'étais pas membre en règle du *Parti québécois*.

J'ai défendu avec succès la proposition du comité avec un contenu qui ne faisait pourtant pas vraiment consensus chez les militants. Autour de soixante-dix pour cent (70%) des membres votants présents ont accepté les changements au programme du parti. Cette proposition fait maintenant partie du programme du P.Q. depuis 1994.

Cette question avait soulevé tout un débat raciste pendant le Conseil national sur le programme politique du *Parti québécois*. Ces discussions supportaient l'hypothèse indéfendable, farfelue et insipide, de la pureté du sang, ou du *sauvage pur sang*, tel que défendu par l'historien-politicien Russel Bouchard, potineur de l'histoire saguenéenne.

Je suis donc particulièrement fier de certains engagements du programme politique du *Parti québécois*. On a mis certains points majeurs sur la voie d'évitement à cause d'une vue électoraliste à très court terme. On sait que la cause autochtone n'est pas à ce moment-ci très rentable dans les sondages. J'ose maintenant espérer que les *leaders* actuels de cette formation politique, avec une certaine sagesse, comprendront l'importance de réaliser le plus tôt possible les engagements du programme pour améliorer les relations entre les Autochtones et les Québécois.

Je vous cite les éléments que je crois les plus dynamiques de ces engagements formels qui répondent en très grande partie aux visions des *leaders* des Premières Nations et à une grande partie de leurs récriminations:

« Dans un Québec souverain, (qu') il soit convenu d'un nouveau contrat social entre la nation québécoise et toutes les nations autochtones et ainsi qu'il soit mis fin à ces relations coloniales associées à la *Loi sur les Indiens* qui date du XIXième siècle. Les nations autochtones pourront y contrôler leurs institutions et progresser selon leurs propres choix de société tout en travaillant avec la nation québécoise à développer le pays du Québec. »

« La Constitution du Québec définira le droit des nations autochtones de se donner des gouvernements responsables qui exerceront, dans certains cas par étapes, leurs pouvoirs sur les terres qu'elles possèdent ou occupent actuellement comme les réserves indiennes, les établissements autochtones, les terres de catégorie 1 et les territoires qui leur auront été rétrocédés à la suite d'une négociation avec le gouvernement du Québec. »

« Le gouvernement du Québec signera, avec les nations autochtones qui veulent se donner des gouvernements, des ententes évolutives qui détermineront les pouvoirs reconnus à ces gouvernements tels la définition de leur code de citoyenneté, les régimes fiscaux, l'éducation, la langue et la culture autochtone, la santé, la gestion de l'environnement et des ressources, le développement économique, les travaux publics, etc. Ces ententes détermineront également les pouvoirs partagés ainsi que toutes les mesures nécessaires au bon voisinage. Les lois du Québec seront modifiées pour permettre la mise en oeuvre des ententes.»

« Afin de protéger le processus de négociation de ces ententes et leur mise en oeuvre, un gouvernement du *Parti québécois* mettra en place un mécanisme qui jouera le rôle d'ombudsman des revendications et des questions autochtones. »

« Un gouvernement du *Parti québécois* appliquera une politique de développement durable, ce qui implique que les questions environnementales auront la même importance que les questions économiques lors des prises de décision. Cette politique favorisera une gestion intégrée de l'exploitation des territoires dans le respect des ententes avec les Autochtones. »

« Un gouvernement du *Parti québécois* reconnaîtra que les Autochtones du Québec ont un lien privilégié avec la terre et qu'ils exercent leurs activités traditionnelles de chasse, de pêche et piégeage sur de vastes territoires qui sont aussi exploités par d'autres utilisateurs...

[...] Selon des modalités à déterminer, il convient donc d'associer les nations autochtones à l'aménagement et à la gestion des territoires où elles exercent leurs activités traditionnelles. »

[...] Dans le cadre de ces ententes, les gouvernements autochtones pourront recevoir une part des revenus ou des royautés que le gouvernement du Québec retirera de l'exploitation des ressources de ces territoires. Les Autochtones deviennent ainsi des partenaires au développement. »

« Dans l'optique où les nations autochtones deviennent des partenaires au développement du Québec et dans le cadre de la réforme du mode de scrutin électoral envisagé au chapitre 1.B de notre programme, le gouvernement du *Parti québécois* définira avec les nations autochtones leur représentation adéquate à l'*Assemblée nationale du Québec* selon un échéancier et des modalités à préciser. »

[...] Ces ententes seront conclues sans extinction des droits autochtones et seront réévaluées à la lumière des décisions des cours de justices québécoises et des amendements à la Constitution québécoise. »

« Le gouvernement du *Parti québécois* respectera les traités existants et les acquis des nations autochtones jusqu'à ce qu'ils soient remplacés par de nouvelles ententes entre le gouvernement du Québec et les nations autochtones. »

J'ai aussi participé avec Aurélien Gill, aujourd'hui sénateur libéral, comme conférencier, à un colloque organisé par le *Parti libéral du Québec*. Là aussi, j'ai exprimé ma vision des relations futures entre les Québécois et les Autochtones et de leurs demandes. J'ai de plus collaboré avec Christos Sirros à bâtir la partie autochtone du programme du *Parti libéral du Québec*.

MANIFESTE DU
FORUM PARITAIRE QUÉBÉCOIS-AUTOCHTONES

A la suite de plus de deux ans de travail constant et intense, le *Forum paritaire Québécois-Autochtones* a été le laboratoire d'une importante réflexion sociale et politique de la part de forces vives du Québec et des nations autochtones. J'ai été le promoteur et l'artisan de cette idée de *Forum paritaire Québécois-Autochtones*. Gérald Larose, alors président de la *Confédération des syndicats nationaux* (C.S.N.), par sa participation active a été vraiment la personnalité québécoise qui a donné une âme à ce groupe de travail.

Ces discussions ont conduit à la rédaction d'un manifeste déposé à la *Commission royale sur les peuples autochtones du Canada*. Le co-président de cette *Commission royale...*, le juge René Dussault, a qualifié ce document de « réflexion unique et majeure de la part d'Autochtones et de non-Autochtones à travers le Canada ».

Ce manifeste a fait consensus. Il a été signé par des *leaders* sociaux qui y ont représenté leur organisation respective comptant, pour plusieurs, des milliers de membres tels que la *Confédération des syndicats nationaux*, Gérald Larose, co-président, et Pierre Bonnet, le *Grand Conseil des Cris du Québec*, Roméo *Diom* Saganash, co-président, l'*Assemblée des évêques du Québec*, monseigneur Gérard Drainville, l'*Association des femmes autochtones du Québec*, mesdames Jackie Kistabish, présidente et Michèle Rouleau, ex-présidente, qui a commencé les rencontres, la *Centrale de l'enseignement du Québec*, madame Lorraine Pagé, messieurs Daniel Lachance et Henri Laberge, le Centre justice et foi, le père Julien Harvey, la *Confédération des caisses Desjardins*, Michel Doray et Claude Têtu, le *Conseil des Atikamekw et des Montagnais*, René Simon et Arthur Robertson, le *Grand conseil de la nation Waban-Aki*, Denis Landry, la Ligue des droits et libertés, Gérald McKenzie et Sylvie Paquerot, le *Regroupement des centres d'amitié autochtone du Québec*, Edith Cloutier, et LE GROUPE CLEARY, René Boudreault et moi-même, Bernard Cleary.

L'objectif premier du *Forum paritaire Québécois-Autochtones* était de chercher à identifier et à combattre les préjugés ainsi qu'à améliorer le niveau de connaissance des réalités de chacun des groupes représentés. La démarche voulait construire des ponts entre les nations autochtones et la nation québécoise.

Pour le Forum, dans la mesure où les réalités vécues ne sont jamais complètement positives ou négatives, plusieurs des questions abordées comportent des divergences et des convergences d'opinions et d'intérêts. Elles peuvent évoluer dans un sens comme dans l'autre. « Nous avons tenté d'identifier ces aspects sans complaisance ni naïveté, mais en désirant renforcer nos convergences ».

« Le Forum doit être perçu comme un lieu pour mesurer et mettre en valeur nos convergences; dans un souci de réalisme, il veut identifier aussi nos divergences et clarifier des moyens pour les surmonter. [...] Le Forum n'est pas un groupe d'appui aux Autochtones ni un lieu de promotion d'une option politique particulière pour le Québec. »

Avec encore plus de conviction, puisque ce débat avait une importance majeure auprès des forces vives influentes du Québec qui forgent l'opinion publique, j'ai défendu des positions que j'exprime depuis plusieurs années. Ces positions ont pris racine au cours des ans à la suite de nombreuses consultations auprès des Indiens dans les communautés innues, atikamekw, huronnes, micmaques, algonquines, abénaquises, etc. Avec les autres leaders des Premières Nations, nous avons convaincu ces gens bien-pensants et responsables de certaines demandes légitimes des Autochtones du Québec.

« Le Forum reconnaît le droit à l'autodétermination des peuples vivant au Québec, soit les onze peuples autochtones et le peuple québécois. Il reconnaît aussi que l'exercice démocratique de ce droit pourrait se traduire par leur accession à la souveraineté politique. Il affirme que, dans ce cas, des impératifs géographiques et la sagesse politique impliquent une nécessaire association. Il s'engage à défendre ce droit à l'autodétermination ainsi que l'exercice de ce droit et à promouvoir, le cas échéant, cette association. »

Il tient à rappeler que le nombre de personnes impliquées n'influence en aucune façon le droit. Il reconnaît cependant que ce nombre peut en moduler les applications concrètes.

Le Forum considère, en outre, « qu'il serait insuffisant de s'en tenir à la simple protection juridique des peuples autochtones sur le territoire du Québec, même s'ils sont minoritaires, que ce soit au nom de la personne ou des droits collectifs. Il reconnaît que les droits ancestraux de chaque peuple autochtone incluent des droits territoriaux à définir et un droit inhérent à l'autonomie politique ».

Et il ajoute: [...] « par le fait que, pendant plus de trois siècles, les Québécois ont occupé et développé une partie du territoire, le Forum reconnaît les droits du peuple québécois ».

Pour devenir compatibles, ces droits territoriaux et politiques des peuples autochtones et du peuple québécois doivent être négociés dans un climat de droit et non de rapport de force. « La négociation de ces questions doit tenir compte des revendications historiques de chaque peuple autochtone, des droits du peuple québécois, du droit international et de la jurisprudence ainsi que de l'espace vital nécessaire à chacun des peuples autochtones et québécois. »

Le Forum considère que plusieurs types de possession et de gestion du territoire par les peuples autochtones et québécois peuvent être envisagés et négociés, en particulier :

a) L'établissement de territoires autonomes dont la population serait très majoritairement autochtone et pourrait en avoir la pleine possession, territoires constituant l'assise territoriale de leur autonomie;

b) la gestion partagée de territoires dont l'exploitation des ressources assurera un développement économique et social suffisant pour les besoins des peuples autochtones. Le Forum signale que cette gestion partagée concerne tout particulièrement les territoires du Moyen Nord et du Grand Nord, favorisant le développement d'une économie nordique et circumpolaire.

« Les deux types de territoires ne seront pas nécessairement contigus. »

L'étendue des compétences de chaque gouvernement, selon le Forum, pourra varier de l'un à l'autre et leur exercice déterminé par la voie de la négociation.

« Le processus de l'accès à l'autonomie politique supposera la mise en place de gouvernements fondés, non pas sur le caractère racial ou ethnique des personnes qui y sont sujets, mais sur l'assise territoriale. Cependant, ces gouvernements pourront prendre des mesures particulières, inspirées du droit international et des déclarations de l'*Organisation des nations unies*, pour protéger les caractéristiques ethniques de leurs composantes. De plus, ces gouvernements devront détenir les moyens de protéger leur langue et leur culture nationale spécifique, ainsi qu'une base économique autonome. »

Le Forum reconnaît que, dans l'éventualité d'une modification du statut politique du Québec, les droits existants à ce moment-là des peuples autochtones et des personnes qui en font partie seront maintenus intégralement. Toutes les obligations précédemment assumées par le Canada à leur égard le seront par le Québec. Ces droits et obligations pourraient se modifier à la suite d'ententes négociées entre les parties.

« Si le Québec choisit la voie de la souveraineté, cela implique que chacun des onze peuples autochtones serait représenté dans la Constituante de cet ensemble géopolitique. Cette Constituante aura à définir les grandes lignes du cadre politique à établir entre les peuples autochtones et le peuple québécois. Elle établira en outre les mécanismes appropriés comme, par exemple, une charte des droits individuels, collectifs et nationaux et un lieu politique commun. »

Selon les représentants des forces vives du Québec et des nations autochtones, la recherche d'une plus grande autonomie pour le peuple québécois et pour les peuples autochtones ne constitue pas un recul dans l'histoire, mais un pas vers l'avenir.

« Cette autonomie se fonde d'abord et avant tout sur un effort d'autodéveloppement, sur le sens de l'initiative et sur le dynamisme interne de chacun des peuples. Ce développement devra viser l'autosuffisance économique par le biais, entre autres, de la fiscalité, du commerce, de la taxation et des revenus provenant de l'utilisation des ressources naturelles ».

Les membres du Forum paritaire Québécois-Autochtones ont conclu que, tout autant que le peuple québécois, chaque peuple autochtone a une spécificité culturelle qui doit être comprise dans son sens large. Elle inclut la langue, le mode de vie, l'éducation, l'économie, etc. « Il va de soi que chaque nation autochtone doit être considérée comme responsable de son propre développement culturel et doit donc disposer des pouvoirs et des moyens nécessaires à cet effet ».

Le Forum ne croit pas que le Québec doit imposer une langue seconde aux peuples autochtones. Cependant, le Forum recommande de favoriser le français comme langue d'échange. Il suggère de prendre tous les moyens nécessaires pour que se développe l'usage des langues autochtones. Il souhaite enfin que les cultures des nations autochtones s'épanouissent et qu'on les diffuse dans la société québécoise.

« A l'heure actuelle, les instruments légaux dont on dispose ne sont pas adaptés à la réalité des droits collectifs et nationaux du peuple québécois et des peuples autochtones. Le Forum considère la nécessité d'une charte commune, fondée sur la *Déclaration universelle des droits des humains*, qui permettra de protéger les droits individuels fondamentaux des personnes, l'égalité des sexes, les droits collectifs et les droits nationaux. »

A la suite de l'élaboration d'un traité de coexistence, il faudrait mettre en place un tribunal d'arbitrage paritaire, pluriculturel, basé sur le pluralisme juridique et axé sur un système de valeurs multiples. Ce pacte pourrait être conclu entre Autochtones et non-Autochtones, au Canada ou au Québec, souligne le manifeste du *Forum paritaire Québécois-Autochtones*. « Ce tribunal verrait à l'application du traité de coexistence. Ce traité aurait une valeur supérieure aux lois d'application générale du pays et il présiderait aux relations entre les peuples qui y vivent. Les jugements de ce tribunal, dans son champ de compétences, seraient exécutoires et sans appel. Aux fonctions d'arbitrage de ce tribunal, se grefferaient aussi des pouvoirs de médiation, de recommandation et de conciliation. »

Le Forum paritaire conclut son manifeste en soulignant qu'il y aura toujours des différences qui subsisteront sur les plans de la culture, de la langue, du mode de vie et de certaines priorités de développement. Nous devons apprendre à vivre avec elles et à les respecter.

Nous avons cependant, dès maintenant, la responsabilité commune de tout tenter pour renforcer nos convergences. Conviés par l'histoire et la géographie, nous devons relever le défi de vivre ensemble. Il nous faut aussi identifier rapidement les assises de nos relations mutuelles.

Enfin, tel que vous avez pu le constater à la lecture des pages précédentes, certains Autochtones ont fait les efforts nécessaires pour exprimer une vision d'avenir claire auprès des décideurs politiques et sociaux. Même si les résultats ne sont pas toujours probants, il ne faut pas désespérer et continuer en ce sens.

Après des démarches nombreuses, les médias de masse ont peu véhiculé ces efforts constructifs. Ils ont préféré continuer à parler de la vente de cigarettes et d'armes des Mohawks et d'autres événements anodins de même acabit. Pour eux, les faits divers font vendre plus de copies ou attirent plus de téléspectateurs que les débats sérieux de société ou les efforts faits pour rapprocher les peuples.

Comme journaliste de carrière reconnu et professeur en journalisme et communication, j'ai fait, je crois, tous les efforts nécessaires: Commentaires publics dans les médias écrits et électroniques, plaintes au *Conseil de presse du Québec*, participation à des débats publics comme panelistes, sur des tribunes aussi prestigieuse que celle de la *Fédération professionnelle des journalistes du Québec* comme conférencier à deux reprises, celle de l'*Université de Montpellier*, en France, lors d'une rencontre internationale d'« Archimed IV », celle de l'*University Western* de l'Ontario, « Encounter '90 », et plusieurs conseils de presse régionaux sur les questions d'éthiques professionnelles du journalisme moderne.

A ce moment particulier et historique des réformes constitutionnelles majeures, il est évident que le pouvoir de négociation des Indiens du Québec avec les gouvernements se trouve considérablement accru. Même si l'opinion publique ne leur est pas vraiment favorable, la conjoncture sociale et politique invite à la négociation sous toutes ses formes.

LUEUR D'ESPOIR AU FOND DU TUNNEL

D'un côté, les leaders sociaux et politiques québécois, indépendantistes, constatent que, s'ils veulent que se réalise le rêve québécois de souveraineté, ils doivent avoir une attitude ouverte envers les dossiers de revendications des Premières Nations. Ils savent très bien que les nations autochtones peuvent contester légitimement, au moins sur la partie politique sinon celle juridique, l'accession du Québec à son indépendance au Canada et sur la scène internationale.

Plus encore, ils croient hors de tout doute que des fédéralistes sans scrupule - les partionnistes en sont la preuve - vont tout faire pour convaincre les Indiens du Québec d'agir en ce sens. Ils savent que ce serait bien mal démarrer cette indépendance comme peuple que de la réaliser en bafouant les droits ancestraux des Autochtones du Québec.

C'est un secret de polichinelle pour plusieurs observateurs avertis de la scène autochtone que les forces fédéralistes voient, dans l'opposition des Indiens à l'accession du Québec à son indépendance, une dernière carte majeure dans leur manche. Ils la sortiront seulement après avoir perdu le référendum. Les Autochtones sont donc pour eux le prétexte idéal pour contester au niveau international les velléités indépendantistes de certains Québécois. N'oublions pas que les Autochtones ont été les seuls à pouvoir ajouter un amendement au projet de loi sur la clarté référendaire de Stéphane Dion leur permettant ainsi de contester la clarté de la question.

Leur stratégie actuelle semble évidente: Faire la démonstration que les gouvernements du Québec actuels ne règlent pas d'une manière satisfaisante les dossiers importants des Autochtones. Une telle situation tend à prouver d'une façon subliminale que les Québécois, quelles que soient leurs allégeances politiques et leur forme de gouvernement, sont anti-autochtones.

De l'autre côté, les sirènes fédéralistes du statu-quo actuel courtisent les Autochtones des autres provinces et ceux du Québec. Ils leur promettent une formule de distinction - les nouveaux miroirs *chromés* - aussi vague et insignifiante que celle qu'ils proposent aux Québécois.

Pour moi comme Autochtone, un Canada composé de provinces unies contre les Premiers peuples, qui n'a d'ailleurs jamais donné de résultats sinon nous écraser, ne constitue pas nécessairement un objectif à atteindre.

Nos droits ancestraux ne sont pas véritablement reconnus par aucun de ces gouvernements qui composent cette union factice. Le résultat de leur union contre les Autochtones fait en sorte qu'ils ne nous reconnaissent même pas comme peuples fondateurs. Nous sommes totalement absents des débats importants et des développements majeurs parce qu'on nous a pris nos territoires ancestraux.

Comme leur constitution a inscrit une forme de reconnaissance vague de nos droits existants qui devront être définis par leurs cours, ou issus de traités acceptés par les provinces, il s'ensuit que nous sommes totalement à leur merci.

Et je défendrais aveuglément ce Canada uni sans aucun engagement majeur de sa part sous forme de traité-cadre pour toutes les Premières Nations du Canada en ayant la foi du charbonnier...

Voyons, c'est une farce monumentale! Ce pays m'a si souvent trompé comme Autochtone.

Donc, le spectre de la brisure d'un Canada uni ne doit pas servir de paravent et surtout de prétexte pour encore une fois nous berner et écraser la cause autochtone. J'espère que jamais les Indiens du Québec, ou du reste du Canada, ne se laisseront utiliser bêtement pour écraser le choix légitime des Québécois. Cette menace d'indépendance du Québec ne devrait-elle pas être plutôt la rampe de lancement pour réaliser les rêves les plus chers de nos anciens.

Cette catapulte préparerait ainsi des jours meilleurs pour les enfants de nos petits enfants ?

Je tiens à souligner que je demeure vraiment convaincu que la fleur de lys d'un Québec indépendant ou la feuille d'érable d'un Canada uni ne pourront jamais s'épanouir à l'ombre d'un éventuel mausolée des cultures autochtones.

Nous avons démontré que nous nous battrons toujours contre cette éventualité. Nous sommes encore là aujourd'hui pour en témoigner malgré tout

À NOUS DE CHOISIR CE QUI EST BON POUR NOUS

Quant à nous, Indiens du Québec, nous avons la difficile tâche de démêler le bon grain de l'ivraie. Souvenons-nous que notre histoire a souvent été écrite de tromperies. On nous a fait miroiter un avenir rempli de promesses pour mieux s'accaparer de nos terres, nos seuls biens. Je sais d'ailleurs que mêmes nos frères autochtones, à certaines occasions, ont utilisé mielleusement la solidarité des Premières Nations pour nous faire poser des gestes que nous regrettons amèrement aujourd'hui.

Je n'ai aucunement l'intention de vous convaincre d'aller d'un bord ou de l'autre, mais de vous inviter à regarder attentivement les deux côtés de la médaille et de tout utiliser pour vous amener à bien démêler les amis des ennemis. Ce qui n'est pas toujours facile pour des gens qui ont été si souvent trompés. C'est quand même ce qu'il faut faire puisque nous n'avons pas d'autres choix. Personne ne pourra l'accomplir pour nous.

Avons-nous vraiment à gagner collectivement d'être pour une option ou pour une autre ?

Pour ma part, je ne le crois pas vraiment.

Nous devons plutôt utiliser le temps présent pour asseoir la définition de nos droits ancestraux. Nous devons utiliser notre peu de pouvoir de négociation actuel pour obtenir des garanties de part et d'autre que nous occuperons la place qui revient aux Premières Nations dans la, ou les constitutions, de demain. Ces garanties doivent être négociées actuellement, avant le prochain référendum du Québec, et inscrites dans des traités d'alliance clairs.

Les vaines promesses verbales ne peuvent pas être considérées puisque des langues fourchues des politiciens nous ont si souvent trompés.

Nous ne devons pas avoir peur de véhiculer notre opinion d'une manière démocratique, toute visière levée. Comme plusieurs Autochtones favorisent de demeurer au sein du Canada, ils doivent l'exprimer honnêtement dans le débat actuel en respectant cependant que d'autres aient des vues différentes. Cela ne signifie aucunement de se laisser conduire comme des aveugles par les tenants du fédéralisme actuel. Le fédéralisme centralisateur, comme on le sait, fait peu de place aux Autochtones. Il faut que le fédéralisme de demain nous donne l'espace nécessaire pour nous développer économiquement et nous considère sérieusement.

Ce Canada uni, il faut savoir le définir à notre satisfaction. Il faut que l'on reconnaisse et respecte nos droits ancestraux. Les enfants de nos petits enfants devront être fiers de nous pour ce que nous aurons obtenu pour eux au cours de cette période historique.

Nous avons une occasion unique pour nous défendre qu'il faut saisir en demeurant bien droit debout, fier, la tête haute comme un bouleau qui n'a pas été atteint par les maladies modernes de l'environnement. Nous n'avons pas à soutenir des absurdités, comme la partition du Québec, qui conduisent nulle part. Nous devons plutôt profiter de cette circonstance qui ne reviendra sûrement pas pour imposer notre vision d'un Canada et d'un Québec de demain. Enfin, nous devrons faire en sorte que les nations autochtones s'imposent comme véritable peuple fondateur de cette terre d'Amérique.

III

PROJET DE SOCIÉTÉ
DE TOUS LES QUÉBÉCOIS

UN AUTRE RÉFÉRENDUM HÂTIF
NE SERAIT PLUS ACCEPTÉ

En matière de référendum sur l'avenir du Québec, le *Parti québécois* ne peut plus soutenir la position politique qui consiste à aller de défaite en défaite jusqu'à la victoire finale. Cette approche quasi ridicule choque de plus en plus de Québécois bien-pensants.

Autour de soixante-dix pour cent (70%) des électeurs, selon les nombreux sondages de la campagne électorale de l'automne '98, a opposé un NON catégorique au spectre d'un autre référendum. D'autres consultations publiques scientifiques, à la fin de 1999 et au début du présent millénaire, ont répété des résultats qui marquaient une opposition majoritaire à ce que se tienne d'un autre référendum.

Plus encore, on ne peut pas passer sous silence que la victoire surprise du *Parti libéral du Canada* de Jean Chrétien au Québec, lors de la dernière élection fédérale à la fin de l'an 2000, a été toute une rebuffade pour les adeptes de l'indépendance du Québec tous azimuts. Au Québec, le parti de Jean Chrétien a repris du poil de la bête à un point tel que, pour le *Bloc québécois*, on doit sans aucun doute parler de leur plus mauvais résultat de campagnes électorales depuis leur début sur la scène fédérale. Évidemment, le débat sur les fusions municipales, alimenté par les libéraux du Québec, leur a été des plus néfaste.

Cependant, même si cela semble contradictoire, il ne faut plus mettre de côté le fait indéniable que le contexte politique actuel prêche en faveur d'un référendum définitif sur l'avenir du Québec contemporain, au moins pour la génération présente. C'est pour cette raison que ce référendum ne pourra pas tarder si les tenants de cette thèse de la souveraineté-association espèrent convaincre un jour les autres Québécois.

Je sais que l'ancien Premier Ministre, René Lévesque, fondateur du *Parti québécois* et père de cette forme québécoise de consultation populaire, soulignait qu'un intermède minimal d'au moins huit à dix ans était nécessaire entre deux référendums sur l'avenir du Québec. Il a d'ailleurs respecté cette vision sur les consultations publiques de cette importance.

Il me justifiait, au cours d'une entrevue comme chroniqueur politique pour LE SOLEIL, cette période de temps minimale en soulignant qu'un référendum mobilise les énergies de l'appareil gouvernemental; ce qui l'empêche de jouer le rôle d'un bon gouvernement. De plus, une consultation politique aussi fondamentale divise profondément les familles québécoises...

Il faut tenir compte que le nombre des Québécois de souches francophones diminue d'année en année à cause du faible taux de natalité. À l'inverse, celui des immigrants augmente à une rapidité étonnante suite aux besoins économiques de remplacement amenés par la dénatalité et aux facilités offertes par le gouvernement du Canada pour recevoir les nouveaux arrivants.

Ce phénomène actuel fait en sorte que le bassin de l'électorat, plus fasciné par la souveraineté du Québec, qui se fonde sur l'opposition entre Francophones et Anglophones, rétrécit continuellement. Il s'ensuit que les tenants de l'indépendance à tout crin tentent d'obtenir une approbation de leur thèse à l'arraché, le plus rapidement possible, parce qu'ils réalisent bien que demain puisse être trop tard.

Même si certains souverainistes « tirent sur la fleur pour la faire pousser plus rapidement », il faut être conscient que l'idée de l'indépendance pure et dure du Québec est plutôt stagnante. Elle a même perdu du terrain depuis 1995. La génération actuelle, marquée par l'arrivée massive des immigrants, ne favorise pas l'émergence d'un projet de société qui prend ses racines presque exclusivement dans le passé.

Quoiqu'il en soit, dans les conditions actuelles, un référendum remporté avec 50% et des poussières ne réglerait rien. Tout ce beau monde du Québec politique, des antagonistes de toujours, va continuer à se chicaner pendant encore plusieurs décades. Ils ne détermineront rien.

Il faudra bien admettre un jour que les débats politiques stériles actuels pour imposer **SA** propre vision du Québec de demain, que ce soit la thèse des indépendantistes, ou celle des fédéralistes, retardent notre développement économique et social. De plus, parce qu'elles perdurent depuis plus d'une vingtaine d'années, ces discussions handicapent le futur de nos enfants et de nos petits enfants. Il devrait avoir d'autres méthodes plus constructives, plus efficaces et surtout plus rapides pour arrêter un projet de société rassembleur et prometteur d'avenir... (Relire, ou se remémorer, le chapitre deux de cet ouvrage: LA PLACE DES INDIENS DANS LE QUÉBEC DE DEMAIN).

Quant à la parade de l'ancien Premier Ministre du Québec, Lucien Bouchard, un référendum avec des conditions gagnantes, elle convainc probablement certains membres en règle plus fanatiques du *Parti québécois* - même si j'en doute -, mais peu les autres Québécois. Cette défense des péquistes sent plutôt la magouille qu'autre chose de plus noble.

Par contre, la riposte dictatoriale de Jean Charest lors de la campagne électorale de l'automne '98 était bien loin d'être plus rassurante. Il était prêt, pour sa part, à tripoter pour garder le statu-quo constitutionnel actuel, dénoncé par plusieurs Québécois, sans par ailleurs soumettre cette vision à la population québécoise par voie de référendum. L'excuse facile employée, utilisant le prétexte que les Québécois sont écoeurés des référendums, ne justifiait d'aucune façon ce geste inacceptable d'autoritarisme. D'ailleurs, il le reconnaît lui-même en proposant un référendum sur la formule minimale et inacceptable - sauf pour les Indiens même s'ils l'ont rejetée - du lac Meech...

Le statu-quo politique actuel, qui permet au gouvernement fédéral de centraliser les pouvoirs et d'écraser les provinces, est inconcevable. Il ne peut plus être question que le gouvernement centralisateur de Jean Chrétien et de ses mandarins continue à bafouer les gouvernements régionaux. Ces gouvernements locaux sont beaucoup plus près et représentatifs des populations de ce vaste pays qu'est le Canada.

C'est d'ailleurs ce que veulent toutes les provinces. Le vote de la dernière élection fédérale l'a exprimé qu'on le souhaite ou non. L'échec des politiques centralisatrices doit maintenant subir l'analyse sérieuse et conduire aux changements constitutionnels nécessaires qui s'imposeront par la logique.

Jean Charest ne méritait pas vraiment ce chèque en blanc qui lui aurait ainsi permis d'éviter toute attitude normale de démocratie. Ce n'est pas le fait que les libéraux fédéraux centralisateurs de Jean Chrétien et certains anti-Québécois des autres provinces canadiennes l'aient induit de la mission de « sauveur du Québec» qu'il peut tout se permettre.

Il ne faut surtout pas oublier que Jean Charest a d'abord été le chef du *Parti conservateur du Canada* à Ottawa, un ardent défenseur du statu-quo constitutionnel actuel et le père adoptif de la formule minimale de Meech. Plus encore, ce transfuge s'est beaucoup trop facilement laissé séduire, à leur tout premier chant, par les sirènes du fédéralisme centralisateur pour devenir le dauphin, contre nature, des députés libéraux fédéraux.

Enfin, comme chef du *Parti libéral du Québec* actuel, contrairement à Jean Lesage, à Claude Ryan et à Robert Bourassa, il ne semble pas enclin à se distinguer en s'éloignant des politiques constitutionnelles des grands frères d'Ottawa.

LE MOMENT N'EST PLUS AUX PRESTIDIGITATEURS

La poussière volcanique du référendum de 1995 est retombée depuis un bon moment. Elle recouvre pour toujours, faut-il l'espérer, les commentaires déplacés de l'ancien Premier Ministre du Québec, Jacques Parizeau, envers les nouveaux arrivants et les Indiens. Il l'a fait parce que ces derniers n'ont pas appuyé les Québécois de vieilles souches.

La lave de ce volcan réveillé a détruit toutes les chances que les nationalistes québécois combattent les vagues promesses, sans aucune originalité, des ténors fédéralistes du statu-quo.

Le *Parti québécois* aurait pu marteler cette opinion publique en exigeant des fédéralistes qu'ils livrent la marchandise promise. Au contraire, il a donné une occasion de diversion en or aux adversaires qui a mené à la démission du Premier Ministre du Québec, Jacques Parizeau.

Nos grands génies de la stratégie politique, qui n'ont jamais écouté personne, ont préféré continuer à insulter les nouveaux arrivants et les membres des Premiers peuples. Leur acharnement à exclure ces votants est, pour tous les Québécois sensés, inexplicable.

Les soubresauts d'un indépendantiste passé date et nostalgique, Yves Michaud, auront réveillé les instincts destructeurs du groupe d'extrémistes d'une certaine vieille garde. Ces derniers, qui sont plus nombreux que l'on pense, continuent à veiller au grain et à faire de plus en plus de torts au *Parti québécois* dont les membres récents, beaucoup plus jeunes, sont plus ouverts à des idées nouvelles.

Les déclarations de Yves Michaud ont éclaboussé, de nouveau, la cause défendue par les nationalistes québécois et lui ont fait perdre des points dans l'opinion publique.

Il serait plus que le temps que les membres de « la ligue du vieux poêle » abandonnent le bâton de la parole et laissent à la génération montante le soin de travailler de bonne foi à l'édification d'un Québec moderne à l'image des Québécois d'aujourd'hui. Que voulez-vous, le Québec change. Il évolue pour le meilleur ou pour le pire.

Ce n'est pas toujours aux vieux de la vieille, comme je le suis d'ailleurs, à toujours imposer leurs visions de société.

L'exécrable habitude, intolérable pour toute formation politique qui se respecte, de l'ancien Premier Ministre, Jacques Parizeau, de commenter les actions du chef du *Parti québécois* et de lui faire la morale en public, manque de respect et détruit, à la racine, la crédibilité du chef du gouvernement. Orgueilleux et rempli à ras bord de sa propre personne comme il est, MONSIEUR aurait-il toléré une telle attitude de qui que ce soit, même d'un ancien Premier Ministre de la trempe de René Lévesque, le fondateur du *Parti québécois* ?

Il a porté ombrage à René Lévesque et a détruit Pierre-Marc Johnson et Lucien Bouchard, deux premiers ministres péquistes du Québec, par ses attaques mesquines et vicieuses. Il le fait plus hypocritement pour Bernard Landry.

Une position de réserve d'un ancien Premier Ministre est une obligation, ne serait-ce que par respect pour les autres compagnons d'armes de la première heure qui n'abandonnent pas la formation politique et qui continuent à y travailler en évoluant avec la population plus jeune...

Agir comme le fait Jacques Parizeau démontre un manque total de jugement politique et social. Plus encore, ce dernier utilise son prestige dans le parti et auprès de la presse québécoise pour saper toute évolution normale et souhaitable du *Parti québécois*. Il devrait pourtant être assez intelligent pour comprendre qu'exclure les nouveaux Québécois et les Autochtones du projet de société conduit cette formation politique à sa perte.

Il n'est pas nécessaire d'être un analyste politique et social patenté pour constater que l'heure n'est pas à cette forme de radicalisme absurde qui éloigne et creuse des fossés entre les générations et entre les Québécois, mais plutôt à une politique de main tendue qui pourrait rapprocher.

Il faut espérer que ce brasse-camarade ne soit pas que temporaire. Leurs positions extrémistes, qui donnent peu de place à l'évolution de la pensée, dans un sens plus nuancé, sur l'aboutissement de la souveraineté du peuple québécois, auront, encore une autre fois, fait dérailler la locomotive.

Il serait bon que, dans ce parti sclérosé mur à mur, il puisse se faire d'autres débats que celui, toujours déchirant, sur la langue - même s'il est extrêmement important.

Le fameux article un qui, semble-t-il, est intouchable pour plusieurs, mérite, lui aussi, d'être abordé. Le *Parti québécois* devrait, au départ, après vingt ans et plus d'efforts qui n'ont pas donné les résultats escomptés, être capable et surtout accepter de réévaluer ses propres objectifs et de prendre en compte la conjoncture sociale et politique actuelle.

Il doit, qu'il le veuille ou non, tenir compte de la vision de **TOUS** les Québécois, les Francophones de souche, les Autochtones, les Anglophones et les Néo-Québécois.

C'est le propre d'un gouvernement représentatif de l'ensemble de la population comme nous le verrons un peu plus loin dans ce chapitre.

Si certains *leaders* politiques du *Parti québécois* ne favorisent pas ce débat, qu'a suggéré le départ de l'ancien Premier Ministre Lucien Bouchard, c'est qu'ils le craignent. Ils auront tout fait pour éviter de discuter de leur position extrême parce qu'un débat sincère et non biaisé des militants pourrait sans doute affecter leur douce quiétude doctrinale.

Tous ces *leaders* politiques du *Parti québécois* auront versé des larmes de crocodile lors du départ inutile de leur dernier chef qu'ils qualifiaient eux-mêmes de charismatique. Il ne faudrait quand même pas oublier que Lucien Bouchard leur a fait éviter la débandade au dernier référendum, orchestrée par les malhabiles stratégies de Jacques Parizeau, que le *Parti québécois* a dû tasser, pour amener les péquistes à une quasi victoire.

Le ministre Guy Chevrette, un des ministres séniors des plus écouté, a tenté en vain, avant qu'il ne parte, de soulever des débats sur l'avenir du parti en posant certaines questions et en dénonçant l'attitude destructrice de certains fantômes comme celui de Jacques Parizeau. J'espère qu'il continuera en ce sens en forçant les membres du *Parti québécois* à s'exprimer sur les grands enjeux politiques et surtout à favoriser que ce sain débat se fasse parmi eux.

Il serait même intéressant que Guy Chevrette continue à jouer le rôle de bougie d'allumage favorisant ces débats. Après toutes ses années de loyaux services et de travail acharné, même s'il a été moins flamboyant que certains, comme René Lévesque, Bernard Landry, ou Jacques Parizeau, il a gagné, je l'espère, le droit de s'exprimer.

Par la suite, il pourra, à son tour, s'il le souhaite, accrocher définitivement ses patins avec la satisfaction du devoir accompli.

Quoiqu'il puisse arriver quant aux choix, collectifs ou non, des militants, il aura au moins permis que les discussions aient enfin eu lieu.

Pourquoi d'ailleurs le *Parti québécois* ne pourrait-il pas fixer la barre moins haute pour satisfaire l'ensemble des Québécois? Surtout si c'est ce que souhaitent ces derniers... C'est le propre d'un parti politique de masse qui est au pouvoir que de tenter de véhiculer, le plus près possible, les idées de l'ensemble de sa population.

Les chefs de file du *Parti québécois* ne doivent pas oublier que tout *leader* politique, quel qu'il soit, s'il ne veut pas disparaître, doit se tenir proche de ses commettants et ne pas trop les devancer. Ils ne devraient surtout pas oublier que, si le *Parti québécois* a réussi à prendre le pouvoir en 1976, c'est dû à l'étapisme de Claude Morin qui a éloigné les peurs des électeurs. Sans une telle vision d'avenir, il est loin d'être sûr que le *Parti québécois* aurait pu démontrer sa force comme gouvernement.

Plus encore, je crois que les purs et durs de l'indépendance du Québec se sont éloignés de la pensée politique du fondateur du *Parti québécois*, René Lévesque. Ce dernier, habile politicien, comprenait ce principe immuable de ne pas trop distancer ses électeurs en politique partisane.

La souveraineté-association de René Lévesque donnait beaucoup plus de place à la négociation avec les provinces et le Canada que l'esprit étroit du partenariat actuel, inspiré par les purs et durs de l'indépendance.

Les purs et durs de l'indépendance ont fait en sorte d'éliminer toute proposition sincère d'association réelle avec le Canada et les autres provinces. Habilement présentée, par petite doses, ils ont conduit les militants à une unique solution pour le Québec, soit l'indépendance. Ils ont oublié cependant, ou plutôt ils n'ont pas voulu voir, que ce n'était pas ce que souhaitait l'ensemble des

Québécois. Plus encore, aujourd'hui, ils font face à une partie importante de leurs propres militants péquistes qui veulent un parti politique beaucoup plus inclusif et surtout pas exclusif.

Il faut accepter le fait qu'ils avaient le devoir de tenter de convaincre la population du Québec sur leur vision de l'avenir du peuple québécois et ne pas l'imposer. Leur vain acharnement, après plus de vingt ans d'efforts sans avoir atteint leur objectif, suggère que le *Parti québécois* s'arrête et évalue les chances réelles de succès d'une telle option.

Il serait irresponsable que, par toquade, certains membres du *Parti québécois* de la première heure privent les nouvelles générations de politiciens péquistes d'une évolution normale parce qu'ils ne réussissent pas à convaincre les Québécois d'adhérer à leur vision extrême de société.

C'est quoi ce plaisir morbide de marxistes-léninistes (M.L.) nostalgiques favorisant la lutte des classes et cette jouissance misérabiliste de tout faire pour se buter à un refus des autres composantes du Canada. J'espère que l'on ne recherche pas à créer une terre favorable à la révolution, souhaitée pour le matin de la libération; ce serait quand même trop ridicule...

La vision actuelle, plus régionaliste et beaucoup moins centralisatrice, des provinces pourrait, quant à moi, favoriser un renouvellement constitutionnel en profondeur du Canada sur la base des États associés. Je suis convaincu que le Québec trouverait des partenaires sérieux dans l'Ouest canadien et même ailleurs au Canada pour une telle approche.

Il est évident qu'il n'y a pas de place dans ce parti, selon leurs extrémistes, pour des visions différentes de l'avenir du Québec qui travailleraient à sauver le Canada. Il est impensable, sur cette base doctrinale et insidieuse, qu'il y ait un véritable débat de société dans le Québec moderne d'aujourd'hui et surtout pas dans le *Parti québécois*.

Ces membres de la première heure profitent de leur situation d'aînés dans le parti de René Lévesque pour tripoter en coulisse et imposer sournoisement leur vision quant à moi dépassée. Leur manque de sagesse politique n'est pas digne de leur valeur prouvée au cours des ans et tend à démontrer qu'ils vieillissent bien mal...

Ils sapent à la racine toute tentative normale qui pourrait apporter un peu d'air frais dans le débat sur l'avenir du Québec. Souvenez-vous de leurs réactions maladives face à de simples articles dans les grands quotidiens, écrits par un indépendantiste de la première heure, feu Maurice Champagne. Il s'était permis, comme intellectuel de grande valeur, tel qu'il le faisait depuis une trentaine d'années dans la société québécoise, d'essayer de faire circuler des idées nouvelles et différentes.

Puisque Maurice Champagne était pour moi, depuis de nombreuses années, un allié dans plusieurs causes, nous avons eu l'occasion, avant qu'il meure tragiquement, de discuter de cette réaction qui l'avait foudroyé. Nous étions renversés d'une telle attitude réactionnaire de certains chefs de file du *Parti québécois* et nous nous apprêtions, dans un article collectif, à répondre à ses possesseurs tranquilles et suffisants de la vérité.

Maurice Champagne ne comprenait pas du tout cette âpreté de certains *leaders* intellectuels de la vieille garde du *Parti québécois* face aux idées exprimées. Pas plus d'ailleurs qu'il ne comprenait leurs gestes rapides pour les détruire. Il croyait que ces idées méritaient qu'elles soient évaluées à leur juste valeur au cours d'une période de réflexion.

Il rejetait, avec raison, cette intransigeance doctrinaire d'une minorité qui impose ses idées radicales d'une manière antidémocratique. Ils posent de tels gestes inacceptables parce qu'ils font partie de cette formation politique depuis les débuts.

Ils se sont débarrassés, entre autres, de René Lévesque, le chef fondateur du *Parti québécois*, de Claude Morin, de Pierre-Marc Johnson, de Maurice Champagne, de Jean-François Lisé et, récemment, de Lucien Bouchard. Ces derniers ont tous commis l'hérésie de vouloir faire évoluer la pensée indépendantiste pour prendre en considération le fait que les Québécois d'aujourd'hui ne sont plus les mêmes que ceux d'hier. Il s'agit pourtant de se promener à Montréal et de prendre un taxi pour se rendre compte de cette lapalissade.

Ils auront, encore une fois, utilisé le prétexte fallacieux, très spécieux, qui les porte à croire et à prétendre qu'ils sont les seuls parmi les membres sérieux de cette société québécoise en devenir à connaître ce qui est bon pour les Québécois. Ils ont droit à leurs idées extrémistes, je l'admets, mais ils devront admettre un jour, à leur tour, que les autres Québécois ont aussi les mêmes droits. Ils ne sont pas les seuls à pouvoir penser et réfléchir au devenir du Québec; ils ne possèdent pas, en exclusivité, même si certains parmi eux le croient, le monopole de la pensée.

Les dernières extravagances du militant péquiste, Yves Michaud, de style bouffon du roi, dont il nous avait habitués au début de sa carrière politique, par des propos déplacés avec une pointe de racisme, auront été la goutte d'eau qui a fait déborder le vase pour Lucien Bouchard. Yves Michaud a été pourtant appuyé par plusieurs militants du *Parti québécois* dont l'ancien Premier Ministre Jacques Parizeau. Comme on l'a vu préalablement, le même genre de propos reprochés à Yves Michaud avait forcé Jacques Parizeau à démissionner comme Premier Ministre du Québec.

Pour plusieurs purs et durs de l'indépendance du Québec, le fait que certains Néo-Québécois et Autochtones puissent voter en masse contre cette vision politique est une hérésie qu'il faut dénoncer avec force. Les hérétiques doivent être traqués par les inquisiteurs parce qu'ils n'ont pas l'intelligence de comprendre l'intérêt du peuple québécois.

Une telle attitude ne peut conduire qu'à des extravagances semblables à celles de Jacques Parizeau ou d'Yves Michaud. Si elle n'est pas arrêtée, cette escalade deviendra dangereuse et annulera tous les efforts faits par les René Lévesque, Pierre-Marc Johnson, Lucien Bouchard, Bernard Landry et les autres qui croient que la démocratie existe en payant ce prix.

Les Québécois sont membres d'un grand peuple, comme le clamait René Lévesque, qui permet à tous ses membres de voter pour le représentant de leur choix. Le Peuple du Québec accepte et favorise le pluralisme des idées. J'ose espérer qu'il continuera à le faire comme se doit un grand peuple...

Cette vision d'un nombre impressionnant d'adeptes de la première heure du *Parti québécois*, qui ont été enfantés par la *Laurentie* ou par la *Société Saint-Jean-Baptiste*, croient qu'il n'y a point de salut hors de l'indépendance pure et dure. Les Autochtones, à cause de leur petit nombre, et les Néo-Québécois, parce qu'ils viennent d'ailleurs, ne devraient pas avoir droit au chapitre selon eux. Ils doivent adhérer aveuglement aux idées des Québécois de souche française.

Le geste de partir du Premier Ministre Lucien Bouchard devrait interpeller les militants sérieux du *Parti québécois*, autant ceux de la première heure que ceux d'aujourd'hui, sur le devenir de ce parti politique. Il devrait même être une invitation, ou tout au moins une indication, pour ceux qui ne cessent pas de vouloir imposer leurs idées obtuses et leurs façons de voir le futur du Québec à en faire autant.

À mon sens d'observateur de la vie politique du Québec depuis quelque 40 ans, il n'y a plus de place dans ce parti politique souverainiste toujours en ébullition pour ces extrémistes bornés. Ils détruisent tout sain mouvement d'évolution qui pourrait offrir une main tendue aux nouveaux Québécois et aux peuples autochtones.

Ils doivent continuer à véhiculer ces idées d'indépendance pure et dure, mais le faire dans une formation politique plus à gauche. René Lévesque a toujours souhaité que se forme un parti politique souverainiste plus à gauche. Il était convaincu que, regroupés dans une autre formation, les extrémistes de l'indépendance pourront ainsi continuer à défendre leurs idées.

Dans une autre formation, croyait-il, ils ne nuiront pas aux besoins naturels pour un parti politique de pouvoir, comme le *Parti québécois*, de rayonner sur une plus large plate-forme. Pourquoi ne pas faire revivre l'ancien *Rassemblement pour l'indépendance* du Québec de Pierre Bourgault.

Il est évident, par contre, qu'ils vont diviser les votes parmi les souverainistes. Ils permettront cependant au *Parti québécois*, ainsi soulagé de ses extrémistes purs et durs, de conquérir une plus importante clientèle parmi les Néo-Québécois et les Autochtones.

C'est à ce moment seulement que le *Parti québécois* pourra améliorer son pourcentage dans un futur référendum de dix pour cent et plus, nécessaire à tout changement majeur de statut politique dans, ou à l'extérieur, du Canada. Il sera ainsi plus représentatif de **TOUS** les Québécois et non pas seulement des membres d'une même chapelle hermétique.

Le *Parti québécois* pourra ainsi favoriser, en son sein et d'une façon beaucoup plus démocratique, un brassage d'idées nécessaire pour s'adapter aux changements majeurs dans la société québécoise. Les péquistes de la base pourront discuter entre eux avec ouverture sans se faire harceler par les fantômes de l'indépendance, qui hantent encore les corridors de l'*Assemblée nationale*, et se faire traiter de vendus eux aussi.

Il ne fait aucun doute que l'atmosphère entourant tout débat de fond dans ce parti politique doit subir une forme de purification si l'on souhaite que la démocratie des idées ait maintenant pignon sur rue.

Il est inconcevable que les adhérents péquistes des dernières années n'aient pas le droit de s'exprimer sur leur vision d'avenir du parti. Les priver de le faire sainement, comme c'est le cas pour l'instant, condamne le parti à la stagnation et prive l'ensemble des Québécois de son droit comme société à une évolution normale et pluraliste des idées. C'est d'ailleurs cette même vision bornée qui fait que certains péquistes croient que seuls les Québécois de souches francophones ont le droit au chapitre.

Bernard Landry, chef du *Parti Québécois* et Premier Ministre du Québec, semble vouloir favoriser une forme de débat. Il a la force de caractère nécessaire et le charisme pour mettre sur la voie d'évitement ces indésirables qui pourraient nuire à son élection et faire perdre le prochain référendum. Plus encore, il est comme eux de la première heure.

Il ne devrait pas, quant à moi, se contenter de réformettes sans signification. Au contraire, il devrait aborder de plein front l'article un du programme du *Parti québécois* qui est la souveraineté politique. Il ne peut plus faire le tour du pot sans jamais aller voir dedans. Il doit trouver une forme de souveraineté politique par un projet de société qui satisfasse **TOUS** les Québécois. Il doit favoriser la naissance d'un *Nouveau parti québécois*, plus au centre et, surtout, plus inclusif qui fera une place réelle aux Autochétones et aux nouveaux arrivants.

Bernard Landry, aussi brillant soit-il, n'y arrivera pas seul.

Entre parenthèses, le Premier Ministre Bernard Landry et les analystes politiques, qui sont décontenancés par les succès politiques actuels de l'A.D.Q. de Mario Dumont, devraient chercher une explication dans le fait que les électeurs québécois en ont ras le bol des débats stériles entre le *Parti québécois* et le *Parti libéral du Québec* sur l'avenir du Québec.

Ces derniers sont même prêts à prendre des risques énormes en élisant cette formation politique sans aucune expérience à la tête du Québec tout en sachant pourtant que ce parti n'est pas à la hauteur. Ils savent pertinemment que les finances publiques n'ont jamais été en aussi bonnes postures. Ils constatent aussi que le développement économique du Québec et la création d'emplois sont au meilleur de leur performance.

Comment peut-on expliquer ce non-sens politique des Québécois qui sont en faveur d'un changement aussi radical?

Souvenez-vous qu'ils ont déjà choisi une telle voie avec le *Crédit social*, mais jamais ils n'ont imaginé mettre ce parti politique à la tête du Canada. Ils voulaient simplement donner une semonce aux politiciens traditionnels.

Le problème d'écoeurement est beaucoup plus profond actuellement qu'il n'a jamais été auparavant. Il ne faudrait surtout pas comprendre que c'est un caprice passager. Les électeurs québécois ne se contenteront pas de réformettes momentanées sans conséquence qui consisteraient à maquiller l'image usée des partis politiques de toujours. Non, cette fois-ci, ils veulent de véritables solutions issues de la population. Ils ne veulent plus rien savoir de l'imaginaire de nos politiciens conventionnels qui s'amusent depuis plus d'un quart de siècle malgré leurs avertissements occasionnels.

C'est, quant à moi, par la voie d'un projet de société de **TOUS** les Québécois, comme nous le verrons plus loin dans ce chapitre, que les électeurs de toutes les souches pourraient enfin trouver les solutions aux questions d'avenir du Québec. Ils ne veulent plus se faire imposer, par qui que ce soit, une vision du futur. À cause des politiques canadiennes d'immigration, les Québécois ne sont plus exclusivement de souches francophones ou anglophones. Des gens d'ailleurs ont immigré au Canada et ils ont choisi de vivre au Québec; un point c'est tout. Ils sont maintenant chez eux ici et ils veulent influencer les choix politiques d'avenir de ce coin de terre; ce n'est que légitime.

Le *Bloc québécois* de Gilles Duceppe, qui a subi le contrecoup électoral de cette absence de débat, doit maintenant l'initier et même l'animer. Il a là une occasion unique de s'affirmer, tel qu'il l'a fait au cours des dernières années, comme un parti politique indépendantiste ouvert aux suggestions des membres souverainistes.

Il peut et doit prendre ses distances du *Parti québécois* sur le sujet primordial du devenir des Québécois. Gilles Duceppe a maintenant l'envergure nécessaire pour jouer un rôle de premier plan dans ce débat et il doit prendre ses responsabilités pour sauver son parti à Ottawa, mais surtout pour influencer les choix du Québec de demain. Le débat, à ne pas en douter, est souhaité et souhaitable.

Certains militants péquistes, depuis Pierre-Marc Johnson, ont essayé de parler de cette question, mais ils ont toujours été rabroués par le rouleau compresseur conduit par Jacques Parizeau et ses semblables, possesseurs tranquilles de TOUTE la vérité.

Le *Bloc québécois* doit faire en sorte de permettre que d'autres visions du devenir québécois, venant des Autochtones, des Anglophones et des Néo-Québécois, puissent être débattues et prises en compte sans aussitôt être frappées d'anathème par le grand pontife de la religion péquiste.

Enfin, si les militants péquistes, qui ont une vision plus réaliste de l'avenir du Québec, ne trouvent pas, dans le *Parti québécois* actuel, leurs idéaux politiques, ou au moins une plate-forme pour les défendre, ils devront songer sérieusement à quitter ce parti sclérosé. Comme René Lévesque l'avait fait en abandonnant le *Parti libéral du Québec* fermé aux idées différentes, ils devront utiliser une troisième voie politique plus centriste qui favoriserait réellement la souveraineté-association et le partenariat. Il s'agira alors d'un *Nouveau parti québécois*.

LES DÉFENSEURS RADICAUX DE L'AUTRE OPTION CONSTITUTIONNELLE NE SONT GUÈRE MIEUX

Les défenseurs de l'utopie d'un océan à l'autre, ou du bilinguisme intégral, les trompe-l'oeil privilégiés des magiciens à la Trudeau et à la Chrétien, ont eu une peur bleue lors du dernier référendum. Ces prestidigitateurs rouillés par l'âge ne réussissent plus à faire oublier que les différences profondes et les raisons, qui se dégagent de la culture publique commune canadienne, sont aux antipodes. Par le fait que les bases linguistiques et culturelles, le français et l'anglais, et surtout les mentalités, soient si différentes, il en découle des difficultés majeures d'arrimage.

Comme toujours, ils ont tôt fait de maquiller cette frousse d'un fard de couleur rose bonbon, telle la reconnaissance politique, ou constitutionnelle, de la distinction du Québec, un véritable retour aux papillotes du lac Meech.

Si les gens bien-pensants, Québécois et Canadiens, ne leur collent pas aux fesses pour leur rappeler leurs promesses enjôleuses, ils utiliseront toutes sortes de diversions: L'emploi, le développement économique et l'élimination des déficits des gouvernements... En espérant que le débat de fond constitutionnel s'estompera et en souhaitant même qu'il s'oubliera.

Pourtant, il ne s'agit pas d'être un savant analyste politique pour déceler que certains indépendantistes obstinés, si près du but, vont surveiller l'occasion idéale pour reprendre cette question vitale pour eux. Ils prépareront cet autre référendum - cette fois-ci gagnant, pourra dire Bernard Landry, le remplaçant de Lucien Bouchard - au cours des premières années du début du présent millénaire, à la suite d'une ronde constitutionnelle manquée, ou d'une erreur politique majeure des tenants de la thèse fédéraliste.

D'ailleurs, un simple brin de réflexe politique - ce que n'avait pas eu l'ancien Premier Ministre frustré du Québec, Jacques Parizeau, le soir de la défaite serrée du dernier référendum - aurait suffi pour relancer la balle dans le camp des fédéralistes. Les perdants de justesse du référendum de 1995 n'ont eu qu'à répliquer que les Québécois attendaient les résultats des promesses du Premier Ministre du Canada Jean Chrétien et des autres premiers ministres des provinces. Cette attente n'est que la suite logique de leurs si belles déclarations d'amour des tous derniers jours de la campagne référendaire.

J'ai constaté que ces derniers, qui ont été loquaces et très ouverts à quelques heures de la fin de la période référendaire, sont demeurés depuis fermés comme des huîtres et muets comme des saumons sur les questions fondamentales. Ils ont tenté d'imposer leur fameux plan « B », de triste mémoire, et de chercher en vain un appui auprès des juges de la *Cour suprême du Canada*. Dans les deux cas, ce fut un échec cuisant...

Leur seule solution-miracle de rechange a donc été de repêcher Jean Charest, leur « sauveur-maison » de la *Confédération* canadienne, avec les succès électoraux du mois de novembre 1998 que l'on connaît.

La stratégie d'appui aux partitionnistes et la Loi no 20 sur la fameuse clarté de la question et de la majorité nécessaire pour décréter l'indépendance du Québec n'ont pas été les trouvailles du millénaire passé. Je ne crois pas qu'ils pourront faire beaucoup de millage avec de telles idées. Si les tenants du statu-quo fédéral veulent convaincre, il faudra trouver d'autres trucs de magie. Ce n'est certes pas les meilleures façons de sauver le Canada, comme ils le prétendent, c'est même une atteinte à l'intelligence des Canadiens...

En guise d'analyses, nous avons eu droit au vieux disque 78 tours en vinyle dont le refrain se rapporte encore et toujours au contenu des sempiternelles chicanes des antagonistes fatigués.

Et plus encore, je comprends que, de ces pages troublées de l'histoire contemporaine, ressortent les avertissements sérieux d'une société en mal d'évolution. On ne pourra plus éliminer d'un coup de baguette magique une telle vision, ou l'éteindre avec les éteignoirs des églises du XVII ième siècle.

Pour leur part, nos politiciens fédéralistes devront actualiser leur vision, ou trouver de meilleurs trucs de passe-passe. Surtout s'ils veulent faire oublier que les Québécois, par leur vote révélateur de 1995, démontrent qu'ils tiennent à ce qu'on les considère comme faisant partie d'un des peuples fondateurs de ce Canada moderne. Ils fondent leur prétention sur le fait historique que les *Canayens* français du Bas-Canada - les Québécois d'aujourd'hui - l'ont été lors la *Confédération* de 1867.

Le danger, qui attend Jean Crétien et le *Parti libéral du Canada*, c'est l'erreur de croire que sa victoire claire de l'automne dernier l'autorise à faire n'importe quoi. Il doit plutôt utiliser cette période de grande force politique du moment pour être magnanime et analyser les visions du peuple canadien quant à son avenir.

Il pourrait, s'il le voulait, s'inscrire au cours de ce mandat-ci dans le grand livre de l'histoire comme celui qui a sauvé le Canada des écueils politiques soulevés par une vision différente de ce pays moderne. La centralisation a outrance prônée par son prédécesseur est bien loin de faire l'unanimité parmi les provinces.

C'est au Premier Ministre du Canada actuel, Jean Chrétien, aidé par d'autres Canadiens bien-pensant beaucoup moins intéressés que ses mandarins de la *Fonction publique* centralisatrice, à tirer les conclusions qui s'imposent. Il doit, au cours de ce dernier mandat, prendre ses distances avec le *Parti libéral du Canada* et devenir un véritable homme d'État.

La vision d'un projet de société canadien doit s'éloigner des dernières années s'il souhaite concrétiser les volontés de l'ensemble des Canadiens. Il doit prendre un écart des purs et durs du Canada centralisateur et faire en sorte, par les compromis nécessaires, de sauver le Canada.

Une chose est certaine, il ne le fera pas en écrasant la volonté plus autonomiste de ses concitoyens d'un océan à l'autre, plus particulièrement aujourd'hui pour le Québec et, demain, pour les autres provinces. Profiter de sa force politique temporaire pour s'inscrire comme celui qui a été le plus longtemps au pouvoir serait indigne d'un Premier Ministre qui veut, je l'espère, graver son nom pour la postérité sur le mur des célébrités politiques comme un homme d'État de grande valeur.

Et, pourquoi pas, même si plusieurs Canadiens croient qu'il n'en a pas l'étoffe, puisqu'il a consacré à ce pays de nombreuses années de sacrifices...

LE CANADA QUE VEULENT LES QUÉBÉCOIS

Donc, au-delà du fait que les indépendantistes francophones tous azimuts remportent le prochain référendum par défaut, que les leaders fédéralistes ne réussissent pas à entraîner les Québécois dans leur giron centralisateur, que les Autochtones aient raison de parler de droit à l'autodétermination et à de nouveaux contrats sociaux d'égal à égal et que les *partitionnistes* ne soient pas justifiés de charcuter le Québec, l'ensemble des Québécois n'aura rien gagné.

Les leaders politiques actuels qui véhiculent la vision de la souveraineté du Québec doivent tirer les leçons d'une société québécoise moderne. Les nouveaux arrivants attendent, de cette société, l'occasion d'occuper la place que le Québec d'aujourd'hui, en les recevant les bras ouverts, s'est engagé à leur faire.

Pourquoi ? Parce qu'il existe aucun véritable projet de société rassembleur de l'ensemble des Québécois au-delà des antagonistes.

Un nouveau projet de société plus accrocheur doit prendre en considération la vision de l'ensemble des Québécois qu'ils soient de souche francophone, de descendance anglophone, des Premier peuples, des Néo-Québécois ou des nouveaux arrivants. Ce Québec nouveau genre à bâtir doit comprendre les espoirs de **TOUS** les Québécois.

Que le Canada se compose de dix provinces avec un pouvoir central fort tel que prôné par Trudeau et ses mandarins intéressés, que le Québec soit un des cinq, six ou dix états indépendants regroupés politiquement, que le Canada soit composé des Premiers peuples regroupés, des Canadien français et des Canadiens anglais, ou que les Québécois se contentent d'un statu-quo amélioré, ce n'est pas ce qui est important quant à moi.

Ce que les Québécois veulent, c'est vivre dans une véritable confédération. Une confédération est l'union de plusieurs états indépendants qui s'associent tout en conservant leur souveraineté, selon la définition du dictionnaire. C'est ce que les Canadiens du Haut-Canada et du Bas-Canada avaient décidé en 1867 et que Trudeau et ses comparses ont transformé, par la suite, en un état fédéré centralisateur.

J'ai constaté par mes expériences comme journaliste que les souhaits d'une très grande majorité de Québécois vont dans le sens que le Canada demeure ce qu'il est. Ces derniers souhaitent que ce Canada permette à **TOUS** de s'épanouir dans une structure politique adaptée aux besoins et intérêts contemporains.

Il s'agit d'étudier le comportement des électeurs canadiens, au cours de la dernière élection fédérale, pour constater à quel point les Canadiens ordinaires souhaitent un Canada décentralisé. Les gens de l'Ouest ont voté en faveur de l'*Alliance canadienne* de Stockwell Day, ceux de l'Ontario, très majoritairement, en faveur du *Parti libéral du Canada* de Jean Chrétien, le Québec a fait de même en faveur du *Bloc québécois* de Gilles Duceppe et, enfin, les votes des citoyens des provinces maritimes se sont divisés entre le *Parti conservateur* de Joe Clark, le *Parti libéral du Canada* de Jean Crétien et le *Nouveau parti démocratique* d'Alexa McDonough.

Il n'est pas nécessaire d'être un analyste politique de génie pour constater que les Canadiens ne veulent pas de ce Canada centralisateur proposé par le *Parti libéral du Canada* de Jean Chrétien, du fantôme de Pierre Elliott-Trudeau et des mandarins de la *Fonction publique canadienne*.

Je ne trouve pas d'autres sources pour conclure cette partie de réflexion que ce petit livre publié en 1965 par feu Daniel Johnson, père. Ce dernier a été Premier Ministre du Québec sous un gouvernement de la défunte *Union nationale*, fondée par Maurice Duplessis. Cette oeuvre, qualifiée après la mort de Daniel Johnson par certains observateurs de la scène politique québécoise de testament politique, est encore aujourd'hui d'actualité.

J'ai ressorti cet ouvrage de la poussière de ma bibliothèque. Je l'ai relu et trouvé cette position très pertinente, encore aujourd'hui, 37 ans plus tard. Je vous en livre donc quelques extraits. Je vous invite aussi à le relire et surtout à méditer certains passages.

Dans ce volume, Daniel Johnson père souligne que les constitutions sont faites pour les hommes et non les hommes pour les constitutions. « Quand les conditions changent, c'est aux structures juridiques de s'adapter aux circonstances nouvelles et non pas aux peuples de se plier aux structures désuètes».

« Le fédéralisme, c'est essentiellement la recherche d'un équilibre entre l'unité et la séparation, entre les forces qui tendent à unir et celles qui tendent à diviser. Cet équilibre ne peut pas toujours se réaliser de la même façon, car les forces à concilier diffèrent d'un pays à l'autre et même d'une époque à l'autre à l'intérieur d'un même pays. Le fédéralisme peut donc prendre des formes diverses. »

Daniel Johnson souligne ensuite que les provinces anglaises tentent de toutes leurs forces à faire du gouvernement d'Ottawa leur gouvernement national (**cela n'est plus aussi vrai**). À l'inverse, la province française qu'est le Québec a toujours voulu faire du gouvernement du Québec son gouvernement national. Pourquoi donc vouloir aller contre nature, écrit-il ? Il serait beaucoup plus simple de reconstruire le Canada de demain sur ces prémices fondamentales. « Au lieu d'harmoniser les forces en présence, la constitution est ainsi faite qu'elle les pousse à s'affronter ».

Puis, un an plus tard, toujours à l'*Assemblée législative*, Daniel Johnson concluait ainsi: « Il ne reste que deux options possibles, entre lesquelles il faudra choisir avant 1967: ou bien nous serons maîtres de nos destinées dans le Québec et partenaires égaux dans la direction des affaires du pays, ou bien ce sera la séparation complète ».

Qu'en pensons-nous aujourd'hui...

Quelques années plus tard, René Lévesque, expulsé par les membres du *Parti libéral du Québec* au cours d'un congrès au Château Frontenac, a choisi l'égalité. Il a publié, par la suite, sa thèse sur la souveraineté-association. Cette position sur l'avenir du Québec l'a mené à fonder le *Parti québécois*. La souveraineté-association de René Lévesque du *Parti libéral du Québec* était donc, à ce moment-là, la réponse à « l'égalité ou l'indépendance » de Daniel Johnson de l'*Union nationale*.

Cette thèse de la souveraineté-association de René Lévesque ne prônait pas l'indépendance pure et dure telle que le faisait le *Rassemblement pour l'indépendance nationale* (R.I.N.) de Pierre Bourgault. Ce parti politique était beaucoup plus radical dans ses prises de positions publiques que l'était le *Parti québécois*. Il était d'ailleurs considéré comme un parti de gauche dont les chances de prendre le pouvoir au Québec étaient presque nulles.

Cette thèse de René Lévesque visait plutôt le renouvellement du Canada sur la base des deux peuples fondateurs. Elle était l'association de deux souverainetés, celle des Canadiens français du Bas-Canada et celle des Canadiens anglais du Haut-Canada, dans une véritable confédération de deux États associés, comme ce fut le cas en 1867 par la structure juridique choisie par les pères de la Confédération. Elle était donc le retour aux sources. Elle était en même temps un frein évident à la course folle des centralisateurs d'Ottawa dirigés par Pierre Elliott-Trudeau.

Echafaudée par un groupe de militants libéraux du *Parti libéral du Québec*, composé entre autres de René Lévesque, d'Éric Kiérans et de Robert Bourassa, dans le sous-sol de ce dernier, cette thèse était la façon de René Lévesque de travailler pour l'unité canadienne en utilisant les fondements de l'analyse de feu Daniel Johnson.

René Lévesque m'a raconté plus tard que c'était Robert Bourassa, après un téléphone de Paul Desrochers, l'éminence grise de l'époque du *Parti libéral du Québec*, au cours d'une réunion du groupe, qui a mis fin au travail de ce comité mis en place par les instances politiques de ce parti. Paul Desrochers aurait mentionné à ce moment-là à Robert Bourassa de ne pas faire l'erreur politique de s'associer à René Lévesque. Il lui aurait ajouté qu'il était le dauphin indiqué par les membres influents du *Parti libéral du Québec* pour remplacer Jean Lesage.

C'est à partir de ce moment-là que les jours de René Lévesque ont été comptés comme membre du *Parti libéral du Québec*. Son ami Kiérans, président du parti, allait finir le *job* sale en tripotant avec d'autres membres influents du parti fédéraliste pour faire expulser René Lévesque du *Parti libéral du Québec*. Ce dernier a été accusé, à ce moment-là, de tous les péchés d'Israël.

TOUS LES QUÉBÉCOIS DOIVENT ÊTRE DU DÉBAT

Les politiciens du *Parti québécois* de la première heure et d'aujourd'hui n'ont pas le choix de comprendre qu'en voulant un État du Québec contemporain, ils doivent compter sur leurs nouveaux frères et soeurs venant d'outre-mer ou d'ailleurs. Ceux-ci apportent une vision sociale et politique bien différente. Elle peut enrichir le développement futur de ce coin de terre partagé différemment.

Au lieu d'une perception d'avenir politique trop arrêtée à ce moment-ci par les stratèges du nationalisme québécois, ne serait-il pas préférable de bâtir un nouveau projet de société collectif qui regarde vers l'avenir? Le jugement politique de ces derniers, qui s'abreuvent à satiété à la fontaine des défaites répétées des *Canayens* français dans l'histoire du Canada, les influence trop souvent négativement.

Ce projet de société aurait comme objectifs de départ de protéger la langue de toujours des Québécois, le français, de récupérer certains pouvoirs majeurs perdus favorisant son autonomie et d'arrêter une culture publique commune qui se colle à la réalité de toujours du Québec. Il ferait de la place, non seulement d'une manière folklorique, aux Autochtones, aux Anglophones et aux Néo-Québécois.

Je crois que l'erreur commise est de se battre pour un véhicule, l'indépendance, alors que **TOUS** les Québécois n'ont pas participé au choix du modèle. Seuls les membres d'un parti politique ont fait ce choix pour l'ensemble des Québécois.

En mettant ainsi la charrue devant les boeufs, il s'ensuit que les Autochtones, les Anglophones et les Néo-Québécois ne se sentent pas du tout impliqués par ce changement politique majeur proposé.

Les Québécois de souches françaises utilisent des arguments venant de leurs tripes. Cet argumentaire prend toujours racine dans la déception historique de la relation décevante entre les Canadiens français et les Canadiens anglais. Les indépendantistes de la première heure s'alimentent donc, pour défendre le noble véhicule de la liberté politique, à une période historique que les nouveaux arrivants ne connaissent pas ou que les Indiens ressentent mal et interprêtent différemment. Ces derniers, les Autochtones et les Néo-Québécois, n'y voient donc pas la seule solution à tous les maux politiques.

Cette transformation essentielle proposée n'a cependant pas la même consonance pour les uns et pour les autres parce qu'elle fait appel à des vécus et à des principes fondamentaux différents.

Cette vision politique est la panacée pour certains Québécois de souches françaises. Pour les autres arrivants, plus attachés au Canada parce qu'ils ont choisi librement ce pays pour immigrer, elle est une source d'ennuis. On leur demande, en mettant les pieds sur cette terre d'adoption, d'endosser la cause des habitants frustrés par l'histoire du Canada qu'ils ne connaissent même pas. Ils ne la rejettent pas d'emblée, mais ils sont plus difficiles à convaincre et cela est tout à fait légitime.

Les Néo-Québécois ainsi que les Amérindiens voient un Québec différent. Pour eux, la toile de fond de ce pays à rebâtir, qu'ils ont choisi pour les premiers et qu'ils possédent depuis des temps immémoriaux pour les seconds, est l'avenir parce qu'ils peuvent s'y impliquer. Ce n'est certes pas le passé parce qu'ils n'y étaient pas pour les premiers ou parce qu'on ne les a considérés pour les seconds.

Par contre, cela ne signifie aucunement qu'ils veulent l'oublier ou le mettre de côté. Il est, à ne pas en douter, la racine dominante qui fortifiera l'arbre du devenir québécois.

Les opposants fédéralistes de la vision indépendantiste de certains Québécois ont ainsi toute la place nécessaire pour soulever ces gens non-impliqués contre une perception qui ne fait pas consensus. Cette idée ne passionne pas autant les nouveaux arrivants et les membres des Premières Nations.

Les indépendantistes québécois, qui en ont plein les bras pour convaincre de nombreux dissidents aussi de *vieilles souches*, doivent oublier les Autochtones, les Anglophones et les Néo-Québécois. A mon avis, ils ne font pas tous les efforts nécessaires pour comprendre l'opposition des nouveaux arrivants. Ils prennent d'abord pour acquis que ces derniers ne devraient pas prendre partie contre eux dans ce débat qui n'est pas leur combat.

Cette déduction rapide est une erreur monumentale de jugement politique puisque les nouveaux arrivants veulent façonner la terre d'avenir de leurs enfants et de leurs petits enfants. Comme ils n'étaient pas heureux dans leur pays d'origine pour plusieurs puisqu'ils y sont partis, ils ne veulent pas connaître les mêmes déceptions dans leur pays d'adoption; ce qui est d'une logique inébranlable.

D'ABORD UN PROJET DE SOCIÉTÉ DE TOUS LES QUÉBÉCOIS

Maintenant, si d'un choix collectif de société, effectué à la suite d'un processus objectif de consultation et de participation, émergeait de véritables états généraux impliquant l'ensemble du peuple québécois; plus encore, si l'on faisait une place réelle aux Autochtones, aux Anglophones et aux Néo-Québécois, il serait sans aucun doute plus facile pour les *leaders* des partis politiques du Québec de faire front commun.

Ce choix dorénavant largement partagé forcerait le gouvernement du Canada à accepter le nouveau projet de société de **TOUS** les Québécois. Il donnerait aux instances politiques du gouvernement du Québec, péquistes, libérales et adéquistes tous les pouvoirs nécessaires pour réaliser cette nouvelle vision de l'avenir.

En quelques mois, voire tout au plus une année, le peuple québécois pourrait ainsi élaborer de toutes pièces ce projet de société acceptable par **TOUS**. Les résultats de véritables états généraux, conduits par une commission nationale indépendante des partis politiques et du gouvernement du Québec, seraient les fondements de ce projet de société. À la suite de ces états généraux, le peuple québécois pourrait exiger que son gouvernement le présente à l'ensemble du Canada et le défende énergiquement.

Cette commission nationale, indépendante des partis politiques et du gouvernement, pourrait regrouper les forces vives du Québec provenant équitablement de Québécois de langue française, d'Anglophones, d'Autochtones et de Néo-Québécois.

Ce nouveau projet de société serait la véritable condition gagnante recherchée par le l'ancien Premier Ministre Lucien Bouchard. Ou encore, il serait l'abandon définitif de l'idée de séparation du Québec du Canada tel que le souhaitait le *Parti libéral du Québec* de Jean Charest lors de la dernière élection.

La négociation d'une nouvelle relation avec les autres gouvernements du Canada, fédéral et provinciaux, une position claire de **TOUS** les Québécois, facilitera son développement. Ces derniers, pour une première fois, auront trouvé une forme de consensus au-delà des sempiternelles chicanes sur l'avenir du Québec et surtout des Québécoises et des Québécois.

Je crois qu'un dernier référendum ne serait même plus nécessaire. Les Canadiens des autres provinces comprendront qu'il s'agit maintenant de la volonté arrêtée par **TOUS** les Québécois, sous la forme d'un consensus populaire, bien au-dessus des partisaneries politiques mesquines. Ils n'auront pas d'autres choix que d'accepter et de s'asseoir pour négocier une autre forme de partenariat. Ils ne pourront plus soulever les Québécois les uns contre les autres.

Mais en cas de refus de la part du gouvernement fédéral et des autres provinces canadiennes de répondre positivement aux exigences de **TOUS** les Québécois, il sera toujours temps de faire revivre le véhicule de l'indépendance. Nous aurons ainsi fait la preuve, hors de tout doute, que le Canada refuse un renouvellement profond du pacte constitutionnel. Il s'agira par la suite de faire accepter cette option de la souveraineté du Québec, au moyen d'un référendum, cette fois-ci par une majorité écrasante, composée de Québécois de toutes souches, de Francophones, d'Anglophones, d'Autochtones et de Néo-Québécois.

Pour avoir observé la scène politique au cours des 40 dernières années, je suis convaincu que les Québécois ne sont pas pour la séparation du Québec du reste du Canada. Ils veulent l'égalité comme le prônaient feu Daniel Johnson, il y a plus de 37 ans, plus tard René Lévesque dans sa thèse de la souveraineté-association et, maintenant, Bernard Landry dans son idée de Parlement à l'européenne.

D'ailleurs, si Robert Bourassa avait eu l'épine dorsale nécessaire et solide, lors des discussions constitutionnelles du lac Meech, il aurait imposé son idée de Parlement européen qu'il avait été étudié au cours de sa période de réflexion en Europe entre ses deux mandats de Premier Ministre du Québec. À ce moment-là, le Premier Ministre Robert Bourassa aurait pu faire l'indépendance du Québec avec toutes les associations nécessaires dans une nouvelle *Constitution du Canada*. La conjoncture politique lui était favorable.

S'il ne l'a pas fait, c'est qu'il n'avait pas la stature politique nécessaire. Il avait été, pendant toute sa carrière politique, un Premier Ministre de chiffon et il a terminé comme tel en manquant une occasion en or de s'inscrire dans le livre de l'histoire de l'Amérique du Nord comme un grand Premier Ministre du Québec.

Il faut se rendre à l'évidence qu'au cours de 40 dernières années, ceux qui ont été les leaders politiques les plus adulés des Québécois ont toujours été ceux qui ont prôné la souveraineté, ou l'indépendance, associée aux autres états qui composent le Canada. Dans le fond, la véritable *Confédération canadienne*, avec quelques variances près, demeurent encore aujourd'hui l'option constitutionnelle préférée des Québécois.

Cependant, je suis convaincu qu'en leur proposant l'infériorité, les dominateurs anglophones et leurs chevaliers servants les forceront à choisir l'indépendance pure et dure.

IV

LA PARTITION, UN DANGEREUX PIÈGE À OURS

ENCORE UNE FOIS,
CERTAINS MOHAWKS JOUENT AVEC LE FEU

Certains Mohawks sont utilisés par des leaders politiques anglophones de l'Ouest de Montréal qui fomentent la partition du Québec. Ils sont en train de préparer, pour une seconde fois, une crise politique et sociale qui pourrait affecter nos chances de vivre harmonieusement au Québec.

La population mohawk ne se souvient-elle pas que l'inconséquence de leurs *warriors* a détruit, lors des événements d'Oka, en 1990, les relations entre les Québécois francophones et les Autochtones du Québec ? Ils l'ont fait sans jamais se soucier des autres nations autochtones, ni prendre en compte les effets négatifs d'une telle opération.

Plusieurs Indiens du Québec, il ne faut pas l'oublier, avaient bâti et entretenu de peine et de misère, au cours des années, ces relations. Cette période était tellement irréfléchie que tous les Amérindiens qui vivent avec les Québécois francophones en ont souffert. Ils subissent encore aujourd'hui d'ailleurs, quelque douze ans plus tard, les suites négatives de ce vent de folie.

Et ces guerriers de pacotille rêvent encore au matin tant attendu de la révolution. Ils jubilent face à une aussi belle occasion que procure cette alliance stratégique avec certains fascistes anglophones. Ils pourront alors réaliser leur propre agenda politique de souveraineté pure et dure qui favorise, pour certains, des formes de banditiste, comme la production et la vente de drogues; ce qui détruit la cause autochtone. Nos détracteurs utilisent, à outrance, ces écarts de conduite pour dénoncer l'appui donné par les gouvernements à l'autonomie gouvernementale des Premiers peuples.

Pour leur part, leurs frères autochtones des autres nations, isolés par petits groupes sur le vaste territoire du Québec, risquent d'en faire les frais comme premières cibles.

Puis, quand le feu rallumé commencera à les chauffer, ces valeureux guerriers s'enfuiront bravement aux États-Unis par hélicoptères, comme ils l'ont fait à Oka. De leur côté, les fascistes anglophones prendront la poudre d'escampette et déménageront leurs pénates dans les autres provinces du Canada plus à l'Ouest.

Et nous, Autochtones du Québec, nous panserons les plaies physiques et morales de nos enfants et de nos petits enfants dans ce Québec indépendant que nous n'avons d'ailleurs pas l'intention de quitter. La défaite préparée par les autres nous humiliera encore une fois.

Les *leaders* anglophones de la partition et les *warriors*, selon leur agenda politique respectif, font tout pour entraîner les autres Indiens du Québec à défendre leur cause. Ils savent très bien que ces derniers sont les seuls justifiés à parler de partition à cause des traités historiques. Les droits territoriaux autochtones non éteints, pour la majorité des nations autochtones, constituent une prise juridique unique pour les Anglophones de l'Ouest de Montréal. Ils savent très bien qu'ils ont, pour leur part, aucune justification légale, ni morale.

Ce chant des sirènes fédérales enjôleuses est doux à l'oreille naïve ou sans expérience. Il se révèle un miroir politique attirant pour certains Cris et Inuits qui y voient malheureusement une façon de retrouver les terres qu'ils ont cédées au gouvernement du Canada.

Cette cession, même s'ils ne veulent pas se l'avouer, est réelle. Elle l'est d'autant plus qu'elle s'est passée avant que la *Constitution du Canada* de 1982 reconnaisse les droits ancestraux. Les cours de justice du Québec, au cours des dernières années, ont confirmé cette session et la *Cour suprême du Canada* a refusé d'entendre les causes qui voulaient les contester. Elles ont rejeté ainsi d'une façon définitive leurs arguments sur la naïveté des Cris qui ne comprenaient pas, prétendaient leurs avocats, ce qu'ils signaient.

J'espère que les *leaders* politiques actuels cris et inuits ne sont pas assez inconscients pour croire que le gouvernement du Québec va leur remettre ces territoires, sans contestation quelconque, parce qu'ils auraient l'appui des partitionistes. Ce n'est pas pour rien que le Canada et le Québec ont exigé l'extinction de leurs droits territoriaux en échange de compensations monétaires importantes...

Le gouvernement du Canada a appliqué sa politique d'extinction des droits avec les Cris et les Inuits comme il l'a toujours fait dans ses traités avec les Indiens depuis la *Proclamation royale de 1763*. D'autant plus que ces derniers ont accepté de signer ces traités modernes et qu'ils jouissent des avantages financiers et autres depuis plus de 25 ans.

Pourquoi les Cris et les Inuits n'exigeraient-ils pas, du gouvernement fédéral actuel, un avis clair sur cette question et un engagement ferme de leur part de respecter leur droit à l'autodétermination dans le Canada de maintenant et celui du futur. Ils auraient en main une preuve inébranlable et quatre as dans leur manche pour se défendre contre le Québec au Canada et sur la scène internationale.

Les *leaders* politiques actuels, cris et inuits, ne sont pas assez inconscients pour croire que le gouvernement fédéral va tout faire pour les garder dans leur giron sans engagement préalable de leur part lorsque le Québec ne fera plus partie du Canada.

Les politiciens fédéraux savent trop bien ce que contiennent les traités modernes des Cris et des Inuits. Le gouvernement du Canada connaît la force juridique des clauses d'extinction puisqu'il en a expérimenté la portée à maintes occasions. Il continue d'ailleurs à les imposer d'une manière claire et ferme, même s'il parle plutôt aujourd'hui de certitude que d'extinction, dans toutes les ententes sur les droits territoriaux.

Il s'agit d'utiliser un synonyme pour tenter d'amadouer les peuples autochtones alors qu'il sait très bien que les contenus de ces clauses de certitude d'aujourd'hui ont les mêmes effets juridiques que ceux des clauses d'extinction d'hier.

Et, dans ce cas-ci précisément, pour faire plaisir aux partitionistes, le gouvernement du Canada irait sur la scène internationale pour se battre contre ses propres clauses d'extinction des droits territoriaux autochtones. Il tenterait alors d'annuler la portée de ses clauses d'extinction pour tous les traités déjà signés au Canada.

Voyons, c'est une farce...

D'ailleurs, cet appui des partitionistes, au lendemain de l'indépendance du Québec, ou de la reconnaissance d'un Canada renouvelé, va rétrécir comme une peau d'animal qui sèche au soleil. Quand ils auront utilisé les Mohawks, les Cris, les Inuits et les autres Indiens jusqu'à la corde pour leurs fins personnelles, ils les rejetteront. Ils les abandonneront aux indépendantistes québécois, ou à un gouvernement fédéral moins menacé d'éclatement.

Ce sont les Mohawks, les Cris, les Inuits et surtout les autres Indiens qui continueront à vivre avec les Québécois sur leurs territoires ancestraux, cédés ou non. Quant aux défenseurs de la partition du Québec, ils iront se terrer à Vancouver, à Winnipeg ou à Toronto, travaillant au service de certains Anglophones. Ils jouiront de la récompense d'agitateurs politiques à la solde des colonisateurs extrémistes.

Et nous, les Autochtones du Québec, nous nous serons livrés mains et poings liés parce ce que nous n'aurons pas su rester indépendants face à un débat qui ne nous concerne pas collectivement. Nous ne pouvons pas influencer cette contestation d'une façon ou d'une autre à cause de notre petit nombre. Plus encore, nous n'aurons pas su utiliser notre pouvoir de négociation pour la reconnaissance de nos propres droits ancestraux par un futur Québec indépendant, ou un Canada renouvelé, notre véritable objectif. Enfin, nous aurons aidé la cause des autres, les partitionistes, et nous aurons détruit notre propre cause.

C'est tout un choix éclairé.

Plutôt que d'être demeurés neutres, nous aurons été utilisés par des perdants qui concèdent déjà la victoire et préparent la défaite par la partition. Ces gens ne travaillent pas pour l'unité nationale canadienne comme ils le laissent croire. Ils veulent imposer, par la force, leurs solutions après la défaite démocratique parce qu'ils sont trop lâches pour travailler véritablement à sauver le Canada. Ils préfèrent se comporter comme de bons colonisateurs britanniques en imposant de force leurs visions des choses, c'est-à-dire agir en *boss* tout puissants.

En terminant ce sujet, je crois que le chef Joe Norton des Mohawks de Kanawake, un *leader* charismatique très écouté par les chefs indiens du Québec, doit dénoncer l'attitude de certains membres de sa communauté. S'il veut établir une nouvelle relation avec les Québécois francophones, comme en font foi ses négociations et les ententes signées avec le gouvernement du Québec, il doit s'éloigner de certaines folies inacceptables des *warriors*. Ces gestes inconsidérés attisent la haine entre les Mohawks et les Québécois.

D'ailleurs, poser une telle action me prouverait, comme je le crois, qu'il est un chef qui veut le bien pour sa communauté. Il est prêt à se battre pour faire respecter ses droits, c'est parfait, mais il doit démontrer qu'il sait reconnaître sa part de responsabilité et, quelques fois, lorsque nécessaire, blâmer les écarts de certains parmi les siens. C'est le rôle d'un véritable leader.

INTERVENTION DU FIDUCIAIRE DES INDIENS

Si le tuteur des Indiens du Canada connaît son rôle de fiduciaire, il devrait plutôt intervenir pour protéger les Indiens du Québec contre ces *abuseurs* extrémistes qui utilisent la naïveté de certains d'entre-eux. Ce tuteur le ferait encore aujourd'hui comme la *Couronne française*, la *Couronne britannique* et la *Couronne du Canada* l'ont fait, pour bien moins que cela, au cours de l'histoire du Canada.

Dans le fond, le faisait-il pour protéger les Indiens contre les colons envahisseurs ? Ne voulait-il pas plutôt permettre à ces colons canadiens de s'approprier des terres ancestrales des Indiens ? La *Commission royale sur les peuples autochtones du Canada* répond à cette question, comme vous le constaterez en lisant le chapitre seize, FONDEMENTS DE L'AVENIR et le chapitre dix-sept, MANIFESTATIONS D'UN RAPPROCHEMENT, de cet ouvrage.

Le gouvernement du Canada ne devrait pas laisser les partitionistes québécois utiliser la crédibilité de la cause autochtone pour une fin aussi machiavélique. En agissant ainsi, ils détruisent les chances des autres Indiens du Québec de faire reconnaître leurs droits ancestraux par les Québécois. Ils gaspillent tout l'argent investi au cours des 25 dernières années pour les négociations territoriales globales et la mise en place de nouveaux contrats sociaux plus prometteurs d'avenir.

Les Cris et les Inuits devraient comprendre qu'ils privent les autres Indiens du Québec de conclure des ententes satisfaisantes avec le gouvernement du Québec. Ceux-ci ont profité des avantages de telles ententes en rejetant, en 1975, les autres Indiens faisant partie de l'*Association des Indiens du Québec*. Ils devraient au moins avoir la décence de les laisser, s'ils le désirent, en tirer le maximum aujourd'hui.

L'histoire révélera que le gouvernement actuel canadien, aveuglé par la partisanerie politique à courte vue, au cours de cette période de discussions sur le Canada de demain, n'a pas joué son rôle de fiduciaire des Indiens.

Quelques-uns de ses *leaders* politiques auront tout fait pour utiliser les Amérindiens à leurs fins en tentant de contrer la volonté légitime des Québécois de transformer démocratiquement leur avenir. C'est ce que certains essayent de faire comme membres des Premiers peuples.

Plusieurs tenants de la thèse fédéraliste nous font croire que, pour les Indiens, le geste de se séparer du Québec, par la partition, est honorable. Pourtant, lorsqu'il s'agit des Québécois, cette attitude deviendrait condamnable si ceux-ci choisissaient l'indépendance. Comment pourrait-on se laisser leurrer par un tel non-sens ?

C'est donc une position injuste et surtout indéfendable, ici et sur la scène internationale, dans un débat qui ne nous appartient pas. Cette prise de position n'a pas de bon sens puisque l'on veut nous faire effectuer *le job sale!* Nous ne sommes plus au temps de la *Colonie française*, et de la *Colonie britannique*, où les colonisateurs nous utilisaient pour effectuer les massacres. Ils savaient très bien d'ailleurs que l'histoire tronquée par leurs descendants retiendrait ces éléments négatifs contre les « sauvages ».

D'ailleurs, la « grande histoire » du Canada, comme la qualifient certains historiens, que nous avons apprise dans les écoles publiques canadiennes, est presque remplie de ces faits qui font aujourd'hui dresser les cheveux sur la tête. La « grande histoire » n'a pas retenu que nos ancêtres avaient sauvé les nouveaux arrivants de la maladie et d'une mort certaine. Cette dernière a oublié que nos ancêtres les ont aidés à vivre avec la température difficile de nos forêts boréales. Ils leur ont enseigné la survie dans ce climat souvent aride. Sans eux, ils n'auraient pas réussi à vivre bien longtemps.

On devrait ajouter que les Premiers peuples ont participé à développer le commerce florissant des fourrures. Aujourd'hui, on sait que c'était la raison principale des nombreux voyages des commerçants européens sur cette terre d'Amérique du Nord. Au cours des dernières années, certains historiens ont commencé à démontrer le rôle majeur joué par les Premières Nations pour développer ce commerce.

Cette « grande histoire » a pourtant sorti ces faits majeurs de la mémoire collective comme elle ne s'est pas souvenue que, sans l'appui militaire des Indiens, ni la France, ni l'Angleterre, n'aurait pu s'approprier, en exclusivité et à tour de rôle, de nos territoires ancestraux. Ces colonisateurs le savaient au début de la Colonie et c'est pourquoi ils signaient des traités de paix et d'alliance avec les peuples autochtones.

Ils l'ont rapidement oublié le jour où ils sont devenus plus nombreux et plus puissants. Ils ont mis de côté leurs belles promesses enjôleuses, utiles aux « conquérants pacifiques » pour s'approprier des terres des Premiers peuples. Aujourd'hui, ils parlent de « vieux papiers » inutiles que les Indiens devraient oublier et détruire parce que le gouvernement du Canada n'a plus les moyens financiers pour remplir ses engagements.

C'est pour cette raison que les traités ont perdu tout sens et toute valeur depuis selon le rapport de la *Commission royale sur les peuples autochtones du Canada*. C'est pourquoi aussi, prétendent les commissaires, appuyée en cela par la *Cour suprême du Canada*, que les gouvernements du Canada et des provinces doivent réajuster leur tir. Ils ont l'obligation de remplir les promesses faites. Sans cela, l'honneur du Canada en serait entaché sur la scène internationale. Son prêchi-prêcha dans le monde n'aurait plus de crédibilité, ni de portée.

Leur « plan de match », la *Loi sur les sauvages* et, plus tard, la *Loi sur les Indiens*, n'a pas fonctionné. Les Indiens ne se sont pas assimilés comme ils l'avait prévu en devenant des Canadiens comme les autres. Ils sont aujourd'hui plus vivants que jamais. Ils sont de plus en plus convaincus de la valeur juridique de leurs droits ancestraux de Premiers peuples.

Ce rôle de fiduciaire va au-delà des débats politiques actuels. Il doit s'effectuer uniquement dans le sens de la protection des Autochtones comme la *Couronne britannique* et ensuite celle du Canada se sont engagées à le faire. En aucun temps, ce rôle de fiduciaire peut s'interpréter dans le sens de servir aux fins des politiques partisanes. Le gouvernement fédéral ne peut surtout pas l'utiliser pour semer la discorde.

En souvenir du temps où, comme ministre des *Affaires indiennes et du Nord Canada*, tuteur responsable, il avait comme rôle principal de défendre les Indiens, j'invite Jean Chrétien à sonner la fin de la récréation. Il doit faire rentrer, en silence, les inconséquents fédéralistes dans le rang comme il l'a fait pour les libéraux récalcitrants aux printemps de ce troisième millénaire.

Son rôle principal est d'affirmer son leadership de Premier Ministre du Canada en s'éloignant de celui de chef du *Parti libéral fédéral*, hanté par le fantôme de Pierre Elliott-Trudeau. De plus, il a la mission de proposer des solutions qui sauront refaire l'unité nationale. Au lieu de concéder la victoire, comme le font les *partitionistes* et leurs appuis politiques, il faut, tel un général d'armée victorieuse, qu'il mette de côté les réformettes. Il doit se battre pour faire en sorte de gagner, coûte que coûte, la bataille principale. L'unité canadienne sera ainsi sauvée et ses pourfendeurs seront vaincus.

DES ALLIÉS POUR LES INDÉNDANTISTES : DES FÉDÉRALISTES BORNÉS ET PARTITIONISTES

Ce sont les partitionistes et leurs semblables qui vont faire en sorte que les Québécois voteront pour l'indépendance. À force de cracher au visage des Québécois leur haine, ils vont les forcer, presque contre leur gré, à choisir l'indépendance.

Rappelons-nous la thèse, qui avait comme objectif de choquer pour mieux réveiller, qu'appliquait Pierre Elliott-Trudeau au cours de sa jeunesse. On raconte qu'il se promenait en *cadillac* avec le chauffeur privé de la riche famille et qu'il arrêtait dans le coin de rues occupé par des groupes de jeunes Québécois francophones dans l'Est de Montréal pour étaler sa richesse. Il ouvrait la vitre de l'auto et leur criait des insultes du style: « Vas chier maudit pauvre ». Il voulait, dit-on, que ces jeunes Québécois réalisent qu'ils doivent se battre pour que change leur état social de pauvreté.

Certains, comme Pierre Vadeboncoeur, syndicaliste, écrivain et ami personnel de Pierre Elliott-Trudeau, qui a d'ailleurs rapporté cette histoire dans un journal indépendantiste du Québec il y a plusieurs années, ajoutent que la carrière politique de Trudeau à Ottawa a été parsemée par ce genre d'insultes envers les Québécois.

Pierre Vadeboncoeur prétend qu'il agissait ainsi pour que ces derniers se prennent en main et se développent selon un projet de société dynamique.

Il n'est pas nécessaire d'être un analyste politique *patenté* pour constater que l'idée de l'indépendance pourrait gagner de plus en plus d'adeptes. C'est surtout le cas depuis que ces radicaux *partitionistes* insultent les Québécois ordinaires et les conduisent à prendre des positions radicales. Et je comprends aisément pourquoi le gouvernement Chrétien cherche par tous les moyens imaginables d'éviter le prochain référendum. Le Premier Ministre Chrétien sait qu'il va le perdre.

Cela n'empêche pas que, pendant ce temps, d'une manière inacceptable et inconséquente, le gouvernement fédéral flirte avec les *partitionistes*. Il laisse l'ineffable et indicible Stéphane Dion donner toute la crédibilité nécessaire à ce plan antidémocratique. C'est cette crédibilité qui permet à ces derniers de soulever les Anglophones du Québec et hors Québec pour la partition.

Dans les officines gouvernementales canadiennes, on laisse entendre que Stéphane Dion pourrait même devenir ministre des *Affaires indiennes et du Nord Canada*. J'espère que ce triste sir, favorisant la partition au Québec, n'utilisera pas son pouvoir politique pour semer la pagaille au Québec en utilisant les Indiens à ses fins machiavéliques.

Cet encouragement inadmissible lorsqu'on y regarde les aboutissants démontre une inconscience indigne d'un gouvernement démocratique comme celui du Canada. Une telle attitude pourrait conduire à une guerre civile. Est-ce vraiment cela que certains souhaitent? C'est d'ailleurs cet encouragement tacite qui permet le dérapage d'extrémistes dans le débat démocratique actuel menant aux abominations des dernières années.

Cette action aura sans doute l'effet d'un boomerang. Tôt ou tard, le gouvernement fédéral n'aura d'autre choix que de revenir au bon sens dicté par la démocratie. Les partisans sincères de l'unité canadienne vont réagir et mettre de côté la vision obtuse du Canada centralisateur prônée par le *Parti libéral du Canada actuel.*

Le danger qui guette l'ensemble des Canadiens bien-pensants est que demain sera peut-être trop tard. Les petits feux allumés ici et là par les *partitionistes* d'une manière inconséquente, sous l'oeil bienveillant du gouvernement fédéral, seront devenus un immense feu de forêt incontrôlable.

V

DES CLÉS
D'INTERPRÉTATION

L'ATMOSPHERE EST POLLUÉE
PAR TOUTES SORTES D'IRRITANTS

Le défi que les nations autochtones doivent relever est de taille. Dans plusieurs sphères de leur organisation sociale, elles souffrent d'une modification rapide de leur mode de vie et d'une situation chronique de sous-développement. Des changements de ce mode de vie leur ont laissé de nombreuses séquelles.

Il y a de multiples clés d'interprétation de la crise actuelle entre nos sociétés qu'il faut employer pour percevoir, dans tous ses détails, le panorama politique et social des Premiers peuples. Il faut en tenir compte pour bien comprendre ce qui se passe. Il est bon de sensibiliser nos milieux respectifs sur une grille d'analyse qui permettra de déchiffrer les enjeux profonds de la réalité contemporaine.

L'une de ces clés d'interprétation est la connaissance de l'histoire passée et actuelle. Des événements importants ont marqué les relations entre nos civilisations. Il faut donc connaître le contenu des traités historiques. Des engagements respectifs se dégagent de ces traités. Il faut être au fait des gestes administratifs et législatifs des gouvernements des colonies, française et anglaise, du Dominion et du Canada et de la Confédération canadienne qui ont suivi ces traités.

De nombreuses commissions mises en place par le gouvernement du Canada, dont la *Commission royale sur les peuples autochtones du Canada*, ont dégagé les manquements et recommandé des aménagements. Il faut en tenir compte dans notre appréciation du dossier autochtone et des gestes à poser pour corriger certaines erreurs de parcours.

Une autre clé est la connaissance des milieux autochtones, de leur diversité, de leurs cultures et de leurs organisations communautaires ou tribales. Les Indiens vivent avec des voisins qui se soucient peu de les connaître. Ces proches sont méconnus parce que les ancêtres des Canadiens ont cru que les Indiens disparaîtraient avec le temps. Pourquoi alors faire l'effort de mieux les connaître.

Capteur de rêves

Plus difficile encore à utiliser est la clé de la connaissance de l'aspect légal et de la jurisprudence concernant les Indiens du Canada. Ce que nous verrons plus en profondeur dans le prochain chapitre, INFLUENCES OBSCURES DES PLUS DESTRUCTRICES.

Les jugements, qui ont eu lieu aux États-Unis, au Canada et au Québec, depuis des décennies, expliquent, en grande partie, les difficultés de relations que nous vivons. Il est bon de s'intéresser à cette question quand les médias en font rapport ou quand un événement public en traite.

Il faut bien connaître aussi les rouages de la double juridiction constitutionnelle entre le Canada et les provinces. Cette situation cause beaucoup de difficultés aux Premiers peuples. En vertu de la *Constitution du Canada de 1867*, le gouvernement fédéral est responsable des « Indiens et des terres réservées aux Indiens ». Pour sa part, le Québec, comme province, a la charge des terres de la *Couronne*, des ressources naturelles et des grands secteurs administratifs de la vie en société tels que l'éducation, les services sociaux, la santé, etc..

Les Autochtones sont, plus souvent qu'autres choses, la balle dans ce jeu de ping-pong.

Il est de plus important d'analyser l'impact des développements majeurs, forestiers, miniers et hydroélectriques, sur les territoires ancestraux des peuples autochtones. L'occupation des territoires ancestraux fait de moins en moins de place aux Premiers peuples et les dépossède. Les phénomènes négatifs et croissants de ghettoïsation affectent de plus en plus les Autochtones. Ces conditions ont des effets majeurs sur les écarts entre les sociétés canadiennes. Le fossé s'élargit de jour en jour au détriment des Premières Nations.

Saviez-vous que la plupart des Autochtones, dont les Innus (Montagnais), ne possède aucune terre au Québec comme bien personnel ?

Saviez-vous aussi que les terres des *réserves* appartiennent à sa Majesté du chef du Canada et non pas aux Indiens eux-mêmes...

Le terrain de ma maison, à Mashteuiatsh, au Lac-Saint-Jean, n'est pas à moi. Je l'utilise, certes, mais je ne peux même pas l'hypothéquer pour me développer économiquement. Je ne peux pas plus le faire pour ma maison qui est dessus. Pourtant, ce sont des biens que j'ai dû payer pour les posséder comme c'est le cas pour les autres Canadiens.

Il ne faut pas oublier que, lorsque les réserves ont été créées, les juristes du ministère de la *Justice du Canada* étaient convaincus que les droits territoriaux ancestraux des Premiers peuples étaient des droits d'utilisation. Ils ne voulaient surtout pas accepter qu'ils soient des droits de pleine propriété. C'est pour cette raison que la générosité du Canada n'allait pas plus loin que de « prêter » les terres réservées pour les Indiens par la *Proclamation royale de 1763* et, plus tard, par les traités, aux membres des Premières Nations.

Il n'a jamais été question pour le gouvernement du Canada et celui du Québec, que ces terres soient rétrocédées. Pour ces derniers, on aurait pu en déduire qu'ils reconnaissaient les droits ancestraux territoriaux. Il faut ajouter que c'est encore le cas aujourd'hui même si la *Cour suprême du Canada* a statué sur ce sujet et que la *Constitution du Canada*, depuis 1982, à l'article 35 (1), reconnaît les droits existants, ancestraux ou issus de traités, à des Autochtones..

L'intensité de la tornade autochtone de l'été '90, qu'ont été les événements historiques d'Oka, près de Montréal, s'est estompée. Il semble bien que l'oeil de cette mémorable « tempête du siècle » ait dépassé pour de bon nos côtes. Nul doute cependant que les vagues de ressac et une houle prolongée vont brasser encore longtemps notre système malmené. Elles vont soulever, de part et d'autre, au moins pour un certain temps, des haut-le-coeur.

Ces changements réels de température se sont incrustés dans notre climat et l'ont transformé de fond en comble. Nous devons donc apprendre à vivre avec ces bouleversements *atmosphériques* et, surtout, s'y adapter.

Une crise agit comme révélateur. Ce thermomètre permet de saisir les difficultés fondamentales opposant les acteurs en présence. Elle peut suggérer certains remèdes qui, ingurgités au bon moment, soulagent le patient. Elle peut même le faire vivre très longtemps. Elle doit surtout faire en sorte que les intervenants choisissent les correctifs nécessaires.

Quels sont ces irritants qui, du côté autochtone comme du côté québécois, ou canadien, font obstacle à un dialogue fécond et civilisé.

Avant de proposer des moyens pour guérir les blessures, il est important d'essayer de découvrir les nuages assombrissant l'horizon. Le fait de bien diagnostiquer ces maux nous aidera à découvrir les remèdes qui les élimineront. Nous transformerons notre système pour le rendre moins résistant aux changements parce que nous saurons accepter certaines métamorphoses majeures de société. On reproche souvent aux Indiens de résister aux changements.

Commençons d'abord par les Amérindiens dont le principal grief tient dans un seul mot: **Paternalisme**. Il s'exprime surtout, selon ces derniers, par la *Loi sur les Indiens*, instrument juridique assurant la tutelle de l'homme *blanc*.

L'attitude arrogante des non-Autochtones a dominé les débuts de nos relations. Ils se qualifiaient eux-mêmes de races supérieures aux peuples autochtones de ce *nouveau monde*, comme il l'appelait. Ce nouveau monde était pourtant habité depuis plus de 9000 ans par les Premiers peuples. Cette prétendue supériorité voulait que les *sauvages* non civilisés se convertissent à leurs religions et changent leurs modes de vie.

L'histoire tronquée des premiers temps des colonies, française et plus tard britannique, a elle aussi été marquée par ce comportement méprisant des premiers historiens: les missionnaires. En bons sous-produits des colonisateurs, les robes noires ont fait ressortir, de leurs premiers contacts, les éléments qui justifiaient leurs interventions. Pour les convertir, il fallait qu'ils soient non civilisés, donc *sauvages*. De tous les écrits se dégagent donc, avec évidence, les éléments qui font cette démonstration.

Ils se sont peu arrêtés sur la véritable histoire de cette terre d'Amérique. Ils ont oublié de consigner dans leurs écrits ce qu'une tradition orale aurait pu leur communiquer. Ils ont donc été des historiens incompétents tels que certains l'ont été comme hommes de Dieu.

Puis les historiens plus près de nous ont réécrit cette histoire à partir des sources existantes. Parce que ceux qui ont écrit histoire au début de la colonie française avaient au départ retranché des faits, ils ont conclu, sans se poser de questions, ni trop chercher. Pour ces derniers, l'histoire réelle de cette terre d'Amérique commençait avec l'arrivée des aventuriers européens. Ils n'ont même pas considéré que ces civilisations étaient millénaires.

Il était tellement plus facile de raconter l'histoire des premiers temps de la *Colonie française* à partir du journal des *Relations des Jésuites*, ou tout autre écrit de même acabit. Plus encore, ils n'ont même pas pris en compte que les peuples autochtones ont fait en sorte que les arrivants puissent survivre sur cette terre où le climat était difficile. Ils ont omis de mentionner que, sans les Indiens, ils n'auraient pas pu s'imposer et développer le commerce des fourrures, la raison de leurs voyages.

Certains de nos historiens des dernières générations ont éliminé à peu près toutes les traces du passage d'une civilisation évaluée maintenant à plus de 9,000 ans. Ils ont conclu que les « Amérindiens disparaîtraient et qu'il appartenait aux anthropologues d'étudier les civilisations disparues ». Ils ont par la suite corrigé l'histoire, a souligné un illustre historien, Denis Vaugeois, en enlevant des écrits le terme *sauvage*, si séduisant selon ce dernier. Ils ont oublié de corriger les faits, l'essence même de l'histoire...

Avec comme résultats que les Indiens ne font pas partie de l'histoire enseignée dans les écoles sauf quand on parle de massacres. Pourtant ils ont joué un rôle extrêmement important dans le commerce des fourrures. Ils ont été les alliés qui ont permis à la France de s'imposer comme colonisateurs et, plus tard, ils ont amené la Couronne britannique, comme alliés, à vaincre la France.

L'État canadien semble avoir désigné les premiers habitants de ce coin de terre comme mineurs pour l'éternité. Il a même poussé l'injure jusqu'à les forcer à s'émanciper par l'instruction ou par le mariage d'une Indienne avec un *Blanc*. Il ne faut pas oublier que la *Loi sur les Indiens* permet aujourd'hui au ministre des *Affaires indiennes et du Nord Canada*, à titre de tuteur, de contester mon testament après mon décès. Pour les représentants du Canada, les Indiens seront-ils, un jour, autonomes, peut-on se demander ?

Les *leaders* des Premiers peuples, presque sans exception, soulignent leur ras-le-bol de se faire dire quoi et comment faire. Surtout que ces gens, même bien intentionnés, leur donnent des conseils sans, le plus souvent, avoir fait l'effort pour connaître leur histoire et pour comprendre leur culture.

Comme une pieuvre, le **paternalisme** a plusieurs tentacules. La plus insidieuse est l'approche légaliste. Plusieurs fonctionnaires emploient leurs lois pour fermer la porte à tout courant d'air frais. Ils le font même s'ils savent que ce changement d'atmosphère peut faciliter nos relations. Ils utilisent ces lois comme paravents contre toutes solutions négociées. Pourtant ces négociations pourraient donner l'oxygène nécessaire à la survie et au développement des Premières Nations. On oublie trop facilement que la loi est toujours le produit d'une culture.

Les droits ancestraux, reconnus par la *Constitution du Canada* à l'article 35(1), s'accommodent mal du carcan des lois d'application générale adoptées par les gouvernements. Il s'ensuit que les Amérindiens ne veulent pas respecter ces lois.

C'est le cas de celles qui encadrent la chasse et la pêche sportives des Québécois. Selon ces droits ancestraux et ce droit inhérent à l'autonomie gouvernementale reconnus par la *Constitution du Canada*, il appartient aux Indiens d'arrêter leurs propres règles de contrôle de la pratique de leurs activités traditionnelles. Ils doivent le faire en respectant la protection de la ressource faunique. Ces droits leur sont confirmés par la *Cour suprême du Canada*, par la *Commission royale sur les peuples autochtones du Canada* et par les politique non appliquées du gouvernement du *Parti libéral du Canada*.

Pour leur part, plusieurs Québécois en déduisent qu'il y a deux sortes de lois: Une pour les Indiens, libérale et non restrictive, et une autre plus réductrice pour les Québécois.

Pour les Autochtones, cette approche **paternaliste** se manifeste par une « mentalité de comptables bornés » qui additionnent, avec une précision de moines, tout l'argent versé. Ces derniers ne mentionnent jamais que ces versements servent à couvrir les engagements qui ont été pris dans les traités.

Ce montant d'argent comprend les sommes versées pour les dépenses de l'administration du ministère des Affaires indiennes et du Nord Canada, donc les salaires des fonctionnaires fédéraux dont la très grande majorité est non autochtone.

Ce qui constituait pour les *Blancs*, à ce moment-là, un excellent *bargain*, sinon un véritable abus, comme le croit la *Commission royale sur les peuples autochtones du Canada*. Ils ont pu jouir des ressources naturelles des terres réservées aux Premiers peuples par la *Proclamation royale de 1763*.

On pourrait ajouter, comme le soutient le rapport de la *Commission royale...*, que le gouvernement du Canada est en dette envers les Indiens. Il n'a même pas respecté plusieurs des engagements pris dans les traités. Ces promesses étaient pourtant bien minimes pour les terres ancestrales des Premières Nations et surtout de leurs richesses naturelles.

Maintenant qu'ils ont dilapidé les fruits de cet excellent *bargain* par une mauvaise gestion des fonds, ils voudraient que les Indiens cessent de recevoir leur dû. Aucun percepteur n'accepterait une telle éventualité, surtout pas ceux qui ont pour mission de percevoir les impôts des gouvernements du Canada ou du Québec...

De plus, ils évacuent les deux principales revendications des Premiers peuples qui portent sur la rétrocession de terres ancestrales et sur l'autonomie politique.

Ils voudraient bien que ces « pauvres petits Indiens » en profitent. Ces derniers n'ont pas toujours eu la chance de partager les bienfaits de la civilisation occidentale, dite supérieure, croient-ils avec beaucoup d'humilité factice.

Une telle mentalité hérisse les jeunes Indiens. Il ne faut surtout pas oublier que ces derniers représentent plus de 60% de la population autochtone. Comme on s'en doute, ils sont moins bonasses et patients que les aînés. Ils rejettent sans hésitation le discours figé qui les ratatine au rang de mineurs. Ils n'ont pas besoin, croient-ils, d'un tuteur *blanc* pour pousser droits comme des arbres en santé et ensuite, tels que les aigles, prendre leur envol pour la cime des plus hautes montagnes.

Les Autochtones reprochent aux *Blancs* d'utiliser un *pattern* de négociation calqué sur celui des relations de travail. Cette façon de procéder s'éloigne de celle que l'on devrait privilégier à cause d'objectifs différents. Le but est de réaliser un nouveau contrat social fondé sur l'égalité des peuples. La façon de négocier, dans le domaine des relations de travail, tourne autour de la force et du pouvoir, deux critères qui favorisent les dominants sur les dominés, donc les gouvernements canadiens sur les Premiers peuples.

J'ai appris à négocier dans le domaine des relations de travail. Je comprends ce modèle qui consiste à offrir des miettes souvent inférieures à ce que l'on a concédé ailleurs. Ensuite, il s'agit de laisser pourrir la situation pour, enfin, commencer à négocier avec sérieux lorsque la partie qui demande est assez forte pour « placer un couteau sous la gorge » des patrons ou des gouvernements.

À venir jusqu'à maintenant, une telle vision a conduit la partie autochtone à calquer les stratégies qui ont des chances de réussir à faire fléchir les parties gouvernementales. L'escalade nous a menés à poser des gestes désespérés comme ceux de bloquer les ponts et les routes pour forcer les gouvernements à s'asseoir avec nous et à négocier.

Nous savons pourtant que de telles actions exaspèrent les populations concernées. Ce sont les seules désobéissances civiles, quand même mineures et acceptables, qui réussissent à forcer les gouvernements à nous écouter. Les Amérindiens se sont toujours sentis ridiculisés par de telles procédures. Ils ont toujours cru, de bonne foi, que la relation arrêtée dans des traités de nation à nation suffisait pour donner un sens noble et responsable à toute négociation avec la *Couronne du Canada.*

Malgré la secousse de l'été '90, la très grande majorité d'entre-eux, d'une nature plutôt pacifique, n'est pas prête à recourir à ce genre d'affrontements fondés sur le mépris. Ils le feront, à corps défendant, s'ils n'ont pas d'autres choix...

Enfin, je sais que les Autochtones en ont assez d'être ballotés d'un gouvernement à l'autre. Ils comprennent bien la complexité du partage des pouvoirs et des juridictions au Canada, mais ils trouvent qu'ils en font trop souvent les frais. Chaque gouvernement profite de la présence de l'autre pour s'esquiver quand le temps est venu de prendre ses responsabilités.

Du côté des Québécois et des Canadiens, les griefs ne sont pas moins importants.

C'est ainsi que l'on reproche aux Autochtones leur philosophie du **tout-ou-rien** ou, en d'autres mots, leur comportement absolu d'exiger; ce qui signifie, prétend-on, que toute négociation devient presque impossible.

Dans le même ordre d'idée, on les accuse de défendre des beaux principes, mais de ne jamais en donner le mode d'emploi. **Que veulent vraiment les Autochtones ?** Quelles sortes d'organisations politiques souhaitent-ils se donner? Quels pouvoirs précis désirent-ils récupérer ? Sont-ils disposés à protéger des droits individuels en plus des droits collectifs ? Souhaitent-ils ouvrir leurs terres retrouvées à l'usage des Québécois ? Comment entendent-ils faire leur développement économique ? Sont-ils prêts à procéder par étapes ?

Ce sont là autant de questions parmi tant d'autres qui n'auraient pas reçu jusqu'à maintenant, selon eux, de réponses satisfaisantes. On leur fait grief encore de passer par-dessus la tête des Québécois pour tenter de rallier l'opinion internationale à leur cause. Ces derniers les accusent de ne pas prendre la peine de convaincre d'abord ceux avec qui ils devront négocier un nouveau contrat social et l'appliquer par la suite.

D'autres évoquent l'extrême difficulté pour les Amérindiens de se donner des porte-parole crédibles. On reconnaît volontiers cependant qu'à peu près toutes les minorités partagent cette difficulté. On ajoute que les processus de prise de décision peuvent varier d'une société à l'autre. Encore faut-il, le temps venu, négocier en sachant qui sont les vrais interlocuteurs.

Enfin, on prétend que les Amérindiens sont de piètres administrateurs des fonds publics. Le principal reproche que l'on fait aux Indiens et à leurs chefs, c'est d'être trop mous et trop faiblards pour dénoncer certains parmi eux qui utilisent la violence comme arme politique.

Ce sont là quelques irritants, parmi les principaux, qui illustrent le fossé qui sépare les uns des autres. Enracinés dans l'histoire et la culture de chacun, ils représentent autant d'*hypothèques* à lever si l'on veut s'engager dans un dialogue franc, sain et constructif. La meilleure façon d'y arriver est sans aucun doute de faire en sorte que les forces vives mutuelles les plus dynamiques travaillent ensemble, coude à coude, à la préparation de ce nouveau contrat social.

Comme ce fut le cas, par exemple, pour le *Forum paritaire Québécois-Autochtones.*

FONDEMENTS DES REVENDICATIONS DES PREMIERES NATIONS

Les Québécois s'interrogent aussi sur le fait que les Indiens refusent de se contenter des mêmes droits que les autres citoyens canadiens ou québécois. Ce qui n'est pourtant pas si mal, selon ces derniers...

On doit donc répondre à la question: Pourquoi les gouvernements négocient-ils avec les Premiers peuples ?

Il le fait d'abord en raison de ses obligations, héritées de l'époque coloniale, et de la logique des anciens traités, comme on le verra dans les chapitres seize: FONDEMENTS DE L'AVENIR; dix-sept: MANIFESTATIONS D'UN RAPPROCHEMENT; dix-huit: LES TRAITÉS, SOURCES DE CHANGEMENTS; et dix-neuf: LES RÉALITÉS ET LEURS PERSPECTIVES, traitant du contenu du rapport de la *Commission royale sur les peuples autochtones du Canada.*

C'est aussi à cause de sa responsabilité constitutionnelle et de son rôle de fiduciaire des Indiens du Canada, définis à l'article 91(24) de la *Constitution du Canada* de 1867 qu'Ottawa a adopté une politique de revendications territoriales globales.

Les pressions de certains jugements de la *Cour suprême du Canada*, à partir du jugement *Calder*, en 1973, et plus particulièrement au cours des six ou sept dernières années, ont servi de bougies d'allumage.

L'insistance de la part de la plus haute instance de la Justice canadienne, la *Cour suprême du Canada*, pour que les parties concluent des ententes négociées, « généreuses et libérales » , pour la reconnaissance des droits ancestraux attise la flamme. À la suite de tels encouragements, le gouvernement fédéral n'a pas d'autres choix que de poursuivre sa volonté d'arriver à la signature de tels traités modernes avec les Premières Nations.

Mais où en est-on exactement avec l'histoire des relations entre les nations ?

D'abord, les fréquentations juridiques entre les deux partenaires se sont conclues par la voie politique de ce l'on a appelé des traités. Si on étudie la géographie de ces traités sur la carte canadienne, on se rend vite compte que la surface est couverte en très grande partie, à l'exception des Maritimes, d'une partie du Québec et de la Colombie-Britannique.

À part quelques traités signés en Ontario avant la Confédération pour libérer des terres où l'on venait de découvrir des ressources minières le long des lacs *Supérieur* et *Huron*, l'*hypothèque autochtone* s'est levée à partir de 1871. Ces traités, que l'on a appelé les grands traités numérotés de 1 à 11, contenaient relativement les mêmes dispositions. On y prévoyait la mise de côté des terres réservées aux Indiens concernés, le versement de compensations monétaires minimes, des récompenses aux autorités indiennes et quelques autres peccadilles ou verroteries.

En retour de ces bricoles, on exigeait l'extinction claire et totale de tous les droits, passés et définis dans le futur, des Autochtones sur leurs territoires ancestraux cédés à la *Couronne du Canada* pour le développement.

La construction de la ligne de chemin de fer transcontinental, la colonisation de l'Ouest et la ruée vers l'or au Klondike ont forcé ce processus de négociation prévu par la *Proclamation royale de 1763.*

Plus tard, en 1975, au Québec, l'aménagement hydroélectrique de la Baie-James a contraint, à son tour, la concrétisation d'un traité moderne. Cette fois-ci, à cause de l'urgence pour les besoin de l'économie, les gouvernements étaient plus généreux en termes d'autonomie gouvernementale et de compensations monétaires.

Les représentants du gouvernement du Canada et les Inuvialuits localisés au Nord des Territoires du Nord-Ouest ont signé une entente finale sur la revendication de l'Arctique.

Parmi les nations en négociations territoriales globales, seules une partie des nations Dénés-Métis des Territoires du Nord-Ouest, les Indiens du Yukon, les Inuits de la région du Nunavut couvrant le Nord de la Baie d'Hudson et, récemment, les Nisga'a de la Colombie britannique ont conclu des ententes finales.

Les Inuits et les Innus du Labrador sont aux prises avec un gouvernement terreneuvien qui ne reconnaît même pas l'existence des Amérindiens. Au contraire, ils ont éliminé, par les armes, en payant des primes pour abattre les Béotuks, un des le Premiers peuples à Terre-Neuve.

Pour leurs parts, les Atikamekw et les Innus (Montagnais) tentent encore aujourd'hui de négocier une entente de principe avec le Québec et le Canada. Les divisions internes ont donné comme résultats que, présentement, trois tables sont en place: celle des Innus du Saguenay-Lac-Saint-Jean et du centre de la Côte-Nord, Mamuitun, avec Nutashkuan, celle des Innus de la Basse-Côte-Nord, Mamit Innuat, et les Atikamekw, Atikamekw Sipi. Une vingtaine d'autres négociations, dont celle des Algonquins de l'Abitibi, reste sur la liste d'attente.

Le gouvernement fédéral conservateur de Brian Mulroney a quelque peu rafraîchi cette politique des négociations territoriales globales en 1986; on parle, depuis ce temps-là, de la possibilité d'une autre cure. Celle-là devrait être beaucoup plus profonde à cause du rapport de la *Commission royale sur les peuples autochtones du Canada* et des récents jugements de la *Cour suprême du Canada*. Elle devrait aussi s'accompagner de la création d'une commission indépendante des revendications autochtones.

Une Première Nation, qui veut faire accepter sa revendication territoriale globale, doit donc démontrer que ses ancêtres ont occupé et utilisé, historiquement et d'une manière continue, les terres qui font l'objet de sa prétention.

Malgré cette démonstration, cette revendication sera refusée si, de l'avis d'Ottawa, les droits ancestraux du groupe ont été éteints par un acte juridique colonial ou fédéral, même unilatéral. Une telle attitude du fiduciaire des Indiens ne respecte pas sa propre Constitution depuis 1982, date d'amendement de la *Constitution du Canada* qui reconnaît maintenant, à l'article 35(1), les droits existants, ancestraux ou issus de traités.

C'est en utilisant cette interprétation de la politique des revendications territoriales globales qu'Ottawa a nié aux Mohawks, quant à moi sans raison, leurs droits territoriaux sur des terres situées au Québec et en Ontario. La *Couronne britannique* ne pouvait pas éteindre unilatéralement ces droits.

Il faut souligner qu'à la suite de certains jugements, comme on le verra plus loin dans cet ouvrage, la *Cour suprême du Canada* est claire: Les droits ancestraux des Autochtones ne peuvent pas être éteints par un geste unilatéral du gouvernement du Canada. Seul un traité de nation à nation peut le faire. Ce qui signifie que même si le roi d'Angleterre, George III, avait l'intention d'éteindre certains droits ancestraux par la *Proclamation royale de 1763*, il n'en avait pas le pouvoir.

D'ailleurs, de récents jugements de la *Cour suprême du Canada*, comme le pourvoi Côté-Décontie, au Québec, ont mentionné que les droits ancestraux n'ont pas été éteints par la *Proclamation royale de 1763*. Seul un traité, signé par la

Couronne britannique et par la nation concernée, aurait pu le faire. Donc, un édit royale, une loi du gouvernement canadien ou des provinces, ou une cession par une Bande dans une entente administrative quelconque, ne peuvent pas le faire. Cette politique fédérale tant critiquée est au coeur même du débat autochtone actuel. Pourtant, une importante commission fédérale, sous la présidence de Murray Coolican, a déposé un rapport critiquant cette politique au début des années '80. Plusieurs recommandations ont été retenues alors que de nombreuses autres aussi importantes étaient écartées.

La *Commission Coolican* a proposé, entre autres, des structures décisionnelles de gestion des terres et des ressources contrôlées par les Amérindiens. Elle a parlé de la création de véritables gouvernements autonomes et non pas de simples formules de décentralisation administrative. Elle a offert des choix à l'extinction des droits ancestraux. Elle a encadré le règlement des chevauchements de terres entre groupes autochtones sans en éteindre unilatéralement les droits. Et, enfin, elle a conclu en faveur de la nécessité de plans de mise en oeuvre des ententes conclues.

Puis, en 1996, la *Commission royale sur les peuples autochtones du Canada* reprenait ces conclusions. Elle complétait donc le travail commencé par Coolican et les autres présidents de nombreuses études en dévoilant un ambitieux programme étalé sur 20 ans. C'est ce que nous verrons dans d'autres chapitres de cet ouvrage.

Le gouvernement fédéral continue à agir comme il l'a toujours fait pour l'utilisation des terres et des ressources dans les régions du Canada où les titres ancestraux ne sont pas précisés dans un traité, ni annulés légalement par des formules d'extinction. Il exige toujours l'extinction des droits ancestraux liés à la terre en échange des droits définis par traité. Il refuse de reconnaître, comme le souligne la *Constitution du Canada*, les droits ancestraux des membres des Premiers peuples.

La politique fédérale en vigueur a toujours pour objet d'éteindre les droits des Amérindiens. Elle tente de le faire en employant un synonyme, certitude, au lieu d'extinction, d'une manière méprisante en prenant les négociateurs autochtones pour des imbéciles. La précision des termes employés conduit aux mêmes résultats. À chaque entente administrative insignifiante, nous devons prévoir des clauses de *sans préjudice* aux droits autochtones reconnus dans la *Constitution canadienne* à l'article 35(1).

Je me permets ici de vous livrer un article que vous pouvez retrouver dans la presque totalité des ententes signées par le gouvernement du Canada à la suite d'une revendication particulière avec une bande. Le gouvernement fédéral, au nom d'un article 29 de la *Loi sur les Indiens*, exige une forme de cession du titre ancestral protégé à l'article 35(1) de la *Constitution du Canada*. L'objectif de cet article est d'obtenir la cession du titre aborigène, selon le ministère de la *Justice du Canada*.

Or, selon la *Cour suprême du Canada* dans ses jugements, comme je le soutiens plus en détails dans le prochain chapitre de cet ouvrage, seule la *Couronne du Canada* peut le faire. Elle ne peut pas l'effectuer par des lois, ou par des gestes administratifs, mais seulement par des traités signés par la Couronne du Canada et la nation concernée. Plus encore, le gouvernement ne peut pas exiger qu'une Bande le fasse car cette dernière n'en a pas le droit. Elle poserait, à ce moment-là, un geste anticonstitutionnel. « Seule la Couronne peut le faire »... Et, curieusement, seul le gouvernement du Canada, semble-t-il, peut se permettre de poser et d'exiger un geste anticonstitutionnel...

ARTICLE TIRÉ D'UNE ENTENTE
DE REVENDICATION PARTICULIERE:

Excuser le français écrit ici parce que je cite au texte et ce n'est pas moi qui l'ai rédigé. Une avocate du ministère de la *Justice du Canada* a déposé ce texte, comme modèle à adopter, à une table de négociation que je dirigeais comme négociateur pour la partie autochtone. Je vous avoue que je ne l'ai pas compris plus que vous. C'est pour cette raison que je considère, et je leur ai dit clairement, que c'est une insulte à l'intelligence de la langue française...

« [...] la bande <u>libère</u> et <u>donne quittance à jamais</u> au Canada, à ses ministres, employés, agents ou proposés de <u>toute poursuite, demande, réclamation ou revendication</u>, quelle qu'en soient la nature ou la cause, en droit, en équité ou autrement, que la Bande, ses héritiers, descendants, exécuteurs, successeurs ou ayants cause, <u>ont pu, peuvent ou pourraient formuler ou exiger</u> contre le Canada, ses ministres, employés, agents ou fonctionnaires <u>découlant directement ou indirectement des 4 revendications de la présente entente et de son exécution,</u> des représentations, attestations et autres garanties de la Bande prévues aux articles 11 et 12 de l'entente, du versement par le Canada, à la demande et avec l'autorisation de la Bande, de la compensation aux comptes capital et revenu de la Bande, de la tenue du référendum visant à ratifier l'entente et l'<u>obtention de la cession,</u> de même que pour tout retrait d'argent du compte revenu de la Bande aux termes d'une autorisation conféré à la bande par le Gouverneur en conseil attestée par une ordonnance en conseil en <u>vertu de l'article 69 de la *Loi sur les Indiens*;</u> » **Note:** les soulignés sont évidemment de l'auteur du livre.

Le ministère de la *Justice du Canada* et/ou celui du Québec continuent, par toutes sortes de formules d'abandon tout aussi farfelues les unes des autres, provenant des simagrées du juridisme à outrance, tel que vous venez de le lire, à rechercher des formes d'extinction des droits ancestraux des Autochtones. Ces ministères le font en bafouant leurs instances les plus importantes comme la *Constitution du Canada*, la *Cour suprême du Canada*, les Parlements du Canada et du Québec, une commission royale et les déclarations politiques des principaux partis politiques.

Ils se placent donc au-dessus de toutes ces instances primordiales de nos sociétés.

Jamais, sans obligation de leur part, les ministères de la *Justice du Canada* et du Québec ne changeront leur vision. Cette perception de reconnaître au lieu d'éteindre devra leur être imposée de force par le pouvoir politique. Ce dernier devra utiliser des *mâchoires de vie* - instrument utilisé pour aller chercher les victimes dans leur véhicule automobile lors de graves accidents - pour leur ouvrir l'esprit hermétiquement fermé.

Ces fonctionnaires, contre toute pudeur, continuent d'ailleurs à contester, d'une manière gênante, tout en s'acharnant, la *Cour suprême du Canada*, un mépris de cour évident et inacceptable pour des gens qui devraient avoir comme mission de faire respecter la Justice.

Leur dernière trouvaille est de prétendre, en coulisse évidemment, que le Premier Ministre du Canada, Jean Chrétien, a tassé l'ex-juge en chef de la *Cour suprême du Canada*, le juge Antonio Lamer, parce qu'il était considéré comme étant trop favorable aux Autochtones. Il a ainsi fait une place à la nouvelle juge en chef, madame McLachlin. Les juristes de l'État la jugent plus critique face au dossier autochtone, moins « libérale et généreuse », parce qu'elle était contre, ou plutôt plus nuancée, lors de certains jugements concernant les droits des

Autochtones. Ils espèrent donc qu'elle sera « l'effet du pendule » tant souhaité et attendu pour qu'ils puissent enfin gagner quelques causes...

Un tel calcul, des plus mesquin, de la part d'employés du ministère de la *Justice du Canada* est à faire vomir...

ON NE PEUT PLUS FAIRE FI
DE LA SPÉCIFICITÉ DES PREMIERS PEUPLES

Plusieurs observateurs analysent la scène des Premières Nations sur la base de l'actualité rapportée par les médias. Nul doute que le grand public canadien échafaude son opinion beaucoup plus à partir des colonnes de faits divers que de la trame fondamentale des droits véritables des peuples fondateurs de ce coin de terre.

Mais quels sont donc ces droits ancestraux des Amérindiens, historiques et collectifs, qui semblent rationaliser le discours autochtone moderne. Ces droits anciens que l'on déposera demain sur un des plateaux de la balance de la Justice? Il s'agit là d'un grand livre impossible à parcourir sans l'éclairage de l'histoire qui s'est infiltrée jusqu'aux récents et suprêmes jugements de notre grande *Cour suprême du Canada*.

Dans la perspective autochtone, les droits inhérents à l'autonomie gouvernementale sont aussi élaborés que ceux qu'ils détenaient avant l'immigration des codes juridiques européens. Ces derniers ont pris racine dans les divers tribunaux d'Amérique. L'écrin qui les protège contient non seulement l'usage et la jouissance, mais aussi et surtout le bien-fondé et l'autonomie gouvernementale.

Dès le début de la Colonie, plus précisément en 1603, le fondateur de la Nouvelle-France, Samuel de Champlain, a conclu une alliance commerciale et militaire avec une coalition de nations autochtones conduite par les Innus (Montagnais); ce qui a permis le début de la colonisation de la vallée du Saint-Laurent. Ce type de traités de nation à nation s'est répété par la suite. Ces derniers comportaient toujours en filigrane les droits des Autochtones à la possession de leurs territoires, leur libre circulation sur le continent et la continuation d'un commerce avantageux avec une tradition d'échange de présents.

À la conquête anglaise, en 1760, on a assisté à un renversement des alliances et la plupart des nations autochtones ont signé le traité de Swegatchy garantissant à la *Couronne britannique* leur neutralité. En retour, les Britanniques ont reconnu les anciens traités du régime français. Ils ont spécifié aux Autochtones leur liberté de commerce, de coutumes et de religion. Cet engagement des parties a assuré, à la future Colonie anglaise, la paix et la stabilité politique et commerciale qui lui faisaient défaut.

La *Proclamation royale* du roi d'Angleterre George lll, en 1763, qui a échafaudé les fondements juridiques des droits des Premières Nations comme le reconnaît la *Cour suprême du Canada*, est venue consacrer ce besoin de neutralité géopolitique des Amérindiens. Elle l'a fait face au danger que représentait la montée du nationalisme dans les 13 colonies américaines voisines. Cet édit de Londres a réservé aussi, aux Premier peuples, une grande partie de leurs immenses territoires traditionnels. Cet ordre de la *Couronne britannique* voulait de plus contrôler l'expansion de ses propres colonies.

La période qui a suivi a été marquée beaucoup plus par le non-respect des vieilles alliances que par la signature de nouvelles comme le souligne le rapport de la *Commission royale sur les peuples autochtones du Canada*. L'expansion rapide de la colonisation et de l'exploitation des ressources naturelles ont été à l'enseigne du traitement des droits des Autochtones de ces décennies.

Suite aux nombreuses plaintes des Indiens, le gouvernement uni du Haut et du Bas-Canada a formé une commission d'enquête. Cette dernière a recommandé, ni plus ni moins, la création de « réserves » en guise de compensation pour l'empiétement des territoires ancestraux des Indiens du Canada. Cette même philosophie législative a permis à notre grande *Confédération du Canada* d'articuler, un peu plus tard, sa célèbre *Loi des sauvages*, aujourd'hui appelée la *Loi sur les Indiens*.

Donc, tous les avantages reliés à la création de réserves constituaient des formes de compensations pour l'utilisation des territoires ancestraux par les nouveaux arrivants. Le fait de ne pas payer de taxes ou d'impôts sur leurs propres territoires, de recevoir une éducation plus poussée, de donner des soins de santé aux Amérindiens, etc., est considéré comme tel. Pour inviter les Indiens nomades à occuper les réserves et ainsi faciliter l'occupation des territoires aux colons, le gouvernement leur a fourni des habitations et, plus tard, des pensionnats.

Cette *Loi des sauvages* avait comme objectif non-avoué d'assimiler les Indiens du Canada pour en faire des Canadiens comme les autres par des formules dites d'émancipation. Elle transpirait d'une volonté, aussi sauvage que le souligne son titre, d'éliminer toute trace des Premiers peuples. Il s'agissait, à ne pas en douter, de la planification d'une formule de génocide plus raffinée.
Définition du terme génocide par le Petit Larousse illustré, édition de 1993: « Extermination systématique d'un groupe humain, national, ethnique ou religieux. » Il est évident qu'il ne s'agit pas d'<u>extermination par les armes</u>, mais bel et bien de <u>disparition</u> ou <u>destruction</u> sociale, politique et culturelle. Il ne s'agit pas uniquement d'un ethnocide, « destruction d'une ethnie sur le plan culturel », mais bel et bien d'une définition se situant entre les deux mots, génocide et ethnocide, qui n'existe pas en langue française...

Contrairement aux Américains surtout pour leurs Indiens de l'Ouest, le Canada n'a jamais planifié une extermination physique par les armes ou tous autres moyens s'y rapprochant. Sauf pour Terre-Neuve avec les Béotuks... Il a voulu être plus subtil en utilisant une loi, la *Loi des sauvages*, qui favorisait la ghettoïsation, soit la perte de leurs cultures propres et de leurs langues distinctes, la disparition d'un mode de vie millénaire et la perte de leur <u>autonomie nationale</u> souveraine pour en faire des <u>bandes indiennes</u>, comme pour les loups: Les raisons d'être véritables des Premiers peuples de cette terre d'Amérique du Nord.

Cette potion éliminatrice était enrobée de sucre, soit les avantages reliés à la création des réserves, pour mieux faire passer la pilule.

Or, heureusement pour nous, ces hommes de lois étaient, comme certains juristes d'État actuels, incompétents et surtout aveuglés par la phobie « d'éteindre» les droits des Premiers peuples, donc de les faire disparaître. Ils n'ont pas prévu que la ghettoïsation aurait plutôt pour effet de resserrer les liens entre les Indiens nomades, habituellement divisés, d'une même nation. Leur suffisance les a empêchés de constater qu'ils étaient en train de redonner aux Indiens des raisons de se battre pour des objectifs aussi nobles que leur culture, leur langue et leur mode de vie.

Cette ghettoïsation sur des terres minuscules leur ont rappelé que les Européens leur volaient leurs territoires ancestraux, détruisaient leur fierté et les éliminaient de ce pays de leurs ancêtres. Ils s'apercevaient avec beaucoup de déception que les descendants des colonisateurs refusaient d'honorer les traités signés par leurs ancêtres. Ils avaient oublié que leurs ancêtres européens avaient reçu l'aide des Indiens pour leur permettre de survivre dans ce coin de terre difficile. Plus encore, ils avaient partagé avec eux leurs vastes territoires ne pouvant surtout pas croire qu'ils en profiteraient pour leur voler.

Ils ont constaté, avec une intelligence d'une grande acuité, qu'il était de bonne guerre de se refermer comme une huître pour laisser passer la tempête. Les anciens ont eu la sagesse d'attendre une génération mieux formée aux méthodes de *Blancs* pour négocier, avec les gouvernements, de nouveaux traités plus modernes et de réactualiser les anciens.

Ce sont ces mêmes droits ancestraux, ou issus de traités, que la *Constitution du Canada* est venue enchâsser et protéger en 1982. Les quatre grandes conférences constitutionnelles, qui ont suivi cet « élan de générosité « politique, au grand dam des juristes de l'Etat, ont échoué lamentablement sur le récif du droit à l'autonomie gouvernementale parce que les mandarins du ministère de la *Justice du Canada* avaient bel et bien repris le pouvoir qui leur avait échappé quelques instants par distraction.

Mais au-delà de cette brève description historico-politique des relations entre les pouvoirs *blancs* et ceux des nations autochtones, qu'en fut-il de l'évolution de notre code juridique du départ ?

Plusieurs grandes causes, qui ont gravi les marches de l'édifice de la *Cour suprême du Canada* et, à titre de jurisprudence, vont désormais hanter les corridors et les salles de nos palais de justice.

En 1973, l'affaire *Calder* a permis à la *Cour suprême du Canada* d'affirmer que les droits territoriaux des Amérindiens existaient non seulement en vertu de la *Proclamation royale de 1763*, mais aussi d'un titre indien issu de l'occupation ancestrale des terres.

En 1983, la *Cour suprême du Canada*, dans l'affaire *Nowegijick*, a décrété que les droits des Indiens devaient recevoir une interprétation « large et libérale».

Le jugement de l'affaire *Guérin* a statué, l'année suivante, que les droits des Indiens sur réserves faisaient partie de la survivance du régime juridique autochtone bien avant la signature des traités. On pouvait donc difficilement les interpréter par le régime juridique britannique ou canadien. Ces droits étaient ainsi une réalité historique. Ils devenaient des droits légaux préexistants qu'une simple loi ne pouvait pas éteindre.

En mai 1990, dans l'affaire *Sparrow*, la *Cour suprême du Canada* a statué unanimement sur le processus que devront suivre dorénavant les tribunaux sur la question des droits ancestraux des Autochtones. Cette cause concernait un Indien de la bande des Musqueans, en Colombie-Britannique, accusé de pêche illégale au filet. Elle a précisé que le mot « existants » de la *Loi constitutionnelle de 1982* devait être interprété comme « non éteints », en 1982. Il ne fallait donc pas entendre, par là, la façon dont ce droit était réglementé à l'époque de la loi pouvant le concerner. La cour a demandé une preuve évidente, expresse et claire, de l'intention du souverain d'éteindre un droit ancestral; elle a exigé aussi des Autochtones une preuve historique de leur droit ancestral. Elle a précisé, pour la première fois, que l'un des éléments du droit ancestral était le droit de pêcher à des fins de subsistance.

L'élément sûrement le plus important de ce jugement est sans doute l'exigence dorénavant imposée à toutes les provinces de justifier tout règlement ou toute loi qui viendrait restreindre les droits ancestraux. Pour ce faire, les provinces ne pourront plus invoquer l'intérêt public. Elles devront se justifier par des besoins de protection de la faune ou des habitats. Si ce besoin peut permettre des prélèvements, les Autochtones seront les premiers à en bénéficier.

Ce jugement est sans aucun doute le plus important de la jurisprudence concernée. Il affirme que les droits ancestraux de l'article 35(1) de la *Constitution du Canada* ne sont pas absolus. Il souligne qu'ils sont collectifs et qu'ils peuvent exister dans le contexte du système parlementaire et du partage actuel des juridictions; et, ce, même s'il se situe dans une société industrielle. Il ajoute enfin qu'ils peuvent être régis et réglementés, mais à certaines conditions, qu'ils doivent être pris au sérieux et que le fardeau de la preuve revient aux législateurs fédéral et provinciaux.

D'autres jugements comme *Côté-Décontie* et *Adams*, et des pourvois de la trilogie *Van der Peet*, *Gladstone* et *Smoke House*, ainsi que *Delgamuukw* et récemment *Marshal*, comme nous le verrons plus en détails dans un autre chapitre, loin de découdre ce qui a été affirmé avec force dans les autres jugements de la *Cour suprême du Canada*, vont encore plus loin en affirmant de plus en plus clairement les droits ancestraux des Premier peuples.

Ajoutons à cela, pour le Québec, le jugement de l'affaire *Sioui*. Il reconnaissait la valeur et l'effet du *Traité Murray* de 1760 et sa préséance sur une loi provinciale. Ceci complète ce rapide tour du panorama juridique que nous devrons admirer, qu'on le veuille ou non, dans les années qui viennent.

Au-delà de l'approche strictement légale, peut-on parler d'un avenir constitutionnel à ce débat ? Il est évident que ces discussions se situent dans un contexte d'effritement de la structure politique canadienne et de la volonté de plus en plus évidente des Québécois de détenir, à leur façon, leur propre avenir.

Tous les efforts de compréhension et d'harmonisation du projet autonomiste autochtone avec celui du Québec seront de toute évidence teintés par le tourbillon plus ou moins puissant de la spirale de la violence juridique du système. L'on veut de toute évidence contrer la contestation de ce système par les Autochtones. Après l'analyse du décor historique, juridique et politique, au lendemain d'une crise majeure, il sera sans doute impossible au Québec de définir sa souveraineté et l'intégrité de son territoire national sans tenir compte de la réalité autochtone.

Les nations autochtones se considèrent comme des nations souveraines à partir de leur lecture historique. La très grande majorité d'entre-elles considère que cette souveraineté est interne. Certaines nations demandent même une reconnaissance comme peuple au niveau des instances internationales.

Je sais d'ailleurs que l'*Assemblée générale des Nations unies* étudie depuis plusieurs années le projet de la *Déclaration universelle des droits des peuples autochtones*, préparée par un groupe de travail de la *Commission des droits de l'homme*. Cette déclaration ne sera pas sans effet sur le traitement réservé aux divers groupes autochtones à travers le monde, ou tout au moins sur l'interprétation internationale qu'on y fera des événements qui les concernent.

Il semble dès lors évident que le Québec et le Canada ne peuvent plus se permettre d'ignorer la spécificité autochtone. Ils devront réviser leurs approches, leurs politiques et plusieurs de leurs lois pour en tenir compte.

QUELQUES REMÈDES POUR S'EN SORTIR

Au-delà du traumatisme affectif causé par ce que certains ont appelé « la crise autochtone », les événements de 1990, après quelques années de recul, auront permis de mettre en évidence la pointe d'un iceberg dérivant à mi-eau dans notre système social.

Après les changements d'attitude souhaités, une action structurante énergique doit être envisagée à court terme pour catalyser positivement les agressivités et les espérances de toutes les parties impliquées. Elle aura surtout comme objectif principal de résoudre un certain nombre de questions.

Au point où en sont les choses, comme je le soulignais en 1990 dans LA PRESSE et LE SOLEIL, quels sont les éléments essentiels à cette réaction chimique inespérée ?

Il faut d'abord convenir que tous les intervenants concernés doivent agir pour redonner confiance à un public dont les colonnes du temple des valeurs ont été fortement ébranlées. Il faut le faire avec efficacité et transparence.

Je crois que l'impression de stagnation apparente du dossier du règlement des droits ancestraux des Autochtones et celle de leurs revendications doivent disparaître. Elles feront place à un nouveau régime où le gouvernement canadien cessera d'être juge et partie.

La partie, qui est aussi l'intimée, ne doit plus juger l'accréditation et la validation des revendications globales et particulières des Indiens. Les gouvernements, fédéral et provinciaux, sont dès lors tenus d'envisager un train de mesures provisoires sérieuses concernant les développements physiques et légaux du territoire. En 1996, le rapport de la *Commission royale sur les peuples autochtones du Canada* en est venu à la même conclusion.

Les développements actuels souvent inconsidérés heurtent à chaque jour les droits, les intérêts et les pratiques des Amérindiens. Il faudra même réviser plusieurs politiques, règlements et lois. Ne citons ici que les analyses nécessaires dans le régime forestier, les aménagements hydroélectriques, les choix énergétiques et les exercices militaires. On pourrait ajouter la gestion des rivières à saumons, la gestion de la faune, l'expansion des pourvoiries, l'usage des phytocides en forêt, les politiques de l'eau, l'agrandissement des réserves indiennes, etc.

Il ne faut pas oublier les réaménagements possibles en matière d'administration de la Justice, d'administration des services sociaux et de santé, d'intégration de l'éducation, etc.

Les deux paliers de gouvernements, le fédéral et le provincial, doivent en outre renoncer à éteindre les droits ancestraux fonciers des Autochtones. Il faut plutôt qu'ils cherchent des solutions juridiques aptes à les reconnaître en plein jour, au vu et au su de tous, non pas à titre de privilèges voilés et négociés en catimini.

À cet égard, il serait intéressant de revenir sur une proposition de l'ex-premier ministre de l'Ontario, Bob Ray, faite en 1990. Il se disait prêt à transférer aux Premières Nations des juridictions provinciales en s'inspirant du mécanisme dit « des nations dépendantes » mis au point par la *Cour suprême des États-Unis* au début du siècle. Ce moyen permet aux nations autochtones, sans avoir à éteindre leurs droits ancestraux, de disposer de pouvoirs équivalents à ceux d'un État. Ces pouvoirs s'exercent sur un territoire donné dans le respect des règles constitutionnelles en vigueur.

Quels que soient les mécanismes mis en place et au-delà des guerres de compétences fédérales-provinciales, le débat nécessite, pour son efficacité, la présence à une même table d'Ottawa et des provinces. Le gouvernement du Canada est fiduciaire de la responsabilité historique des Indiens et les provinces sont les gardiennes du territoire et de ses ressources. Ces dernières sont d'ailleurs responsables de la plupart des lois qui régissent la vie des citoyens. Ces derniers sont les voisins réels et obligés des Amérindiens, là où ils vivent. Ces mécanismes nécessitent aussi la parité avec la partie autochtone. Les Premières Nations se retrouvent souvent minoritaires dans les structures de mise en oeuvre d'ententes, ou absentes des grandes commissions traitant de l'avenir de notre société. Les palabres et les discours de principes, des deux côtés, devront aussi céder le pas à des demandes précises et concertées. Les paramètres de discussion devront de plus se cristalliser dans des ententes-cadres négociées de bonne foi par les parties impliquées.

Ces débats nécessiteront plus de transparence que les huis-clos historiques qui ont caractérisé la quatrième conférence constitutionnelle de 1987 sur l'autonomie des Autochtones, ou celui de la dernière séance constitutionnelle de *tordage de bras* de Meech. Les attitudes extrémistes des uns et des autres devront s'atténuer si l'on veut trouver des solutions durables.

Il faut que les associations autochtones, qui exigeaient, en 1987, la reconnaissance pure et dure du droit inhérent à l'autonomie gouvernementale, précisent, à l'opinion publique québécoise et canadienne, les grands éléments de cette autonomie. Faute de quoi, ils s'exposent à des réactions d'incompréhension et de peur des citoyens canadiens. On sait ce que produit la peur de l'inconnu...

Les dirigeants des provinces, qui conditionnent l'essence et la définition même de ce droit aux résultats d'une négociation avec chacune d'entre elles, devront cesser de tabler sur la naïveté des Autochtones. Cet état d'esprit accorderait une foi béate à la magnanimité condescendante, soudaine et nouvelle, des provinces. Les Autochtones connaissent bien le peu de *bargaining power* actuel.

D'ailleurs, pour augmenter ce pouvoir de négociation des Amérindiens et équilibrer quelque peu les chances, il faudrait que les provinces règlent leurs négociations avec les Premières Nations. C'est d'ailleurs ce qu'obligeait la *Proclamation royale de 1763* avant de faire quelques nouveaux développements que ce soit.

Donc, le gouvernement fédéral, protecteur des Indiens selon la *Constitution du Canada*, devrait décréter un moratoire sur tous les nouveaux développements sur les territoires encore grevés par l'hypothèque des droits ancestraux. Un tel moratoire favoriserait une plus grande ouverture d'esprit des provinces. Il leur donnerait des idées pour trouver les solutions négociées appropriées.

Plusieurs suggestions ont été faites pour structurer la solution de cette situation de négociation des droits ancestraux et régler certains problèmes actuels et futurs des Amérindiens. Certains ont parlé d'un tribunal biculturel, biethnique et bijuridique, dans le style du *Tribunal de Waitangi* en Nouvelle-Zélande, comme lieu de résolution des conflits entre les deux sociétés. D'autres ont proposé une politique-cadre gérant les actions ponctuelles.

J'ai moi-même suggéré en public, dès le début des événements d'Oka, en 1990, la formation d'une commission tripartite québécoise. Cette suggestion a plus tard été récupérée par le gouvernement Mulroney qui a mis en place la *Commission royale sur les peuples autochtones du Canada*. La commission que je proposais à ce moment-là s'attaquerait aux problèmes des terres, des pouvoirs sur ces terres, du financement et des relations avec les *Blancs* et aussi de la négociation d'une entente-cadre à l'échelle québécoise et même canadienne.

N'oublions pas que le problème est canadien. Rares sont d'ailleurs les provinces qui peuvent se targuer d'être à l'abri d'une contestation autochtone. Le gouvernement du Nouveau-Brunswick a été un exemple frappant il y a quelques années avec celle sur les contrats forestiers. Il l'est aussi aujourd'hui par l'application du jugement *Marshall* de la *Cour suprême du Canada*.

Ce problème est le même de l'Atlantique au Pacifique, que le Québec écrive une nouvelle constitution ou non... Au cours des événements d'Oka, en 1990, le Québec a fait la preuve que ce problème est beaucoup trop complexe pour qu'une province le règle seule.

Je soulignais en 1990, au cours de conférences ou d'entrevues dans les médias, qu'il est urgent qu'une nouvelle instance canadienne soit mise sur pied immédiatement et joue le rôle d'un tribunal moral, ou d'*ombudspersonne* des revendications des Autochtones.

Elle doit être paritaire, connaissante et experte du code juridique, spirituel et culturel des Amérindiens. Son rôle pourrait, entre autres, consister à accréditer les revendications globales (droits ancestraux) et particulières (traités, terres de réserve, administration de fonds et manquements au rôle de fiduciaire du gouvernement canadien). Elle définirait le niveau de pouvoirs des gouvernements autonomes indiens, possiblement étapiste, dans le régime juridique canadien. Enfin, elle établirait les priorités de négociation et un calendrier d'opérationalisation des dossiers. Elle surveillerait l'application des ententes.

Elle devra, comme tout *ombudspersonne*, faire un rapport annuel et des recommandations publiques. Elle préparera l'agenda des conférences constitutionnelles ou inter-provinciales sur les droits des Autochtones. Elle oeuvrera avec toutes les provinces, y compris le Québec, à définir la plate-forme des relations entre les sociétés. Elle pourrait enfin apporter les corrections nécessaires pour amender, sinon abolir, la *Loi sur les Indiens*.

Il est évident que la future constitution du Québec ne peut pas ignorer la place des Amérindiens vivant au Québec. Cela doit se faire par souci de justice de la dynamique interne même du Québec et en raison de la perception critique du monde canadien et étranger. Une telle situation risquerait d'ailleurs de préjudicier les velléités nationalistes de certains Québécois.

Quelle que soit, dans l'avenir, pensais-je à ce moment-là, la teneur du lien associatif du Québec avec le reste du Canada, il faut, coûte que coûte, trouver le forum inter-canadien garantissant aux Indiens leurs droits acquis. Il doit aussi respecter les alliances et les traités historiques signés par nos ancêtres. Le statu-quo est intenable car le passé et le futur commandent l'action. Cette ouverture d'esprit à négocier, en lieu et place, la reconnaissance des droits collectifs ancestraux des Amérindiens est nécessaire.

Sinon, le Québec et le Canada se condamnent inévitablement aux cliquetis des armes, à l'opprobe international et à la gérance de la désobéissance civile.

Ces thèmes et bien d'autres encore, comme vous le verrez dans des prochains chapitres, ont été repris et argumentés avec compétence et honnêteté par les commissaires de la *Commission royale sur les peuples autochtones du Canada*. Ils constituent des éléments d'un ambitieux programme de travail s'échelonnant sur 20 ans.

VI

INFLUENCE OBSCURE
DES PLUS DESTRUCTRICE

LES ORIENTATIONS DE LÉVESQUE
RETROUVENT LEUR SIGNIFICATION

Dans le domaine de la reconnaissance des droits ancestraux des Premières Nations par le Québec, on est bien loin de la coupe aux lèvres. Le *Parti québécois* a peu réalisé d'important promis par son programme politique. Au pouvoir, il est pourtant en posture d'accomplir ses promesses.

Plus encore, même après plusieurs sollicitations, le gouvernement péquiste de Jacques Parizeau et celui de l'ancien Premier Ministre Lucien Bouchard n'ont pas daigné se prononcer sur les propositions du *Forum paritaire Québécois-Autochtones*. Les grands principes avancés par le Forum ressemblent pourtant, en plusieurs points, aux principaux éléments de son programme politique. Il serait important que le Premier Ministre actuel, Bernard Landry, prenne la peine de s'y pencher pour constater les nombreuses pistes de solutions formulées par certaines forces vives du Québec.

Les *leaders* politique du *Parti québécois* ont préféré garder la tête dans le sable, comme l'autruche qui a peur et qui se cache, pour échapper au péril politique anticipé à cause d'une vision trop avant-gardiste. Ces propositions pourraient sans aucun doute être des éléments de solutions à bien des maux politiques et sociaux.

Ce sont ces mêmes personnalités, des représentants influents des forces vives du Québec, que le *Parti québécois* utilise lorsqu'il veut faire avancer ses positions de société partisanes. Doit-on en déduire qu'il le fait uniquement quand ça fait l'affaire du parti ?

Cependant, depuis l'arrivée de Bernard Landry à la tête du gouvernement du *Parti québécois*, il semble se dessiner une nouvelle vision qui nous permet d'espérer que les Indiens du Québec pourraient être partie prenante à un tout nouveau Québec. Le Premier Ministre Landry s'est engagé publiquement à associer les Indiens d'ici à ce Québec en devenir. Il restera à ces derniers d'accepter, ou de refuser, cette politique de la main tendue. Ils devront cependant porter la responsabilité de leur geste.

Après quelque 15 ans de camouflage juridique et d'hypocrisie de la part de certains hauts fonctionnaires, les 15 principes du Premier Ministre René Lévesque (1983) et la résolution de *l'Assemblée nationale* (1985) sortent du dessous de tapis. Ils prennent un sens réel par une première politique claire qui devrait orienter les prises de positions gouvernementales du Québec face aux revendications des Premières Nations.

Plus encore, avec l'entente avec les Cris, au printemps de 2002, si bien nommée: *La paix des braves*, le Premier Ministre Bernard Landry est passé de la parole aux actes. Il a négocié avec eux sur la base réelle de Nation à Nation; ce qui a donné comme résultats que les Cris profiteront maintenant des retombées financières de leur territoire ancestral - le développement économique - en conservant le dernier mot sur les décisions concernant les formes de développement de leurs ressources naturelles comme les mines, la forêt et l'hydroélectricité - la véritable autonomie.

Une telle approche a conquis les Cris. Ils ont changé leur façon de voir le gouvernement québécois. Au lieu de continuer à dénoncer le Québec devant les instances internationales, Roméo Saganache, un des leaders politiques cris, est allé dire que les derniers gestes posés à leur égard font, du peuple québécois, une des nations du monde, sinon la première, qui traitent le mieux ses Premiers peuples.

Voilà quant à moi une victoire immensurable pour le gouvernement du Québec. Bernard Landry a retourné, comme on le fait pour une crêpe, une opinion négative, un boulet au pied du Québec sur la scène internationale, en un appui de taille pour les projets d'indépendance du peuple québécois. Les Cris ne pourront plus jamais affirmer publiquement sur la scène internationale que le Québec les brime. Au contraire, ils lui ont donné toutes les cartes nécessaires pour gagner des appuis des autres peuples de la terre à leur projet de souveraineté.

La ténacité du ministre Guy Chevrette, responsable du *Secrétariat aux affaires autochtones* (S.A.A.) avant sa démission comme ministre et député du *Parti québécois*, semble enfin avoir eu raison des opposants invisibles de la *Fonction publique québécoise*. Il est trop tôt pour savoir si le ministre Chevrette a remporté une victoire définitive. Il n'est pas évident que certains juristes de l'État ont jeté le gant.

Ces tout-puissants comparses, hommes ou femmes invisibles, continuent encore aujourd'hui de nier, dans presque tous leurs avis juridiques anonymes, tout droit ancestral aux Autochtones, même celui d'exister comme tel.

J'ajouterais que le gouvernement du Québec, aux tables de négociations, se dit prêt à accepter, comme base de négociation, la reconnaissance des droits ancestraux de ces Premiers peuples. Cette position est la démonstration claire que le Québec a mis de côté la position du ministère de la *Justice du Québec*. Ce dernier ne veut pas reconnaître les droits ancestraux des Premiers peuples.

À moins que le *Parti libéral du Québec* ou l'A.D.Q. ne reprenne le pouvoir et mette la politique du Québec sur une tablette, les fonctionnaires du ministère de la *Justice du Québec* n'auront pas d'autres choix. Ils devront maintenant reconnaître les droits ancestraux des Premières Nations.

À l'inverse, le gouvernement du Canada, même si l'article 35(1) de sa Constitution reconnaît ces droits, n'est pas prêt à négocier sur la base de reconnaissance de droits. Il préconise l'extinction pure et simple de ces droits dans tout traité moderne. Une telle position politique du gouvernement du

Canada, le fiduciaire des Indiens du Canada, renverse par son manque de logique...

D'autant plus que la *Commission royale sur les peuples autochtones du Canada* a prétendu le contraire dans son rapport en 1996 en soulignant que le droit inhérent faisait aussi partie des droits ancestraux reconnus par la *Constitution du Canada*. La *Cour suprême du Canada*, la plus haute instance de la Justice au Canada, fait de même.

Il faut avoir suivi de près les sempiternels débats juridiques aux tables de négociation, comme je l'ai fait au cours des dix-sept dernières années, pour apprécier, à sa juste valeur, le geste courageux du ministre Guy Chevrette.

Avant lui, le ministre libéral, responsable du S.A.A., Christos Sirros, bourré lui aussi de bonnes intentions, s'était cassé les dents sur un dossier semblable. Il avait dû abandonner. La pression de l'establishment juridique et des mandarins de l'État avait été tellement forte que le ministre Sirros a mis de côté son projet de politique autochtone.

Il s'est cogné contre un mur politique infranchissable. On prétend même, dans les officines gouvernementales, qu'une alerte météologique d'avis juridiques négatifs, la tempête du siècle, disait-on en souriant, s'était abattue sur les cabinets politiques ministériels.

Cette politique était pourtant le fruit d'une importante et sérieuse consultation à travers le Québec. Il faut ajouter que la conjoncture politique, à cause du débat constitutionnel canadien, n'avait pas aidé.

Enfin, soulignons, pour appuyer Christos Sirros, qu'il a rencontré une indifférence totale de la part de celui qui se qualifie de « grand défenseur libéral de la cause autochtone », le ministre John Ciacia. Ce dernier n'a même pas levé le petit doigt pour l'aider à passer à travers au Cabinet des ministres de Robert Bourassa.

Historiquement John Ciacia a pris la défenses des Autochtones quand ça faisait son affaire. Il s'est empressé d'éteindre leurs droits ancestraux dans les traités modernes signés par les Cris, les Inuits et les Naskapis, les seuls qui ont été conclus au Québec. Il a préféré tripoter avec l'avocat d'alors et négociateur des Cris, James O'Reilly, comme il a voulu le faire avec les Mohawks, en 1990, et le *Conseil des Atikamekw et des Montagnais*, quelques années auparavant, avec des amis politiques à l'interne.

Cette nouvelle approche du gouvernement actuel du Québec laisse entendre poliment, pour ne pas trop frustrer, mais clairement, pour être bien comprise, que le domaine des négociations avec les Amérindiens appartient dorénavant au pouvoir politique.

Cela aurait d'ailleurs dû être ainsi depuis toujours. Ce sont les politiciens élus qui doivent mettre en place de nouvelles relations avec les Autochtones, de nouveaux rapports fondés sur *Le partenariat, le développement et les actions*, comme le souligne le titre de cette politique.

C'est ce qu'avait fait le Premier Ministre Robert Bourassa à la suite du jugement Malouf au début des années 1970. Ce jugement de la *Cour d'appel* obligeait les parties à conclure une forme de traité moderne pour compenser les Cris et les Inuits avant de terminer les travaux de construction du barrage sur leur territoire ancestral.

À cause de l'urgence de réaliser les travaux du plus grand barrage du Canada, qualifié de projet du siècle par Robert Bourassa, ce dernier a pris la décision politique de conclure rapidement une entente avec les Cris et les Inuits. Pour y arriver, le Premier Ministre du Québec avait confié le mandat de négociateur au député libéral John Ciacia, ancien sous-ministre des *Affaires indiennes et du Nord Canada*.

En une année seulement, les trois parties ont négocié cette entente. Ce qui démontre, hors de tout doute, qu'au moment où la volonté politique des parties existe, une entente peut être conclue rapidement.

En tassant les empêcheurs de tourner en rond, c'est un pas de géant que vient de franchir le gouvernement du Québec. Ce geste va favoriser de meilleures relations entre les Autochtones et les Québécois.

Il faut que le nouveau ministre du *Secrétariat aux affaires autochtones du Québec*, Rémi Trudel, soit bien conscient qu'entre une politique écrite, comme c'est le cas pour le programme politique du P.Q. et les résolutions de *l'Assemblée nationale*, et la réalité de tous les jours aux tables de négociation, il existe tout un monde. Il faudra que le gouvernement du Québec soit extrêmement vigilant s'il veut que cette politique se réalise car il ne fait aucun doute que les juristes de l'État veillent au grain. Ils vont tout faire pour qu'elle reste lettre morte.

À ce moment-ci, j'ai plusieurs raisons de croire que le ministère de la *Justice du Québec* n'a pas lâché prise. Ce ministère continue de s'arroger le rôle de maître-d'oeuvre de la définition des droits des Autochtones. Il le fait avec la même attitude *rapetissante* et sans aucune ouverture significative.

Et il en sera de même tant et aussi longtemps que les négociateurs gouvernementaux n'auront pas le pouvoir politique de mettre les juristes de l'État à leur place, soit celle de simples conseillers juridiques. D'ailleurs, la nomination de personnalités d'envergure, comme Guy Coulombe ou Louis Bernard, qui agissent, à titre de négociateurs, en vrais meneurs de jeu, le démontre.

Par contre, quand les négociateurs sont des employés réguliers du *Secrétariat aux affaires autochtones*, le ministère de la *Justice du Québec* a beaucoup plus d'emprise sur la négociation. Il faudrait donc, comme c'est le cas pour les négociateurs spéciaux, qu'un mandat clair leur soit donné par le ministre responsable des négociations du gouvernement du Québec.

Ce mandat pourrait les libérer des interminables consultations auprès des ministères en cours de négociation. Cette consultation devrait être générale et ne pas se faire à chacune des négociations. Un tel processus est inutile et retarde indûment les négociations. Il pourrait se faire à la toute fin pour approuver, ou rejeter, ce qu'ont négocié les trois parties à la table centrale.

Donc, il est évident que les négociations entreprises par le Québec sont à deux vitesses. Une beaucoup plus lente avec les négociateurs réguliers du S.A.A. et l'autre, beaucoup plus rapide et efficace, avec les contractuels extérieurs. Ces derniers ont le mandat de conclure des ententes tandis que, pour les autres, le mandat semble plutôt être de traîner le plus longtemps possible.

Je peux aussi vous donner comme preuve la négociation de la nouvelle relation des Wendat (Hurons) et des gouvernements du Québec et du Canada. Cette négociation avait pour objectif d'actualiser les droits du *Traité Murray* reconnu par la *Cour suprême du Canada* quelques années plus tôt. À la suite de plus d'une année de négociation, on avançait toujours à pas de tortue. On n'avait pas réussi à parapher quoi que ce soit de significatif.

Le négociateur du Québec, Armand LeBlond, n'avait aucune autorité, ni mandat politique. Il devait recevoir l'*imprimatur* de la directrice du service du droit autochtone du ministère de la *Justice du Québec* qui n'assistait même pas aux séances de négociations. Vous vous imaginez le va-et-vient entre la table de négociation et le ministère de la *Justice du Québec*. Cela en était ridicule. Nous avions l'impression de jouer au yo-yo, un jeu pour les enfants.

Constatant que nous allions nulle part, le Grand Chef du Conseil de la *Nation huronne-wendat*, Max Gros-Louis « Oné Onti » et moi-même avons obtenu un entretien avec le ministre Guy Chevrette du *Secrétariat aux affaires autochtones du Québec*.

Au moment de cet entretien auquel j'assistais comme négociateur en chef, nous avons convaincu le ministre Chevrette d'accorder un véritable mandat politique à son négociateur. Il a accepté en demandant à son négociateur, qui participait lui aussi à cette réunion, de tasser la représentante du ministère de la *Justice du Québec* et de prendre le leadership de cette négociation.

Ce qu'Armand Leblond a fait par la suite avec comme résultats qu'en trois mois, nous avons réussi, à quelques clauses près, à terminer la négociation de l'*Entente de principes*. Le négociateur du gouvernement fédéral en est resté bouche bée. Il était convaincu, à cause de l'expérience des derniers mois, que le gouvernement du Québec ne voulait pas négocier sérieusement. Il était par la suite incapable de suivre le nouveau rythme de la négociation.

NE PAS BANALISER LA RECONNAISSANCE DE DROITS

En réactualisant, dans sa politique, la résolution du 20 mars 1985, le gouvernement du Québec fonde donc ses négociations futures sur la reconnaissance de droits et non pas sur l'extinction. Cette résolution intitulée: MOTION PORTANT SUR LA RECONNAISSANCE DES DROITS DES AUTOCHTONES, est encore aujourd'hui la base des relations du Québec avec les Autochtones.

Cette déclaration politique ne souligne-t-elle pas que l'*Assemblée nationale du Québec* doit « souscrire à la démarche que le gouvernement a engagée avec les Autochtones afin de mieux reconnaître et préciser leurs droits, cette démarche s'appuyant à la fois sur la légitimité historique et sur l'importance pour la société québécoise d'établir, avec les Autochtones, des rapports harmonieux fondés sur le respect des droits et la confiance mutuelle » (Le souligné est de l'auteur).

Cette proclamation de reconnaissance de droit de l'*Assemblée nationale du Québec*, comme le fut la *Proclamation royale de 1763*, « presse le gouvernement de poursuivre les négociations avec les nations autochtones en se fondant, sans s'y limiter, sur les 15 principes qu'il a approuvés le 9 février 1983 en réponse aux propositions qui lui ont été transmises le 30 novembre 1982 et à conclure, avec les nations qui le désirent, ou l'une ou l'autre des communautés qui les constituent, des ententes leur assurant l'exercice:

- Du droit à l'autonomie au sein du Québec;
- du droit à leur culture, à leur langue et à leurs traditions;
- du droit de posséder et de contrôler des terres;
- du droit de chasser, pêcher, piéger, récolter et participer à la gestion des ressources fauniques;
- du droit de participer au développement économique du Québec et d'en bénéficier.

Ce que je n'ai jamais compris et ce que je ne saisis pas plus aujourd'hui, c'est comment de simples employés de l'État, comme les juristes du ministère de la *Justice du Québec*, ont-ils pu déformer à ce point le sens de principes aussi clairs? Comment ont-ils pu appliquer des principes de négation de droits à partir de principes de reconnaissance de droits ? Il faut qu'ils n'aient aucun respect pour la démocratie qui s'exprime par l'*Assemblée nationale du Québec...* ou encore que les politiciens aient accepté de tels principes pour la frime et qu'ils aient demandé à leurs juristes d'y passer outre au moment de l'application...

Je suis d'accord avec le ministre Guy Chevrette que la volonté commune de réussir, après tant d'années d'essais, oblige les parties à mettre de côté les discussions interminables et souvent stériles sur les droits.

Même s'il donnait l'impression de viser les négociateurs autochtones, il voulait sans aucun doute atteindre les représentants du ministère de la *Justice du Québec*. Ce sont eux, en bloquant systématiquement toute discussion sensée dans le sens de la résolution de l'*Assemblée nationale du Québec*, qui favorisent « les interminables débats juridiques » dénoncés par le ministre Chevrette.

S'ils se contentaient d'appliquer cette « Proclamation du Québec » pour le moins claire et les 15 principes qui l'ont justifiée, sans toujours chercher à en éliminer la portée réelle, les débats seraient beaucoup moins « interminables ». C'est le fait de poser des embûches, parce que les juristes de l'État sont contre la décision unanime des députés de l'*Assemblée nationale du Québec*,qui allongent les débats. Ils tentent de faire négocier à la baisse les principes acceptés par la politique du gouvernement du Québec.

Tous les débats sur ces questions devraient être stériles et inutiles puisque la politique est claire sur ce sujet. Le Québec transcrira sans doute dans ses ententes ce qu'il a écrit dans sa politique...

Il reste au gouvernement du Québec à donner un mandat formel à ses négociateurs, nommés par le pouvoir politique, pour que l'appareil gouvernemental ne récupère pas cette politique pour l'émasculer de tous ses effets positifs. N'est-ce pas ce que l'on a fait aux 15 principes, depuis 1983, et à la proclamation de l'*Assemblée nationale du Québec*, depuis 1985...

La conclusion d'ententes satisfaisantes et la mise en place de ce forum politique attendu depuis tant d'années démontreront la bonne volonté du gouvernement du Québec d'établir ces nouvelles relations plus prometteuses.

Pour développer des rapports harmonieux, fondés sur la confiance et le respect mutuels entre les Indiens et les Québécois, il restera, comme le propose la nouvelle politique, à informer et à sensibiliser la population québécoise. Il faut qu'elle comprenne le contenu exact de cette politique et surtout qu'elle « embarque » à son tour.

À toutes les tables de négociation où j'ai agi comme négociateur, j'ai souligné l'importance d'informer les Québécois sur le fait que nous étions en train d'élaborer une nouvelle relation. Il ne faut pas que ces derniers aient l'impression, comme le croient certains pisse-vinaigre tel que l'historien saguenéen Russell Bouchard, que nous sommes en train de tripoter des privilèges en cachette dans les *bunkers* gouvernementaux. La population québécoise doit savoir, si l'on veut qu'elle comprenne, l'importance des gestes posés.

Par contre, il est bien évident que l'attitude inconséquente de certains chefs autochtones crée une conjoncture politique qui rend difficile toute ouverture d'esprit de la part du gouvernement québécois. Les chefs de l'ensemble des nations laissent aux *leaders* politiques mohawks beaucoup trop de place pour leur discours hargneux et belliqueux contre les Québécois.

Dans les milieux autochtones, on ne peut certes pas nier le fait que ces propos démesurés élargissent le fossé qui nous sépare des Québécois; surtout si ces attaques ne sont jamais dénoncées. Une telle attitude donne des arguments aux individus qui ont la propension à être anti-autochtones.

Selon moi, les chefs autochtones devraient dénoncer ces extravagances et surtout faire taire les auteurs. Les Indiens bien-pensants ont l'obligation de faire en sorte que la population québécoise ne croit pas qu'ils sont d'accord avec la vision particulière des *warriors* et de leurs semblables.

Ces derniers, avec un intérêt politique évident, ont compris depuis belle lurette qu'il est impératif pour eux d'utiliser à fond un des principes autochtones trompeur. Cette règle préconise le fait qu'un Indien ne dénonce pas un autre Indien, ou encore qu'un Autochtone ne critique pas les gestes incorrects de certains autres Autochtones.

Ils profitent donc, à plein et en premier, de cette naïveté des Amérindiens en occupant toute la place publique. La presse québécoise, qui ne recherche que le sensationnalisme, les encourage en rapportant leurs faits et gestes. Ils mériteraient plutôt une désapprobation de leur part.

Un bandit, un vendeur d'armes ou un vendeur de drogue, qu'il soit Autochtone ou Québécois, demeure un bandit. Comme société, il faut le punir pour les fautes qu'il a commises. On ne peut surtout pas fermer les yeux face à des actions aussi condamnables.

D'ailleurs, en le faisant, on donnerait la preuve évidente que nous ne sommes pas prêts à prendre les responsabilités inhérentes à l'autonomie sous toutes ses formes. À quelques droits que ce soit correspondent des devoirs. On ne pourra jamais passer outre à cette norme.

Quand les chefs autochtones seront-ils assez sages pour comprendre que certains Mohawks se « foutent royalement de leur gueule » en les utilisant contre les Québécois au nom de la solidarité autochtone pour faire grimper les enchères?

Quand constateront-ils, comme ça se passe à tous les jours, que ces derniers utilisent mielleusement cette solidarité autochtone pour obtenir des gouvernements des avantages financiers et autres sans jamais en faire profiter les autres nations indiennes du Québec ?

Au contraire, ces Premières Nations font en sorte qu'il ne reste presque plus de budget dans les programmes pour les autres nations. C'est le cas, par exemples, pour la construction de maisons dans les réserves, ou pour le développement de programmes nouveaux qui aideraient à éliminer les marasmes sociaux qui nous écrasent.

Il me semble que les exemples sont assez nombreux pour cesser de se faire embarquer par certains frères qui nous trompent à tous les jours. Qu'attendent nos *leaders* politiques pour mettre au pas ces nations, ou au moins leur démontrer que nous ne sommes pas bonasses au point d'accepter de se faire abuser sans mot dire?

Voyons, ça n'a pas de bon sens...

Les gouvernements du Québec et du Canada, pour leur part, doivent cesser de mettre de l'huile sur les roues qui grincent en gavant ces groupes de moyens, financiers et autres, nettement supérieurs à ceux des autres nations autochtones du Québec.

Le gouvernement du Québec a intérêt à travailler avec les Premières Nations qui voient la possibilité d'un réel partenariat avec les Québécois. Il doit négocier et conclure des ententes avec ces dernières, avec ouverture d'esprit, en respectant la valeur réelle des droits collectifs des premiers habitants de ce coin de terre.

C'est une vision à courte vue que de satisfaire les nations amérindiennes qui font le plus de bruit. Le gouvernement fédéral l'a fait depuis longtemps avec les Mohawks. Avec comme résultats que ces derniers, après avoir été cherchés au fédéral tout ce qu'ils pouvaient, les mettent de côté et décident de travailler étroitement avec le Québec.

Il faut que le gouvernement du Québe cesse d'acheter la paix en favorisant ceux qui menacent leur douce quiétude de gouvernement faiblard et peureux qui ne souhaite pas de problème avec les contestataires. D'ailleurs, ces derniers ont rapidement compris leur faiblesse. Ils utilisent leur talon d'Achille pour obtenir ce qu'ils veulent.

Pour y arriver, le gouvernement du Québec actuel devra prendre ses responsabilités et surtout assurer son propre leadership politique.

A ce moment-ci, pour ceux qui veulent voir un peu plus loin que le bout de leur nez, la raison de l'échec des négociations avec les nations autochtones est d'une évidence évidente: Certains fonctionnaires, les *super* conservateurs du ministère de la *Justice du Québec*, ont conservé le contrôle des négociations politiques avec les Autochtones.

Ce sont eux qui définissent, à rabais, les droits collectifs de ces derniers et affaiblissent leur application.   Leur vision obtuse fait en sorte qu'il est inacceptable pour les nations sérieuses de conclure des ententes avec le gouvernement du Québec.   Tant et aussi longtemps que la base de ces négociations sera l'extinction et non pas la reconnaissance de nos droits ancestraux, il ne sera pas possible d'avoir des ententes politiques importantes.

Pourtant, le ministre Chevrette, dans une déclaration qu'il a faite au quotidien influent le DEVOIR, reconnaît les droits ancestraux des Indiens du Québec. Il y a deux lois dans le domaine de la taxation, prétendait-il alors. « Ce sont des droits autochtones [la détaxation] qui relèvent de traités qui datent de plus de cent ans. On doit respecter cela et faire des accommodements pour faire en sorte que ce droit individuel ne devienne pas un élément de compétition déloyale ». Il va encore plus loin en déclarant, contrairement aux gestes posés par le ministère de la *Justice du Québec*, que « son gouvernement se dit d'ailleurs déterminé à respecter les jugements des tribunaux dans les dossiers de droits ancestraux autochtones en démontrant sa bonne foi par le truchement de la négociation ».

Trois fois BRAVO...

Ça me permettra ici de faire remarquer au gouvernement du Québec que les droits ancestraux sont des droits collectifs même si l'application de ces droits peuvent concerner les individus.   Selon le jugement *Delgamuuk* de la *Cour suprême du Canada*, « le titre aborigène est détenu collectivement ».

En fait, selon le ministre Guy Chevrette du *Secrétariat aux affaires autochtones*, « la cohabitation est essentielle en reconnaissant que les efforts ont bel et bien lieu des deux côtés de la table. » Il parle d'une confiance réciproque qui s'est développée et d'une volonté politique d'établir, envers et contre tous s'il le faut, une équité entre les peuples.

« Je peux être naïf, je peux me faire avoir, mais il ne sera pas dit, dans l'histoire du Québec, que le ministre responsable du *Secrétariat aux affaires autochtones* n'a pas tenté de bonne foi de régler les différents qui opposaient les communautés. » Le ministre Chevrette répond qu'il n'a pas peur du tout de placer les Autochtones au-dessus des lois. « Le gouvernement est en train de délimiter l'étendue des droits autochtones avec les principaux intéressés ».

Je vous avoue que je trouve ces déclarations du ministre Chevrette rafraîchissantes après toutes ces années de débats stériles. Je perçois, par ces propos endossés par le Premier Ministre du temps, Lucien Bouchard, un virage important de la part du gouvernement du Québec dans le sens que je crois être « le bon sens ».

Je pense aujourd'hui, et j'y ai toujours cru d'ailleurs, que Guy Chevrette, avec *sa tête de cochon* - expression familière typiquement québécoise qui exprime la ténacité - était la personne tout indiquée pour tenir tête aux éléments destructeurs du ministère de la *Justice du Québec*. Jusqu'ici, à ma connaissance, le ministre Chevrette aura été celui qui a travaillé le mieux, au Québec, pour faire en sorte que les Indiens occupent la place qui leur est due. Il a cru à la force des droits ancestraux et à des formes de partenariat entre les Québécois et les Premiers peuples.

Le gouvernement du Québec croit avoir trouvé la solution en favorisant la négociation d'ententes administratives qui évitent les débats de fond sur les droits ancestraux. Avec cette vision, il se met, quant à moi, un doigt dans l'oeil à long terme. Ce n'est pas avec la parade de simples ententes administratives, aussi généreuses soient-elles, qu'il va convaincre les nations autochtones d'adhérer au projet de société souverainiste de certains Québécois. L'entente de la *Paix des braves* en est une preuve évidente.

Des lors, leur incursion dans le domaine de la taxation démontre qu'ils ne pourront pas éviter de parler de droits ancestraux dans leurs négociations avec les Premiers peuples. Ils l'ont fait avec les Mohawks et les Cris, ils devront le faire avec les autres nations, ne serait-ce que par équité... Les propos, dans le sens de la reconnaissance de droits découlant de la *Cour suprême du Canada*, invitent les nations autochtones à faire confiance au gouvernement du Québec qui a pris cette position honorable.

D'ailleurs, en mettant de côté les droits ancestraux, ils feraient le jeu des groupes autochtones qui profitent de cette conjoncture faiblarde, amenée par le gouvernement du Québec, pour obtenir des avantages financiers sans jamais s'engager sur le fond. Ces derniers vont ainsi presser le citron jusqu'à l'instant où il n'y aura plus de jus. À ce moment-là, ils le jetteront à la poubelle et reprendront leurs luttes idéologiques contre les Québécois.

Expliquez-moi donc pourquoi les Mohawks de Kahnawake, qui ont toujours dénoncé toutes les négociations autochtones avec le gouvernement du Québec, ont été parmi les premiers à conclure des ententes administratives avec le Québec?

Expliquez-moi pourquoi, les Mohawks de Kahnawake, après avoir convaincu les autres chefs autochtones québécois de dénoncer la nouvelle politique québécoise que ces derniers avaient acceptée en principe, ont été parmi les premiers à conclure des ententes sur cette base ?

Auraient-ils, comme saint Paul, été frappés sur le chemin de Damas...

Après quelques mois, le Québec a réussi le tour de force, pour plaire aux Mohawks, de transgresser fondamentalement sa nouvelle politique autochtone dans le domaine de la taxation. Cette dernière favorise l'approche collective pour régler cette question de la taxation en laissant le choix à la nation autochtone, qui récupère le champ de taxation, de taxer ou de ne pas taxer. Pour un principe autonomiste aussi noble, les Québécois ont *embarqué*.

Ils ne le feront pas nécessairement pour ce qu'ils considèrent être des privilèges individuels tel que le préconise l'approche du Québec acceptée avec les Mohawks. Avec comme résultats que le Québec va reculer à cause des pressions de ses électeurs. Il abandonnera toute politique avantageant l'autonomie des nations autochtones dans le domaine de la taxation. Nous retournerons ensuite à la case départ.

D'ailleurs, lors de la négociation des Wendat (Hurons), j'avais réussi à convaincre le Québec d'accepter de renvoyer, au gouvernement autonome de ces derniers, les fruits de la taxation de chaque membre collectée hors de la réserve. Cette négociation avait comme objectif d'actualiser les droits issus du *Traité Murray* des Wendat de 1760. Elle était active il y a trois ans.

Le gouvernement responsable wendat pouvait ainsi remettre, en tout ou en partie, aux individus, membres de la Nation wendat, ce qu'il avait reçu du Québec. Il pouvait aussi utiliser, en tout ou en partie, l'argent récolté par ce champ de taxation pour aider la collectivité à se développer en se donnant de nouveaux moyens. À titre de gouvernement autonome, il avait une décision responsable à prendre. Et, enfin, il devait porter le poids de ses engagements.

Le gouvernement du Québec a, sans aucun doute, retranscrit ces résultats de négociation dans sa politique autochtone sur la question de la taxation. Il en a fait le contenu de sa politique sur ce sujet épineux.

Il est bon de souligner ici que, dans le domaine de la taxation des Indiens, la position du gouvernement du Canada est claire. Les Amérindiens, au même titre que les autres Canadiens, doivent payer des taxes au gouvernement du Canada et des provinces. Dans les dernières ententes signées, il a imposé cette vision en échelonnant sa mise en oeuvre sur quelque huit ans.

Le Canada oublie abusivement ses engagements passés alors qu'il voulait s'accaparer des terres ancestrales autochtones et *camper* les Indiens dans des réserves pour faciliter ses méthodes administratives. Il répondait aussi à des pressions des colons et il favorisait l'occupation pacifique. Il remet donc ainsi en question des droits acquis importants.

Le gouvernement fédéral répondra que les nations autochtones acceptent ce changement majeur en signant les ententes en retour d'autres avantages intéressants. Oui, c'est vrai. Mais ce qui est vrai aussi, c'est qu'elles n'ont pas d'autres choix si elles veulent conclure un autre contrat social plus moderne. Plus encore, le gouvernement fédéral fait en sorte que l'opinion publique défavorable des Canadiens à une définition généreuse de leurs droits ancestraux s'élève contre ce qu'ils croient être des priviléges indus des Indiens comme ceux sur la taxation.

Cet abus de pouvoirs, qui annule des droits acquis, amène ce même gouvernement à remettre en question ce que ses ancêtres ont promis de faire, dans des traités, en échange des terres ancestrales des Premiers peuples. Demain, il exigera d'annuler ces traités, des vieux papiers, comme le prétendent les détracteurs des droits des Indiens...

Pourtant la *Commission royale sur les peuples autochtones du Canada* a dénoncé une telle attitude totalement irresponsable face aux engagements pris dans ces traités. Et, pour sa part, le gouvernement du Canada, par la voix de la ministre des *Affaires indiennes et du Nord Canada*, madame Jane Stewart, a déclaré solennellement qu'il était peu fier de ne pas avoir tenu les promesses contenues dans les traités.

Quant à moi, d'une façon injuste, le gouvernement fédéral profite de sa position de force et du nombre supérieur des Canadiens pour imposer aux nations autochtones ce qu'elles refusent depuis toujours. Il le fait pour que cesse la critique des Canadiens contre les Autochtones. Il préfère leur enlever cet avantage, parmi peu d'autres puisque nous sommes toujours les plus affligés dans les statistiques, plutôt que de combattre, comme il se devrait le faire à titre de fiduciaire, les détracteurs des Premiers peuples. Il continue donc à favoriser l'injustice contre les Premières Nations.

Pourtant, il sait très bien que 90 pour cent des Indiens sur réserve sont des assistés sociaux, donc des individus qui, de toute façon, ne payeront pas d'impôts. C'est donc dire que l'argent ainsi récupéré sera comme une goutte d'eau dans l'océan.

Plus encore, tout le monde sait, et c'est un secret de polichinelle, que ce sont les Canadiens les plus riches qui paient le moins d'impôts. La raison est simple, ils ont tous les spécialistes nécessaires à portée de main qui leur permettent d'utiliser les failles du système, ou les *p'tites passes* légalement permises qu'ils appellent les dégrèvements d'impôts.

À ne pas en douter, les montants d'argent significatifs sont là et non pas dans les poches des Indiens assistés sociaux...

Il est évident que les Autochtones, comme ils le faisaient traditionnellement dans leurs cérémonies marquées par des dons que se remettaient entre eux des groupes sociaux distincts, devront trouver une solution pour distribuer la richesse. Les Indiens appelaient ces cérémonies potlach. Il faut souligner ici que c'est le gouvernement fédéral qui, par ses lois, a mis fin à cette tradition qu'il a traitée de païenne et non pas les Amérindiens eux-mêmes.

Une forme de taxation, moyen moderne généralisé pour la distribution des richesses, pour les Autochtones les plus fortunés, doit être trouvée. Cet argent serait versé à leurs gouvernements autonomes pour améliorer les conditions négatives collées à leur situation de gens défavorisés. Il n'est plus acceptable pour l'ensemble des Autochtones qu'une infime partie des individus profite de cet avantage de ne pas payer de taxes.

Il ne faut pas cependant que cet argent soit soustrait des sommes qui constituent les engagements historiques pris par les Couronnes, française, ou britannique, dans leurs traités et par le Canada dans ses propres traités plus modernes et dans ses lois mettant tous ces traités en application.

L'AUTONOMIE SOUS TOUTES SES FORMES

Les champs d'action favorisés par la politique québécoise vont dans le sens des revendications historiques des Autochtones. Ces derniers souhaitent, depuis belle lurette, un développement économique à leur mesure dont les fondements sont l'accès, la mise en valeur et la gestion des ressources d'une partie importante de leurs territoires ancestraux.

Le ministre Guy Chevrette a compris que les nombreux marasmes sociaux actuels des Autochtones étaient reliés au fait que ces derniers n'aient pas de travail sur leurs réserves - le taux de chômage frise les 90% dans certaines communautés. Il faut prendre en considération que la population est jeune - quelque 52.6% en bas de 25 ans, selon le rapport de la *Commission royale sur les peuples autochtones du Canada*. Enfin, il est évident que cette jeunesse n'a aucun avenir devant elle.

La création d'un fonds de développement économique de 125 millions de dollars en cinq ans constitue sans aucun doute un encouragement de taille.

Ce qui m'apparaît encore beaucoup plus intéressant, c'est que ce fonds de développement économique servira à mettre en place les conditions facilitantes au développement sous toutes ses formes des nations autochtones. Ces conditions permettront d'accroître le nombre d'entrepreneurs et de favoriser la création d'emplois en bâtissant une approche de développement économique adaptée au milieu autochtone.

À partir des ressources des territoires ancestraux, dans les secteurs touristiques, fauniques, forestiers, miniers et énergétiques, le Québec entend soutenir le développement économique autochtone. Ces choix sont ceux des Amérindiens eux-mêmes et ils risquent d'y exceller beaucoup plus rapidement.

Il est sûr que le fait de devenir actif par le travail et par la réussite en affaires, donc plus autonome financièrement, ouvrira de nouveaux horizons pour les

Indiens. Cela leur permettra d'occuper une meilleure place dans la société actuelle.

Cette terre désormais plus fertile favorisera l'acceptation d'une autonomie politique plus importante et la nécessaire responsabilisation qui l'accompagne. Un plus grand nombre de personnes partagera cette volonté exprimée par les leaders politiques autochtones d'atteindre une autonomie gouvernementale plus large. La réalisation de cet objectif de société deviendra ainsi à portée de main.

Il s'agira ensuite, pour certaines communautés autochtones, d'être étapistes; ce qui rassurera les groupes de population hésitants.

C'est à ce moment-là que ces groupes de population autochtones aborderont la sacro-sainte question de l'exemption fiscale. Les Amérindiens comprendront, après avoir goûté aux bienfaits de l'autonomie financière, l'intérêt de la proposition du Québec sur ce sujet.

La récupération des pouvoirs de taxation est une des clés importantes du financement d'un gouvernement autonome digne de ce nom. D'autant plus qu'elle s'accompagnerait d'un plein paiement des taxes visées par les Autochtones et une partie par les non-Autochtones sur et hors réserves.

Il faut bien comprendre que le pouvoir de taxer est aussi le pouvoir de ne pas taxer. « Les communautés décideront de façon autonome de l'affectation de ces sommes qui pourraient être remboursées en tout ou en partie aux consommateurs autochtones ». La partie retenue par la bande serait affectée à la réalisation de projets de développement économique et d'activités communautaires, souligne la politique du Québec.

L'accès à des sources de financement qui lui seront propres, dont la fiscalité, donnera, au gouvernement autochtone, cette autonomie financière recherchée. Atteinte, elle procurera la marge de manoeuvre nécessaire pour réaliser les projets que les communautés auront priorisés.

Ils n'auront plus besoin de l'accord des autres gouvernements, soit le Québec ou le Canada. La mise en place de gouvernements autonomes, dont les pouvoirs seront reconnus dans des ententes, permettra aux populations autochtones de faire leurs propres choix de société. Ils en seront dès lors totalement responsables.

L'INDIVISIBILITÉ DU QUÉBEC : LE PARTI QUÉBÉCOIS SE PEINTURE DANS LE COIN

En se braquant d'une manière aussi ex cathedra en faveur de la position discutable que le Québec est indivisible, les *leaders* politiques actuels du *Parti québécois* se sont royalement *peinturés* dans le coin. Ils se sont laissé aucune porte de sortie. En plus, ils ont fait fi d'un élément primordial de toute démocratie digne de ce nom: Le droit à l'autodétermination!

Une telle situation, qui va à l'encontre de l'ABC de toute négociation, est pour le moins surprenante pour un négociateur aguerri de la trempe de Lucien Bouchard. Si l'on se fie à certains sondages sur cette question, même la population québécoise francophone ne serait pas derrière eux.

Les tenants de l'intégrité du territoire à tous crins n'ont pour toute justification et démonstration que les prétentions de certains juristes-spécialistes. Or, c'est un secret de polichinelle que, pour une poignée de dollars, ou pour toute autre considération, de nombreux juristes renommés vont défendre d'une manière tout aussi compétente la position inverse.

L'exemple le plus probant de cet avancé est l'avocat constitutionnaliste Guy Bertrand qui a viré son capot de bord à 180 degrés. De candidat péquiste dans le comté Louis-Hébert dans la région métropolitaine de Québec qu'il était, il s'est transformé en un attaquant fédéraliste acharné contre la thèse de la souveraineté-partenariat.

Les *leaders* politiques du *Parti québécois* sont devenus suspects et vulnérables en privant les autres d'un droit sacré dans ce nouveau pays qui aurait acquis son indépendance, celui à l'autodétermination. Ces ténors de l'indépendance pure et dure exigent pourtant du Canada cette reconnaissance et pratiquent, ce faisant, la règle condamnable du deux poids, deux mesures.

Il ne faut pas être bien malins pour constater et ensuite utiliser à l'extrême, comme le boxeur qui cogne sur la plaie béante de son adversaire, cette immense faille des chefs de file indépendantistes québécois. C'est ce qu'ont fait rapidement les agitateurs partitionnistes.

D'ailleurs, l'appui hypocrite du *Parti libéral du Québec* de l'ex-chef Daniel Johnson, sur la question de l'indivisibilité du territoire québécois, m'a toujours fait sourire. Cette *p'tite passe* du chef de l'Opposition officielle, à la Robert Bourassa, constitue sûrement un des plus beau cadeau de grec des temps modernes.

Il ne fait aucun doute que les défenseurs de l'idée de l'indépendance du Québec ne sont vraiment pas *sortis du bois* avec cette position. Les penseurs stratégiques du gouvernement du *Parti québécois* doivent corriger cette trajectoire *tout croche*. Il ne faudrait surtout pas croire qu'un peu de fard va suffire pour régler cet accroc évident à la démocratie qui a un arrière-goût de régime de bananes.

Il est évident que le gouvernement du Québec doit reconnaître le droit à l'autodétermination des Premiers peuples dans un futur Québec indépendant. C'est d'ailleurs ce que leur recommandent certaines forces vives du Québec dans le manifeste du *Forum paritaire Québécois-Autochtones*.

Toutefois, il faut que la future constitution du Québec assortisse la reconnaissance de ce droit d'un processus d'application. Cet enchaînement ordonné rendrait illégitime le fait qu'un petit groupe de dissidents, ou une partie d'un village, d'une ville ou d'une région, refuse de respecter cette décision collective. Surtout qu'il le fasse le lendemain du résultat majoritaire d'un vote démocratique de tous les Québécois pour l'indépendance. Ne pas prévoir cette façon de procéder conduisant à l'autodétermination serait, de la part du gouvernement du Québec, inconséquent et irresponsable. Plus encore, un tel geste pourrait conduire, *in extremis*, à l'éclatement d'une guerre civile au Québec.

L'accession à l'indépendance est un geste politique trop important pour être pris à la légère.

D'ailleurs, cette idée d'indépendance du Québec a cheminé au cours des quarante ou cinquante dernières années. Il serait donc tout à fait normal d'exiger que les blocs de dissidents évaluent les résultats de cette décision collective des Québécois avant de *foutre le bordel* dans ce coin de terre.

UNE NETTE DIFFÉRENCE POUR LES AUTOCHTONES

Pour nous, membres des Premiers peuples du Québec, il est évident que ce droit à l'autodétermination existe toujours. L'histoire, même biaisée, de cette partie d'Amérique et la signature de nombreux traités de Nation à Nation avec la

France, avec la Grande-Bretagne et avec le Canada l'ont démontré amplement. D'autant plus que, pour plusieurs nations autochtones qui n'ont pas éteint leurs droits ancestraux, il existe encore une forme de souveraineté politique interne à titre de nations indépendantes capables de signer des traités avec le Canada.

La *Commission royale sur les peuples autochtones du Canada* prétend même que ce droit inhérent, qui n'a pas été éteint par un geste juridique sérieux avant 1982, ne peut plus être éteint depuis que la *Constitution du Canada* reconnait les droits ancestraux à l'article 35 (1).

Plus encore, puisque certains territoires ancestraux des Indiens du Québec sont encore aujourd'hui grevés par l'hypothèque découlant de la *Proclamation royale de 1763*, cette démonstration jurique serait facile à faire. Cet édit du roi d'Angleterre, George III, oblige le gouvernement du Canada à conclure des traités avec les peuples autochtones avant de développer leurs territoires ancestraux.

La *Cour suprême du Canada* considère que cette déclaration officielle est la pièce maîtresse démontrant l'existence des droits ancestraux des Autochtones. Or, au Québec, contrairement à plusieurs autres provinces du Canada, seuls les Algonquins de Pikogan (Traité 9) même si, jusqu'ici, ils n'ont pas touché à la partie du territoire ancestral ni éteint leurs droits ancestraux, les Cris, les Inuits et les Naskapis ont signé de tels traités.

Ce qui signifie, quant à moi, que plusieurs nations autochtones du Québec, qui n'ont pas éteint leurs droits ancestraux, pourraient être justifiées de brandir la menace de la partition; même si cela ne m'apparaîtrait pas être une très bonne idée.

Il est vrai que le droit à l'autodétermination des nations autochtones, appliqué intégralement, pourrait compliquer la gestion d'un Québec souverain, ou pourrait donner à son territoire l'apparence d'un fromage gruyère. Il est vrai cependant que ce principe inciterait et forcerait même le gouvernement du Québec à agir en Etat responsable. Il devrait rechercher des solutions acceptables par les peuples autochtones par la négociation de véritables traités d'alliance, prélude à une relation harmonieuse entre le Québec et les Premières Nations. En permettant ainsi un *bargaining power* nécessaire à toute négociation, le gouvernement du Canada équilibrerait les forces en présence.

VALEUR JURIDIQUE DES DROITS ANCESTRAUX

La très grande majorité des quelque 2,000 juristes de l'Etat du Québec ont la tranquille certitude que les Amérindiens n'ont aucun droit collectif, ou que le gouvernement doit immédiatement les éteindre au cas ou ils en auraient   Ces tout-puissants, bornés par d'immenses oeillères, n'ont presque jamais à défendre leurs avis rédigés dans des officines closes, des fabriques de paravents.

Ils ont récupéré le pouvoir politique que les politiciens leur ont abandonné. Ce domaine cause, à ce moment-ci, plus d'inconvénients que de satisfactions aux politiciens en selle. Ces derniers sont beaucoup plus soucieux de leur image publique de maintenant que celle de demain en s'inscrivant positivement dans le grand livre de l'histoire.

La peur maladive d'une définition libérale et généreuse des droits ancestraux des Autochtones, prônée par la *Cour suprême du Canada* dans la majorité de ses jugements concernant les Premiers peuples, est manifeste. Ces défenseurs du plus bas dénominateur commun politique sont prêts à faire toute l'agitation politique nécessaire pour contrer toute velléité d'ouverture des politiciens en place.

A titre d'exemple, il n'est pas du tout question, à ce moment-ci, que le gouvernement québécois aborde, aux tables de négociation, le sujet controversé à l'interne de la définition de potentiels droits inhérents à l'autonomie gouvernementale. Quant à moi, cela démontre d'une façon indéniable l'attitude anti-autochtone prônée par certains juristes du ministère de la *Justice du Québec*. Plus encore, ça prouve qu'ils ne savent même pas lire les jugements de la plus haute instance de la Justice canadienne. Ils auraient pu constater que les juges ont commencé à reconnaître ce droit inhérent à l'autonomie gouvernementale dans leurs récents jugements. Ils sont aveuglés et ne veulent rien entendre sur ce qui pourrait les contredire. Ils préfèrent subir l'humiliation d'une défaite cuisante en Cour plutôt que d'accepter d'admettre qu'ils ont tort. Une telle attitude fait subir aux Québécois une série d'humiliations...

À l'inverse, le gouvernement fédéral se dit prêt à négocier l'application du droit inhérent à l'autonomie gouvernementale. La *Cour suprême du Canada* et la *Commission royale sur les peuples autochtones du Canada* prétendent que ce droit à l'autonomie gouvernementale fait partie des droits inhérents des Indiens reconnus par la *Constitution du Canada* depuis 1982. Il faut ajouter cependant que la politique fédérale encadrant ce droit inhérent est tellement limitative qu'il n'a plus de signification. Inhérent, selon le dictionnaire Robert se définit ainsi: « Se dit de tout ce qui appartient essentiellement à un être, à une chose, de tout caractère qui lui est joint inséparablement ». D'ailleurs, comment peut-on pouvoir encadrer le droit inhérent d'une autre nation...

En toute logique, un droit inhérent n'est pas négociable et son application ne devrait subir aucune dédale du labyrinthe de la justice et surtout aucune de ses simagrées. Il s'applique simplement par le détenteur de ce droit.

Pourtant, en 1986, au cours de la ronde constitutionnelle de discussions sur les droits des Autochtones, le ministre des *Affaires intergouvernementales* du temps, Gil Rémillard, affirmait que le Québec accepterait la reconnaissance de ce droit inhérent. Le ministre Rémillard avait déclaré qu'il parlait au nom du Premier Ministre du gouvernement libéral du Québec, Robert Bourassa. Ce dernier posait cependant, comme condition expresse, de négocier l'application de ce droit entre les parties: Les Premières Nations, le gouvernement du Québec et celui du Canada.

Les autres représentants des provinces ont aussi parlé en ce sens. J'assistais à cette ronde constitutionnelle sur les droits autochtones. J'ai de plus analysé et commenté cet événement majeur à l'émission d'affaires publiques de télévision de Radio-Canada, Le Point.

C'est exactement ce que prévoit la politique fédérale de l'ex-ministre des *Affaires indiennes et du Nord du Canada*, Ron Irwin.

À part le fait de répéter que Québec n'accepte pas les amendements de la Constitution du Canada de 1982 et de prétendre qu'il n'en était pas partie prenante, que quelqu'un du gouvernement du Québec m'explique ce recul inexplicable et pour le moins spectaculaire ? On se souviendra que les provinces et le fédéral ont tripoté certains amendements de la *Constitution canadienne* en son absence.

Il ne faut surtout pas oublier que la *Loi sur l'exercice des droits fondamentaux et des prérogatives du peuple québécois et de l'État du Québec*, adoptée l'an dernier, reconnaît, « dans l'exercice de ses compétences constitutionnelles, les droits existants, ancestraux ou issus de traités, des nations autochtones du Québec ». Elle reprend textuellement le contenu de l'article 35(1) de la *Loi constitutionnelle de 1982* du Canada, loi que le Québec ne reconnaît pas actuellement.

C'était donc la première fois que le gouvernement du Québec s'engageait légalement à appliquer le contenu de l'article 35(1) de la *Loi constitutionnelle de 1982* du gouvernement du Canada.

Plusieurs observateurs sérieux du dossier autochtone croient que certains juristes du ministère de la *Justice du Québec* sont derrière les campagnes anti-autochtones entreprises par des historiens-politiciens.

Comment se fait-il que certains historiens, de la chapelle des plus politiciens que scientifiques, Denis Vaugeois, ancien ministre du *Parti québécois*, Maurice Ratelle et Michel Gaumond, fonctionnaires, et Russel Bouchard, reprennent le travail manqué ? Ces deux fonctionnaires sont des historiens de service qui travaillent au ministère des *Ressources naturelles* pour le gouvernement du Québec.

Comme on le sait, la très grande majorité des historiens québécois ont ignoré les sauvages dans leurs ouvrages sur l'histoire du Canada. Ils avaient savamment conclu qu'ils disparaîtraient à tout jamais, à cause de l'infériorité de la race, « dans le sillon tout tracé de la marche de l'humanité ». Ceux-ci deviendraient de la matière à l'anthropologie, croyaient-ils, selon Denis Vaugeois.

Ces derniers attaquent tous azimuts, dans leurs volumes ou leurs études, les fondements des droits existants, ancestraux ou issus de traités, reconnus par la *Constitution du Canada*. Ils le font surtout au cours d'une période politique pour le moins bien choisie. Certains s'en prennent même à l'existence des nations autochtones par la thèse insipide et raciste de la pureté du sang. Ce que vous lirez plus en détails dans le chapitre treize de cet ouvrage intitulé: LES FOSSOYEURS.

Ceci, à mon avis personnel, coïncide avec la vision de certains juristes de l'État spécialisés en droit autochtone. Ils ne se cachent pas du tout pour l'affirmer dans des réunions de fonctionnaires.

Il reste à savoir si le gouvernement québécois, par le truchement du ministère de la *Justice du Québec*, n'est pas de mèche avec ces *fomenteurs* de troubles.

Il est quant à moi évident que le ministère de la *Justice du Québec*, au moins pour les spécialistes du droit autochtone, cherche à se venger de ses échecs devant la *Cour suprême du Canada*. Il s'agit surtout des jugements convenant de la valeur du *Traité Murray* et reconnaissant les droits ancestraux de chasse et de pêche dans la cause Côté-Décontie.

Une chose est certaine cependant, les réactions du ministre Guy Chevrette, à ce moment-là, ont eu tendance à démontrer que le gouvernement du Québec est au moins d'accord avec ce qui s'écrit et se dit. Plus encore, le ministre responsable du *Secrétariat aux affaires autochtones* a utilisé le contenu de ces études *passées date* et partiales, pour ne pas dire biaisées, pour tenter de limiter certaines revendications amérindiennes. Il ridiculise « l'appétit gargantuesque » exprimé par les demandes des Innus (Montagnais) et des Atikamekw.

La tolérance du gouvernement, qui permet aux historiens de service, Maurice Ratelle et Michel Gaumond, de faire de la politique par leurs commentaires, est vraiment inhabituelle. Le fait de ne pas se dissocier de ce *grenouillage historique* et d'en utiliser le contenu démontre que le gouvernement du Québec endosse leurs propos.

On peut au moins s'interroger sur la sincérité du gouvernement québécois, ou sur le sens de sa vision d'un état indépendant futur.

Même si la conjoncture politique ne favorise pas des relations harmonieuses avec certaines nations autochtones, on doit s'attendre à mieux. Ce n'est pas très rassurant que le gouvernement du Québec fasse fi des engagements de son programme politique et néglige les conseils judicieux de ses forces vives, ses mandants.

Ce gouvernement prend des risques inestimables pour suivre les sirènes qui le conduisent aux écueils politiques acérés et remplis de conséquences risquées pour sa reconnaissance internationale comme futur pays souverain. Ce geste inconsidéré et à courte vue pourrait devenir un empêchement sérieux à des appuis nécessaires pour une nation qui croit avoir la stature d'un état.

Les but visé par les fonctionnaires, en adoptant une telle stratégie, est de négocier sur la place publique, là où le racisme réducteur risque de mieux être entendu. Et, ils atteignent leurs objectif en détruisant, à la racine, nos chances de conclure de nouveaux contrats sociaux plus prometteurs...

D'un côté les leaders politiques du gouvernement du Québec, le Premier Ministre Bernard Landry en tête, font des efforts pour conclure des ententes intéressantes avec les Premiers peuples, tel qu'il l'a fait avec les Cris de la Baie-James. De l'autre côté, certains fonctionnaires font tout ce qu'ils peuvent pour creuser des fossés entre les Québécois et les Autochtones. À ne pas en douter, les politiciens vont devoir prendre leurs responsabilités et démontrer qui mènent le Québec.

DES JUGEMENTS MAJEURS
POUR LA RECONNAISSANCE DU TITRE INDIEN

Le peuple québécois ne doit plus tolérer que le ministère de la *Justice du Québec* continue à soutenir en Cour, envers et contre tous, la position indéfendable qui veut que les droits autochtones n'existent pas. Qu'attend-il pour forcer son gouvernement à jeter la serviette et ainsi faire cesser la bataille inégale sur la reconnaissance des droits autochtones ?

Amoché par plusieurs défaites consécutives et humiliantes, le ministère de la *Justice du Québec* va au plancher régulièrement et s'apprête à subir, encore une fois, d'autres échecs cuisants. C'est irresponsable de le laisser poursuivre ce combat.

Comment peut-il croire pouvoir gagner dans le cas de la réconnaissance du droit inhérent à l'autonomie gouvernementale des Premiers peuples et de l'application de la jurisprudence se dégageant du jugement Marshall de la *Cour suprême du Canada*. A part de gagner du temps en allant niaiser en Cour et de gaspiller l'argent des fonds publics, que peut-il espérer dans ces deux cas ?

Le devoir du peuple québécois est de forcer le ministère de la *Justice du Québec* à se protéger contre lui-même, aveuglé par l'orgueil et incapable d'accepter la défaite. Il doit cesser ce combat inutile et utiliser d'autres moyens plus prometteurs et plus pacifiques, comme les négociations, pour définir un nouveau contrat social avec les Premiers peuples. Et ce nouveau pacte social doit avoir comme fondement la reconnaissance des droits ancestraux et non pas leur extinction.

Le jugement de la *Cour suprême du Canada*, Delgamuukw et Haaxw, concernant la reconnaissance des droits territoriaux des Bandes indiennes de Gitxsan et Wet'suwet'en, en Colombie-Britannique, ne peut pas être plus explicite. Les droits ancestraux des Bandes autochtones, découlant du titre indien, qui n'ont pas signé de traités avec la Couronne, donc qui n'ont pas éteint ces droits, existent et existaient avant l'arrivée des Européens, selon les concepts moraux et juridiques.

Ce qui signifie que les négociations territoriales globales et d'autonomie gouvernementale doivent avoir comme fondement la reconnaissance des droits ancestraux existants.

C'est d'ailleurs ce que je répète inlassablement à toutes les tables de négociations depuis une bonne quinzaine d'années.

Les juges ont donc défini que le droit ancestral de pêche ou de chasse de subsistance, contrairement à ce que prétendaient les gouvernements, fédéral et provinciaux, permettait aussi la vente des produits recueillis pour subvenir à des besoins autres que se nourrir. Ce droit pouvait être limité par des règlements pour protéger les ressources fauniques.

Le ministère de la *Justice du Québec* ne peut plus nier que ces droits existent et surtout ne doit pas chercher à les éteindre. Ces droits ancestraux sont des droits d'occupation et non pas seulement d'utilisation. Ils ne concernent pas uniquement la chasse, la pêche et le piégeage, mais bel et bien toutes les ressources naturelles comme les mines, le bois et l'eau, etc., souligne avec force le plus haut tribunal du Canada.

La *Cour suprême du Canada* précise, dans le jugement Delgamuukw et Haaxw, que les gouvernements n'ayant pas arrêté de tels traités doivent conclure des ententes négociées de bonne foi. La Couronne a l'obligation de se conformer à cette exigence avant d'exploiter les ressources naturelles sur les territoires réservés aux nations autochtones. C'est le cas au Québec pour, entre autres, les Innus, les Atikamekw et les Algonquins. On pourrait aussi ajouter les nations autochtones, telles les Mohawks, les Abénaquis, les Malécites et les Micmacs, dont les territoires ancestraux étaient situés sur les territoires de la Colonie.

Le Canada et le Québec ne peuvent plus prétendre que ces droits ancestraux territoriaux avaient été éteints par la *Proclamation royale de 1763*. La *Cour suprême du Canada* a clairement jugé que ces droits ne pouvaient pas être éteints unilatéralement par un geste de la *Couronne britannique*, même un édit du roi comme la *Proclamation royale de 1763*.

Ces droits ne peuvent pas être vendus et ne doivent pas être « cédés, ni éteints par personne d'autre que la Couronne » dans un traité signé de nation à nation. Les objectifs législatifs des gouvernements, fédéral et provinciaux, sur ces territoires, « doivent tenir compte des intérêts des peuples autochtones, les consulter, les informer et comprendre une juste indemnisation ».

Ce qui signifie en clair qu'au moins les Innus, les Atikamekw et les Algonquins auraient dû être informés, consultés et compensés sur tous les développements de la société québécoise sur les territoires de la Couronne. Depuis la *Proclamation royale de 1763*, ces territoires du Québec sont grevés d'une hypothèque non réglée.

Sur les conseils du ministère de la *Justice du Québec*, le gouvernement a agi illégalement en adoptant des lois sur la faune et sur les ressources minières et forestières. Il n'aurait pas dû accorder des permis de développement des ressources fauniques, hydrauliques, minières et forestières, sans informer, consulter et compenser les Amérindiens concernés.

Le gouvernement du Québec doit recoller les pots cassés; ce qui ne sera pas une mince tâche puisque les rôles ont changé et que les Indiens ont maintenant le gros bout du bâton. Les avocats du ministère de la *Justice du Québec* se sont moqués des négociateurs comme moi qui essayaient de leur faire comprendre l'intérêt du Québec de négocier de bonne foi. Imbus d'eux-mêmes, les tout-puissants juristes de l'État ne voulaient pas accepter cette obligation de conclure des ententes satisfaisantes pour les deux parties.

Je passe d'ailleurs à leurs yeux pour une personne extravagante et irréaliste qui ne comprend absolument rien au droit autochtone parce que je n'ai pas traîné mon cul sur les bancs d'une faculté de droit. Il devrait savoir que discuter du droit autochtone, avec certains parmi eux pendant plus d'une quinzaine d'années aux tables de négociation, m'a permis d'apprendre par l'absurde.

Il devrait avoir constaté que presque tous les grands principes que je débats depuis 1965, à partir du début de l'*Association des Indiens du Québec*, sont maintenant reconnus par la *Cour suprême du Canada*.

Ce n'est quand même pas si mal pour un ignare du droit autochtone comme le croient quelques-uns. Le passage par une faculté de droit ne donne pas le jugement. Or, selon moi, le droit est une question de jugement. Et toutes les simagrées juridiques pour couvrir le vide ne compenseront jamais le bon sens... Ça, la plus haute instance de la Justice canadienne le croit et le pratique en déclarant que les droits ancestraux doivent être interprétés « d'une façon libérale et généreuse ».

Ce sont tous les Québécois qui vont devoir *rire jaune* à cause de l'incompétence du ministère de la *Justice du Québec*...

UNE VÉRITABLE BOUÉE DE SAUVETAGE

Depuis des générations, les Indiens du Canada dénoncent les conditions socio-économiques dans lesquelles ils vivent. Ils s'élèvent contre le génocide pacifique de l'assimilation et de l'extinction des droits ancestraux dont ils sont victimes. Ils s'en prennent au harcèlement injuste et illégal qu'ils subissent dans la pratique de leurs activités traditionnelles de chasse et de pêche et la fréquentation de leurs territoires ancestraux.

A la suite de la parution récente des jugements *Delgamuukw* sur la reconnaissance des droits territoriaux des Bandes indiennes de Gitxsan et Wet'su-wet'en, en Colombie-Britannique, et *Marshall*, concernant le traité conclu par les Mi'kmaq en 1760 et 1761, *Calder, Guérin, Sparrow, Sioui, Côté-Décontie* et *Adams* et des pourvois de la trilogie *Van der Peet, Gladstone* et *Smokehouse*, la *Cour suprême du Canada* va encore plus loin. Elle est d'ailleurs bien loin de découdre ce qui a déjà été affirmé avec force dans les jugements *Sparrow* et *Sioui* en 1990. Elle oublie surtout l'effet pervers du pendule tant souhaité par plusieurs juristes d'État canadiens.

Selon le jugement *Delgamuukw*, le titre aborigène comprend le droit d'utiliser et d'occuper de façon exclusive les terres détenues en vertu de ce titre pour différentes fins. Celles-ci ne doivent pas être nécessairement des aspects de coutumes, de pratiques et de traditions faisant partie intégrante d'une culture autochtone distinctive. « Ces utilisations protégées ne doivent pas être incompatibles avec la nature de l'attachement qu'a le groupe concerné pour ces terres ».

Les origines du titre aborigène constituent une autre dimension de celui-ci. Sa reconnaissance par la *Proclamation royale de 1763* et le rapport entre la *common law*, qui reconnaît l'occupation comme preuve de la possession en droit, et les systèmes juridiques autochtones, qui existaient avant l'affirmation de la souveraineté britannique, le confirment. « Finalement, le titre aborigène est détenu collectivement. »

Ce titre aborigène comprend les droits miniers. Les terres détenues en vertu d'un titre aborigène devraient pouvoir être exploitées pour ces ressources; ce qui ne constitue pas une utilisation traditionnelle.

La *Cour suprême du Canada*, dans les jugements *Adams* et *Côté-Décontie*, a clarifié que la France reconnaissait implicitement les droits ancestraux des Autochtones sur le territoire de la Colonie. Elle a de plus souligné que la conquête des Britanniques et leur *Proclamation royale de 1763* n'ont pas éteint ces droits. « [...] le titre titre aborigène n'est pas une manifestation de la doctrine des droits ancestraux », selon le jugement *Adams*.

« Quoique le droit français n'ait jamais explicitement reconnu l'existence d'un titre indien *sui generis* sur les terres, il n'a pas non plus nié explicitement son existence. [...] la *Couronne française* a maintenu que les Autochtones formaient des nations souveraines et n'étaient pas de simples sujets du monarque ».

« La souveraineté française n'a pas mis fin à l'existence potentielle de droits ancestraux visés au paragraphe 35(1) de la *Loi constitutionnelle de 1982* à l'intérieur des frontières de ce que constituait la Nouvelle-France ».

La *Cour suprême du Canada* a statué que la protection de la *Constitution du Canada* s'étend aux coutumes, aux pratiques et aux traditions des Autochtones du Québec. « La preuve qu'une coutume constituait, au moment du contact avec les Européens, un élément important de la culture distinctive d'un peuple suffira en règle générale à établir que cette coutume constituait également, avant le contact avec les Européens, un élément important de la culture en question. »

La *Cour suprême du Canada* démontre donc que les détracteurs acharnés des droits ancestraux des Autochtones n'ont pas raison de le faire. Elle fait la preuve que ces droits sont existants et qu'ils n'ont pas été éteints, à moins d'avoir été l'objet d'un traité. Elle ajoute surtout que ces droits ne peuvent pas être unilatéralement éteints par des lois. Elle va encore plus loin qu'elle n'a jamais été en rendant plus clairs plusieurs points importants sur la reconnaissance des droits ancestraux et sur l'interprétation de l'article 35(1) de la *Constitution du Canada*.

L'objet même de l'article 35(1), prétend avec force la *Cour suprême du Canada*, n'est surtout pas de perpétuer « l'injustice historique dont les peuples autochtones ont été victimes aux mains des colonisateurs, qui n'ont pas respecté la culture distinctive des sociétés autochtones préexistantes », selon le jugement *Côté-Décontie*.

Le jugement *Van der Peet*, pour sa part, statue que « Les droits ancestraux doivent être interprétés à la lumière des rapports spéciaux de fiduciaire et de la responsabilité de sa Majesté vis-à-vis des Autochtones ». Il ajoute qu' « [...] Il faut permettre aux droits ancestraux de conserver une pertinence contemporaine par rapport aux besoins des autochtones, au fur et à mesure que leurs coutumes, pratiques et traditions changent et évoluent en même temps que l'ensemble de la société dans laquelle ils vivent ».

Donc, la *Cour suprême du Canada* s'engage au-delà des questions précises posées. Elle donne déjà, quant à moi, une partie de son interprétation future du droit inhérent à l'autonomie gouvernementale préconisé par l'ancien ministre des *Affaires indiennes et du Nord du Canada*, Ron Irwin. On sait que le ministre de la *Justice du Québec* refuse avec acharnement d'aborder aux tables de négociation cette question. Il part donc déjà, selon moi, avec deux prises contre lui...

Le jugement *Côté-Décontie* a précisé que « [...] les Français ont officiellement maintenu qu'ils ne pouvaient pas céder le titre sur les terres occupées par des peuples autochtones dans les Maritimes et au nord de l'État de

New York, car ces peuples étaient des nations indépendantes, alliées de la *Couronne française*, plutôt que de simples sujets du Roi. De même, les Français ont décliné toute responsabilité à l'égard des attaques des Indiens contre les Britanniques pour le motif que les nations autochtones étaient des alliés indépendants du monarque français plutôt que des sujets royaux ».

Selon le jugement *Van der Peet*, « Le paragraphe 35(1) établit le cadre constitutionnel qui permet de reconnaître que les Autochtones vivaient sur le territoire en sociétés distinctes possédant leurs propres cultures et traditions et de concilier ce fait avec la souveraineté de Sa Majesté ». Pour la *Cour suprême du Canada*, dans ce même jugement, les droits ancestraux découlent non seulement de l'occupation antérieure du territoire, mais aussi de l'organisation sociale antérieure et des cultures distinctes des peuples autochtones habitant ce territoire.

La *Cour suprême du Canada* reconnaît enfin qu'un droit ancestral peut exister indépendamment d'une revendication territoriale puisque « [...] le titre aborigène n'est pas une manifestation de la doctrine des droits ancestraux ».

Ces réponses claires mettent donc fin à une prétention majeure du gouvernement du Québec qui perdure depuis le rapport de la *Commission Dorion* sur le territoire québécois. Elles répondent à une semblable prétention du gouvernement du Canada. Le gouvernement du Canada et celui du Québec prétendaient que la *Proclamation royale de 1763* avait éteint les droits ancestraux des Autochtones vivant sur le territoire de la Colonie de 1763.

Ce rejet évident de la vision québécoise par la *Cour suprême du Canada* devrait amener le gouvernement du Québec à réajuster la façon de penser de ses conseillers juridiques actuels de la section autochtone du ministère de la *Justice du Québec*. Ces derniers ont détruit, sans vision sociale et politique, la réputation nationale et internationale de tous les Québécois. Cette approche a de plus stimulé, au pays, un climat d'affrontement entre les Amérindiens et les Québécois.

À cause d'une approche juridique bornée, le gouvernement du Québec n'a jamais pu conclure, avec les groupes autochtones en négociation, depuis le traité moderne de la Baie-James, en 1975, des ententes de revendications globales satisfaisantes. Cette façon de voir consiste surtout à nier la reconnaissance des droits ancestraux des Autochtones et à travailler à faire de ces derniers « des Québécois comme les autres », sans leur spécificité de Premières Nations.

La seule entente où j'aurai réussi à aller au-delà des lois du Québec a été celle sur la chasse à l'orignal des Wendat (Hurons) dans la réserve faunique des Laurentides. J'ai amené le gouvernement du Québec à reconnaître un droit de chasse aux Autochtones, au grand dam des membres de la cellule autochtone du ministère de la *Justice du Québec*. C'est dû au fait que, constatant le cul-de-sac dans lequel nous avait conduits le représentant du ministère de la *Justice du Québec*, j'ai convaincu le négociateur du Québec de négocier sans la présence de nos conseillers juridiques. Je l'ai ainsi poussé à mettre le ministère de la *Justice du Québec* dehors de cette table de négociation en enlevant aussi notre propre conseiller juridique.

Remarquer que l'expulsion stratégique de l'avocat du ministère de la *Justice du Québec* a donné comme résultats pour l'avenir qu'à chaque fois que je m'assoie pour négocier, j'ai toujours dans l'équipe gouvernementale d'en face un(e) avocat(e) qui m'a dans sa mire. Je suis devenu, pour cette raison et bien d'autres d'ailleurs, surtout mon manque de sens du fameux *politicly correct*, l'homme à abattre. Insister et déranger la douce quiétude des gouvernements ne constituent plus des qualités pour certaines personnes intéressées. Il faut accepter sans dire un mot sinon nous devons payer pour cette honnêteté... Voilà ce que les fonctionnaires croient pour la définition du fameux *politicly correct*.

À ce moment-ci, les peuples autochtones du Québec sont incapables de voir les côtés positifs de ce gouvernement. Le fait que le gouvernement du Québec ne leur reconnaît pas de droits spécifiques pour la pratique des activités traditionnelles de chasse et de pêche obstrue leur vision. Plus encore, le fait que le Québec ait choisi de les traîner en Cour de justice pour toutes sortes de raisons insignifiantes les choque. Citons comme exemples, l'initiative de faire un feu sur un territoire public (pourvoi Sioui), ou l'action de pêcher sans papier bleu avec une fleur de lys (pourvoi Côté-Décontie).

Les Autochtones ne retiennent que l'attitude mesquine et inexplicable du gouvernement du Québec. Les juristes de l'État orientent ce comportement du Québec parce qu'ils prétendent à tort et sans jugement que, dans le dossier des Autochtones, **la loi c'est la loi**. Une seule pour tout le monde, jurent-ils au grand plaisir des associations de chasseurs et pêcheurs sportifs et leurs chevaliers servants, les chroniqueurs de chasse et pêche et certains historiens. Ils oublient volontairement que c'est rendu une règle générale d'avoir des exceptions face à certaines lois. Pensons seulement aux dégrèvements d'impôts pour certaines compagnies multinationales ou personnes riches et, entre autres, aux privilèges accordés à certaines maisons d'édition pour les appuyer...

Sur un autre sujet tout aussi crucial, dans les jugements *Gladstone*, *Van der Peet* et *Marshall*, la *Cour suprême du Canada* enlève définitivement toute ambiguïté. Elle précise que la pêche de subsistance des Autochtones englobe l'alimentation, mais aussi la vente du produit de cette pêche pour couvrir certains autres besoins de subsistance qui n'ont pas de lien avec la nourriture. Cette nouvelle distinction précise que, dans la mesure où la pratique existait avant l'arrivée des Européens, les Autochtones peuvent échanger ou vendre le produit de leur pêche pour subvenir à leurs besoins.

Le jugement *Van der Peet* souligne que « les Autochtones ont la priorité pour pêcher à des fins alimentaires et rituelles ainsi qu'à des fins supplémentaires de subsistance, c'est-à-dire pour satisfaire des besoins fondamentaux que la pêcherie permettait à leurs ancêtres de combler ».

Récemment, la *Cour suprême du Canada*, dans le jugement Marshall, une cause du Nouveau-Brunswick, rendu publique au mois de septembre 1999, a reconnu que le traité conclu par les Mi'kmaq en 1760 et 1761 « conférait davantage que le simple droit d'apporter les produits de chasse et de pêche aux maisons de troc ».

Selon la *Cour suprême du Canada*, ce droit permettait aux Mik'maq de continuer à pouvoir se procurer les biens nécessaires en pratiquant la chasse et la pêche et en échangeant le produit de ces activités traditionnelles. « Ce qui est envisagé, ce n'est pas un droit de commerce de façon générale pour réaliser des gains financiers, mais plutôt un droit de commercer pour pouvoir se procurer des biens nécessaires. [...] il serait raisonnable de s'attendre à ce qu'elles (des limites de prises) permettent aux familles mi'kmaq de s'assurer d'une subsistance convenable selon les normes d'aujourd'hui ».

Avec sagesse, voire prudence, le gouvernement du Canada et celui du Québec doivent voir plus loin que les réponses de la *Cour suprême du Canada* aux simples questions soulevées dans les récents jugements. Ces gouvernements ont la tâche de les interpréter avec ouverture d'esprit et générosité, comme le propose la plus haute instance de la Justice canadienne.

« La preuve qu'une coutume constituait, au moment du contact avec les Européens, un élément important de la culture distinctive d'un peuple suffira en règle générale à établir que cette coutume constituait également, avant le contact avec les Européens, un élément important de la culture en question. »

La *Cour suprême du Canada* démontre aux détracteurs acharnés des droits ancestraux des Autochtones que ces droits sont existants. Elle souligne qu'ils ne sont pas éteints et qu'ils ne peuvent pas l'être unilatéralement par des lois.

Pourtant, le ministère de la *Justice du Québec* continue de ne pas reconnaître que la subsistance a une portée plus grande que de couvrir l'aspect de nourriture. Il continue à nier, comme nous le disons depuis des années, que la subsistance englobe autres choses que se nourrir.

Son unique argument est que ce jugement *Marshall* répondait à une question des Micmacs du Nouveau-Brunswick. Il se ferme à toute ouverture en ce sens. Il faudra donc, comme c'est la coutume pour les ministères de la Justice du Canada et du Québec, aller jusqu'à la *Cour suprême du Canada*, pour se faire répéter que la subsistance, comme ça été le cas dans les jugements *Gladstone*, *Van der Peet* et *Marshall*, englobe la vente pour subvenir à d'autres besoins tout aussi importants.

Encore une fois, il perdra et il pourra souligner aux détracteurs acharnés des Autochtones que c'est la faute de la *Cour suprême du Canada* comme il le fait dans plusieurs autres dossiers. J'avais compris que les fondements du droit canadien étaient construits sur la jurisprudence canadienne. Qu'on m'explique, une fois pour toutes, si cette règle fondamentale n'existe pas lorsqu'on parle du droit autochtone, surtout lorsque les Premiers peuples gagnent... Et qu'on me donne les raisons qui justifient cette position discriminatoire inacceptable pour une société de droit sans aucun doute condamnable par la *Charte des droits et libertés* canadienne.

La *Cour suprême du Canada* devrait profiter d'un prochain jugement concernant les droits des Autochtones pour clarifier, une fois pour toutes, cette question de jurisprudence. Elle devrait donner des orientations claires qui permettraient d'éviter des pertes de temps inutiles et sauveraient des millions de dollars en procédures judiciaires aux gouvernements et aux groupes autochtones.

Plus encore, la *Cour suprême du Canada* devrait suggérer les moyens légaux pour empêcher les ministères de la justice des gouvernements du Canada et du Québec d'utiliser l'appareil judiciaire pour faire traîner l'application de la jurisprudence canadienne. Elle devrait débouter les utilisateurs des simagrées juridiques insipides. Des avocasseries, comme on le sait, permettent toujours à ces derniers de déposer en Cour de justice des causes qui n'ont pour objectif que de faire traîner l'application de certains jugements de la *Cour suprême du Canada*. Une telle attitude, qui rend caducs les jugements favorables aux Autochtones, est totalement injuste.

Par la suite, le Parlement canadien devrait passer une loi d'application générale qui obligerait à tenir compte des éléments de jurisprudences en transformant toutes les autres lois qui transgressent, ou affaiblissent, la portée de ces jugements. Il en va de la crédibilité de cette société de droit...

Prenez pour exemple le ministère de la *Justice du Québec* qui ne veut pas reconnaître les droits ancestraux des Micmacs du Québec, descendants des Micmacs du Nouveau-Brunswick. Il prétend que le fait d'habiter une autre province fait en sorte que le jugement ne s'applique pas. Tous les Canadiens bien informés savent qu'il s'agit des descendants d'une même nation et que les limites physiques des provinces n'auront aucun effet en *Cour suprême du Canada*. Et, j'espère qu'il est le premier à le savoir sinon son ignorance crasse lui mériterait de sérieux blâmes.

Or, si l'occasion lui est donnée, ce ministère va poursuivre les Micmacs du Québec en Cour de justice pour contester l'application de ce jugement au Québec. Il va perdre sans aucun doute en *Cour suprême du Canada* et il le sait très bien. Cependant, il sera satisfait de son travail parce qu'il aura fait en sorte de retarder l'application de ce jugement au Québec pendant dix ou quinze et même vingt-cinq ans. C'est çà la justice du ministère de la *Justice du Québec*...

Si les simagrées juridiques ont pour résultats de permettre des injustices, la société de droit a de sérieux problèmes à corriger. Il en va de la crédibilité de la justice sous toutes ses formes dont les colonnes du temple sont pour le moins ébranlées à ce moment-ci. Et, qu'en plus, si ces manières sont prônées par les ministères de la Justice du pays, les supposés défenseurs de la Justice avec un grand « J », il faut revoir de fond en comble cette société gravement malade.

C'est là un des rôles fondamentaux du pouvoir politique qui doit imposer une profonde et impartiale évaluation et des décisions radicales si nécessaires. Voilà, quant à moi, un beau sujet pour une commission royale d'enquête...

DE BELLES ANNÉES PERDUES

Toute la chicane autour de la pêche de subsistance au Nouveau-Brunswick, à la suite de la sortie du jugement *Marshall*, aurait pu facilement être évitée. D'ailleurs ces résultats étaient prévisibles depuis que la *Cour suprême du Canada* avait rendu publics les jugements *Gladstone* et *Van der Peet*, il y a quelque six ans. Comme d'habitude, les représentants des ministères de la *Justice du Canada* et des provinces ont négligé d'appliquer ces jugements de la *Cour suprême du Canada* « d'une façon libérale et généreuse » en espérant que la plus haute instance de la Justice du pays, au nom du fameux principe du *pendule*, corrigerait son égarement passager.

Après de nombreux exemples, les spécialistes du droit autochtone de ces ministères devraient aujourd'hui comprendre que la *Cour suprême du Canada* ne veuille pas contredire ce qu'elle a défini clairement. D'autant plus qu'elle l'a fait à l'intérieur de plus d'une douzaine de jugements concernant les droits ancestraux des Indiens du Canada.

Le gouvernement fédéral et ceux des provinces, au lieu de continuer à s'acharner à prétendre que la subsistance ne comprenait pas la vente des produits de chasse et de pêche, auraient dû faire une place aux Autochtones dans ce marché.

Que ce soit avec les fonctionnaires fédéraux de *Pêche et océans* pour la pêche commerciale ou avec les ministères provinciaux régissant la pêche sportive, nous nous sommes toujours cognés à un mur d'incompréhension. Jamais, ils ont voulu accepter que les Indiens puissent vendre les produits de la chasse ou de la pêche pour subsister à leurs besoins. Ils ont toujours interprété les droits ancestraux de la façon la plus restrictive possible. Pour eux, les Indiens avaient tout juste le droit de se nourrir. Ils ne pouvaient surtout pas profiter de leurs droits ancestraux de chasse et de pêche pour d'autres fins.

Plus encore, ils ont toujours fait en sorte que les Amérindiens soient loin de tous les avantages financiers que pourraient leur procurer leurs droits ancestraux de pêche commerciale pour se développer. Ils les limitaient, pour l'éternité, à pêcher et chasser pour le besoin de se nourrir. On les avait confinés à une civilisation de subsistance.

Ils tentaient de rechercher certains éléments de solutions à cette question au cours des dernières années, mais toujours en protégeant les pêcheurs commerciaux *blancs*. Ils étaient peut-être prêts à satisfaire certaines demandes de permis à la condition de ne pas déranger les autres pêcheurs commerciaux. Pour eux, les Amérindiens doivent se contenter des miettes qui tombent de la table bien mise par les pêcheurs commerciaux ou sportifs.

Plus encore, ils n'ont jamais préparé ce secteur de l'économie à recevoir d'autres joueurs. Au contraire, ils ont continué à nier le fait que les droits ancestraux des Autochtones puissent comprendre aussi le droit de vendre le produit de leur pêche pour subvenir à d'autres besoins de subsistances que celui de se nourrir. Ils ont pris ainsi position dans le débat entre les pêcheurs commerciaux et les Indiens. Les pêcheurs commerciaux n'ont jamais considéré que les Autochtones pouvaient, ou devraient, être des partenaires sérieux sur cet échiquier.

En prenant position pour les pêcheurs commerciaux *blancs*, ils ont frustré les Autochtones. En faisant en sorte de tenir les Autochtones à l'écart de ce développement économique lucratif, ils les ont choqués.

Après quelque 25 années de frustrations, les Autochtones ont gain de cause auprès de la plus haute instance de la Justice canadienne. Ils relèvent donc la tête, bombent le torse. Ils veulent maintenant et simplement affirmer leurs droits.

Ils le font avec une certaine arrogance, dîtes-vous...

Ne les a-t-on pas écrasés, eux, depuis de nombreuses années, avec une arrogance encore plus évidente à cause du nombre ? Ne les a-t-on pas toujours renvoyés au banc des accusés avec leurs folles prétentions de reconnaissance de leurs droits ancestraux inscrits dans des traités entre nations, négociés d'égal à égal ?

Pour moi, la défense des pêcheurs commerciaux n'impressionne pas. Sans aucune originalité, ils reprennent les arguments de toujours qui consistent à prétendre que les Indiens « vont vider le golfe de tous les produits de la pêche commerciale ». Ils pourraient ajouter qu'ils vont vider aussi l'océan Atlantique et pourquoi pas tous les océans du monde... Cette défense employée à toutes les sauces est insipide, fausse et sans avenir. Sa seule force a pour objectif de faire peur au monde, surtout les politiciens.

Cette position irrationnelle, qui frise le *charriage* et la démagogie, ne nous convainc vraiment pas. À quelques reprises, lorsqu'on voulait faire respecter nos droits ancestraux de pêche ou de chasse, j'ai combattu cette défense bébête de gens sans argument sérieux.

Je peux vous donner deux exemples significatifs parmi tant d'autres.

D'abord, quand nous, les Innus, avons entrepris *la bataille du saumon* pour retrouver nos rivières ancestrales sur la Côte-Nord et la Basse-Côte-Nord, les pêcheurs commerciaux et sportifs ont immédiatement brandi l'épouvantail. Ce mannequin grossier criait éperdument que les Indiens, par leur pêche traditionnelle aux filets, allaient vider les rivières.

Ces insignifiants avaient oublié que ces rivières étaient déjà vides de leurs saumons depuis belle lurette. Des clubs privés, donnés *à des petits amis du pouvoir politique*, avaient permis des *pêches miraculeuses*. Des filets commerciaux placés, en grand nombre, dans toutes les embouchures des rivières à saumons, empêchaient la presque totalité des saumons, qui n'avaient pas été pêchés en haute mer, de *monter* dans la rivière.

Quelques années plus tard, une étude scientifique indépendante démontrait que seulement six pour cent (6%) des saumons était pêché par les filets de la pêche traditionnelle des Autochtones. Le reste, quatre-vingt-quatorze pour cent

(94%), était pêché par les filets commerciaux aux embouchures des rivières ou au large par les bateaux-usines des pêcheurs commerciaux et par les cannes à pêche des pêcheurs sportifs.

Qui, pensez-vous, vidaient les rivières de leurs saumons, les pêcheurs autochtones (6%) ou les pêcheurs commerciaux et sportifs (94%) ?

L'autre exemple se passe au Lac-Saint-Jean. Le chroniqueur de chasse et de pêche du quotidien *Le Soleil*, André-A. Bellemare, avait monté un scénario rocambolesque avec les intervenant de la pêche sportive à la ouananiche sur le lac Saint-Jean.   Cette histoire abracadabrante d'invasion appréhendée avait comme objectif de nuire à la négociation territoriale globale des Innus.

L'épouvantail, toujours ce mannequin grossier, incarné à ce moment-là par le président de *Ouananiche-Plus*, la marionnette, et le marionnettiste, le chroniqueur sportif Bellemare, hurlaient comme des hystériques que les Montagnais de Pointe-Bleue (Mashteuiatsh) « vidaient le lac Saint-Jean de ses ouananiches ». Ils le faisaient, criaient-ils, par leur pêche traditionnelle aux filets et cela conduirait à ce que cesse la pêche sportive pour quelques années.

L'année suivante, nous avons démontré que la pêche aux filets des Innus avait permis de prendre quatre cents (400) ouananiches tandis que, pour la même année, les cannes à pêches des pêcheurs sportifs avaient attrapé quinze mille (15 000) ouananiches. Une étude scientifique réalisée par la Bande avec le ministère *Loisirs, chasse et pêche* a confirmé cette démonstration en comptant les prises.

Qui, pensez-vous, risquaient le plus de vider le lac Saint-Jean de ses ouananiches: Les pêcheurs autochtones avec 400 prises aux filets par année, ou les pêcheurs sportifs avec 15 000 prises par année avec leurs cannes à pêche ?

Vous constaterez un autre exemple en lisant le chapitre onze de cet ouvrage: LA GUERRE DU SAUMON N'EST PAS TERMINÉE.

Depuis plus d'une quinzaine d'années, j'ai négocié pour les Atikamekw et les Montagnais, pour la Nation wendat (huronne), pour les Abénaquis et, actuellement, pour la *Nation micmaque de Gespeg*.

À toutes ces tables de négociations importantes, je me suis heurté, comme négociateur en chef, à cette attitude de gens sans vision de certains juristes des ministères de la *Justice du Canada* et du Québec. Ces derniers refusent toute forme de reconnaissance de droits. Ce comportement dérisoire va aussi loin que de prétendre que les droits ancestraux des Autochtones n'existent pas.   Ils ajoutent, d'une façon quasi ridicule, qu'au cas où ils existeraient, il faut les éteindre par une clause d'extinction, ou de certitude - la nouvelle mode, ayant les mêmes objectifs.

Une telle vision obtuse n'a qu'un but: Démontrer que les gouvernements ne doivent pas s'occuper des droits ancestraux des Autochtones. Les droits de premiers occupants, selon eux, créent deux sortes de citoyens. Cette perspective vise surtout à affaiblir les revendications légitimes, territoriales ou autonomistes, des Premiers peuples. Pour le Québec, ils le font au nom de l'intégrité territoriale nationale et, pour le fédéral, sous le prétexte de l'émancipation, voire plutôt l'assimilation déguisée, et l'intérêt financier.

Il ne reste à ces détracteurs qu'à faire de l'obstruction systématique aux tables de négociation. Pour y arriver, ils exigent l'extinction pure et simple des droits autochtones par la nouvelle mode de la certitude blindée.   Ils réduisent l'autonomie gouvernementale à une banale délégation de pouvoirs et veulent faire payer des taxes et des impôts aux Indiens contrairement aux engagements pris par le fiduciaire des Amérindiens. Enfin, ils prônent que la pratique des activités traditionnelles de chasse et de pêche des Autochtones ne doit pas nuire à celle des activités sportives des chasseurs et pêcheurs québécois, les fameux tiers.

Une telle recette de la part des juristes de l'État a donné comme résultats, jusqu'ici, de bloquer systématiquement toute ouverture intéressante aux tables de négociation et de durcir les positions autochtones plus avant-gardistes. Il ne faut surtout pas oublier que ces derniers ont un rôle de premier plan dans la mise en place des grandes lignes d'un nouveau contrat social. Cette responsabilité garantit la paix sociale entre les Autochtones, les Québécois et les Canadiens, ou favorise les divisions qui nous détruiront.

Les juristes de l'État ont ni la capacité, ni la vision politique nécessaire, pour mener à bien cette responsabilité. Ils sont bornés par une vision juridique dépassée. Plus encore, ils sont tellement injustes qu'ils n'acceptent pas, pour les droits des Autochtones, les jugements de la *Cour suprême du Canada*, la plus haute instance de leur société de droit, les favorisant. Ce qui donne comme résultats qu'ils commettent mépris de cour sur mépris de cour en critiquant ouvertement ces jugements. Avez-vous remarqué qu'aujourd'hui on ne parle plus de mépris de cour. Pourtant, il y a quelques années, il s'agissait d'une faute majeure qu'il ne fallait pas commettre comme journaliste sans être puni. Maintenant que cette faute est commise volontairement par les juristes de l'État, on n'en tient plus compte...

Comme cette reconnaissance des droits autochtones n'est pas des plus rentable dans les sondages, nos valeureux politiciens auront plutôt tendance à suivre les conseils myopathes de leurs avocats. Il ne faut pas oublier que ceux-ci sont très présents dans l'appareil politique et administratif. Ils se serviront par la suite de ces conseils faussés par rapport à la réalité comme paravents pour rejeter toute prétention en ce sens des nations autochtones.

UN VIRAGE À 180 DEGRÉS S'IMPOSE

C'est à partir des résultats de la *Commission royale sur les peuples autochtones du Canada* et des récents jugements de la *Cour suprême du Canada*, un fondement solidement documenté, que les gouvernements du Canada et des provinces, dont le Québec, doivent bâtir l'avenir des peuples autochtones. Les solutions sont toutes là, à portée de main.

Même si, à prime abord, le prix peut paraître élevé, le gouvernement responsable des Canadiens, fiduciaire des Autochtones, doit en toute justice corriger l'erreur historique de l'occupation pacifique. Ce n'est surtout pas parce que la faute est si grande, comme c'est le cas pour d'autres causes de droit des citoyens, telle l'équité salariale dans la *Fonction publique canadienne*, par exemple, qu'il doit s'en abstenir. Au contraire, la Justice, sous toutes ses formes, commande une action réparatrice équivalente au tort causé; ce qui est le fondement même d'une société de droit dont le mot Justice s'écrit avec un grand « J », tel qu'on le prétend au Canada.

Maintenant que l'approche juridique rapetissée a connu ses waterloos répétitifs, il serait temps que le gouvernement du Canada et celui du Québec se ressaisissent. Ils ne peuvent plus soutenir les tenants de la négation à tous crins des droits ancestraux des Autochtones. Ils doivent choisir la voie de la reconnaissance des droits autochtones d'une manière « libérale et généreuse », comme le proposent la *Cour suprême du Canada* et la *Commission royale sur les peuples autochtones du Canada*.

C'est à mon sens le seul chemin que doivent emprunter ces deux ordres de gouvernement. Et c'est par ce choix politique qu'ils s'imposeront sur la scène internationale. Ils le feront comme nation avant-gardiste qui ne souhaite plus perpétuer, sur leurs territoires respectifs, l'approche colonisatrice amenée par les nations européennes, la France et l'Angleterre, sur cette terre d'Amérique.

Le temps est venu de se distinguer de ces peuples colonisateurs. La façon de le faire est sans contredit de couper ce dernier cordon ombilical qui nous lie avec ces pays d'un autre continent.

Il est impératif que les gouvernements du Canada et du Québec se définissent une politique avant-gardiste sur la reconnaissance des droits autochtones. Ils fonderont cette nouvelle vision à partir des revendications historiques des peuples autochtones, du rapport de la *Commission royale sur les peuples autochtones du Canada* et des jugements de la *Cour suprême du Canada*. Ils arrêteront un modus vivendi qui conduira à la négociation de nouveaux contrats sociaux acceptables mutuellement.

Il n'est pas nécessaire d'être un analyste juridique super perspicace pour voir, dans les jugements actuels de la *Cour suprême du Canada*, une forme de démonstration au pouvoir politique d'évoluer vers une interprétation généreuse, large et libérale. Plus encore, la plus haute instance de la Justice canadienne atteste que cette interprétation doit avantager les Premières Nations. Le fait d'ajouter que « les ambiguïtés, les doutes et les incertitudes doivent être résolus en faveur des Autochtones » prêche pour cette évolution de la pensée juridique et politique.

Cette vision claire et juste des droits ancestraux des Autochtones, amorcée par le juge en chef Brian Dickson, dans l'arrêt *Sparrow*, s'est poursuivi avec logique par l'ex-juge en chef, Antonio Lamer. Elle s'explicite petit à petit avec droiture.

Ceux qui souhaitent que le « retour du pendule » annule les gains des Indiens dans la définition de leurs droits ancestraux sont d'une très grande naïveté. Ils prennent même leurs désirs pour des réalités. Ces mégalomanes sont dangereux parce qu'ils sont prêts, par inconséquence, à détruire les fondements de la Justice au Canada en critiquant ouvertement sa plus haute instance. Il faut donc que les gouvernements les rappellent à l'ordre.

Souhaitons plutôt que les sages, ceux qui recherchent la paix sociale au Canada, réussiront à convaincre les leaders des gouvernements du Canada et du Québec de changer de voie sans avenir. Ces Canadiens éclairés doivent faire en sorte de convaincre les décideurs politiques de favoriser l'avenir prometteur du nouveau contrat de société négocié d'égal à égal, en toute justice. C'est d'ailleurs ce que prônent la *Cour suprême du Canada* et la *Commission royale sur les peuples autochtones du Canada* entre les Canadiens et les Amérindiens.

À l'aube du présent millénaire, le gouvernement du Québec, pour sa part, a décidé de reprendre de dossier autochtone à partir des 15 principes énoncés par le gouvernement de René Lévesque en 1983. Il désire suivre la voie tracée, en 1985, par la résolution de l'*Assemblée nationale* adoptée à l'unanimité. Dernièrement, le nouveau Premier Ministre du Québec, Bernard Landry, a affirmé clairement que les Premiers peuples auraient un rôle important dans ce Québec en devenir.

Puis, à partir des revendications historiques des peuples autochtones, des jugements de la *Cour suprême du Canada*, du rapport de la *Commission royale sur les peuples autochtones du Canada*, des 15 principes et de la résolutions de l'*Assemblée nationale*, du programme politique du gouvernement du *Parti québécois*, de la politique du Québec rendue publique et de l'intéressante consultation effectuée par le ministre libéral Christos Syrros qui traîne sur les tablettes et du manifeste du *Forum paritaire Québécois-Autochtones*, le gouvernement du Québec doit se tracer un programme d'actions. Cette plate-forme dynamique mettra d'abord de côté ceux qui les minent de l'intérieur s'ils veulent conclure des nouveaux contrats sociaux avec les Indiens.

LE DROIT INTERNATIONAL
EST IMPORTANT POUR LES AUTOCHTONES

Comme j'ai eu le plaisir de m'adresser aux congressistes du sixième congrès de la *Société québécoise de droit international*, il y a plusieurs années, je reprendrai ici quelques points majeurs développés à ce moment-là.

N'étant pas juriste par profession, je ne chercherai pas à disséquer, ni à analyser, le projet de *Déclaration sur les Droits des Peuples autochtones*, ni la *Convention 169* de l'*Organisation internationale du travail*. Il faut ajouter cependant que j'ai développé certaines connaissances dans le domaine par la pratique en côtoyant, depuis une quinzaine d'années, des juristes de la trempe des Renée Dupuis, Alain Bissonnette, Michel Jolin et d'autres mordus du droit autochtone comme Ghislain Otis, vice-recteur au Département du droit autochtone à l'université *Laval*.

D'ailleurs, des spécialistes beaucoup plus compétents que moi en la matière le font en soulignant les mérites et les failles de l'un comme de l'autre de ces instruments, ou futurs instruments, juridiques internationaux.

Pour ma part, c'est à titre de négociateur que j'aborde ici cette importante question. Pour bien camper ces observations, je vous souligne qu'elles iront dans le sens des principes et non pas de la technique. C'est donc ce genre de postulats que j'utiliserai pour vous expliquer ma position.

Ce sont les hypothèses que nous valorisons au cours de cette période historique de la négociation de nouveaux contrats sociaux. Ces lignes directrices, nous les retrouvons au coeur des revendications de la très grande majorité des divers peuples autochtones au Canada et sur la scène internationale.

J'ai donc regroupé mes idées autour de deux grands thèmes: Le projet de société des groupes autochtones que j'ai traité en détails dans le second chapitre de cet ouvrage intitulé VISION DE SOCIÉTÉ DES INDIENS DU CANADA et le rôle des normes internationales dans la reconnaissance de ce projet de société par un nouveau contrat social avec les Québécois.

Plus fondamentalement, pour moi comme négociateur, ce qui se retrouve au coeur des négociations avec les gouvernements, c'est la reconnaissance de notre projet de société. Au départ, il y a lieu de distinguer entre le contenu de ce projet de société et les moyens utilisés pour le faire connaître et, surtout, reconnaître par la population en général et par les gouvernements en particuliers.

Comme vous l'avez lu dans les précédents chapitres de cet ouvrage, il existe plusieurs façons d'exprimer ce projet de société. Mon défi, comme négociateur et communicateur, appuyé par les équipes que j'ai dirigées, a toujours été de trouver les mots, les expressions, les concepts qui reflètent bien le projet de société de chacune des nations pour qui je négocie. Il faut qu'il demeure compréhensible, avec une vision uniforme, et acceptable pour les représentants des gouvernements. C'est un défi de taille puisque l'exercice en est toujours excessivement périlleux.

Ses fondements sont pourtant clairs et simples à comprendre. Quelle que soit la façon de l'exprimer, ce projet de société existe dans la société autochtone depuis des temps immémoriaux.

Cependant, ce lien à un territoire ancestral est dangereusement menacé par les divers projets de développement, hydroélectriques, de militarisation, comme les vols à basse altitude, et autres, souvent inconsidérés. La raison est que la réalisation de ces projets n'a pas fait l'objet d'un débat de société chez les dominants.

La persistance d'une culture particulière est toujours bien vivante chez nous. Cette culture originale est liée à la langue, à la notion de parenté ainsi qu'à la vie communautaire, tant sur les territoires de chasse qu'entre les individus au sein de la communauté. Cette culture s'exprime, entre autres, par une façon différente d'envisager la vie, le temps, l'école, le travail, le rôle des enfants et celui des aînés.

Ce projet de société vise des objectifs précis en assurant l'existence et le maintien du rapport au territoire ancestral et de la culture des Autochtones. Il nous permet de nous épanouir dans un contexte contemporain.

Les gouvernements sont des interlocuteurs privilégiés qu'on ne peut pas ignorer, d'où l'importance de la négociation. Pourquoi ? D'abord, parce que ce sont eux qui adoptent les lois et prennent les grandes décisions sur le développement du territoire ancestral. Or, ces lois ont eu des effets catastrophiques sur nos populations.

Quelques exemples: La création des réserves a malheureusement créé plus de problèmes qu'elle a trouvé de solutions. Le statut d'incapables légaux suit encore les Autochtones. Pensez que nous n'avons eu le droit de vote au Québec qu'en 1969. Je ne peux pas non plus mettre ma maison de Mashteuiatsh en garanti à une banque quelconque parce que le terrain où elle est située appartient à Sa majesté la reine du Canada. Saviez-vous que, comme Innu de Mashteuiatsh, je ne suis pas maître de mon testament et mon tuteur, le ministre des *Affaires indiennes et du Nord Canada*, pourrait le changer.

Les lois sur la chasse et sur la pêche ne respectent pas la culture et les traditions des Amérindiens. Les conseils de bande sont sous une surveillance exagérée et constante du ministère des *Affaires indiennes et du Nord Canada*. Les développements se font sur nos territoires ancestraux sans qu'on en retire quoi que ce soit de substantiel. Et, n'oubliez pas, que tout ça est le fruit des lois ou règlements des gouvernements en place.

À cause de l'existence de nos droits ancestraux, reconnus maintenant avec beaucoup plus de force par la *Cour suprême du Canada*, les gouvernements ont accepté d'engager des négociations, Ces négociations ont pour but de redonner à nos populations la place qui leur revient au sein de la société québécoise et canadienne.

Pour nous, ce que nous voulons obtenir par la négociation se résume en deux grandes idées maîtresses:

1) L'aùpplications de droits issus de traité au sujet de notre territoire ancestral, de nos institutions politiques, de nos activités traditionnelles de chasse, de pêche et de piégeage, de nos leviers économiques, de nos richesses naturelles, de notre sécurité sociale avec un régime de revenu minimum garanti, de notre mode de vie distinct et de notre affirmation culturelle;

2) la possibilité de modifier ou d'améliorer l'accord ou l'entente, conclu avec les gouvernements parce qu'on ne peut pas tout prévoir aujourd'hui et qu'on ne peut pas tout assumer à ce moment-ci. Donc, il faut faire preuve d'un étapisme responsable.

Les gouvernements s'enferment, hélas trop souvent, dans une logique légaliste et mesquine. Je m'interroge d'ailleurs sur cette cohérence réductrice qui l'emporte sur la négociation sincère. Plus d'ouverture d'esprit nous aiderait à mieux orienter nos batailles.

Par exemple, sous prétexte que notre territoire ancestral ait subi plus d'empiétement que ceux des groupes autochtones vivant plus au Nord, on nous offre des superficies ridicules de territoire où nous pourrions être propriétaires, ou exercer des droits particuliers de chasse et de pêche.

On cherche à réorienter la négociation sur la notion étroite des besoins actuels de nos populations, ce qui a pour objectif de la rétrécir, plutôt que d'accepter de réfléchir en termes d'autonomie gouvernementale à assumer pour maintenant et pour l'avenir.

Sous prétexte de besoin de certitude, on rejette comme la peste la notion évoluée d'entente dynamique qui puisse progresser avec le temps. On se méfie de tout mécanisme souple d'interprétation de la future entente, notamment, la médiation, la conciliation ou l'arbitrage, comme c'est pourtant devenue partout la règle en droit de commerce international ou en droit du travail.

En termes de rapport de forces devant les gouvernements, nous sommes toujours David contre Goliath; d'où l'absolue nécessité de faire connaître notre projet de société non seulement aux gouvernements, mais aussi aux personnes et aux diverses communautés que représentent les gouvernements. Dans le domaine des négociations, le gouvernement fédéral, à titre de fiduciaire des Indiens du Canada, demeure juge et partie.

Ainsi, ces personnes et ces diverses communautés pourront mieux juger des attitudes mesquines de leurs gouvernements et de leurs représentants politiques pendant ces négociations. Peut-être s'apercevront-ils que leurs soi-disant représentants ne défendent pas si bien leurs intérêts, mais plutôt ceux de quelques gros tiers, capables de se payer du *lobbying politique*, comme le font les grandes compagnies utilisatrices des territoires ancestraux telles les compagnies forestières...

LE RÔLE DES NORMES INTERNATIONALES DANS LA RECONNAISSANCE DE NOTRE PROJET DE SOCIÉTE

Il est bien évident que la reconnaissance d'un projet de société par les gouvernements du Québec et du Canada touche les cordes sensibles de la souveraineté des Etats. Un traité de Nation en Nation ne saurait ignorer le cadre général des normes envisagées au niveau international sur le droit des peuples autochtones.

Je ne peux pourtant que constater que l'évolution de cet important dossier qu'est la *Déclaration sur les Droits des Peuples autochtones* stagne depuis 1982, moment de la formation d'un groupe de travail sur les populations autochtones de la *Sous-commission pour la promotion et la protection des droits des droits de l'homme* - anciennement nommée la *Sous-commission pour la prévention de toute forme de discrimination et protection des minorités* - est des plus stagnante. Une partie du mandat de ce groupe de travail est d'établir des normes et des standards internationaux.

Le projet de déclaration, qui comprend quarante-cinq (45) articles, a été rédigé par des experts indépendants, membres du groupe de travail de la sous-commission. Des représentants des peuples autochtones et des gouvernements du monde entier ont eu l'occasion d'en discuter de long en large.

Ce projet de déclaration a été approuvé par la *Sous-commission de la promotion et de la protection des droits de l'homme* en 1994. Il est maintenant l'objet de discussions au groupe de travail intersessionnel de la *Commission des droits de l'homme*, une instance où sont les États qui sont membres.

Au moment d'écrire ces lignes, après six ans de discussions à cette dernière instance regroupant les États, seuls deux articles sur 45 ont été adoptés.

Des pays, comme entre autres, l'Angleterre et le Japon, sont en total désaccord avec les principaux concepts de la déclaration. Quelques pays d'importance secondaire sont disposés à accepter tel quel le projet de déclaration. Pour sa part, le Canada est dans le peloton des nombreux pays qui se disent en accord avec les principes qui sous-tendent le texte, mais négocient des changements dans la rédaction de la plupart des articles pour en diminuer la portée.

Le problème majeur se retrouve dans le fait que tous ne s'entendent pas sur la question de reconnaître que les droits à la libre détermination des peuples, soit que les peuples autochtones aient le droit de disposer d'eux-mêmes, dans son plein effet juridique (en droit international) s'appliquent aux Autochtones. Plusieurs États souhaitent qualifier ce droit à la libre détermination pour y introduire la notion de respect de l'intégrité territoriale, ou celle d'autodétermination interne telle que le spécifie le rapport de la *Commission royale sur les peuples autochtones du Canada*.

Pour les Autochtones, une telle qualification équivaudrait à faire des peuples autochtones des peuples de seconde ordre; ce qui est nettement inacceptable. Ils revendiquent les mêmes droits que tous les autres peuples de la terre.

Bien que le Canada se dise d'accord avec la plupart des concepts de la déclaration, sa stratégie consiste à négocier chaque article pour en atténuer la portée globale. Une telle attitude pour le moins ambiguë est inacceptable pour les Indiens du Canada. À ce moment-ci, le travaux sont bloqués; ce qui rend peu probable la réalisation de l'objectif de la *Commission des droits de l'homme de l'O.N.U.* d'adopter une telle déclaration avant la fin de la décennie consacrée au peuples autochtones, soit en 2004.

Quant aux représentants des peuples autochtones, ils défendent presque unanimement le projet provenant de la Sous-commission. Pour eux, ce projet de déclaration est un minimum acceptable qui a fait l'objet de toutes les concessions nécessaires. Ils considèrent que le texte actuel est le fruit d'un très long débat qui a obligé des compromis de part et d'autre. Plus encore, il a été l'objet d'une révision technique de la part des *Nations Unies*. Il n'est donc plus question de rouvrir ce texte à des changements qui seraient susceptibles de l'affaiblir.

Permettez-moi de dresser brièvement ce qui m'apparaît constituer ces normes comprises dans le projet de *Déclaration sur les Droits des Peuples autochtones*. Ensuite, je chercherai à dégager le rôle que ces normes peuvent jouer dans la reconnaissance de notre projet de société.

A) LES NORMES FONDAMENTALES COMPRISES DANS LE PROJET DE *DÉCLARATION SUR LES DROITS DES PEUPLES AUTOCHTONES*

Je veux rappeler ici les droits les plus fondamentaux qui me semblent inscrits dans le projet de *Déclaration sur les Droits des Peuples autochtones*:

1. Le droit à l'autodétermination.
2. Le droit d'être protégé contre l'ethnocide.
3. Le droit collectif et individuel de propriété, de possession et d'usage des terres ou des ressources qu'ils occupent et utilisent traditionnellement.
4. Le droit à ce que ces terres ne puissent pas leur être prises sans qu'ils aient donné leur consentement libre et éclairé dans un accord ou un traité.
5. Le droit de revendiquer les ressources de la terre et du sol ou, en cas d'impossibilité, d'être justement et équitablement indemnisés quand les États confisquent ces terres sans leur consentement.
6. Le droit de participer pleinement au niveau de l'État, par des représentants choisis par eux-mêmes, à la prise et à l'exécution des décisions intéressant toutes les questions nationales et internationales susceptibles de modifier leur vie et leur destinée.
7. Le droit collectif à l'autonomie dans les questions intéressant leurs propres affaires intérieures et locales.
8. Le droit d'entretenir et de développer les relations de coopération culturelle, sociale et commerciale avec d'autres peuples autochtones par-delà les frontières des États et l'obligation par les États concernés d'adopter des mesures en vue de faciliter ces contacts.
9. Le droit d'avoir accès à des procédures acceptables et équitables pour résoudre les conflits ou les différents qui les opposent aux États. Ces procédures peuvent inclure, selon les cas, le recours à des négociations, à de la médiation, à de l'arbitrage, aux tribunaux nationaux et aux mécanismes internationaux et régionaux d'examen des plaintes en matière de droits de l'homme.

Voyons maintenant comment ces normes qui, quant à moi, m'apparaissent minimales, peuvent favoriser la reconnaissance de notre projet de société.

B) LE ROLE QUE CES NORMES PEUVENT JOUER DANS LA RECONNAISSANCE DE NOTRE PROJET DE SOCIÉTÉ

Lorsque l'on vit une négociation visant à faire reconnaître, inscrire dans des lois et respecter sur le terrain un projet de société distinct, on découvre les écarts de langage de certains représentants de l'État. Combien de fois ne se bute-t-on pas sur le fameux argument des lois qui ne peuvent pas être changées, ni transgressées ?

On retrouve pourtant dans toutes nos déclarations, comme dans celles de tous les groupes autochtones, cette idée bien simple qu'il y a lieu de conclure des ententes particulières avec les peuples autochtones. On retrouve aussi ce genre d'exigence dans les normes internationales que l'O.N.U. veut adopter. Pourquoi? Pour la simple et bonne raison que le statut de premiers occupants commande ce genre d'ententes. Ces dernières doivent de plus contenir des clauses leur permettant de modifier un certain nombre de lois et de règlements.

Le principe même de notre autonomie l'exige et il ne s'agit pas là de sécession ou d'anarchie, mais bien de l'acceptation d'une organisation politique, sociale et économique qui corresponde à nos traditions et surtout à nos ambitions.

Il existe encore chez nos fonctionnaires et nos politiciens trop d'individus qui rejettent cette idée. Ils applaudissent à tout rompre ceux qui viennent leur dire, entre quatre murs de certains lieux feutrés des édifices gouvernementaux, que les Autochtones ne veulent pas d'autonomie.

Nous disons, nous, que nous la voulons cette autonomie. Et bien d'autres représentants légitimes des peuples autochtones répètent sur toutes les tribunes, depuis des décennies, qu'ils veulent leur autonomie. Le projet de *Déclaration sur les Droits des Peuples autochtones* le dit aussi : Les peuples autochtones veulent voir protéger, au plus haut niveau, leur droit à l'autonomie. La *Commission royale sur les peuples autochtones du Canada* a souligné, dans son rapport rendu public en 1996, l'importance de l'autonomie gouvernementale des Premiers peuples dans le débat actuel.

Je pense qu'une façon simple d'utiliser ces normes, inscrites dans le projet de *Déclaration sur les Droits des Peuples autochtones*, est de les faire connaître au plus grand nombre d'individus possibles. Il faut le faire aussi bien au sein de nos communautés qu'au sein de l'opinion publique.

Une fois mieux connues, ces normes pourraient ensuite servir de critères pour analyser, juger et même critiquer les attitudes de ceux qui prétendent représenter l'ensemble de la population lorsqu'ils négocient avec nous.

A mon avis, les spécialistes du droit international, comme les gens bien-pensants québécois et canadiens, ont le rôle primordial d'informer sur ces normes internationales élaborées. C'est une mission importante pour ces personnes, ces organisations telles que la *Société québécoise de droit international*, le *Conseil canadien de droit international*, et des institutions comme le Département des sciences juridiques de l'*Université du Québec à Montréal*. Et je crois que le rôle qui nous revient à tous, en second lieu, est d'utiliser ces normes comme grille d'analyse pour les actions entreprises par nos dirigeants.

Puisse chacun d'entre nous accepter d'assumer un tel rôle. Le faire par la suite de manière à favoriser le mieux possible le long et difficile portage que nos peuples ont entrepris vers leur libération tant intérieure qu'extérieure dans leurs rapports avec les gouvernements.

VII

NÉGOCIATION EST UN MOT
QUI N'EXISTE PAS
EN LANGUE INDIENNE

« J'AURAI CONFIANCE EN TOI,
COMME NÉGOCIATEUR, LE JOUR OÙ JE SAURAI
QUE TU ES CAPABLE DE PÊCHER AVEC UN FILET
SOUS LA GLACE »

Messieurs Mathieu André, de Uashat mak Mani Utenam, décédé il y a quelques années, et William-Mathieu Mark, de La Romaine, m'ont fait successivement, à quelques mots près, cette remarque très amicale, mais pour le moins surprenante. Il s'agit de deux anciens innus (montagnais) respectés.

D'autres Indiens de nations différentes m'ont répété, en substance, à quelques reprises, le même genre de propos.

Je sais maintenant que cette curieuse vision exprime très bien la perception qu'ont plusieurs Amérindiens d'une négociation.

J'avoue avoir été d'abord heurté par ce genre d'affirmation. Elle contredisait ma façon de percevoir les qualités que devait posséder un bon négociateur.

Plus encore, cette curieuse allégation me démontrait que l'écart entre la vision du geste de négocier des Autochtones et celle des représentants du gouvernement du Canada et celui du Québec était grand. Pour ces sages autochtones, il s'agissait de parler aux *Blancs* des bienfaits de leur *Terre-Mère* tandis que, pour les négociateurs canadiens, c'était de s'approprier de leurs terres ancestrales d'une façon légale.

Ces derniers souhaitaient régler cette question de droits territoriaux, ancestraux, en échangeant ces droits existants, pour eux hypothétiques, pour des droits réels, issus de traité négociés.

Cette différence de compréhension devenait, pour plusieurs, presque infranchissable. Ce qui me portait à déduire que le genre de travail de négociateur, que j'avais entrepris, serait imperceptible par la majorité des Amérindiens.

J'ai cherché à connaître le pourquoi de cette étrange, voire même bizarre, perception du rôle du négociateur autochtone.

Si on veut comprendre ce sentiment qui les animent, il faut d'abord savoir que, dans la majorité des langues autochtones, dont celle des Innus, le mot négociation n'existe pas. On tente, tant bien que mal, de décrire cette action en soulignant que l'ancien va palabrer, sous la forme d'un monologue, devant l'homme *blanc*. Il lui raconte les difficultés qu'il rencontre pour vivre maintenant sur le territoire ancestral. Il espère ainsi que son interlocuteur comprendra ses problèmes et surtout l'aidera à les résoudre.

C'est ainsi que l'ancien, ou le chef, reconnu habituellement comme un excellent tribun, expliquait avec moult détails, très souvent poétiques, la vie agréable du passé. Il soulignait que l'arrivée de l'homme *blanc* avait rendu de plus en plus difficile la pratique des activités traditionnelles de chasse, de pêche, de trappe et de cueillette sur le territoire de ses ancêtres pour la survivance des siens.

J'ai appris que son objectif n'était pas de quémander puisqu'il était trop fier pour se plier à une telle gymnastique, mais bien de faire comprendre ses besoins. Il n'exigeait pas. Il souhaitait que l'homme *blanc* respecte ses devoirs envers son peuple nomade. Il comptait beaucoup plus sur le sens des responsabilités et de partage des représentants *blancs* que sur le fait d'être en droit d'obtenir des réponses à ses demandes. Le droit est un autre concept venant d'ailleurs, très souvent incompris par les plus vieux.

Dans l'esprit de cet ancien, il n'était aucunement question d'insister outre mesure; ce qui n'est pas un trait de sa culture. Il faisait part des doléances de sa population à travers un long discours sur le mode de vie traditionnel sur le territoire. Cette harangue n'avait pas l'agressivité du débat verbal habituel en négociation. Cette absence totale de dispositions agressives est d'ailleurs le trait caractéristique du tribun autochtone des nations nomades du temps passé. Il espérait plutôt que les représentants *blancs* en avaient compris le sens et surtout l'importance pour son peuple qui ne demandait qu'à survivre.

Très fier qu'on l'ait entendu, il revenait à son campement ou, plus tard, à sa réserve. Il n'avait eu aucune réponse précise sinon un simple encouragement verbal, dénudé de toutes conséquences, d'un politicien, ou d'un obscur fonctionnaire. Lui qui vivait au coeur d'une tradition orale, il ne pouvait pas savoir que, pour les *Blancs*, seuls les écrits comptent. Il avait rencontré l'homme *blanc* et lui avait parlé. Il s'était entretenu de bonne foi avec ce personnage important. Il lui restait à espérer que ce dernier leur apporte le soutien demandé.

Le fait de s'être adressé à un représentant *blanc* en autorité et de lui avoir parlé, même si les résultats n'y étaient pas, constituait déjà un grand honneur. Cela faisait de cet aîné un personnage de premier plan, important et respecté, dans sa réserve.

À quelques exceptions près, les *leaders* autochtones ont toujours été, et le sont encore aujourd'hui, très naïfs dans leurs relations avec les politiciens *blancs*. Ils ont toujours été convaincus que le fait de s'adresser à des politiciens *blancs* en autorité était indispensable même si, dans 90% des cas, cela donnait peu de résultats palpables.

Plus encore, certains des leurs ont fait carrière en faisant en sorte que les chefs des Premiers peuples puissent avoir des contacts fréquents avec les représentants politiques. Ces lobbysmes devenaient d'ailleurs des gens très populaires auprès des chefs.

Pour les *leaders* autochtones, le pouvoir politique est omniprésent. Ils sont très flattés d'avoir pu parler au représentant politique. Les résultats de leurs démarches sont quasiment secondaires s'ils s'adressent au ministre en titre, ou si ce dernier vient les visiter dans leur réserve.

Ces messieurs (les politiciens) ont donc compris qu'une simple promesse verbale suffisait à satisfaire les Indiens en leur faisant oublier leurs récriminations.

Je comprends qu'une telle conception historique de la négociation conduise à une aussi curieuse définition du rôle du négociateur et de ses qualités essentielles. Il est tout à fait normal que certains aînés croient aux fondements d'avoir un vécu sur le territoire et d'en connaître toutes les facettes pour en discourir avec sagesse. Pour ces derniers, il est incontestable que, pour bien y palabrer et le faire d'une façon imagée, il est nécessaire de l'avoir parcouru de long en large. Qui mieux que celui qui pratique encore le mode de vie traditionnel sur le territoire ancestral peut en pérorer avec sagesse à l'homme *blanc*...

Pour eux, c'est clair que le négociateur n'est pas le débattant intellectuel qui utilise les moyens modernes dont des dossiers bien étoffés, qu'ils jugent être une méthode de *Blancs*. La nécessité de convaincre, de contredire, de démontrer, d'éclaircir, etc., donc d'exceller sur le terrain de ces derniers, n'est pas aussi manifeste. Il doit plutôt être la personne respectée par les siens pour sa connaissance pratique du mode de vie traditionnel.

Il est plus important à leurs yeux que leur négociateur sache chasser, trapper et « pêcher sous la glace avec un filet » pour mieux plaider en faveur du territoire ancestral puisqu'il s'agit, selon eux, d'une véritable négociation territoriale.

UNE NOTION DE PROPRIÉTÉ BIEN DIFFÉRENTE

On doit ajouter que la grande majorité de ces aînés considère appartenir à cette terre ancestrale et non pas la posséder selon la conception de propriété *blanche*. S'ils ne prétendent pas en être les propriétaires dans le sens avancé par l'homme *blanc*, il n'en demeure pas moins qu'ils croient que ces territoires font partie du patrimoine que leur ont légué leurs ancêtres. Le Créateur leur a transmis la responsabilité de l'entretenir et de le protéger. Ils peuvent s'en servir pour se nourrir en faisant en sorte de protéger les espèces fauniques qui vivent sur ce territoire.

Pour les anciens actuels, il est incontestable que les territoires de chasse, que leurs ancêtres ont fréquentés depuis des temps immémoriaux, leur ont été confiés par le Créateur. Ils peuvent les utiliser comme bon leur semble, selon la tradition transmise de génération en génération, sans avoir à demander la permission à qui que ce soit, ni à respecter les règles ou les lois des autres.

Un titre de propriété, fondamental au système juridique de la majorité dominante, ne veut rien dire pour les plus vieux Amérindiens. Ils appartiennent à la *Terre-Mère* et cette dernière n'est pas vraiment à eux. C'est un bien collectif qui leur a été confié par le maître de toutes choses et qu'ils utilisent avec respect.

Il faut dire que le fiduciaire des Indiens du Canada a utilisé leur conception différente de la propriété pour les déposséder de toutes parcelles de terre. Il a fait en sorte que les membres des Premiers peuples ne soient pas propriétaires sur les réserves. Un tel dépouillement des biens les plus chers des Premiers peuples, leurs terres ancestrales, est un geste inqualifiable.

Le gouvernement du Canada, le fiduciaire des Indiens, en a profité pour utiliser une telle vision de la propriété autochtone pour s'approprier, à bon compte, de leurs territoires ancestraux. Parce que les Indiens ne se disaient pas propriétaires de leur *Terre-Mère*, le gouvernement du Canada se croyait autoriser à s'accaparer des territoires ancestraux des Premiers peuples pour les distribuer aux colons.

Cette forme de propriété, conservée intacte par les peuples autochtones, a toujours été, dans le passé plus lointain, la principale raison des guerres entre les peuples autochtones. Les Amérindiens défendaient leurs territoires de chasse, de pêche et de trappe, leur seul moyen de survivance. Ils protégeaient ainsi la survie de leur peuplade.

Je constate qu'une telle différence de perception, diamétralement opposée à la notion de propriété des *Blancs*, ne pouvait que conduire à l'incompréhension. Elle a mené à des abus de la part de certains profiteurs qui y voyaient une belle occasion de s'accaparer du bien d'autrui sans verser les compensations nécessaires.

Profitant de la naïveté des premiers habitants de ce continent, les premiers Européens, par les gestes législatifs et autres de leurs gouvernements, ont occupé cette terre d'adoption. Ils en ont fait leur propriété au cours des années. Ils l'ont développée sans prendre en considération les intérêts des premiers véritables utilisateurs en justifiant leurs gestes par le progrès.

Si les *Blancs* utilisent ces territoires ancestraux pour leur développement social et économique, ce n'est que la résultante d'une déformation de concept de propriété collective, de la tolérance et de l'esprit de partage des Autochtones. Les nouveaux arrivants ont exploité, à outrance, cette candide perception de la possession de biens.

Pourquoi négocier au moment où les Indiens veulent récupérer leurs territoires, songent plusieurs d'entre-eux, puisque ces terres leur appartiennent en propre et cela sans papier depuis toujours. Ces territoires n'ont jamais été cédés, ni conquis, par qui que ce soit. Ils ont mis ces territoires à la disposition des *Blancs* pour utilisation temporaire, des droits d'usufruit. Ces terres ancestrales constituent leur héritage. Certains trouvent la démarche de négociation futile et insensée comme s'il fallait négocier avec les banquiers pour récupérer son propre argent, placé dans un compte d'épargne.

Les Indiens du Canada favorisent la ratification de nouveaux contrats sociaux avec les gouvernements actuels. Ils le font peut-être un peu tard, j'en conviens, parce qu'ils ont autorisé les *Blancs* à occuper la place. À cause de la rétrocession d'une partie des terres ancestrales, ils savent que les changements importants auront des effets considérables sur l'ensemble de la population canadienne. Cette entente formelle prendra tous ces éléments en considération.

Cela ne doit pas signifier que, à cause du choix de la majorité écrasante, les Autochtones vont continuer à subir les affres de l'occupation pacifique sans mot dire; au contraire, ils veulent profiter de l'instant historique que leur procure la négociation de ces nouveaux contrats sociaux pour récupérer une partie importante des territoires ancestraux qu'on leur a tout simplement volés.

Ils souhaitent retrouver et actualiser les formes de souveraineté et d'autonomie qu'ils avaient jadis avant l'arrivée de l'homme *blanc* pour mieux se développer selon leurs propres choix de société. Ces choix respecteront la spécificité de leurs cultures, de leurs langues et de leurs modes de vie. Il s'agit d'harmoniser, avec leurs voisins *blancs*, cette nouvelle façon de vivre ensemble sur les territoires ancestraux qu'ils acceptent de partager.

Pour nous, ces fameux droits d'utilisation, ou d'usufruit, que l'on dit être les droits ancestraux des premiers habitants, devraient être ceux des *Blancs*. Pour son plus grand bien, la société dominante s'enrichit de ce qui provient des territoires amérindiens. Ce sont eux qui ont profité de la tolérance des Indiens. Selon la *Proclamation royale de 1763* et la *Cour suprême du Canada*, ils ont utilisé une partie importante des territoires ancestraux des premiers habitants de cette terre que l'on nomme Canada, ou Québec, sans en être les vrais propriétaires.

Plus encore, ils ont galvaudé la définition de ces droits d'utilisation à un point tel que, pour eux, ces droits d'usufruit sont devenus des véritables droits de pleine propriété.

Tout cela semble être arrivé d'un coup de baguette magique sans en avoir payé un seul cent d'achat, ou les avoir conquis par les armes. Juste le fait que des membres « de la race supérieure », ainsi qualifiée par certains historiens, aient daigné occuper la place aura suffi.

Ils ont même réussi le tour de force de se convaincre que nous et nos ancêtres, comme de parfaits crétins et heureux de l'être, n'ont jamais cru être les propriétaires des terres qu'ils occupaient. Pourquoi ? Pour la simple raison, pensent-ils, que nous avions une conception différente de propriété collective des terres.

Les Indiens exprimaient leur notion de propriété d'une façon imagée lorsqu'ils disaient qu'ils appartenaient à la *Terre-Mère* et qu'elle n'était pas à eux individuellement.

Est-ce assez fort ?

Je sais que, selon une curieuse perception de leur part, très intéressée d'ailleurs, ils ont prétendu que ces terres n'appartenaient à personne. Par contre, on reconnaît qu'elles étaient occupées depuis des temps immémoriaux par des nations autochtones souvent mieux organisées et plus civilisées que certaines nations barbares européennes du temps.

Pourtant, certains Québécois contemporains continuent d'avoir cette prétention de la race dite supérieure des premiers temps de la colonie. C'est pousser bien loin le mépris envers des gens qui ont enseigné à leurs ancêtres la survie dans ce pays qui leur était hostile et avec qui ils ont partagé leur bien le plus cher.

Il n'est pas nécessaire d'être un observateur bien futé pour déduire que les *Blancs* ont, avec le temps, profité de droits d'occupation, dite pacifique, qui les ont favorisés.

Il s'agit de connaître le dossier autochtone pour savoir à quel point le gouvernement du Canada fait face à un nombre effarant de revendications particulières de bandes indiennes. Les agents du gouvernement fédéral du passé n'ont même pas su protéger la minime partie officielle les terres réservées aux Indiens (les réserves) tel que prescrit par la Couronne dans le rôle de fiduciaire du gouvernement du Canada.

Ce tuteur incompétent et malhonnête a abusé des Indiens et a laissé les colons canadiens prendre place et demeurer des occupants illégaux (*squatters*) sur ces terres de réserves. Il les a même encouragés en offrant à des immigrants européens plusieurs acres de terre à cultiver... Je suis convaincu qu'il les a incités par toutes sortes de formules de subventions pour qu'ils développent ces territoires ancestraux des Indiens.

Le gouvernement fédéral croyait sans doute que ses lois favorisant l'assimilation auraient des résultats positifs. Il était convaincu que les Indiens disparaîtraient. Selon sa stratégie, les gestes qu'ils posaient ne devaient avoir aucune conséquence sur l'avenir puisqu'il n'y aurait plus d'Autochtones.

Heureusement pour nous, la planification du génocide pacifique par notre tuteur et notre fiduciaire n'a pas donné les résultats escomptés. Son incompétence a fait en sorte qu'il se retrouve avec un magistral problème entre les mains. Comment, en toute justice, doit-il réparer cette faute grave ? La rétrocession d'une partie importante des terres ancestrales des Autochtones est la solution logique, mais l'occupation pacifique, qu'il a favorisée à grands frais, rend cette solution quasi irréalisable.

Au temps de la colonisation, des colons québécois se sont établis, sans les acheter ou les louer, sur les terres réservées aux Indiens. Ils ont prétexté que ces derniers n'occupaient pas ces terres fertiles à la culture agricole. Selon eux, parce que les Amérindiens étaient des chasseurs-cueilleurs et préféraient vivre en forêt, ils n'utilisaient pas ces terres.

Au nom du développement, il fallait que le gouvernement fédéral enlève aux Indiens ces terres inutilisées pour les remettre aux colons. C'est ce qu'il a fait à plusieurs reprises et à plusieurs endroits...

C'est le cas vécu, par exemple, des Ilnutsh (Montagnais) - les Indiens de ma communauté écrivent de cette façon le mot Innu au pluriel - du Piékouagami (le lac Saint-Jean), à Mashteuiatsh, la réserve où ont habité mes ancêtres et que j'habite aujourd'hui. Ces derniers se sont plaints de ce fait à maintes reprises auprès du gouvernement canadien.

Au lieu de mettre ces *squatters* dehors, puisqu'ils vivaient illégalement sur les terres des Autochtones, l'agent des Indiens a tout fait pour convaincre les autorités de la Bande de leur vendre la partie de cette réserve qu'ils habitaient. Le missionnaire nommé aux services des Ilnutsh l'a aidé de son poids moral à convaincre les Indiens récalcitrants de vendre une partie de leur minime territoire.

Le gouvernement fédéral, comme fiduciaire, a de plus négligé de récupérer une importante partie de l'argent de la vente de ces terres. Le gouvernement du Canada a dû corriger son erreur il y a quelques années. Il a compensé le Conseil de Bande pour les pertes financières de développement encourues.

Que ferait aujourd'hui la Justice canadienne d'un curateur public chargé d'assister un mineur dans certains actes et d'administrer ses biens, ou de veiller à ses intérêts, qui l'abuserait en s'accaparant de ses richesses ? Est-ce qu'elle fermerait les yeux face à un tel abus ou ferait en sorte que la Justice se réalise ? Il se retrouverait bien sur au banc des accusés et recevrait la punition qu'il mérite? Aucun de nous ne pourrait imaginer le contraire...

La *Commission royale sur les peuples autochtones du Canada* a démontré dans son rapport rendu public en 1996, hors de tout doute sérieux, que le gouvernement du Canada avait failli comme fiduciaire des Indiens du Canada et qu'il avait été un tuteur malhonnête et incompétent. Elle a établi que les Indiens ont souffert de tels abus et en sont aujourd'hui marqués profondément; ce que la ministre des *Affaires indiennes et du Nord Canada* d'alors, madame Jane Stewart, avait reconnu pour le Canada.

La *Commission royale sur les peuples autochtones du Canada* a élaboré un plan d'actions sur 20 ans pour corriger cette situation inacceptable. Les commissaires prônent de redonner, aux Indiens, un espoir d'avenir. Le gouvernement canadien, précisent-ils, doit leur rendre la place qu'ils auraient dû occuper à cause de leurs traités de paix et d'alliance, signés de bonne foi avec la *Couronne française*, la *Couronne britannique* et le Canada. Plus de cinq ans plus tard, parce que la faute est trop importante, on préfère continuer l'injustice...

Pourquoi est-ce différent pour les peuples autochtones du Canada, doit-on se demander ?

Le dossier des revendications particulières, qui consiste à corriger les manquements du fédéral face à son rôle de fiduciaire, est volumineux à travers le Canada. Puisque les règlements négociés sont de plus en plus complexes et coûteux, force est de constater que le gouvernement fédéral, par une loi de la *Chambre des communes*, va bientôt mettre fin à ces revendications. Il emploiera l'éternel argument du manque de fonds publics. Il va, sans aucun doute, avoir l'appui de la population canadienne. Encore une fois, les peuples autochtones auront à souffrir de l'absence de justice.

Aujourd'hui, le gouvernement du Canada doit admettre qu'il n'a pas rempli son rôle de fiduciaire. Selon la politique gouvernementale établie à ce sujet, il doit réparer le tort qu'il a ainsi causé aux groupes indiens qui ont été lésés et bafoués.

Plus généralement, il reste au gouvernement du Canada et à celui du Québec à défrayer ces locations ou à rétrocéder une partie importante de ces terres ancestrales aux Premiers peuples, les véritables propriétaires. Selon moi, ce n'est que simple justice...

Les gouvernements doivent clarifier l'application des droits territoriaux et de souveraineté - une forme d'autonomie gouvernementale inhérente - des Autochtones pour le futur. Ces corrections pourraient se retrouver dans de nouveaux contrats sociaux équitables et négociés d'égal à égal. Ils réaliseront cet acte de justice de la même manière que les Européens, leurs ancêtres, le faisaient dans leurs traités de paix, d'alliance et de neutralité avec les premiers habitants. Il serait important de le faire avec encore plus de générosité et d'honnêteté.

Il faut ajouter cependant qu'ils ont signé de tels traités alors que les Indiens étaient plus nombreux et constituaient une menace réelle...

Ils doivent respecter l'engagement formel de la *Proclamation royale de 1763* des conquérants anglais, reconnue avec force depuis 1973 par la *Cour suprême du Canada* comme « [...] la déclaration des droits des Indiens ». La *Couronne britannique* s'était de plus engagée à respecter les traités conclus par la France avec les Indiens durant la période de la *Colonie française*.

Le roi d'Angleterre, George III, a mentionné, dans cet édit royale de 1763, que les futurs gouvernements des territoires conquis doivent signer des traités avec les Indiens avant d'occuper les terres réservées à leurs alliés.

Ces terres couvraient tout le Canada actuel et une partie des États-Unis hors des limites de la *Colonie française*. Cette colonie occupait les rives du fleuve Saint-Laurent, « le chemin qui marche » comme l'appelaient, en ce temps-là, les Indiens qui l'utilisaient comme voie de communication.

Au départ, c'est donc dire qu'on ne se comprend même pas sur la définition du concept de base d'une négociation territoriale globale, c'est-à-dire l'éclaircissement du titre de propriété.

Comment peut-on corriger une situation qui s'est perpétuée et aggravée au cours des derniers siècles ? C'est pourtant l'enjeu des futures négociations entre les Autochtones et les non-Autochtones de ce pays. Je crois que cette erreur historique ne pourra jamais être totalement réparée.

Il faudra que la population *blanche* accepte, avec un sens aigu des responsabilités, de faire des concessions majeures.

Enfin, si elle souhaite réparer d'une façon juste et équitable pour les Premières Nation, elle doit retourner vers son passé comme le suggère la *Commission royale sur les peuples autochtones du Canada*.

Il faut que les Québécois et les Canadiens comprennent que nous voulions retrouver un espace vital pour nous développer et sortir de la tutelle des gouvernements par le biais d'une assistance sociale avilissante. Notre seul moyen d'y arriver est la récupération d'une partie importante de nos territoires ancestraux.

Ils doivent cesser d'avoir cette peur maladive du fameux syndrome des enclaves perdues, comme des trous dans le fromage, causées par des réserves situées dans les environnements urbains. L'administration du ministère des *Affaires indiennes et du Nord Canada* a établi ces ghettos dans ces endroits, sans consultation, pour la seule raison de faciliter la livraison de certains services et de satisfaire les colons.

Puisque les territoires ancestraux de chasse et de pêche sont éloignés des réserves, il est évident que les territoires rétrocédés ne pourront pas toujours être contigus. Surtout si les gouvernements veulent éviter les grands dérangements pour les tiers comme ils le disent. Ce sont les occupants pacifiques qui ont amené ces problèmes, c'est donc à eux de les solutionner.

Il est vrai que la situation des Premières Nations plus au Sud est plus complexe par le fait que les Québécois aient envahi, avec plus d'acuité et d'évidence, les territoires ancestraux revendiqués par les Indiens. Ce qui n'est pas le cas, par exemple, pour les Inuits, les Cris et les Indiens plus au Nord du Canada. De telles revendications, plus au Sud, auront certainement plus d'effets directs sur les tiers et sur leurs organisations sociales et économiques qui sont beaucoup plus développées.

Je souhaite que la Justice ne puisse être autre parce que les dommages causés ont été plus importants et surtout plus évidents. Ce serait une bien drôle de justice et quel exemple d'ailleurs à donner aux criminels de droits communs!

Il faut tout autant faire tomber cet autre paravent qui veut que l'intégrité du territoire québécois, pourtant bel et bien hypothéquée par la *Proclamation royale de 1763*, doive demeurer intacte. Ce qui donne comme résultat extrême que le gouvernement du Québec ne reconnaît que des droits d'usage aux Indiens pour la pratique des activités traditionnelles de chasse, de pêche, de piégeage et de cueillette. Une telle approche est inacceptable.

Nos droits ancestraux existants et ceux consignés pour plusieurs nations dans des traités signés entre nations souveraines sont équivalents à des droits de souveraineté. La *Constitution du Canada*, à l'article 35 (1), reconnaît présentement ces droits autochtones.

C'est pour cette raison que le Canada reconnaît, aux nations autochtones, un droit inhérent à l'autonomie gouvernementale. L'application de ce droit existant doit être négociée avec les gouvernements, fédéral et provinciaux. Pour sa part, la *Cour suprême du Canada* a identifié ce droit inhérent à l'autonomie gouvernementale dans la plupart de ses récents jugements. Pour elle, les nations autochtones étaient souveraines au moment du contact avec les Européens.

Nous n'accepterons jamais que ces droits soient limités à la notion étroite de droits résiduels de chasse, de pêche, de piégeage et de cueillette que veut nous appliquer le gouvernement du Québec. Cette période est une occasion unique pour nous et il ne faut pas la manquer. Nous devons la rentabiliser au maximum pour reprendre en partie le terrain perdu.

L'ÉTAPE ULTIME D'UN FUTUR
REMPLI D'ESPOIRS POUR LES PREMIERS PEUPLES

Le Premier Ministre du Québec, Bernard Landry, et le Grand Chef de la Nation crie, Ted Moses, ont scellé, au mois d'octobre 2001, les derniers jalons de ce que j'appellerais l'étape du futur entre les Premiers peuples du Québec et le Peuple québécois.

Il y a plus d'une vingtaine d'années, au cours d'une vie antérieure comme chroniqueur politique au quotidien **LE SOLEIL** à *l'Assemblée nationale*, le Premier Ministre René Lévesque, qui savait que j'étais Innu de Mashteuiatsh, m'a demandé ce que voulaient les Indiens du Québec.

Je lui ai répondu simplement: Occuper la place qui leur revient de droit.

Je lui ai expliqué que le territoire du Québec est immense et que les Québécois en occupent qu'une infime partie, plus au Sud, le long du fleuve Saint-Laurent. Quatre-dix pourcent (90%) des terres du Québec sont des terres de la Couronne donc, en principe, inoccupées. Ces terres font partie des territoires ancestraux des Premiers peuples. Et on sait à quel point le gouvernement du Québec a de la difficulté à convaincre certains de ses concitoyens à s'exiler dans les parties éloignées et plus nordiques de ce vaste pays.

S'il le fait dans certains secteurs, c'est à grands frais en dilapidant les richesses naturelles comme les mines qu'il donne en cadeau à des multinationales. Des villes poussent, temporaires comme des champignons, et se remplissent de gens de passage et de chevaliers d'entreprises. Ils partent immédiatement après avoir pressé le citron jusqu'à l'écorce. Ils laissent alors le territoire massacré et rempli de trous aux habitants de toujours, les Autochtones; ce qui a été le cas pour Schefferville et bien d'autres villes minières de la Côte-Nord et de l'Abitibi.

Pourtant, ces régions nordiques sont les territoires chéris des ancêtres des Premiers peuples. Les Indiens de maintenant revendiquent ces territoires et souhaitent les développer en harmonie avec leur *Terre-Mère*.

Enfin, ils désirent y vivre pour toujours en profitant des richesses naturelles de ces territoires. Pourquoi ne pas les satisfaire et leur redonner espoir en leur rétrocédant d'importantes parties de leurs territoires ancestraux. Le gouvernement du Québec et les Nations autochtones redéfiniront alors leurs formes de partenariat dans de nouveaux contrats sociaux, économiques et politiques.

Voilà ce que vient de terminer, quelque 26 ans plus tard, le Peuple cri et le Peuple québécois.

Au cours de ce quart de siècle, ils se sont souvent affrontés en Cour de Justice, ou sur la place publique. Les antagonistes fatigués par tant de batailles souvent inutiles ont réfléchi et décidé de tourner la page et de vivre une nouvelle relation qui se caractérisera désormais beaucoup plus par la confiance, par la coopération, par le partenariat et par le respect mutuel.

Le descendant et l'apôtre de la première heure de feu René Lévesque, le Premier Ministre Bernard Landry, a enfin conclu que les Amérindiens étaient les gens tout indiqués pour occuper ce territoire de leurs ancêtres et le développer selon leur propre philosophie. Les Indiens courageux ont accepté un tel défi.

Pour moi, la conclusion de cette entente historique est aussi sinon plus importante que la reconnaissance, par l'*Assemblée nationale du Québec*, des Premières Nations. Elle consacre d'une manière évidente le traitement véritable d'une Première Nation. Elle ressort du dessous de tapis cette résolution de l'*Assemblée nationale* dont on avait annulé les effets.

Enfin, vous connaissez mon admiration pour le Premier Ministre René Lévesque, mais je crois sincèrement qu'avec le geste posé aujourd'hui, Bernard Landry a dépassé le maître et s'inscrira dans la grande histoire des peuples fondateurs comme le Premier Ministre du Québec qui est passé de la parole aux actes dans la considération profonde des Premières Nations.

C'est en cela que la *Paix des braves* est novatrice et historique. Elle ouvre la porte à un demain merveilleux où les Premiers peuples seront respectés et pourront faire leurs propres choix de société. Ils ne seront plus des entretenus de l'État, mais des partenaires du développement et ils en profiteront largement. Leurs nombreux enfants auront enfin un avenir. Ils ne seront plus assis entre deux chaises et pourront maintenant guérir de leurs maux sociaux.

Cette nouvelle chance pour les Premiers peuples n'a pas été gratuite. Nous avons dû combattre des opposants puissants qui développaient ces territoires ancestraux et profitaient allègrement de leurs richesses naturelles. Ils harnachaient les rivières, creusaient des trous pour y extraire les mines et coupaient les arbres. Ces blessures à leur *Terre-Mère* les privaient de la pratique de leurs activités traditionnelles de chasse et de pêche.

Il ne faut pas oublier que nous avons dû civiliser Hydro-Québec qui étudiait les effets de la construction des barrages et le passage des lignes électriques sur « les abeilles et le poulamon » et ne faisait rien pour connaître les effets de tels développements sur les populations autochtones. Les retombées économiques et les emplois n'étaient pas pour les Amérindiens.

En 1975, les Cris ont forcé le gouvernement du Québec à prendre en compte leurs droits ancestraux et à les compenser pour les inconvénients des importants développements de la Baie-James comme le stipulait la *Proclamation royale de 1763*. Ils ont amené le gouvernement du Québec à négocier et à conclure une forme d'autonomie gouvernementale révolutionnaire qui est, encore aujourd'hui, la plus avancée.

Je me souviens alors d'avoir essayé de convaincre James O'Reilly et les membres du conseil d'administration de l'*Association des Indiens du Québec* de négocier, pour les Cris, une participation au développement des ressources hydroélectriques de leur territoire ancestral. Cela m'apparaissait beaucoup plus intéressant pour leur avenir que de simples compensations monétaires. Cela ne faisait cependant pas partie des visions de leur négociateur et il argumentait que c'était beaucoup trop tôt...

Au cours du mois d'octobre 2001, les Cris ont franchi l'étape du futur par le partenariat politique et d'affaires dans les développpements de leur territoire ancestral en conservant, surtout, une place prépondérante dans le processus décisionnel. Ils ont donc complété un modèle avant-gardiste d'application des droits ancestraux qui doit maintenant servir pour les autres Premiers peuples du Québec.

Je dois vous souligner ici que je crois avoir travaillé à ouvrir une porte importante pour favoriser une telle réussite pour les Cris le jour où nous avons réussi, avec d'autres Autochtones, tel que souligner dans le chapitre deux: PLACE DES INDIENS DANS LE QUÉBEC DE DEMAIN, à faire inscrire au programme politique du *Parti québécois*, en 1994, les éléments majeurs suivants: « Un gouvernement du *Parti québécois* reconnaîtra que les Autochtones du Québec ont un lien privilégié avec la terre et qu'ils exercent leurs activités traditionnelles de chasse, de pêche et piégeage sur de vastes territoires qui sont aussi exploités par d'autres utilisateurs...

[...] Selon des modalités à déterminer, il convient donc d'associer les nations autochtones à l'aménagement et à la gestion des territoires où elles exercent leurs activités traditionnelles. »

[...] Dans le cadre de ces ententes, les gouvernements autochtones pourront recevoir une part des revenus ou des royautés que le gouvernement du Québec retirera de l'exploitation des ressources de ces territoires. Les Autochtones deviennent ainsi des partenaires au développement. »

J'ai négocié pour les Innus de Mashteuiatsh, il y a quelque six ou sept ans, la première véritable entente de partenariat d'affaires et de compensations monétaires avec Hydro-Québec pour le passage de la ligne 12 sur leur territoire ancestral. Elle consacrait l'engagement de cette entreprise d'État à s'associer financièrement avec les Innus du lac Saint-Jean à construire un mini-barrage; ce qui a été fait il y a plus de deux ans. Puis, ce fut au tour des Innus de Betsiamites, de Mashteuiatsh et d'Essipit de s'entendre avec Hydro-Québec dans un projet de détournement de trois rivières pour le barrage de la rivière Toulnoustouc.

De tels partenariats d'affaires obligent la responsabilisation et le dépassement de la partie autochtone. Ils sont donc engageants pour les Premiers peuples.

Dans le cas des Cris, ces derniers ont franchi une étape majeure: Cette entente est respectueuse de leur différence. Cette formule force, en outre, le gouvernement au respect des méthodes de gestion des Autochtones et de la protection de leur mode de vie.

Les Cris doivent être désormais, et plus que jamais, considérés par les autres Premières Nations comme des précurseurs qui auront, par leur pouvoir de négociation, ouvert les portes d'un avenir prometteur aux autres négociations autochtones. En cela, nous devons leur être reconnaissants et leur dire merci.

Pour sa part, le gouvernement du Québec devra maintenant être équitable envers les autres Premiers peuples en négociation s'il veut démontrer sa bonne foi. Sinon, nous pourrions penser qu'il voulait mettre de l'huile sur la roue qui grince, comme le fait le ministère des *Affaires indiennes et du Nord Canada*, selon le Premier Ministre du Canada, Jean Chrétien, et acheter la paix. Une telle attitude ouvrirait la porte à la surenchère et avilirait ce qui aurait dû être merveilleux.

C'est bel et bien d'un pas de géant et d'une ère nouvelle qu'il s'agit maintenant. Cette période m'apparaît emballante pour les Premières Nations. Sans en galvauder la signification, il est juste de dire qu'il s'agit bel et bien d'un moment historique dans l'histoire des Premiers peuples que les Cris et le gouvernement du Québec ont vécu.

Il est probable que cette entente, plus administrative que légale, aura un effet d'entraînement sur les autres négociations en cours. Plus encore, en réglant cette entente avec les plus aguerris dans le domaine de la négociation, des débats légaux et des relations publiques, le gouvernement du Québec se positionne avantageusement sur l'échiquier de la reconnaissance des droits des Premiers peuples. En faisant du peuple cri des partenaires plutôt que des adversaires, il évitera de nombreux affrontements et améliorera son image de grand peuple auprès des autres peuples de ce monde.

Enfin, le gouvernement du Québec s'oriente dans la bonne direction en concrétisant « l'établissement d'un dialogue constructif avec les Nations autochtones », annoncé par le discours inaugural de la 36 ième Législature, le 22 mars dernier. Cette position s'inspire de la vision du Premier Ministre Bernard Landry et de celle de son ancien ministre délégué aux *Affaires autochtones du Québec*, Guy Chevrette.

Plus encore, les deux parties semblent avoir rejeté définitivement l'approche juridique préconisée par les juristes de l'État du Québec et les avocats du *Grand-Conseil des Cris* qui n'a pas fonctionné jusqu'ici pour favoriser le projet de société politique, social et économique. La partie politique du Québec imprègne son autorité pour négocier de bonne foi de nouveaux contrats sociaux favorisant le partenariat en reconnaissant ainsi les droits des Premiers peuples: La véritable solution d'avenir.

À nouveau, le Québec et les Cris montreront au reste du monde une nouvelle façon d'approcher les relations entre les Autochtones et les non-Autochtones, a précisé le Grand Chef Ted Moses. « Cette entente historique reconnaîtra l'intérêt qu'ont le peuple cri et le Québec dans l'administration et le futur du Québec ».

J'ajouterai que c'est ce que je prêche depuis 40 ans tel que j'en témoigne plus particulièrement dans cet ouvrage. Cette entente a été, sans aucun doute, favorisée par la conjoncture politique actuelle du gouvernement du Québec qui oblige une considération plus évidente de ses Premiers Peuples. Le Québec doit démontrer aux autres peuples de la terre, si jamais il veut être reconnu comme un grand peuple, qu'il identifie avantageusement les droits des Premières Nations du Québec. Ça, en habile homme d'État, Bernard Landry le sait. Il continuera sans doute à faire le nécessaire...

Pour une première fois, les Premiers peuples du Québec, qui le désirent, et le gouvernement québécois pourraient vivre une interdépendance mutuellement profitable et librement consentie. Cette interaction est respectueuse de l'autorité décisionnelle des sociétés qui vont gérer l'exploitation du territoire. Ce niveau inégalé d'autonomie gouvernementale, « qui serait les bases d'une grande paix », tel que l'a exprimé le Premier Ministre Landry, est une première canadienne.

UN PAVÉ DANS LA MARE: JACQUES PARISEAU PREND LE RELAIS POUR ÉTENDRE LA HAINE

Après avoir dénoncé la grossièreté du ton et des injures des propos du député bloquiste Lebel sur le projet d'entente entre le gouvernement du Québec, celui du Canada et quatre communautés innues (montagnaises), l'ex-Premier Ministre Jacques Parizeau prend le relais. Il amplifie ainsi, par la démesure, le volume, l'étendue et l'importance des critiques irréfléchies d'un sans-voix, politicien totalement inconnu, contre le gouvernement du *Parti québécois* et son leader politique, Bernard Landry.

Le manque total de jugement politique de Jacques Parizeau et son orgueil, comme ce fut le cas au lendemain du référendum de 1995, lorsqu'il s'en est pris aux nouveaux arrivants et aux Premiers peuples du Québec en les accusant de lui avoir fait perdre SA consultation sur l'avenir du Québec, l'amène sur un chemin étroit pavé d'embûches.

Son prêchi-prêcha de don Quichotte, qui se donne le rôle de redresseur de torts, commence à ennuyer sérieusement les leaders politiques du Québec. Il vieilli bien mal politiquement, dit-on de lui dans les coulisses de l'*Assemblée nationale*.

Sans la retenue habituelle due à son rôle d'ancien Premier Ministre du Québec, il le fait d'une façon encore beaucoup plus destructrice. Comme c'est son habitude, après Pierre-Marc Johnson et Lucien Bouchard qu'il a tout bonnement détruits, il s'attaque au Premier Ministre actuel Bernard Landry en le qualifiant « d'accepter, par la porte d'en arrière, la Constitution de 1982 ». Quelle insulte pour un péquiste de la première heure aussi convaincu que Bernard Landry...

La *Loi sur l'exercice des droits fondamentaux et des prérogatives du peuple québécois et de l'État du Québec,* adoptée pendant le mandat de Lucien Bouchard, reconnaît de plus, « dans l'exercice de ses compétences constitutionnelles, les droits existants, ancestraux ou issus de traités, des nations autochtones du Québec ». Elle reprend textuellement le contenu de l'article 35(1) de la *Loi constitutionnelle de 1982* du Canada, loi que le Québec ne reconnaît pas actuellement. C'était donc la première fois que le gouvernement du Québec s'engageait légalement à appliquer le contenu de l'article 35(1) de la *Loi constitutionnelle de 1982* du gouvernement du Canada.

Il ne faut surtout pas oublier qu'en seulement quelques mois, Bernard Landry a réussi à se positionner comme le Premier Ministre du Québec le plus ouvert à rechercher des solutions mutuellement acceptables par les Québécois et par les Autochtones. La *Paix des braves* en est un exemple des plus marquant.

Le nouveau Premier Ministre du Québec, Bernard Landry, a tendu la main aux Cris. Il a signé, avec eux, la *Paix des braves*; ce qui a donné comme résultats que le Québec, par ce geste généreux, a été catapulté sur le champ au premier rang des nations au monde qui traitent le mieux ses Premiers peuples. Il a ainsi retourné, comme on le fait pour une crêpe, la réputation négative qu'avait le Québec auprès des autres nations de la terre. Les Cris, des ennemis jurés du Québec depuis plus d'une génération, sont devenus ses meilleurs propagandistes.

Pour sa part, Jacques Parizeau, pendant qu'il était Premier Ministre du Québec a camouflé, sous le tapis, les 15 principes avancés par René Lévesque en 1983 consacrant la reconnaissance des droits des Premières Nations du Québec et la résolution de l'*Assemblée nationale* du Québec en 1985.

Il aura fallu que Guy Chevrette, alors ministre du *Secrétariat aux affaires autochtones,* fasse adopter, plus tard, la première politique autochtone du Québec sur la base des 15 principes de 1983 et de la résolution de l'*Assemblée nationale* du Québec de 1985. C'était sous le règne de Lucien Bouchard.

La seule chose que Jacques Parizeau, à titre de Premier Ministre, a fait d'intéressant dans le dossier autochtone a été de modifier le programme du *Parti québécois* sur cette question. Les députés David Cliche et feu Denis Perron m'avaient invité à participer aux travaux de ce comité avec d'autres chefs de file des Premières Nations, entre autres Max Gros-Louis, « One-Onti », Grand Chef de la Nation huronne wendat, et Roméo « Diom » Saganash, à ce moment-là, vice-président du *Grand Conseil des Cris.*

J'ai dû m'opposer farouchement à certaines exigences du chef du *Parti québécois* d'alors, monsieur Jacques Pariseau. MONSIEUR, comme l'appelaient ses proches, voulait éliminer certains passages de notre projet qui le dérangeaient. C'était, quant à nous, à prendre dans son entier ou à mettre à la poubelle. Jacques Parizeau a accepté de prendre l'ensemble du dossier. Cependant, peu de choses a été réalisé pendant son mandat.

Je suis donc particulièrement fier de certains engagements du programme politique du *Parti québécois.* Je vous cite d'autres éléments que je crois les plus dynamiques de ces engagements formels, programme réalisé sous un gouvernement dirigé par Jacques Parizeau, qui répondent à la vision de certains *leaders* des Premières Nations et à une grande partie de leurs récriminations. J'ajoute que, dans ses propos, l'ex-Premier Ministre frustré a oublié les engagements de son parti dans son programme adopté sous son régime. Un tel manque de mémoire fait sourire.

« Dans un Québec souverain, (qu') il soit convenu d'un nouveau contrat social entre la nation québécoise et toutes les nations autochtones et ainsi qu'il soit mis fin à ces relations coloniales associées à la *Loi sur les Indiens* qui date du XIX ième siècle. Les nations autochtones pourront y contrôler leurs institutions et progresser selon leurs propres choix de société tout en travaillant avec la nation québécoise à développer le pays du Québec. »

« Le gouvernement du Québec signera, avec les nations autochtones qui veulent se donner des gouvernements, des ententes évolutives qui détermineront les pouvoirs reconnus à ces gouvernements tels la définition de leur code de citoyenneté, les régimes fiscaux, l'éducation, la langue et la culture autochtone, la santé, la gestion de l'environnement et des ressources, le développement économique, les travaux publics, etc. Ces ententes détermineront également les pouvoirs partagés ainsi que toutes les mesures nécessaires au bon voisinage. Les lois du Québec seront modifiées pour permettre la mise en oeuvre des ententes. »

[...] Ces ententes seront conclues sans extinction des droits autochtones et seront réévaluées à la lumière des décisions des cours de justices québécoises et des amendements à la Constitution québécoise. » (Les mots soulignés sont de l'auteur).

ET VIVE L'EXTINCTION DES DROITS DES PREMIERS PEUPLES

S'il a suivi le débat public autour de l'exercice des droits fondamentaux et des prérogatives du peuple québécois en commission parlementaire sur le projet de Loi 99 de l'*Assemblée nationale,* Jacques Parizeau devrait savoir que le gouvernement du Québec a nuancé sa position sur la question de l'intégrité territoriale du Québec. « Le gouvernement doit veiller au maintien et au respect de l'intégrité territoriale du Québec ». (Les mots soulignés sont de l'auteur). Cette position est beaucoup plus nuancée puisque cette loi pourrait permettre, dans une future constitution d'un Québec indépendant, la reconnaissance du droit à l'autodétermination. Ce qui devrait d'ailleurs être la vision d'un nouvel État québécois avant-gardiste.

Tout en oubliant les engagements du programme du *Parti Québécois*, Jacques Pariseau a le culot de donner comme modèle SA proposition du Québec de 1994 calquée sur un modèle passé date, de 1975, l'Entente de la Baie-James. Elle avait, comme dominance, l'extinction des droits ancestraux des Premiers peuples.

Plusieurs comités d'études nationaux sur cette question d'extinction des droits ancestraux des Autochtones, tels que la *Commission Coolican* et la *Commission royale sur les peuples autochtones du Canada* ont depuis dénoncé cette façon archaïque de conclure des traités. Ils ont plutôt proposé des solutions comme la reconnaissance des droits ancestraux et des formes de certitudes juridiques telle que le préconise l'entente sur la table de travail.

Il faut être totalement dépassé et prendre ses désirs pour des acquis que de croire que les Indiens d'aujourd'hui vont accepter d'éteindre leurs droits de Premiers peuples alors que la *Cour suprême du Canada* commence tout juste à les reconnaître. On oublierait tout simplement toute la jurisprudence établie par de nombreux jugements de la *Cour suprême du Canada* sur la reconnaissance des droits ancestraux des Premières Nations. Croire que l'on puisse accepter une telle chose est un manque total de respect pour les Premiers peuples et une atteinte à l'intelligence.

Plusieurs Québécois semblent rêver à l'écrasement des nations autochtones. Par l'extinction de leurs droits ancestraux, ils visent l'élimination des Amérindiens par une forme de génocide moderne et hypocrite, comme le fait d'ailleurs la *Loi sur les Indiens* du gouvernement fédéral qu'ils veulent pourtant éliminer, prétendent-ils.

Avec une telle attitude, comment nous faire croire que les Indiens n'ont rien à craindre d'un Québec souverain qui devra reconnaître fatalement les mêmes droits historiques que le Canada reconnaîtra à ses Autochtones. C'est donc constater que la générosité du Québec se limiterait au minimum.

C'est une approche quelque peu mesquine que de lier la générosité du Québec à celle du Canada. Le Québec pourrait se distinguer par le mieux et non pas rechercher le nivellement par le pire. Une telle attitude de la part de certains *leaders* politiques d'un Québec indépendant n'est d'ailleurs pas très rassurante pour l'avenir de ce pays. Elle laisse plutôt un goût amer de régime de bananes.

Tant et aussi longtemps que le Québec fera partie de la fédération canadienne, la meilleure protection que les Autochtones puissent désirer se retrouve dans la Constitution canadienne. Les résolutions de l'Assemblée nationale ont une valeur beaucoup plus politique que juridique.

CE SOIR, ON FAIT PEUR AU MONDE

Comme il fallait s'y attendre, Jacques Parizeau, à court d'arguments sérieux, a sorti de sa manche de prestidigitateur les as de la peur. Il a donc facilement adopté la façon d'agir du gouvernement fédéral contre les Québécois qui recherchent la souveraineté-partenariat, contre les Premiers peuples d'ici; ce qu'il a dénoncée vertement pour le Québec pendant toute sa carrière politique active.

D'abord, il a sorti les fameuses cartes, toujours les mêmes d'ailleurs utilisées par les bonhommes-sept-heures. Ces cartes expriment simplement que les Innus étaient des nomades qui vivaient sur un vaste territoire avant l'arrivée des Européens. Ce territoire couvrait une étendue comprenant une partie de la région métropolitaine de Québec, les régions Saguenay-Lac-Saint-Jean, la Côte-Nord et la Basse-Côte-Nord.

Jacques Parizeau doit, ou devrait, savoir, comme ex-Premier ministre, que la politique des revendications territoriales globales du gouvernement du Canada exige que les Nation autochtones qui veulent négocier démontrent qu'ils ont occupé ancestralement les territoires qu'ils revendiquent. Voilà la raison des fameuses cartes.

Il faut aussi être malhonnête intellectuellement, surtout pour un ancien Premier Ministre du Québec, de prétendre que les Innus veulent récupérer toutes les terres qu'ils ont occupées. Il n'a jamais été question d'exiger que les Québécois déménagent avec leur maison sous le bras. Voyons ça n'a aucun sens...

Plus encore, l'ex-Premier Ministre du Québec doit savoir que 90% des terres revendiquées par les Innus sont sur des terres de la Couronne. Donc, ça ne donnera pas un aussi fort remue-ménage que le prétendent les bonhommes-sept-heures. D'autant plus qu'il s'agit plutôt de droits d'utilisation que de droits de pleines propriétés.

Jacques Parizeau a-t-il oublié que le gouvernement du Québec a cédé beaucoup plus de terres aux compagnies forestières qu'il ne le fera jamais pour les Premiers peuples. Et cela, il semble peu s'en soucier...

Il est faux, comme le mentionne Jacques Parizeau, de prétendre que les négociations avec les Innus se déroulent pour quatre communautés seulement. Le gouvernement du Québec et celui du Canada sont aussi en négociation avec trois communautés de Mamit Innuat et s'apprête à le faire avec Uashat mak Mani Utenam (Sept-Iles-Malioténam) et Matimekosh (Schefferville). Ce qui signifie que neuf communautés sur neuf vont négocier avec les gouvernements couvrant ainsi l'ensemble de la Nation innue..

J'ai eu l'occasion à maintes reprises de discuter avec certains *leaders* nationalistes du Québec de la place des Autochtones dans un Québec souverain. La vision *rapetissante* que certains chefs de file du *Parti québécois* ont des droits collectifs des Premières Nations me surprend et me renverse à chaque fois.

J'ai combattu avec acharnement cette perception même si je savais que je changerais peu de choses. Incrustée dans l'esprit des purs et durs de l'indépendance, souvent indécrottables, cette représentation bornée est incompréhensible. Plus encore, elle laisse peu de place à d'autres images plus nuancées.

Jacques Parizeau nous sert là, encore une fois, l'argument massue et privilégié de certains péquistes: La petitesse ou le *rapetissement*. Puis-je mentionner, comme le souligne le *Forum paritaire Québécois-Autochtones*, que « le nombre de personnes impliquées ne devrait influencer d'aucune façon le droit. La manière de moduler ce droit peut et doit cependant et sans aucun doute en tenir compte ».

Pour ce qui est du « voisinage accueillant du Canada qui serait la seule raison qui nous permettrait de prétendre à un avenir viable en dehors du Québec », je répondrais: J'espère que nous ne sommes pas condamnés pour l'éternité à être sous la tutelle de quelqu'un. D'abord la France et l'Angleterre, puis le Canada et, si le Québec se sépare, l'État du Québec.

J'ajouterais de plus que, pour plusieurs Québécois sérieux que j'ai fréquentés, l'avenir va plutôt dans la direction de l'ouverture, du respect et de la grandeur. Elle ne va pas dans le sens de la petitesse d'esprit... Si les Québécois veulent que nous soyons avec eux dans ce projet de souveraineté, pourquoi ne pas faire les efforts nécessaires pour nous convaincre ? Pourquoi ne pas nous démontrer que l'intérêt de nos nations devrait aller dans ce sens ? Avoir la foi du charbonnier semble dépassé au début de ce millénaire, surtout que nous avons tellement perdu en l'ayant au début de la colonie.

Le ton prêcheur de certains comme Jacques Parizeau ne fera pas oublier le contenu désobligeant d'une analyse liminaire qui nous propose de choisir une vision plus réaliste de notre avenir national. Tout dépend du côté de la lorgnette que l'on regarde. Pour moi, ce genre de vision est loin d'être réaliste comparée à celle des Autochtones, ou plus particulièrement de la mienne.

Ma propre conception a subi les affres des discussions avec des opposants et non seulement la complaisance pontificale des membres d'une même chapelle hermétiquement fermée d'un parti politique.

Selon eux, personne ne croit qu'il serait admissible qu'une petite tribu de quelques milliers de personnes puisse avoir la possibilité de détacher une parcelle de terre du territoire québécois. Sauf, ajoutent-ils, pour ce qui est de quelques obscurs comités de Strasbourg ou quelques membres de comités éthérés de l'*Organisation des nations unies*.

Il n'est pas possible, à ce moment-ci, de ne pas tenir compte dans des négociations avec les Autochtones du fait que l'article 91 (24) de la *Constitution du Canada* fait en sorte que les Indiens et les terres réservées aux Indiens sont de responsabilité fédérale et non pas provinciale. Cela n'est pas plus important maintenant pour les Innus que ça l'était, en 1975, pour les Cris de la Baie-James.

LE ROULEAU COMPRESSEUR DE L'OPINION PUBLIQUE EST EN MARCHE

Il est des plus pénible, pour un défenseur de la cause des Premiers peuples et spécialiste des communications, de constater que le rouleau compresseur de l'opinion publique vient de se mettre en marche. Cette atroce impression est alimentée par les *bonhommes-sept-heures* de tout acabit des deux côtés de la clôture.

Cette machine infernale peut écrabouiller toute volonté souhaitable de recherche, entre les Québécois et les Innus (Montagnais) du Québec, en négociation depuis maintenant 23 ans, d'un nouveau contrat social acceptable mutuellement.

Malheureusement, nos gouvernements ont toujours la fâcheuse habitude d'attendre à la dernière minute pour informer avec les résultats de panique que l'on connaît actuellement. Il y a quinze ans, à la même table de négociation, comme négociateur en chef pour les Innus et les Atikamekw, je leur avais prédit de tels problèmes s'ils ne consultaient pas et n'informaient pas les gens du milieu. Il fallait, selon moi, que la terre soit bien préparée pour accueillir la semence d'un changement aussi radical des mentalités.

Pourtant, ces nouveaux contrats sociaux ne se négocient pas contre qui que ce soit. Ces négociations sont réalisées à partir de ce que souhaitent les Premiers peuples comme projets de société, bien sûr. Ils sont aussi acceptés par les gouvernements parce qu'ils sont conformes à leurs politiques autochtones. C'est souvent ce que propose la *Commission royale sur les peuples autochtones du Canada*. et le contenu de la majorité des jugements de la plus haute instance de la Justice canadienne.

Il faut que les gens bien pensants prennent position dans ce débat de société extrêmement important et soutiennent le gouvernement du Québec qui a enfin décider à mettre ses culottes. Quant au gouvernement fédéral, ils devraient lui recommander fortement de remplir son rôle de fiduciaire des Indiens du Canada. Il doit changer son attitude et faire en sorte de remplir ses responsabilités premières face aux Premiers peuples.

Les verroteries et petits bouts de miroirs des traités du temps des colonies, française, britannique et canadienne, seront remplacés par un projet de société politique et économique à la hauteur des aspirations de nos ancêtres. Les Indiens ne seront plus jamais moins considérés que les « abeilles et le poulamon » d'Hydro-Québec et que les « petites fleurs et les papillons » de *Parcs Canada*.

Un fait demeure incontournable: Les Innus et les Québécois seront appelés à cohabiter dans le futur comme les a conviés l'histoire. Ils peuvent le faire à couteaux tirés ou en se respectant mutuellement. Les deux parties ont un examen de conscience à faire; ce qui devrait leur permettre de façonner leurs propres choix de société. Les Indiens n'en sont surtout pas exclus.

UN RÊVE TANT DE FOIS RACONTÉ

La négociation territoriale a une signification immensurable. Les anciens ont tellement rêvé à la récupération d'une partie de leurs territoires ancestraux que les Indiens de la génération actuelle ne se contenteront jamais d'un règlement dont l'issue serait autre. Ils préféreraient continuer à croupir dans l'abomination actuelle plutôt que d'accepter la soumission dans un traité moderne. Surtout si ce dernier détruisait à tout jamais ce rêve de recouvrer une partie importante du territoire de leurs ancêtres.

Elle est l'occasion privilégiée pour corriger une erreur historique qui remonte à quelque 500 ans. Il ne s'agit pas d'une simple prise en charge de services à rabais pour soulager les gouvernements de leurs problèmes administratifs et laisser aux Autochtones l'odieux des coupures budgétaires. Elle n'est pas non plus l'application de politiques gouvernementales difficiles à faire avaler comme ça s'est passé au cours des années. Elle est bel et bien une prise en main totale de notre destinée selon notre propre choix de société sur des terres bien à nous.

Les parties, à toutes les tables de négociation territoriale, doivent donc s'appliquer à trouver les solutions pour ne pas faire avorter cet instant historique. Cette période permettra aux Indiens de retrouver leur fierté et d'élaborer un projet de société plein de promesses.

Pour ce faire, il faut prendre en considération le « trop-tôt », pour certaines nations autochtones, dû à un manque de préparation adéquate et de confiance en soi. Il ne faut surtout pas oublier le « trop-tard » des gouvernements du Canada et du Québec. Ce « trop-tard » s'exprime par l'appropriation scandaleuse et par l'exploitation outrancière des terres réservées aux Indiens par la *Proclamation royale de 1763*.

Ces prémices serviront de base à la recherche de solutions prometteuses.

Cette prospection, pour trouver un dénouement satisfaisant pour les Amérindiens, doit s'effectuer avec ouverture d'esprit. Elle amènera des solutions acceptables si le travail de négociation est fait sans carcan. Il ne faut surtout pas limiter nos ébats à un simple carré de sable. Laissons l'imagination et le coeur travailler. Nous découvrirons une fin convenable qui sera le commencement de jours merveilleux tant de fois souhaités par les anciens.

Cela ne doit surtout pas signifier, pour la population en général, que ce « trop-tôt-trop-tard » est une invitation à abandonner le défi. Au contraire, il doit conduire à inventer des méthodes d'étapisme. Ces solutions évolutives éviteront aux uns comme aux autres d'ingurgiter une trop forte infusion d'un coup; ce qui risquerait de tout faire rater.

Ces formes d'étapisme doivent permettre aux Amérindiens d'apprendre à utiliser à bon escient des pouvoirs nouveaux. Elles doivent servir d'apprentissage à une démocratie renouvelée. Elle sera la reprise en main d'un sens des responsabilités perdu dans bien des cas à cause de nombreuses années de domination et de non intégration dans le système d'éducation secondaire et post secondaire.

Ce sont là quelques-uns des éléments importants. Ces notions de base font que les positions des parties en cause sont à des années-lumière les unes des autres.

J'ai constaté de plus que certains Indiens nostalgiques du temps passé ne sont pas conscients que la règle du dominant prévaut. Ainsi, leurs droits ancestraux légitimes ne sont pas reconnus par les gouvernements actuels.

Peu importe que les Autochtones prétendent ou non être maîtres de ces territoires ancestraux, les gouvernements de la majorité qui font les lois ne leur admettent aucun droit réel de propriétaires. Ils permettent tout au plus quelques avantages anodins qui ont souvent pour résultats de soulever les passions des Québécois et des Canadiens contre les Amérindiens.

Ces gouvernements agissent dans les faits comme s'ils étaient les véritables propriétaires de ces terres en protégeant surtout les dominants. Cela produit comme résultats que ces derniers empiètent de plus en plus sur les territoires ancestraux des Autochtones. Ils établissent les règles qui sont défavorables aux Indiens. Dans quelques années, tout au plus une génération, si ces derniers n'ont pas négocié et signé de nouveaux contrats sociaux avec les gouvernements en place, il ne restera plus rien. L'occupation pacifique aura fait tous ses ravages et sera complétée.

Les étrangers, qui sont appropriés de nos terres, nos biens les plus chers, en échange de *miroirs*, ont trompé, à plusieurs occasions, les Autochtones. Il est donc compréhensible que notre confiance soit à un niveau très bas; tout au moins soumise à rude épreuve.

Ces tromperies nous ont été amenées par des personnages influents, fort probablement bien intentionnés, que nous aimions, soit certains missionnaires ou certains anthropologues. Ils ont tenté de nous convaincre que la seule solution envisageable était le retour en arrière. Ils ont prôné le recommencement à l'état pur, bien à l'abri de tout contact avec la civilisation actuelle.

Utilisée par certains décideurs autochtones dans des messages subliminaux, cette philosophie du retour en arrière a eu des effets désastreux. Le contenu de ces messages trompeurs vantait le mode de vie relié à la pratique des activités traditionnelles de chasse et de pêche. Cette façon d'envisager le présent allait jusqu'à donner l'impression que les Amérindiens ne pouvaient pas s'adapter au siècle post industriel contemporain.

Dans certains milieux intéressés aux richesses naturelles comme les forêts, les mines, l'aménagement des rivières, etc., on a tôt fait de condamner les Indiens, dans l'imaginaire et dans le réel, à pêcher et à chasser pour l'éternité. Ils étaient des peuples nomades contraints à vivre dans une civilisation passée, tout au plus des guides pour les pêcheurs et les chasseurs sportifs américains.

Comment, avec autant de différence de perception, faire en sorte de rapprocher les parties par des positions acceptables qui serviront de base à un nouveau contrat social! Voilà tout le dilemme pour les négociateurs autochtones et gouvernementaux.

DONNER UN SENS RÉEL AU MOT NÉGOCIATION

Comme Indiens, nous jubilons lorsque les politiciens en place, au Québec ou ailleurs, parlent « de négociation d'égal à égal entre peuples souverains pour préparer la co-existence évolutive entre les Autochtones et les Québécois ».

Ils répètent ainsi tous les termes si chauds et si doux à notre coeur. Il nous reste à vérifier si ces paroles sont sincères, ou prononcées du bout des lèvres pour nous endormir, ou nous enjôler, comme les sirènes dans les voyages d'Ulysse.

Le Premier Ministre Bernard Landry a déclaré récemment que le Québec avait réellement négocié de Nation à Nation avec les Cris de la Baie James. Avec la *Paix des braves,* le Premier Ministre du Québec et le Grand-Chef du *Grand-Conseil des Cris*, Ted Moses, concrétisaient alors ce que je crois être l'avenir des négociations entre les Premiers peuples d'ici et le Québec. Ils écrivaient une page importante de l'histoire qui nous a conviés à vivre ensemble, en partenaires, sur ce merveilleux coin de terre d'Amérique.

Cette période-ci est une occasion cruciale et unique pour nous. Il ne faut donc pas la manquer. Plus encore, nous devons l'utiliser au maximum, répondant ainsi aux attentes des Indiens qui nous font pleinement confiance. Nos anciens ont tant investi de rêves et d'espoirs dans cette opération de négociation territoriale.

La négociation territoriale est un enjeu nécessaire pour tous les Autochtones. Elle est le rêve qui revient le plus souvent dans le sommeil de tout Indien vivant actuellement, disait mon père. Elle est une question de survie.

Voilà pourquoi nous devons écrire les pages les plus importantes de l'histoire de certaines nations autochtones qui n'ont pas encore de traités. Il en sera de même pour les autres qui actualiseront les traités déjà signés comme le suggère la *Commission royale sur les peuples autochtones du Canada*. Des pages qui lieront de nouveau et plus solidement nos destinées aux voisins blancs. Cette fois-ci, dans un véritable pacte social, négocié d'égal à égal, plus sérieux et plus respectueux, dont le cadre doit être différent.

Cette tâche de négociateur ne doit pas être confiée à des enfants sans expérience car, même de bonne foi, ils peuvent commettre des impairs que nous regretterons. Elle est trop importante pour que des jeunes écervelés, trop enclins à la contestation sous toutes ses formes, gaspillent le moment propice. Il ne faut surtout pas que certains continuent à s'amuser sur la scène internationale au détriment de notre avenir et celui de nos enfants et nos petits enfants.

Le train part aujourd'hui. Il faut monter à bord car demain sera trop tard.

Tous les éléments sont en place pour conclure de nouveaux contrats sociaux plus avantageux pour les nations autochtones. Depuis toujours, nos ancêtres ont dû se contenter des miettes tombant de la table bien mise et remplie de généreux plats pour la société dominante. Aujourd'hui, nous avons l'avantage de nous servir des mets qui proviennent non pas des restes, mais bel et bien d'un repas de fine cuisine autochtone que nous aurons préparé avec les autres.

L'expérience que nous avons acquise en comparant les ententes conclues entre les gouvernements et les Indiens au cours des années passées nous donne une chance inouïe d'éviter les erreurs. Le *momentum* amené par les débats constitutionnels entre le gouvernement du Canada et celui du Québec nous apporte, sur un plateau d'argent, un pouvoir de négociation que nous n'avons jamais eu. Il ne reviendra probablement jamais plus.

Il ne faut pas oublier que la société dominante continue à occuper nos territoires ancestraux et à en extraire les richesses. Il reste donc une mince place pour la rétrocession d'une partie importante de ces terres ancestrales. Les développements quelques fois inconsidérés les ont massacrées.

L'environnement s'est détruit au cours des cent dernières années, sous la responsabilité incontestée des occupants illégaux, plus rapidement que les Indiens l'ont fait pendant des millénaires. La rapidité avec laquelle la société moderne va de l'avant ne nous permet plus d'attendre. Demain, il ne restera plus rien et il sera trop tard.

Cessons d'avoir peur et fonçons toute visière levée vers l'avenir. Nos enfants, sans le dire pour ne pas trop nous blesser, souhaitent se développer selon les méthodes modernes. Ils ne veulent plus vivre exclusivement de chasse, de pêche et de piégeage. Il faut les comprendre parce qu'ils ne sont plus dans une société de survivance comme l'étaient leurs ancêtres.

Ils veulent être aussi compétents que leurs petits copains *blancs* qu'ils fréquentent dans les écoles supérieures. Ils sont sensibles à ce qui se passe ailleurs par les médias modernes comme la télévision et l'internet. Ils se sentent exclus de certaines possibilités. Donnons-leur cette chance de participer pleinement à un avenir prometteur et créons, par les résultats de nos négociations, des emplois qui leur permettront de vivre à l'aise dans le prochain millénaire.

Ne faisons pas comme Cécile, cette dame de Natashquan, qui a choisi, comme nous le verrons dans le prochain chapitre, de perpétuer l'abomination actuelle de peur de se tromper. Voyons, ça n'a pas de sens.

Il est certes mieux et plus facile que l'on se contente de moins que nous suggère l'imaginaire artificieux. Ce moins sera beaucoup mieux que le rien du tout actuel. Voilà, selon moi, vers quoi devrait s'orienter la sagesse des leaders politiques.

Puisqu'il est possible aujourd'hui d'éviter la signature d'ententes définitives, faisons-le et permettons-nous de prospérer par étapes. Ainsi, nous pourrons corriger ce que nous avons pu oublier et améliorer ce que nous n'avons eu qu'en partie ou pas du tout. Puisque nous n'avons pas de boule de cristal, nous ne pouvons pas savoir ce qui se passera vraiment dans 20 ou 25 ans. Nous pourrons répondre à ces besoins, au moment où ils se produiront, parce que nos traités modernes seront évolutifs.

Nous aurons inventé et donné un sens à ce mot, **NÉGOCIATION**, qui n'existe pas encore dans la très grande majorité des langues autochtones.

Il ne faudra jamais que les futurs dictionnaires autochtones définissent ce mot péjorativement. Il ne sera pas synonyme de tromperies. Il devra être un mot chargé d'espoirs, le prélude malheureusement long, mais nécessaire, d'un levé de soleil radieux; ce matin de libération tant attendu par les anciens...

VIII

TRIBULATIONS
DU NÉGOCIATEUR AMÉRINDIEN

UNE TÂCHE BIEN PARTICULIÈRE
À L'HEURE D'UN CHOIX FONDAMENTAL

C'est à partir de la toile de fond esquissée dans le chapitre précédent que le négociateur autochtone doit s'exécuter. Il lui faut réaliser le tableau thématique d'un nouveau contrat social entre les premiers habitants de ce pays, minoritaires et dérangeants, et les conquérants pacifiques, possessifs et dominateurs.

J'ai eu une occasion unique de vivre intensément la négociation territoriale globale des Innus (Montagnais) et des Atikamekw pendant cinq ans à titre de coordonnateur de l'équipe des négociations et de négociateur en chef. J'ai alors été le principal artisan des idées de contenu de ce projet et des méthodes de travail arrêtées dans des plans détaillés de négociation et de communication acceptés par dix communautés sur onze puisque Sept-Iles ne faisait pas partie du *Conseil des Atikamekw et des Montagnais* à ce moment-là..

J'ai travaillé par la suite à celle des Wendat (Hurons) sur l'application de leurs droits, issus du *Traité Murray*, pendant autant d'années au même titre. Encore là, des plans précis de négociation et de communication avaient été arrêtés et acceptés par la Nation.

J'ai réalisé l'*Entente de chasse et de pêche de la Nation Waban-Aki*.

Je dirige maintenant la négociation d'autonomie gouvernementale de la *Nation micmaque de Gespeg*, une Bande indienne sans réserve. Nous venons tout juste de terminer une entente de principe avant-gardiste d'autonomie gouvernementale qui est une première à travers le Canada.

Je viens d'entreprendre, pour la Première Nation *Abitibiwinni* de Pikogan, chez les Algonquins, la négociation de la réactualisation du seul traité numéroté au Québec que le ministère de la *Justice* ne veut pas reconnaître.

J'ai de plus négocié deux revendications particulières: Une pour les Wendat (Hurons), soit la vente illégale d'une partie de la réserve à Val-Bélair, dans la région métropolitaine de Québec, et l'autre, des erreurs administratives, les fondements de cette revendication particulière, dans la vente d'une partie importante de la réserve des Ilnutsh de Mashteuiatsh, au Lac-Saint-Jean, en quatre occasions.

J'ai aussi été le négociateur pour l'entente de cogestion pour la réserve de *Parc de la Minganie* pour les Innus de Mingan et celle de la communauté innue d'Essipit dans le cas du *Parc marin du Saint-Laurent* avec le gouvernement du Canada et celui du Québec. Je viens de terminer une entente de principe pour les Micmacs de Gespeg avec l'*Agence de Parcs Canada* consacrant la mise en place du premier parc indien au Canada à Pointe-Penouille, une partie du *Parc Forillon*.

Enfin, j'ai négocié avec Hydro-Québec la première entente réelle de partenariat et de compensations monétaires à la suite du passage d'une importante ligne électrique, la Ligne 12, sur le territoire ancestral des Ilnutsh de Mashteuiatsh.

De plus, j'ai réalisé, pour le conseil de Uashat mak Mani Utenam, le processus d'information et de consultation conduisant au référendum sur l'entente de compensations pour la construction du barrage de la rivière Sainte-Marguerite, conclue entre les parties. J'ai réalisé une opération d'information et de consultation similaire pour le Conseil de Betsiamites sur une entente conclue avec Hydro-Québec.

Il faut bien comprendre qu'une négociation, chez les Premiers peuples, ressemble très souvent à une course longue distance à relais. Le *bâton de la parole*, comme c'était historiquement la coutume chez les Indiens d'Amérique, passe de main en main. J'ai donc eu ce *bâton de la parole* pendant plusieurs années dans des négociations importantes.

Je suis donc, à ne pas douter, le négociateur autochtone et même québécois qui a le plus d'années d'expérience très actives dans ce domaine. Je suis considéré, par les médias de masse, écrits et électroniques, comme analyste expérimenté des négociations et des dossiers des Premières Nations.

Je me servirai donc des connaissances acquises par ce vécu, le meilleur laboratoire possible, pour vous expliquer ce que je crois être le rôle essentiel d'un négociateur autochtone. Je vous raconterai aussi ses tribulations, sans dramatisation, avec quelques années de recul dans le cas de la première et de la plus importante de ces négociations. Je vous livrerai donc cette analyse de la façon la plus objective possible, un peu comme je le faisais quand j'étais journaliste actif; ce qui pourrait servir, je l'espère, à l'amélioration du processus et, surtout, à en bonifier les résultats pour l'avenir.

D'entrée de jeu, je dois vous souligner que nous vivons une période difficile. Certains Amérindiens, surtout chez ceux qui ont profité à plein du système actuel d'assistés sous toutes les formes, mettent en doute les orientations fondamentales des négociations. Ils le font pour toutes sortes de raisons souvent discutables.

Habitués à tout recevoir gratuitement, sans véritables efforts, ils craignent d'assumer les responsabilités qui vont avec cette autonomie. Ils ont trouvé l'excuse facile en semant le doute sur les résultats potentiels. Ils exigent l'impossible pour ne pas avoir besoin de décider positivement. Il en résulte que très peu d'ententes ne se signe. Depuis plus d'une génération, le gouvernement fédéral finance, presque inutilement, des négociations de toutes sortes.

C'est donc pour ces raisons qu'il m'apparaît utile et important à ce moment-ci, avec quelques années de recul, de revoir certaines expériences vécues et d'en tirer certaines conclusions.

Chez les Innus et chez les Atikamekw, en négociations territoriales globales depuis plus d'une génération, la décision de négocier sérieusement n'a pas été prise par les gens de la base.

Les *leaders* politiques, qui ont enclenché ces négociations, n'ont jamais osé poser la vraie question en expliquant les aboutissants d'une telle négociation. Ils n'ont jamais dit à leurs mandants quel pourrait être le contenu acceptable par les gouvernements de ce nouveau contrat social.

Ils ont préféré laisser planer cette fameuse brume de l'imaginaire qui veut que les Indiens retrouvent aujourd'hui tous les territoires qu'ils avaient perdus hier. D'ailleurs, ils ne croient pas au bienfait de ces négociations et ils veulent en tirer le plus de profits possibles sans jamais rien signer d'engageant. Ils ramassent les miettes qui tombent de la table et ils se satisfont de tels résultats.

Pourtant, j'ai découvert que les exemples de conventions modernes sont nombreux. Je sais aussi que les chefs de file autochtones connaissent les *quanta* de terres rétrocédées par les gouvernements plus au Nord et dans les régions habitées du Sud.

Ces derniers ont donc en main cette information. S'ils ne la livrent pas aux populations concernées, c'est qu'ils veulent les tenir dans l'ignorance. Ils craignent qu'elles refusent le processus de négociation et le financement qui vient avec, source d'emplois rémunérateurs pour certains.

Pour les Innus, les Atikamekw et les Algonquins, comme ce fut le cas pour les Cris, les Naskapis et les Inuits, la question fondamentale est le territoire ancestral. La fréquentation de leurs territoires est beaucoup plus importante pour eux puisqu'ils pratiquent encore, en grand nombre, les activités traditionnelles de chasse, de pêche et de piégeage. Ils ont donc un besoin plus réel de grands espaces. C'est pour cette raison qu'ils souhaitent retrouver, en majeure partie, ce territoire de leurs ancêtres.

Les discours des plus vieux, reliés à la récupération du territoire ancestral, à titre de biens collectifs, sont encore bien présents et surtout sincères.

Pour eux, accepter un règlement qui serait en deçà des demandes territoriales déposées, bâties sur la base de l'occupation ancestrale continue, aurait comme effet de *vendre* une partie du territoire de leurs ancêtres. Leurs territoires ancestraux ne sont pas à vendre, prétendent-ils dans leurs déclarations politiques...

L'imaginaire collectif de cette génération est encore bien présent. Ils croient sincèrement qu'ils vont ravoir les territoires de chasse et de piégeage de leurs ancêtres. Ils en parlent comme tel dans leurs palabres.

C'est pour cette raison que les Indiens de la base doivent connaître les aboutissants des négociations territoriales globales. Il faut qu'ils sachent que la réalité est à une année-lumière de leur imaginaire collectif.

Ils pourront prendre une décision éclairée de poursuivre, avec comme objectif des résultats acceptables par les gouvernements, ou d'abandonner ces négociations inutiles et frustrantes qui n'aboutiront jamais.

Dans le fond, ils agissent comme certains propriétaires fonciers québécois qui savent que leur maison et leur terrain sont évalués à 100,000 $ alors qu'ils les offrent à vendre à 500,000 $. Il est évident qu'ils n'ont pas vraiment l'intention de les vendre.

C'est là où se situe la différence entre la Nation crie et certaines autres Premières Nations en négociations territoriales globales. Les Cris connaissent les limites des négociations et les ont acceptées comme telles en croyant sincèrement qu'ils doivent profiter de ce qu'il y a sur la table pour se développer au lieu de tout refuser et se contenter de brailler sur leurs malheurs. Ils vont donc chercher le meilleur.

Un nouveau phénomène, la reconnaissance de droits individuels pour les Indiens, prend de plus en plus de place dans le débat actuel. Ce qui était inimaginable au cours des années passées, c'est-à-dire renier les droits collectifs autochtones pour favoriser les droits individuels, prend de plus en plus de place.

En ce moment, dans la communauté innue de Uashat mak Mani Utenam (Sept-Iles-Malioténam), un jeune Innu, en utilisant sa vieille mère, au grand dam de ses tantes et de ses oncles, a intenté une poursuite contre le Conseil de bande sur la base du droit individuel.

Il prétend qu'une partie du territoire inondée de la rivière Sainte-Marguerite par le barrage construit par Hydro-Québec, appartient en propre à la famille McKenzie de Schefferville. Il ajoute que le *Conseil de Uashat mak Mani Utenam* ne pouvait pas accepter la construction de ce barrage pour eux.

De leur côté, les membres de la famille Sioui chez les Wendat (Hurons) contestent, en cour de justice, le règlement de la revendication particulière de Val-Bélair que j'ai personnellement négocié. Le Conseil de Bande a reçu des compensations monétaires de 12 millions de dollars en argent et un million en services. Ils prétendent que ces compensations monétaires auraient dû être remises individuellement aux membres de la famille Sioui qui étaient seuls, soutiennent-ils, à vivre sur cette partie de la réserve. Les droits des Premiers peuples, selon la *Cour suprême du Canada*, sont des droits collectifs.

Par ces procès-type, ils mettent en cause toute la notion ancestrale du droit collectif, utilisée jusqu'ici par les groupes autochtones d'Amériques du Nord. Il s'agit donc de procès majeurs pour les droits collectifs des Autochtones qui pourraient changer du tout au tout l'approche actuelle des gouvernements vis-à-vis l'application des droits ancestraux des Indiens du Canada.

Un gain de leur part en *Cour suprême du Canada* transformerait cette notion ancestrale de droits collectifs des Indiens du Canada à l'avantage de la notion *blanche* de droits individuels.

Depuis toujours, nos ancêtres prétendent qu'ils appartiennent à la *Terre-Mère* et que cette dernière ne leur appartient pas individuellement. Un jeune Indien sans expérience, manipulé, ou par intérêt évident, a pour sa part décidé que tout cela était faux.

S'il obtenait gain de cause, cela arrangerait, à ne pas en douter, certains avocats des ministères de la *Justice du Québec* et de la *Justice du Canada*.

Ironie du sort, l'avocat qui a initié la cause, l'illustre James O'Reilly, est le même qui a défendu le recours des droits collectifs des Cris de la Baie-James contre les gouvernements du Canada et du Québec. Plus encore, ce même James O'Reilly a été l'artisan de l'extinction des droits collectifs territoriaux des Innus de Schefferville, réserve des ancêtres de Georges McKenzie, par l'article 2.14 de l'*Entente de la Baie-James et du Nord Ouest québécois*. Il faut savoir que, depuis 1975, des Innus de Schefferville s'en prennent à tous ceux qui, de près ou de loin, ont eu un lien avec cette négociation des Cris.

Serait-ce que la mémoire du fils McKenzie est sélective et ne se rend pas jusque là par intérêt ?

Cet exemple démontre, encore une fois, à quel point certains avocats sont prêts à renier aujourd'hui ce qu'ils ont édifié hier « quand il s'agit de faire avancer le droit », comme ils le disent pour se justifier de tout faire pour de l'argent...

Pour leur part, les membres de la famille Sioui nous ont habitués à toutes sortes de contestations souvent aussi farfelues les unes des autres. Leur rejet des autres Hurons est monnaie courante. Selon eux, ils sont les seuls vrais Hurons. Les autres sont des imposteurs selon leur mère de clan, madame Éléonore Sioui...

Il ne semble pas évident que les représentants politiques des Innus et des autres nations soient conscients de l'importance de ces causes. Où sont donc passés nos défenseurs des droits des Autochtones parmi les Innus, les Cris et les Mohawks ? Il est vrai que James O'Reilly a fait carrière avec les Cris et qu'il a été l'avocat des Mohawks pour un certain temps lors de la crise d'Oka en 1990. Quoi qu'il en soit, s'ils étaient conscients de l'importance de ces causes, ils opposeraient, à James O'Reilly et à tout autre avocat, toute une batterie d'avocats spécialisés et surtout compétents. Ils ne laisseraient pas ces derniers occuper seuls la patinoire.

Pour ce qui est de ce jeune Innu (Montagnais), il n'a ni la formation, ni le jugement, ni la compétence pour comprendre tout le tort qu'il est en train de causer à la cause autochtone. D'instinct, il a trouvé un bon filon pour appliquer sa technique habituelle de destruction systématique. D'ailleurs, il est le plus grand gueulard pour reprocher à ceux, parmi les siens, qui veulent travailler pour l'avenir de leur nation, de faire en sorte d'éteindre les droits autochtones et de *vendre* les territoires.

Je l'ai constaté lors du référendum pour autoriser la signature de l'entente avec *Hydro-Québec* lorsqu'il s'est attaqué au président de la commission nommé par le conseil élu, William Jourdain. Il l'a insulté en le traitant, entre autres, de « non-instruit ». Que fait-il, lui ? N'est-il pas en train de *vendre* nos droits ancestraux collectifs pour s'enrichir ? Devrait-on le qualifier de traître puisqu'il se ligue contre les siens et fournit des armes aux adversaires ?

D'autre part, le ministère des *Affaires indiennes et du Nord Canada* va financer cette cause à partir de la deuxième instance parce qu'il la considère comme une cause-type. Il donnera ainsi à James O'Reilly tous les moyens financiers nécessaires pour jeter un rocher dans la mare. Il faut dire que, pour les ministères de la *Justice du Canada* et de la *Justice du Québec*, c'est une cause en or qui peut retarder pour longtemps « l'application libérale et généreuse » des droits collectifs des Indiens du Canada.

Pourtant, j'ai vu ce même ministère des *Affaires indiennes et du Nord Canada* refuser de financer les frais d'avocats à une communauté pauvre, Gespeg, qui n'avait pas les moyens financiers pour défendre son chef élu. Cette communauté, que l'on a trompé et qui aurait obtenu justice, a dû faire un règlement hors cour parce qu'elle ne pouvait pas se défendre faute d'argent.

Il faut comprendre, en terminant ce sujet, que les juges de la *Cour suprême du Canada* ne seront pas nécessairement éblouis par la cause de James O'Reilly. Ils ne seront pas dupes au point d'oublier qu'accepter une telle vision individuelle des droits ancestraux détruirait la jurisprudence qu'ils ont bâtie au cours des ans de peine et de misère. Toute cette jurisprudence prêche en faveur de la reconnaissance des droits ancestraux collectifs et non pas des droits individuels. Il est évident que l'application de ces droits peut concerner des individus. Selon le jugement *Delgamuuk* de la *Cour suprême du Canada*, « [...] le titre aborigène est détenu collectivement ».

Il en est de même pour la *Constitution canadienne* qui reconnaît, à l'article 35 (1), les droits ancestraux des Autochtones. Il ne fait aucun doute dans l'esprit de la très grande majorité des Canadiens, des constitutionnalistes et des juges de la *Cour suprême du Canada* que les législateurs avaient à l'esprit de reconnaître les droits collectifs et non pas les droits individuels des Autochtones.

Il faudrait que des instances politiques avec de bons moyens financiers, comme l'*Assemblée des Premières Nations*, ou certains conseils tribaux, aillent faire valoir ce genre d'arguments avec compétence au procès de Georges McKensie contre le *Conseil de Uashat mak Mani Utenam*. Ce dernier a d'ailleurs été membre du conseil précédent de *Uashat mak Mani Utenam*.

LA TAXATION, UN AUTRE SUJET DÉLICAT

Dans le cas des Wendat, la question la plus délicate a toujours été celle de la taxation. Certains Hurons, c'est connu, ont profité à plein des exemptions d'impôts, enrichissant ainsi plusieurs gens d'affaires. Individualistes, ces derniers ne seront jamais prêts à concéder d'être taxés par leurs pairs, Autochtones ou Canadiens.

Ils préféreront sans aucun doute laisser aux gouvernements l'odieux d'imposer, le plus tard possible croient-ils, le régime de taxation canadien plutôt que de récupérer, pour leur propre communauté, ce champ de développement social et économique. Ils ne veulent pas prendre le risque de faire confiance aux leurs. Ils craignent donc comme la peste que leurs *leaders* politiques redistribuent la richesse. Ils sont convaincus qu'ils perdraient ainsi ces avantages individuels.

Les divisions internes des Wendat favorisent une telle position. Ses tenants peuvent ainsi aller du bord qui en fait un thème électoral. Surtout si ce groupe a plus de chances de remporter la victoire aux élections du *Conseil de la Nations huronne wendat*. Curieusement, les plus pauvres, ceux qui devraient souhaiter une telle redistribution de la richesse, sont tout autant fanatiquement contre.

Les Wendat, temporairement faut-il l'espérer, ont préféré abandonner toutes formes d'autonomie gouvernementale. Leur grand chef d'alors, Jean Picard, a utilisé comme prétexte que la « communauté était trop petite pour se gouverner elle-même d'une façon autonome ». Ce dernier a été la risée des défenseurs de la cause autochtone à travers le Canada. Le grand chef précédent, Max Gros-Louis « Oné Onti », recherchait, pour sa part, une forme de souveraineté interne pour la Nation huronne wendat. C'est donc dire que le discours politique des deux grands chefs, qui se sont suivis, était à une année-lumière de différence.

La forme d'autonomie discutée à la table des négociations comprenait la récupération des champs de taxation; ce qui signifiait que les membres du conseil auraient pu décider de taxer, ou de ne pas taxer. C'est ce qui a d'ailleurs permis, en utilisant la formule de la désinformation, à Jean Picard de prendre le pouvoir.

MISSION QUASI IMPOSSIBLE
POUR LES NÉGOCIATEURS

Il s'ensuit, autant pour les Innus que pour les Atikamekw, pour les Wendat et pour les Algonquins que leurs négociateurs peuvent rarement conclure des ententes satisfaisantes pour les parties autochtones.

Lorsqu'ils approchent de l'instant de vérité, qui consiste en des demandes réalistes mettant ainsi de côté les grands principes vagues, les *leaders* politiques préfèrent reculer plutôt que d'affronter les Indiens de la base. Cette vérité toute nue, comme ils le constatent, est bien loin de l'imaginaire. Puis, pour justifier leur geste de refus, ils s'en prennent à leurs négociateurs, les boucs-émissaires tout indiqués.

J'ai expérimenté le fait que la négociation d'un nouveau contrat social doit se faire à partir des lignes directrices d'un projet de société dont les grandes orientations sont arrêtées à la suite de consultations.

Je sais aussi que le travail du négociateur autochtone, pour sa part, ne consiste pas uniquement à s'asseoir à une table de négociation pour discuter. Il invite bel et bien à agir en tant qu'animateur qui consulte, informe, aide à prendre des décisions et motive les autres participants à agir.

DES MYTHES BIEN ANCRÉS

Par certains chercheurs idéalistes remplis de bonnes intentions, les Amérindiens se sont laissés convaincre qu'ils devaient être consultés de « A à Z » sur tout ce qui les concernait. Cela donne pour l'instant comme résultats que les consultations se font à propos de tout et de rien et sont interminables. Elles sont souvent inutiles parce que certaines personnes ne peuvent pas faire de choix sur des sujets ou concepts pointus - par exemple un régime de revenus minimums garantis - qu'ils ne connaissent pas et souvent ne comprennent même pas.

Il arrive que certains aient de la difficulté à déterminer ce qu'ils désirent obtenir des gouvernements dans leur nouveau contrat social. Ils sont donc incapables de dire précisément ce qu'ils veulent. Ils préfèrent s'abstenir de donner des orientations claires de peur de se tromper. Cette situation place leur négociateur dans une position bien délicate.

Comme pour le principe idyllique du consensus, cette phobie de la consultation est devenue un échappatoire pour certains. On s'en servira souvent comme abri pour éviter de décider. Elle favorise donc l'inertie.

À presque chaque fois qu'une décision importante devait être prise par l'Assemblée des chefs montagnais et atikamekw, un d'entre-eux utilisait le prétexte noble et crédible de consulter de nouveau sa population avant de poser le geste demandé. Il fallait conclure que la décision était renvoyée aux calendes grecques.

Une dame d'un certain âge de Natashquan, Cécile, qui s'opposait à toute proposition de négociation venant du *Conseil des Atikamekw et des Montagnais*, m'a expliqué les raisons de son opposition. Elle ne voulait pas, pour tout l'or du monde, prendre de décisions qui engageraient l'avenir de ses enfants. Par peur de se tromper, elle préférait l'état actuel dont les effets négatifs sont pourtant connus.

Je lui ai souligné qu'elle oubliait que le fait de continuer à vivre l'abomination actuelle était un choix beaucoup plus engageant que celui d'essayer d'améliorer la situation présente. Je n'ai pas réussi à la convaincre.

Parlant de consultation, le missionnaire de Natashquan sur la Basse-Côte-Nord, le père Lapointe, qui vit avec les Innus depuis de nombreuses années, m'a fait un jour une remarque qui caractérise très bien, selon moi, l'utilisation que l'on fait de cet échappatoire. « Pour éviter de prendre une décision, les Montagnais te diront toujours qu'ils n'ont pas été assez consultés. Si tu leur démontres que tu as fait toutes les consultations nécessaires, ils te diront qu'ils n'ont pas compris... Et tu dois tout recommencer à partir du début ».

MON SAUT DANS LA MÊLÉE

Après trois mois de réflexion et d'analyses sérieuses sur mes chances réelles de mener à bien cette négociation historique, j'ai accepté au printemps 1986 la demande insistante du président élu du *Conseil des Atikamekw et des Montagnais* (C.A.M.), Gaston McKenzie, et d'Aurélien Gill, chef de Mashteuiatsh, d'en devenir le négociateur en chef.

De 1979, date d'acceptation de la revendication du C.A.M., à 1986, il ne s'était presque rien passé dans le domaine de la négociation. La crédibilité du *Conseil des Atikamekw et des Montagnais* était à son plus bas niveau auprès des gouvernements du Canada et du Québec. On ne se gênait pas, dans ces milieux gouvernementaux, pour affirmer que les Montagnais et les Atikamekw ne voulaient pas négocier. Le gouvernement fédéral avait même suspendu de verser les fonds de négociation accordés au C.A.M. parce que ces derniers ne servaient pas, prétendaient les fonctionnaires, aux fins réelles de la négociation territoriale globale.

On pourrait ajouter que le mécontentement des populations atikamekw et montagnaises était très élevé. On reprochait aux dirigeants de cette association politique d'endetter les communautés en empruntant de l'argent pour la négociation alors qu'ils ne négociaient pas du tout.

J'étais donc conscient, à ce moment-là, que l'on me proposait une mission quasi impossible à mener à bon port.

C'est pour cette raison que, pour mettre le plus de chances possibles de mon bord, j'avais exigé d'être engagé par l'Assemblée des chefs. Cet engagement s'était fait sur la base d'un *Plan de négociation* et d'un *Plan de communication* détaillés et d'une *Entente de solidarité* signée par les chefs des communautés montagnaises et atikamekw présents, dix sur onze, réunis à Mashteuiatsh en mai 1986. Uashat mak Mani Utenam ne faisait par partie à ce moment-là du *Conseil Atikamekw-Montagnais*. Le chef d'alors de Betsiamites, futur président du C.A.M., René Simon, n'avait pas signé l'entente en prétextant qu'il devait consulter sa population. Betsiamites n'a jamais signé par la suite cette *Entente de solidarité*. Je pourrais rajouter, sans me tromper, que cette solidarité souhaitée s'est estompée rapidement parce que les avocats des Atikamekw, André Dionne en tête, voulaient reprendre le pouvoir qui leur avait échappé. Betsiamite continue toujours à menacer cette solidarité souhaitable.

Il faut comprendre que mon expérience des organisations politiques autochtones et mon implication avec l'*Association des Indiens du Québec* lors de la négociation de la Baie-James m'invitaient à une très grande prudence. Je n'aurais jamais accepté de m'aventurer dans une telle galère sans m'assurer de la volonté des Atikamekw et des Innus (Montagnais) de négocier sérieusement. Surtout de le faire dans un cadre précis de négociations: Mandat, style, marge de manoeuvre et objectifs clairement définis.

Je voulais cimenter la solidarité de toutes les composantes de chacune des deux nations et des Bandes, membres de l'organisation. Je savais à quel point ce pacte pouvait être important au moment des véritables batailles.

Je partais donc du principe qui veut que, pour des petits groupes de l'importance des Atikamekw et des Innus, il était primordial de regrouper les ressources humaines et professionnelles peu nombreuses. Nous serions ainsi en meilleure position pour affronter des adversaires mieux équipés et plus nombreux.

Mon emballement pour la cause autochtone a fait que j'ai mal évalué le problème profond, presque culturel, soulevé par les divisions internes; difficulté que je connaissais pourtant très bien...

Le *Plan de négociation* et le *Plan de communication* acceptés unanimement après étude et nombreuses discussions par divers comités reposaient sur les principes exprimés dans les paragraphes suivants.

Dans le cas du *Plan de négociation*, il y aurait deux niveaux de fonctionnement: **Le groupe de travail des négociations**, composé des employés et des professionnels nécessaires à une opération de ce genre sous la coordination du négociateur en chef, et **Le bureau des négociations**, instance de décision des stratégies, des politiques et de l'administration. Cette dernière instance était composée d'un représentant de chacune des communautés, d'un co-président atikamekw et d'un co-président montagnais.

Même si l'idée de base était de laisser à l'*Assemblée des chefs atikamekw et montagnais* les décisions ultimes, il fallait être convaincus de donner la stabilité et la souplesse nécessaires à cette opération. Cette action dépassait le cadre de la politicaillerie locale et même nationale. Elle devait permettre la définition d'un projet de société pour chacune de ces nations. Plus encore, il fallait mettre le processus des négociations à l'abri de l'insécurité du moindre changement de chef dans une communauté, de l'humeur d'un membre de l'exécutif, de la partisanerie politique et des intérêts personnels de quelques-uns.

Je voulais me convaincre que nos populations sauraient faire front commun dans les difficultés face à de nombreux adversaires connus et inconnus. Nous n'étions pas de trop des deux nations unies comme des soeurs siamoises pour y parvenir.

Je souhaitais enfin que l'on soit fort, ensemble et solidaire, lorsque les gouvernements et les profiteurs de tout genre tenteraient de nous diviser d'une nation à l'autre, d'une bande à l'autre, d'un clan et même d'une famille à l'autre. J'espérais donc que les deux nations soient soudées lorsque l'on tenterait d'acheter certains des nôtres par un pouvoir quelconque, un poste, un salaire et des compensations, les miroirs contemporains.

J'espérais surtout que seul l'intérêt suprême du peuple atikamekw et du peuple innu, nations marginalisées, dépossédées et en voie de développement, soit pris en compte au-delà des petits intérêts politiques et personnels à court terme.

Cette opération ne pouvait pas se réaliser sans discipline, au gré des fantaisies de chacun. Nous ne pouvions pas fonctionner comme le ferait un groupe de poules sans tête qui se dirigeraient dans toutes les directions. Il nous fallait donc un lieu unique de décisions, un processus démocratique, des méthodes d'information, des mécanismes de consultations efficaces et un leadership évident. Il nous fallait surtout bâtir une confiance mutuelle sans laquelle la suspicion serait le pain quotidien de toute la démarche.

Pour parvenir à mettre en branle cette vaste intervention sociale, nous devions avoir les ressources financières nécessaires. Les budgets des négociations qu'avait le *Conseil des Atikamekw et des Montagnais* à ce moment-là, à cause du manque de confiance des gouvernements, étaient insuffisants. Ces budgets étaient primordiaux pour élaborer un projet de société, pour arrêter des positions précises et pour rédiger des demandes raisonnables à déposer aux tables des négociations.

Nous devions établir notre crédibilité dans l'opinion publique et aller chercher la sympathie des Québécois, la solidarité des groupes sociaux favorables à la cause autochtone et les convaincre de nous appuyer. Pour y arriver, il nous fallait recruter une équipe de travail compétente, multidisciplinaire et soucieuse des intérêts du peuple innu et du peuple atikamekw. Nous devions en plus utiliser au maximum les ressources autochtones compétentes et disponibles et former celles qui possédaient le potentiel requis.

Enfin, nous avions comme objectif de mettre en place une structure de négociation à caractère social avec des agents de liaison dans chacune des communautés. Désigner une représentation autochtone de qualité dans Le **groupe de travail des négociations** et aux diverses tables de négociations devenait primordial pour le succès de cette négociation.

Les principales positions en matière de territoires, de pratique des activités traditionnelles de chasse, de pêche et de piégeage, de ressources naturelles, d'autonomie gouvernementale, de contrôle, de développement, etc., seraient orientées par le contenu des *États généraux* de chacune des nations concernées. Les représentants des communautés, dans un esprit d'équité, de respect des autres, d'écoute des plus âgés et d'espoir pour les jeunes, participeraient à ces *États généraux* de la nation atikamekw et de la nation innue.

Dans le *Plan de négociation*, j'avais aussi défini les rôles stratégiques des *leaders* politiques, un rôle effacé au cours des premières années de négociation, devenant par la suite de plus en plus évident. Les politiciens ne devaient cependant pas intervenir directement dans la négociation avant la fin du processus aux tables pour ne pas brûler toutes nos munitions par des interventions trop fréquentes et mal synchronisées. Cette participation politique ne devait se faire qu'en prenant en considération le travail du négociateur en chef pour ne pas nuire ou miner sa crédibilité.

Pour moi, comme négociateur en chef et coordonnateur de l'équipe des négociations, les plans de travail des négociations et des communications, élaborés avant que débute mon mandat et acceptés par les chefs au printemps de 1986, ont toujours été une bible. Il allait de soi que le travail effectué se fasse dans le cadre de ces orientations avec la souplesse nécessaire pour les adaptations du moment.

Puisque j'avais obtenu un mandat clair à partir de plans précis que j'avais moi-même rédigés, il était bien normal que je m'y colle le plus possible pour ne pas tromper ceux qui les avaient acceptés. Je n'avais pas été me chercher un obscur mandat au cours de discussions dans un bureau à la porte close. À partir de textes précis, avec une philosophie, des méthodes de travail et une stratégie bien définie, puis discutés à maintes reprises et acceptés par l'ensemble des chefs, on me confiait un mandat précis. Plus encore, cette mission s'appuyait sur une *Entente de solidarité* signée par la très grande majorité des chefs présents.

Je me souviens d'avoir été très clair au cours de cette réunion avec le président Gaston McKenzie et les chefs présents. Je leur ai précisé que je ne voulais pas être engagé par le président et les membres de l'exécutif, mais bel et bien par l'ensemble des chefs sur un programme de travail clair. Je voulais ainsi qu'aucun chef affirme plus tard qu'il ne savait pas dans quoi il s'embarquait en m'engageant. Je ne voulais surtout pas que ces orientations changent au gré de la fantaisie d'un nouveau président ou de nouveaux membres de l'exécutif. Enfin, je voulais éviter qu'on m'utilise comme bouc émissaire en cas d'échec des négociations.

Ma déception a été cependant très grande de constater à quel point la crédibilité du *Conseil des Atikamekw et des Montagnais* était nulle dans le domaine des négociations. Je me suis cogné à un mur lorsque, pour la première fois, j'ai dû me rendre au ministère des *Affaires indiennes et du Nord Canada* pour présenter nos prévisions budgétaires. J'en ai profité pour annoncer que nous allions reprendre les négociations actives.

On m'a fait remarquer à ce moment, avec une certaine arrogance, que les administrateurs du C.A.M, à chaque période de discussion sur les budgets de négociations, promettaient de reprendre les négociations. Rien ne se passait pas la suite.

Les fonctionnaires fédéraux et provinciaux ne se cachaient pas pour dire que les Atikamekw et les Innus n'étaient pas intéressés à négocier même s'ils affirmaient le contraire. Ils attendaient toujours que les Atikamekw et les Innus formulent leurs demandes et les négocient à la table centrale.

On avait refusé d'accepter l'approche fonctionnelle proposée, appuyée par un budget en conséquence, et la vision contenue dans les plans de négociations et de communications. Cette approche précisait que des négociations ne se passaient pas seulement à une table Il s'agissait bel et bien d'un ensemble d'opérations souvent extérieures au cadre formel. Tous ces gestes ou événements spéciaux appuient les revendications et donnent le bargaining power nécessaire pour obtenir certains résultats.

Un an plus tard, le ministre des *Affaires indiennes et du Nord Canada*, Bill McNight, changeait totalement d'opinion. À la suite de la première année d'activités, il était d'accord avec l'approche préconisée par le C.A.M. et décidait d'augmenter notre budget.

Le ministre, au cours d'une réunion d'évaluation avec les membres de l'exécutif du C.A.M., avait déclaré qu'il considérait que « nous étions devenus le groupe le plus sérieux parmi les six groupes canadiens en négociation ».

Par la suite, nous avons toujours eu assez de facilité à justifier nos demandes budgétaires. Elles ont continué à augmenter parce que le travail accompli était intimement relié aux sommes d'argent investies. En aucun temps par la suite, pendant que j'étais négociateur en chef, on nous a fait remarquer que le C.A.M. traînait de la patte dans ces négociations. Au contraire, à cause de la lourdeur de leurs instances décisionnelles, les gouvernements avaient de la difficulté à nous suivre.

IMPORTANCE DE CERTAINS CAS PONCTUELS

Un autre événement, qui aurait pu être des plus dévastateur, mais qui a tourné en avantage immédiat certain pour la démonstration du sérieux du C.A.M., a été la chicane de famille entre les Atikamekw et les Innus. Elle entraînera cependant, après mon départ, comme nous le verrons plus loin, la fin du *Conseil des Atikamekw et des Montagnais*.

Comme le conseiller juridique des Atikamekw, André Dionne, n'avait pas digéré que les chefs des communautés d'Obedjouan, de Manouane et de Weymontachie signent une *Entente de solidarité*, il a tout fait pour que ces derniers abandonnent le C.A.M. et négocient séparément. Il n'acceptait surtout pas, par intérêts évidents, que les chefs se soient engagés à négocier dans une structure globale dirigée par le *Conseil des Atikamekw et des Montagnais*.

Après quelques mois de tiraillements, les deux nations associées pour un objectif commun réussissaient de nouveau à trouver un terrain d'entente. Cette solution temporaire permettait de poursuivre ensemble les négociations territoriales globales.

Ces discussions, entreprises autour d'une proposition que j'avais faite à la table centrale au négociateur du gouvernement du Canada et à celui du Québec, MM. Ovila Gobeil et Gilles Jolicoeur, se sont terminées par la nomination d'un négociateur adjoint atikamekw. Nous avons inscrit, dans l'*Entente-cadre*, une clause précisant que pour les questions propres aux Atikamekw, la table centrale formera une table complémentaire tripartite. Le négociateur désigné par les Atikamekw, Simon Awashish, et les négociateurs du Canada et du Québec dirigeront cette table.

En appliquant les solutions appropriées aux irritants nuisibles que constituent certains cas ponctuels pendant la période de négociation, le négociateur doit faire en sorte que la population autochtone croit à cette démarche positive. Il faut qu'elle constate, d'une façon palpable, que la négociation peut apporter des solutions aux problèmes que les Amérindiens vivent depuis de nombreuses années.

Il est donc important et même essentiel que ces derniers perçoivent, dans un futur contrat social avec la population *blanche*, leur intérêt et leur profit et qu'ils en expérimentent les solutions. Il faut que les Indiens concernés reprennent confiance en eux-mêmes, qu'ils fassent l'expérience de victoires tangibles et qu'ils retrouvent la fierté presque totalement disparue qui caractérisait leurs ancêtres.

Trop souvent, le fatalisme selon lequel les Amérindiens croient qu'ils n'obtiendront rien de la majorité blanche les écrase. Il faut bien démontrer, par des réalisations concrètes, que l'on ne pourrait pas aller d'échec en échec jusqu'à la victoire finale. Il est donc primordial qu'ils palpent le succès afin d'y prendre goût. Il faut que ces petites victoires ici et là deviennent le prélude de réussites collectives.

Je me souviendrai toujours de l'opération que nous avions effectuée avec les chefs et les représentants du développement économique de la Côte-Nord et de la Basse-Côte-Nord lors des conférences socio-économiques à Sept-Iles et à Baie-Comeau.

Au cours de la fin de semaine des 17, 18 et 19 juin 1988, à Sept-Iles, pour la première fois, une délégation innue acceptait de participer à une conférence socio-économique. Pour ces Bandes innues et le C.A.M., les enjeux étaient importants: Se faire reconnaître comme une force politique incontournable et obtenir une part équitable des projets acceptés dans ce cadre de cette conférence.

Par leur ténacité dans leurs interventions sur le parquet et en coulisse, les chefs innus ont fait la démonstration à la population québécoise que leurs revendications étaient justes. De plus, ils ont prouvé qu'ils prendraient tous les moyens nécessaires pour réaliser un nouveau contrat social d'égal à égal. Les gens de la Côte-Nord et de la Basse-Côte-Nord ont saisi que les Innus ne reculeraient pas d'un pouce devant cet objectif de société. De ce fait, ils ont perçu qu'ils devront composer avec eux comme ils ont dû le faire au cours de ce forum socio-économique.

Utilisant, au maximum et avec professionnalisme, la dynamique de ces conférences socio-économiques, nous avons réussi à faire accepter 15 projets de développement économique à établir sur les réserves innues de la haute, de la moyenne et de la basse Côte-Nord, sur 15 projets présentés. Il s'agissait d'une moyenne qui a fait rougir d'envie les grosses municipalités. Cela est surtout plus évident si l'on considère qu'il s'agissait de 20% de tous les projets tandis que la population montagnaise ne représentait que 6% pour l'ensemble de la Côte-Nord et la Basse-Côte-Nord. Il ne faut surtout pas oublier, pour les communautés innues et le C.A.M., les retombées, à moyen et à long terme, au plan de l'image de marque publique et de la crédibilité.

Plus encore, les Innus ont joué un rôle de chef de file en regroupant les petites municipalités et en leur proposant de faire front commun. Le fait de s'appuyer entre-elles et avec les communautés autochtones, au moment de certains votes, a donné comme résultats que nous avons ainsi obtenu notre quote part raisonnable des projets globaux face aux grandes municipalités comme Sept-Iles ou Baie-Comeau.

Comme en ont témoigné les commentaires élogieux de la presse régionale et nationale, la délégation innue est sortie grandie de cet événement. En raison de son leadership et de la grande discipline dont elle a fait preuve, elle a obtenu des résultats qui ont dépassé toutes les attentes.

Le ministre libéral responsable de ces conférences, Marc-Yvan Côté, et les participants québécois, dont le maire de Baie-Comeau, n'avaient pas pu s'empêcher de souligner publiquement l'efficacité de notre opération. Tous les Innus présents avaient discuté en public avec les chefs de file québécois. Pour une des rares fois, ils avaient combattu sainement les chefs de file québécois sur leur terrain et ils en étaient sortis gagnants et grandis. Ils étaient fiers comme des paons d'une telle réussite.

Tous les chefs, les agents de développement économique des communautés et les employés du C.A.M, venaient de goûter à la joie immensurable que procure la réussite d'un travail d'équipe. Ils constataient la force inestimable de ramer dans le même sens sans tiraillement destructeur. Ils comprenaient qu'avec des employés compétents et dévoués, autochtones ou non autochtones, ils étaient à la hauteur de la situation. Il s'agissait d'avoir confiance et de travailler tous bien fort et au bon endroit pour la cause selon ses talents et ses compétences. Ils avaient enfin constaté, pour une première fois, la saveur de la devise du *Conseil des Atikamekw et des Montagnais*: « Ensemble, nous sommes plus forts ».

C'était, pour plusieurs, une véritable découverte parce que, dans la majorité des communautés, la population ne connaissait pas vraiment le travail fait par le *Conseil des Atikamekw et des Montagnais* dans les dossiers importants. On s'arrêtait beaucoup plus sur le commérage destructeur que sur la véritable analyse d'efficacité. Ça donnait comme résultats que les Québécois croyaient à la force politique du C.A.M. et la craignaient. À l'inverse, la très grande majorité des Innus était beaucoup plus portée à la dénigrer pour inconsciemment la détruire.

Bref, cette participation restera longtemps dans la mémoire de ceux et de celles qui étaient à Sept-Iles cette fin de semaine-là comme un grand moment de fierté collective. La joie dans les yeux et le sourire aux lèvres des chefs innus étaient perceptibles.

Ils avaient occupé, sur la Côte-Nord et la Basse-Côte-Nord, la place qui leur revenait de droit. Ils avaient discuté d'égal à égal de l'avenir de cette région. Ils en sortaient grandis et non pas meurtris, ou écrasés, par la majorité dominante. Ils avaient imposé le respect à des voisins estomaqués et décontenancés par la qualité de la participation innue. Ils avaient sentis que les *Blancs* les découvraient que les relations futures ne seraient plus jamais pareilles. Ils avaient compris que, quand tu veux jouer au hockey dans une ligue professionnelle, il faut que tu sois aussi, sinon plus, professionnel que tes adversaires si tu veux avoir des chances de remporter la victoire. Ils découvraient, plus que jamais, qu'en aucun temps, tu as le droit d'improviser si tu affectes l'avenir de tes communautés.

Certaines personnes défaitistes avaient d'abord eu de la difficulté à accepter de participer à cette opération du sommet socio-économique. Elles prétextaient que les *Blancs* nous tromperaient encore une fois. Cette opération leur a démontré l'importance pour nous de se battre sur le terrain de nos voisins. Nous avons fait découvrir aux Québécois que nous étions prêts à accéder à notre autonomie.

Puisque, pour moi, la négociation devait avoir une signification pour les communautés qui attendaient depuis belle lurette certains résultats, il était important de travailler sur les dossiers ponctuels.

On devait utiliser à fond de train l'occasion unique et historique d'être assis à presque tous les jours à une table de négociations avec les deux paliers de gouvernements canadiens. Nous devions exploiter cet avantage pour tenter de régler certains dossiers, peut-être secondaires dans l'ensemble des négociations territoriales globales, mais très importants pour la communauté touchée. Ça nous permettait aussi de démontrer aux gouvernements que nous avions l'intention de nous battre jusqu'au bout pour obtenir des résultats tangibles et de s'encourager mutuellement par de petites victoires.

Il a toujours été évident pour moi que des négociations ne se font pas seulement à une table, mais qu'il s'agit plutôt d'un ensemble d'opérations souvent à l'extérieur du cadre formel qui appuient les revendications. Ces interventions nous donnent le *bargaining power* nécessaire pour obtenir certains résultats.

Cette efficace opération du *Sommet socio économique de la Côte-Nord* a eu des effets d'entraînement sur les Atikamekw.

Lors de la démarche de priorisation, contre toute attente et d'une manière illogique et inacceptable, le milieu de la Haute-Mauricie a refusé le projet de la route 25 reliant les trois communautés atikamekw sur leur territoire ancestral. Les fonctionnaires du gouvernement du Québec ont été renversés d'une attitude aussi mesquine de la part des leaders du milieu. L'effet du nombre de votants des représentants québécois a joué contre les Atikamekw. N'ayant pas utilisé les mêmes méthodes que nous avions mises en place pour les Innus sur la Côte-Nord, les Atikamekw avaient été subjugués par une approche négative du milieu contre eux.

Quelques jours plus tard, le ministre chargé de ces conférences socio-économiques, Marc-Yvan Côté, me convoque à son bureau.

Il me souligne qu'il était inacceptable que ce projet, proposé par le gouvernement du Québec depuis plus d'une vingtaine d'années, ne fasse pas partie de l'ensemble des projets de la *Conférence socio-économique de la Haute-Mauricie*. Nous convenons entre nous qu'il laissera les chefs représentant la nation atikamekw contester cette décision du milieu lors de la prochaine réunion publique.

Avec les trois chefs, je me rends à cette rencontre. J'explique au ministre le préjudice de ce refus de la part du milieu sur un projet qui ne concerne, en réalité, que la nation atikamekw. Je lui demande, comme représentant gouvernemental, de reconsidérer ce dossier important pour le développement économique et social des trois communautés atikamekw qui ne sont reliées entre elles et avec les villes québécoises que par un chemin forestier quasi impraticable.

Après quelques minutes de consultation avec les fonctionnaires du gouvernement du Québec concernés, le ministre Marc-Yvan Côté revient à la table. Il renverse la décision du milieu et nous donne raison en déclarant officiellement aux chefs présents et aux délégués à la *Conférence socio-économique de la Haute Mauricie* que le gouvernement du Québec accepte ce projet.

Devant un tel revirement et surtout une aussi importante leçon de civisme, les représentants du milieu de la Haute-Mauricie sont restés bouche bée. Ils n'ont pas contesté la décision logique du ministre...

LES VOLS À BASSE ALTITUDE

C'est ainsi qu'envers et contre plusieurs, l'équipe des négociations s'est *embarquée* à fond de train dans le dossier des vols à basse altitude pour soutenir les communautés innues de la Basse-Côte-Nord. Les vols à basse altitude étaient un exemple évident qui démontrait que le gouvernement du Canada se préoccupait peu des Indiens en négociation qui vivaient sur leurs territoires ancestraux, hypothéqués par la *Proclamation royale de 1763*.

Nous avons d'abord participé aux premières audiences publiques pour définir les grandes lignes de la future étude d'impact. Nous avons demandé à la *Commission environnementale sur les vols à basse altitude* de faire cesser les vols pendant les études d'impacts. Ce que nous n'avons pas obtenu.

Puis, nous avons formé une importante coalition regroupant 42 groupes sociaux majeurs tels que l'*Assemblée des évêques du Québec*, les plus importantes centrales syndicales, la *Ligue des droits et libertés* et de nombreux groupes pacifistes et écologiques.

Enfin, nous avons dénoncé, sur toutes les tribunes publiques québécoises, nationales et internationales, l'énormité de ce développement sur le territoire revendiqué par les Innus.

Vous me permettrez d'ouvrir ici une parenthèse pour vous raconter l'expérience traumatisante que j'ai vécue sur la l'autoroute achalandée, pour les avions de certains pays de l'O.T.A.N. volant à basse altitude, soit à 100 pieds du sol, que constituait la rivière Natashquan.

Nous étions à une dizaine de kilomètres de la frontière contestée par le Québec du Labrador.

Au cours de la semaine du 26 septembre au premier octobre 1989, le chef de la communauté innue de Natashquan, Joseph Tettaut, située sur la Basse-Côte-Nord, m'a invité à aller avec lui à la chasse à l'orignal. Cette expédition a eu lieu sur le territoire ancestral du chasseur-trappeur Élie Bellefleur, notre hôte. Le fils d'Élie, François, et le mien, Dominic, nous accompagnaient.

Joseph Tettaut, en m'invitant, avait une autre idée en tête que le simple fait de chasser l'orignal. Il souhaitait me faire constater sur place les effets négatifs des vols à basse altitude que je dénonçais sur toutes les tribunes publique. En homme sage, Joseph souhaitait que je parle des vols à basse altitude d'une façon encore plus crédible et convaincante après avoir vécu cette expérience traumatisante. Il savait que je ne pourrais pas comprendre les témoignages des Innus tant et aussi longtemps que je ne n'aurai pas vécu moi-même cette épreuve.

Le territoire de chasse d'Élie est situé à l'est de la rivière Natashquan. Il est en plein coeur du terrain utilisé par les armées de plusieurs pays de l'O.T.A.N. pour la pratique des vols à basse altitude.

À quelques heures de notre arrivée, le mardi 26 septembre, à 13 heures 09 minutes, nous étions en train de discuter, dans la tente principale du campement, de notre plan de chasse pour le lendemain. Soudain, en nous coupant la parole, Élie nous avise que des avions volant à basse altitude venaient dans notre direction.

Nous sommes immédiatement sortis de la tente.

Je me suis mis debout près de la porte d'entrée. Je surveillais le ciel à la cime des épinettes, juste à l'arrière de l'habitation de toile, où devaient, selon la provenance du bruit, arriver les avions.

Soudain, j'ai vu apparaître un oiseau de fer géant à quelques dizaines de pieds au-dessus des arbres. Il fonçait sur moi à une vitesse vertigineuse. L'effet surprenant de cette apparition m'a porté à me pencher et à me jeter à genoux. Je me suis couvert la tête des deux mains et des deux bras pour me protéger. Comme on le fait instinctivement lorsque quelqu'un nous lance, à l'improviste, quelque chose à la tête. J'ai entendu un bruit infernal qui m'a transpercé de part en part les tympans.

Après ce bruit, mon fils Dominic, qui était étendu sur le tapis de sapin dans notre tente pour faire une sieste, est sorti, blanc comme un drap, en me criant: « P'pa, ça pas de bon sens. » À 17 ans, Dominic n'avait pas la réputation d'être un froussard, mais plutôt celle d'un jeune fanfaron qui n'avait peur de rien.

Dix minutes après cette expérience, la tête me bourdonnait encore. J'étais dans un véritable état de stress psychologique.

Le surlendemain, le 28 septembre, à 14 heures 30 minutes, Joseph et François étaient en canot sur la rivière Natashquan, donc visibles. Deux avions sont passés au-dessus d'eux, près du campement, à 100 pieds d'altitude. À la vue des chasseurs en canot sur la rivière, les pilotes des deux avions ont sans doute coupé leurs moteurs puisque le bruit du sifflement, comme d'immenses flèches qui filaient au-dessus de leurs têtes, était beaucoup moins intense.

Au cours de la même journée, à 15 heures 29 minutes, au campement principal, sur la pointe, donc invisibles, Élie, Dominique et moi avons vécu de nouveau, au même endroit, une expérience similaire à la première journée et tout aussi traumatisante. Même si je connaissais déjà les effets de surprise, je me suis penché, les mains et les bras sur la tête, pour me protéger. J'ai vécu les mêmes problèmes auditifs et le même stress.

Le mercredi soir au moment où nous étions dans nos tentes pour la nuit une dizaine d'avions, selon les bruits entendus, sont passés non loin de nous.

La pire journée a été celle du samedi 30 septembre, de 12 heures 30 minutes à 14 heures 30 minutes, alors que 11 avions sont passés sur la pointe à 100 pieds d'altitude. On se serait cru à la guerre du Viêt-nam ou en train de visionner le film *Top Gun*. Pensez-y, 11 fois en deux heures, nous avons vécu la surprise, la peur, le bruit infernal et le stress qui en découle. C'était quasi inhumain.

Je peux vous garantir qu'il est impossible qu'un être humain puisse s'habituer à une telle situation. Plus encore, même si je n'ai vécu ces abominables expériences que pendant une seule semaine, j'ai été sérieusement marqué par ces vols.

Que doit-on imaginer maintenant pour les membres des familles de chasseurs qui sont sur leur territoire ancestral de chasse pendant plusieurs mois. Il est impossible pour de jeunes enfants de vivre ces expériences sans subir des traumatismes pendant le reste de leurs jours.

Pendant toute la durée de notre campagne d'information sur les effets néfastes des vols à basse altitude, j'ai raconté cette expérience traumatisante sur la rivière Natashquan pour dénoncer les menteurs publics de l'*Armée canadienne*. Je répondais au colonel John David qui avait déclaré dans la revue *Actualité*: « Le pauvre homme à pied ou en canot qui est surpris par-derrière, en pleine forêt, par un avion filant juste au-dessus de sa tête à pareille vitesse, peut subir un choc inouï. Mais, justement, cela est peu probable. »

Peu probable, mon oeil...

Soutenus par Louis-Edmond Hamelin, éminent géographe et spécialiste de la nordicité, comme directeur de cette recherche, nous avons étudié et dénoncé, avec les membres de la coalition, la qualité douteuse de la méthodologie des études d'impact. Avec comme résultat que la commission environnementale fédérale a rejeté ces études d'impact et a renvoyé l'*Armée canadienne* refaire ses devoirs.

Plus encore, le premier ministre du Canada, le *p'tit gars* de la Côte-Nord, Brian Mulroney, avait déclaré au cours de cette période, en Nouvelle-Écosse, qu'il ne croyait plus que l'O.T.A.N. vienne s'établir au Canada. Les raisons étaient, selon lui, la conjoncture politique au domaine international, le fait que les Autochtones se soient opposés farouchement au projet et le fait qu'ils aient regroupé de fortes coalitions comprenant des non-Autochtones. On apprenait, quelques jours plus tard, qu'un comité de cette structure militaire internationale avait recommandé que ce soit la Turquie qui devienne l'hôte officiel des autres pays de l'O.T.A.N. pour la pratique des vols à basse altitude.

Il semblait donc que l'on se dirigeait vers la victoire de David contre Goliath.

Malheureusement pour la suite de ce dossier, les libéraux de Jean Chrétien ont remplacé les conservateurs de Brian Mulroney à la tête du pays. Les libéraux, voyant dans les vols à basse altitude une source financière intéressante, ont continué à offrir, pour une poignée de dollars, les territoires ancestraux des Innus en pâture aux pays membres de l'O.T.A.N. qui refusaient de faire entraîner leurs jeunes *rockers* en F-18 sur leurs propres territoires nationaux.

Imaginez-vous toute la crédibilité que l'on avait obtenue en ayant été très actif dans ce dossier. Je dois vous admettre que je suis encore aujourd'hui convaincu que le C.A.M. et sa coalition n'avaient pas été les seuls éléments conduisant à ce succès temporel. Nous pouvons toutefois affirmer sans l'ombre d'un doute que notre travail dynamique et professionnel de relations publiques avait été un élément majeur dans la décision de l'O.T.A.N. de ne pas favoriser le Canada.

Ce qui est malheureux, c'est que les Innus de la Basse-Côte-Nord ont baissé les bras dans ce dossier. Depuis que le *Parti libéral du Canada* de Jean Chrétien est au pouvoir, ils ont cessé de mettre de la pression sur le fiduciaire des Indiens du Canada. Avec comme résultats que les vols à basse altitude sont aussi nombreux aujourd'hui qu'au cours de l'année 1989 et détruisent autant les territoires ancestraux de Innus de Mamit Innuat.

Pourtant, personne ne bouge et leur négociateur est originaire de La-Romaine, petit village où tous les habitants *voyaient* les vols à basse altitude *dans leur soupe*. J'espère que défendre nos droits ancestraux sont plus importants que d'appuyer un parti politique fédéral ?

MINGAN: DÉCLENCHEUR D'UNE RÉVOLUTION À PARCS CANADA

Insatisfaits des résultats de la négociation de mesures provisoires pour la création de la *Réserve de parc de l'Archipel de Mingan*, le chef de la communauté innue de Mingan, Philippe Piétacho, et les membres du conseil m'avaient demandé de renégocier pour eux cette entente.

Sans respecter l'*Entente de mesures provisoires* signée par les gouvernements du Canada et du Québec et le *Conseil des Atikamekw et des Montagnais*, *Parcs Canada* avait négocié, avec les représentants du Conseil de bande de Mingan, cette entente de mesures provisoires. Le conseil m'avait soumis le projet d'entente pour approbation avant sa signature. Je ne pouvais pas leur recommander d'accepter parce que cette entente ne tenait pas compte du tout de la politique de *Parcs Canada* pour une nation en négociation territoriale globale.

Ce fut un choc monumental, une douche d'eau froide, pour les négociateurs de *Parcs Canada* lorsque je leur ai annoncé que, loin de signer l'entente comme cela était prévu, nous allions recommencer au début le travail de négociation. Les dirigeants régionaux du Québec avaient apporté leurs caméras à Mingan pour prendre des photos de l'événement historique de la signature officielle. Je leur ai souligné aussi, par la même occasion, que je prenais le leadership de cette négociation comme négociateur en chef du *Conseil des Atikamekw et des Montagnais*.

Notre objectif était pourtant simple: Nous voulions que *Parcs Canada* applique sa politique. Elle stipulait que, pendant une négociation territoriale globale, lorsque le gouvernement du Canada voulait créer un parc national sur un territoire revendiqué, il fallait que les parties s'entendent sur une formule temporaire de **cogestion** de cette « réserve de parc national ».

Pour nous, une formule de cogestion signifiait une gestion en commun tandis que, pour *Parcs Canada*, il s'agissait d'une simple formule de consultation. Nous étions donc, au départ, à une année-lumière d'une entente.

Il était difficile, à ce moment-là, pour les nations autochtones de pénétrer dans le monde fermé de *Parcs Canada*. Ce ministère avait une culture d'organisation qui faisait aucune place à la reconnaissance des droits ancestraux et de la pratique des activités traditionnelles de chasse, de pêche, de piégeage et de cueillette des Premiers peuples. Les représentants de *Parcs Canada* exprimaient cette négation d'une manière intransigeante. Il était évident pour eux que ces activités traditionnelles n'avaient pas leur place dans un parc national.

Nous avons démontré, pièce par pièce, que les dirigeants de *Parcs Canada* laissaient une trop grande place à la nature au détriment des êtres humains. Ce qui constituait pour nous une réelle brisure de cette chaîne dont les maillons ont chacun leur importance. Une philosophie millénaire qui se fonde sur le cercle de la vie.

À maintes reprises pendant cette négociation avec *Parcs Canada*, j'avais insisté sur le fait que les Autochtones faisaient partie intégrante de cet écosystème à protéger. La pratique de nos activités traditionnelles de chasse, de pêche, de piégeage et de cueillette, dans les parcs nationaux, n'était pas à proscrire; au contraire, elles étaient bel et bien à protéger, à la suite d'un encadrement négocié et acceptable par les parties, et surtout à encourager.

J'avais constaté que cette vision autochtone du développement des parcs nationaux franchissait la rampe avec beaucoup de difficulté. La vieille garde de *Parcs Canada*, plus encline « à protéger les papillons et les petites fleurs » que la culture millénaire des Indiens, veillait au grain. Les changements de mentalités dans un sens contraire étaient difficilement perceptibles.

Il faut rappeler ici le passé des deux siècles derniers de *Parcs Canada*. On ne doit pas oublier que la colonisation a débuté à l'Est et au Sud du pays; c'est dans ces régions que les conflits avec les peuples autochtones ont été les plus importants. Ces conflits et les moyens pris pour les régler expliquent pourquoi il est difficile pour les parcs nationaux et les peuples autochtones de se réconcilier.

Après plusieurs mois de négociations ardues avec *Parcs Canada*, nous avions réussi à arracher, de peine et de misère, une entente du gouvernement du Canada. Nous avions clairement défini cette « gestion en commun » en forçant de plus

Parcs Canada à inclure, dans sa représentation sur le conseil de gestion, des Québécois représentant le milieu. Les Innus de Mingan représentaient 50% des membres du conseil d'administration tandis que l'autre partie de 50% était composée de représentants de *Parcs Canada* et du milieu immédiat de Havre-Saint-Pierre.

C'était donc la première fois que des Canadiens participaient à une formule de cogestion avec *Parcs Canada*. J'ai, par la suite, imposé la même formule pour la création du *Parc marin du Saguenay-Saint-Laurent* avec le Canada et le Québec.

Pour y arriver à Mingan, nous avions dû utiliser une stratégie agressive, plutôt provocante, nous menant à des démonstrations collectives de toutes sortes.

On se souviendra de toutes les manifestations que les membres de la communauté de Mingan ont dû faire pour obtenir gain de cause: Ralentissement de la circulation sur la route 138, marche dans Havre-Saint-Pierre et occupation des îles de l'archipel de Mingan, surtout l'île Quarry. Une campagne de presse soutenait ces manifestations.

Nous avons de plus rencontré les Sénateurs canadiens à Ottawa pour dénoncer l'attitude intransigeante du gouvernement canadien et obtenir leur appui.

Le 21 avril 1989, le chef Philippe Piétacho et les représentants du Conseil de bande de Mingan et le ministre de l'*Environnement du Canada*, monsieur Lucien Bouchard, ont signé une entente bipartite. Elle consacrait le principe de la planification et de la gestion conjointe de la *Réserve de parc de l'Archipel de Mingan*.

Le ministre Lucien Bouchard a qualifié cette entente préliminaire, qui devait régir la forme de cogestion avant la conclusion d'une entente finale tripartite, « de modèle des plus avancé à travers le Canada ».

Je me souviens d'une boutade fort sympathique du ministre Lucien Bouchard. Très habile politiquement, il s'était adressé aux Innus de Mingan dans leur langue maternelle. Profitant du fait que je parlais à l'oreille de mon voisin, il me dit en riant pour se moquer de moi, en français, qu'il me traduirait ses propos au cours du dîner pris dans la communauté. Quelques jours plus tard, je lui ai fait parvenir l'*Enfant de 7000 ans*, que je venais de publier, avec une dédicace en langue montagnaise...

Ce protocole d'entente avait permis de maintenir la pratique des activités de chasse aux oiseaux migrateurs sur la très grande majorité des îles de l'archipel qu'ont toujours fréquentées les chasseurs de Mingan. Cette entente autorisait les membres de la communauté innue de Natashquan à pratiquer leurs activités de chasse aux oiseaux migrateurs dans le secteur est de l'archipel de Mingan.

Plusieurs spécialistes considèrent encore aujourd'hui cette entente de cogestion comme la meilleure que *Parcs Canada* ait conclue. Cela a d'ailleurs amené *Parcs Canada* à définir, à la baisse, le libellé du terme « cogestion » dans sa politique concernant la réalisation d'une « réserve de parc » lorsqu'il veut établir un parc sur un territoire revendiqué par les Premières Nations.

Il aura fallu attendre au début de ce présent millénaire, en janvier plus précisément, pour constater une bouffée d'air frais dans les politiques à venir de *Parcs Canada*.

La *Commission sur l'intégrité des parcs nationaux*, mise sur pied par la ministre de *Patrimoine canadien*, madame Sheila Coops, a recommandé, dans son rapport, que *Parcs Canada* ouvre toute grande la porte à de nouveaux partenariats avec les Premiers peuples. Ces partenariats pourraient même aller jusqu'à la possibilité de créer des parcs autochtones.

Cette commission a ainsi sonné le coup de départ d'une ère nouvelle aux relations entre les Premiers peuples de ce pays et *Parcs Canada*.

C'est d'ailleurs le cas au Québec où je termine une négociation pour une entente de principes de *Parcs Canada* avec les Micmacs de Gespeg pour établir, dans une partie du Parc Forillon, à Pointe-Penouille, le premier parc indien dans le Sud du Canada. Il s'agira du *Parc micmac de Gespeg*.

En lisant ce rapport, j'ai constaté pourquoi les autorités du *Parc national Forillon* avaient changé de position. Au cours des deux dernières années, le directeur de ce parc national s'était opposé, avec l'énergie du désespoir, à la création d'un parc micmac à Pointe-Penouille. La haute direction des parcs nationaux avait eu vent des recommandations de la Commission.

Comme le Saul (Paul) de l'évangile, le directeur du parc avait été frappé sur son chemin de Damas...

Dans le rapport de la *Commission sur l'intégrité écologique des parcs nationaux du Canada*, Volume II: « Une nouvelle orientation pour les parcs nationaux du Canada », publié par *Agence Parcs Canada* 2000, il est précisé que la « [...] présence des êtres humains sur ces terres qui, au gré de l'histoire, ont fini par former le Canada, remonte à des milliers d'années ». On y ajoute que « [...] les écosystèmes reflétaient cette présence, notamment par le biais des activités traditionnelles, de sorte que, dans une certaine mesure, le paysage aperçu par les Européens à leur arrivée était le fruit de l'activité humaine ».

Les commissaires parlaient sûrement de l'arrivée de Jacques Cartier dans ce coin de terre...

« Jusqu'à récemment, le rôle de ces peuples dans le maintien des processus écologiques n'a pas vraiment été pris en considération lors de la création des parcs nationaux ni dans le développement des activités qui y sont associées. Par conséquent, les valeurs et connaissances [traditionnelles] sont en grande partie absentes des parcs nationaux. Cette lacune a contribué au déclin de l'intégrité écologique de nombreux parcs. *Parcs Canada* semble comprendre le bien-fondé d'une participation autochtone accrue dans la gestion des parcs. Toutefois, les mesures concrètes demeurent sporadiques et non ciblées, exception faite de la mise en place de modes de cogestion lors de la création récente de certains parcs.»

Afin de remédier à cette situation, prétend à juste titre la *Commission sur l'intégrité écologique des parcs nationaux du Canada*, il faut que les peuples autochtones et *Parcs Canada* créent un climat de confiance et de respect mutuel. Ils doivent donc ouvrir la voie au dialogue et apprendre à mieux se connaître. Ajoutons à cela que *Parcs Canada* a des attitudes négatives à se faire pardonner et que cette agence gouvernementale doit maintenant instaurer une politique de la main tendue aux Premiers peuples de ce pays.

« La création de partenariats sincères permettrait toutefois à *Parcs Canada* d'entreprendre, également dans [les] parcs plus anciens, une gestion qui tiendrait compte des droits et responsabilités des Premières Nations... »

On pourrait ajouter, comme le souligne la commission, que « [...] Beaucoup de chemin a d'ailleurs été parcouru. *Parcs Canada* a reconnu l'importance des droits autochtones, de la culture de ces peuples et des considérations socio-économiques liées à la gestion de parcs nationaux [...]. Cependant, puisque les relations avec les peuples autochtones dépendent des positions gouvernementales, officielles à cet égard, les méthodes de travail ont plutôt tendance à opposer les parties en présence et, en l'absence d'une libre communication, il est difficile d'en arriver à des partenariats efficaces et productifs ».

Cette commission précise que l'intégrité écologique doit tenir compte des activités humaines traditionnelles. Elle ajoute que l'influence des peuples autochtones ne va pas à l'encontre de la définition de l'intégrité arrêtée dans son rapport. Ce rôle constitue en fait, selon les commissaires, une composante importante de l'intégrité écologique des écosystèmes que *Parcs Canada* doit préserver ou restaurer.

On est donc bien loin des formules de cogestion amenée par les politiques de *Parcs Canada* qui se traduisent, dans les faits, selon les Autochtones, par de la simple consultation. Ce simulacre de cogestion a été dénoncé par les groupes autochtones en négociations territoriales globales au Canada.

Dans le rapport de la *Commission sur l'intégrité écologique des parcs nationaux du Canada*, Volume I: intitulé « le temps d'agir », publié en janvier 2000 par *Agence Parcs Canada* 2000, il est souligné que « [...] *Parcs Canada* et les Canadiens en général ne font que commencer à reconnaître le rôle des Autochtones dans tous les parcs nationaux. ». [...] *Parcs Canada* et ses partenaires autochtones pourront s'éloigner des attitudes et activités, fondées sur la revendication des droits, et adopter des attitudes et des actes qui privilégient le sens des responsabilités. Un tel exemple ne peut qu'inspirer l'ensemble des Canadiens à effectuer un virage semblable ». [...] La création de véritables partenariats entre *Parcs Canada* et les peuples autochtones permettra d'assurer la protection de ces lieux sacrés et servira d'exemple à suivre pour les autres Canadiens ».

Les commissaires recommandent que *Parcs Canada* prenne l'initiative d'une démarche de réconsiliation entre cette agence et les peuples autochtones. *Parcs Canada* doit donc, selon eux, adopter des politique explicites pour encourager et appuyer la création de partenariats sincères avec les peuples autochtones du Canada.

D'ailleurs, les négociateurs des Premiers peuples ont souligné, avec emphase, que leur présence et leurs cultures distinctes étaient une richesse immensurable à exploiter pour les parcs nationaux du Canada. Cette distinction, souvent différente dans les diverses provinces, ou territoires, amène une plus value économique exploitable pour le développement économique de ces nations.

Le rapport de la *Commission sur l'intégrité écologique des parcs nationaux du Canada*, souligne que « [...] Les parcs nationaux doivent offrir aux visiteurs des expériences enrichissantes et responsabilisantes sans compromettre l'intégrité écologique. Les activités et installations appropriées sont les bienvenues dans les parcs nationaux, mais, défi plus difficile à réaliser, *Parcs Canada* doit prendre les décisions qui s'imposent lorsqu'il s'agit d'éliminer, de réduire ou d'atténuer les activités et installations qui ne conviennent pas. La fréquentation des parcs doit être fondée sur le séjour responsable: Utiliser sans abuser ».

Dans un premier temps, je dois vous dire que je suis en accord avec les principales recommandations concernant les peuples autochtones de la *Commission sur l'intégrité écologique des parcs nationaux du Canada* qui souhaitent:

- La réconciliation entre *Parcs Canada* et les peuples autochtones;
- la reconnaissance, dans l'histoire des parcs nationaux et dans son interprétation, de l'occupation du territoire ainsi que de l'utilisation, passées et présentes, par les peuples autochtones;
- que *Parcs Canada* invite les peuples autochtones à prendre part à ses activités;

-    que *Parcs Canada* parraine une série de rencontres afin de lancer le processus de la réconciliation pour passer de la confrontation à la collaboration;
-    que *Parcs Canada* adopte une politique claire incitant à la création et au maintien de partenariats sincères avec les peuples autochtones;
-    que *Parcs Canada* conçoive, avec la collaboration des collectivités autochtones, des projets d'éducation qui mèneront à une meilleure compréhension mutuelle et à des mesures conjointes en vue de la protection de l'intégrité écologique dans les parcs nationaux;
-    que *Parcs Canada* assure la protection des sites culturels, des lieux sacrés et des artefacts se trouvant sous sa garde.

J'ajouterais, en m'adressant au directeur exécutif du Québec de *Parcs Canada*, M. Laurent Tremblay: Puisque ce vent de changements a pris naissance au Québec, il y a quelques années, il serait bon que le « processus de réconciliation » parte aussi d'ici. Les parcs du Québec doivent être les premiers du Canada à favoriser de réels partenariats avec les Premiers peuples à l'image des recommandations de la *Commission sur l'intégrité écologique des parcs nationaux du Canada*.

Nous aurons donc, lui et moi, participer à cette évolution souhaitée et souhaitable.

Pour sa part, la *Commission royale sur les peuples autochtones du Canada*, dans son rapport rendu public en 1996, a même conclu que « le gouvernement fédéral doit modifier sa *Loi sur les parcs nationaux* pour permettre aux Autochtones de se livrer à des activités traditionnelles dans les parcs nationaux, accordant, le cas échéant, la propriété de ces parcs aux Autochtones conformément au modèle australien ». Les commissaires ont ajouté qu'un bail pourrait être rétrocédé à la Couronne pour ces parcs qui seraient administrés conjointement par le gouvernement fédéral et les gouvernements autochtones.

Il faut croire qu'un réel partenariat facilitera la formation des Autochtones dans la gestions d'un parc et créera de nombreux emplois rémunérateurs. Il s'agit, pour les Premiers peuples, de franchir les échelons en compagnie de leurs nouveaux partenaires. Une vision étapiste permettra aux Autochtones de se familiariser avec des méthodes de gestions plus modernes tout en employant leurs propres philosophie qui a passé à travers les siècles.

La pratique contrôlée par eux de leurs activités traditionnelles de chasse, de pêche, de piégeage et de cueillette, l'équilibre nécessaire à cet écosystème naturel, soudera les maillons faibles de cette chaîne du cercle de la vie.

Plus encore, le souffle de vie humaine, amené par le vécu des activités traditionnelles des membres des Premiers peuples dans les parcs nationaux, agrémentera ces sites historiques. Le visiteur découvrira des civilisations riches qui ont passé à travers des millénaires, un vécu fondé sur la nature que plus d'un touriste veut retrouver dans les parcs nationaux.

Il faut situer, le plus précisément possible, dans quel contexte doit se réaliser les formes de partenariats qui seront proposées et acceptées par *Parcs Canada*. La négociation autour du *Parc micmac de Gespeg*, dans le *Parc national Forillon*, doit en être le laboratoire.

La reconnaissance des droits ancestraux est importante dans ce processus de réconciliation parce qu'il faut que les orientation de départ de *Parcs Canada* soient claires, sans ambiguité et, surtout, respectueuses de la définition des droits des Premiers peuples par la *Constitution du Canada* et par la *Cour suprême du Canada*. Ce processus de réconciliation doit aussi prendre en compte le contenu du rapport de la *Commission royale sur les peuples autochtones du Canada*, un plan de travail de grande qualité s'échelonnant sur les vingt prochaines années.

Je me dois de souligner, en terminant, que les dernières années de *Parcs Canada* ont apporté des changements de mentalité qui est tout à l'honneur de ses dirigeants, sa ministre, madame Sheila Coops, en tête.

Je me dois aussi de mentionner qu'il serait trop facile que *Parcs Canada* se contente de voeux pieux d'une commission. Je dois dire que je dénoncerais, sur toute les places publiques, une telle attitude. J'ai mis trop d'efforts pour arriver à cette reconnaissance pour laisser faire...

Cette agence gouvernementale doit franchir l'étape de la réalisation de si beaux principes. C'est à ce moment, et à cet instant seulement, que les Premiers peuples constateront qu'il ne s'agit pas du chant des sirènes des voyages d'Ulysse pour plaire, mais bel et bien d'une position claire et réfléchie assurant une place réelle aux Autochtones dans les parcs nationaux.

Cette négociation avec *Parc Canada* m'a permis de constater à quel point l'ouverture d'esprit de ses hauts dirigeants avait changé au cours des dernières années.

Ce n'est pas le fruit du hasard quant à moi. La venue d'une Algonquine de principes de Pikogan, Margot Rankin, fille de feu Tom Rankin, ancien et chef algonquin, comme fonctionnaire fédéral à *Parc Canada*, dans cet antre de mâles, plutôt *matcho* dans le sens de la protection outrancière « des petites fleurs et des papillons » au détriment des Premiers peuples, a certes eu ces effets positifs.

Connaissant l'habilité diplomatique et patiente de Margot Rankin et surtout ses convictions profondes pour défendre la cause autochtone, je suis convaincu que ses interventions habiles, souvent sans éclat, à tous les niveaux de la *Fonction publique canadienne*, auront servi de *machoire de vie* (instrument que l'on utilise pour sortir les blessés d'une automobile écrabouillée après un accident) pour forcer des prises de conscience.

Des guerriers politiques, comme je le suis moi-même, n'ont pas tendance à s'arrêter et à regarder le travail efficace et utile d'Indiennes ou d'Indiens plus effacés. Ces *warriors* sont toujours aux premières rangées du champ de bataille en surveillant les coups qui viennent de partout. Ils ne voient pas toujours que ces Autochtones ont ouvert les portes pour qu'il entre dans la forteresse. Si ces derniers en sortent vainqueurs, tel que c'est le cas pour ce dossier, et parce qu'ils sont plus flamboyants, ils en retirent tout le mérite en ne pensant pas à tous les autres...

À titre de négociateur en chef, j'ai toujours prétendu que les négociateurs d'en face des parties gouvernementales avaient le rôle de comprendre, d'accepter et, surtout, de véhiculer l'argumentaire que nous lui avions livré pour justifier nos demandes. Tu auras beau t'égosiller comme négociateur pour débattre ton point vue pendant des heures et des heures à la table de négociation. Tous ces efforts seront inutiles si les négociateurs des parties adverses ne font pas l'effort pour saisir ta démonstration et ne la véhiculent pas avec conviction à leurs mandants dans l'appareil gouvernemental.

Comme je l'enseignais à l'université Laval, la communication verbale est une question d'émetteur et de récepteur. Si le récepteur n'ouvre pas son interrupteur, il n'y aura pas de communication possible entre les deux.

Cette négociation avec *Parc Canada* aura fait cette démonstration d'une manière évidente. Jean Boutet, fonctionnaire, négociateur de la dernière heure de *Parc Canada* dans ce dossier, aura démontré cet avancé d'une manière éloquente.

En quatre ou cinq séances - un record quant moi -, nous aurons conclu une entente de principe satisfaisante pour les parties. Pourtant, nous étions depuis plus deux ans à cette table de négociation avec d'autres négociateurs et nous n'avions pas bougé d'un fil. La recette était pourtant bien simple: Ce dernier avait un mandat politique clair de ses mandants, donc il pouvait s'avancer sur des positions avant-gardistes, et l'intelligence de chercher à comprendre la portée de nos demandes.

Il ne faudrait pas croire que les débats ne se sont pas faits et que nous avons escamoté des principes fondamentaux de part et d'autres. Au contraire, nous avons été au fond des choses en acceptant cependant de considérer les arguments de l'autre et de modifier nos propres visions. Nous étions prêts à faire les concessions nécessaires dans des compromis acceptables.

C'est ce qui a fait que nous nous sommes entendus rapidement à la table de négociations sur les grands principes qui serviront à créer le premier véritable parc indien au Canada: *Le Parc micmac de Gespeg*.

LES ÉTUDES D'IMPACT ET HYDRO-QUÉBEC

L'étude d'impact pour la construction de la ligne Radisson-Nicolet-Des Cantons a donné une autre occasion, au service des négociations du *Conseil des Atikamekw et des Montagnais*, de se distinguer. Nous avons fait tous les efforts nécessaires, en participant aux audiences publiques du *Bureau des audiences publiques sur l'environnement* (BAPE), pour démontrer que les Atikamekw et les Innus avaient été ignorés par le gouvernement du Québec et *Hydro-Québec* dans leurs études d'impact.

On avait dénoncé avec force la société d'État. *Hydro-Québec* avait fait des études pour connaître les impacts du passage de cette ligne sur les « abeilles et le poulamon » alors qu'elle n'avait fait aucun effort pour connaître les impacts sociaux sur les Atikamekw et sur les Innus.

Cette démarche a d'abord servi à confirmer au négociateur du Québec, Gilles Jolicoeur, qu'il était important de négocier une *Entente de mesures provisoires*. Il était évident que les mécanismes d'études environnementales du Québec ne protégeaient pas les intérêts des Atikamekw et des Innus pendant la période des négociations. Sa démonstration à la table des négociations ne convainquait plus personne.

La Commission du BAPE, présidée par André Beauchamp, nous avait donné raison.

Plus encore, le directeur de ce projet d'*Hydro-Québec* m'avait mentionné qu'à la suite de nos interventions dérangeantes devant la commission et ailleurs, « la société d'État ne pourrait jamais plus se comporter de la même façon pour ses projets futurs. Elle devra maintenant considérer les nations autochtones comme des intervenants majeurs et prioritaires et les traiter en conséquence ».

L'avenir m'a prouvé, par la suite, la justesse des propos de ce directeur de projet.

Je pourrais tirer plusieurs conclusions positives de tous les dossiers ponctuels que nous avons travaillés au cours de mes cinq années d'activités intensives comme négociateur en chef. Je me contenterai d'en dresser une liste non exhaustive des principaux.

- Participation à la coalition des groupes en négociation - Récupération des territoires de trappe d'Essipit (Les Escoumins) - Fermeture de la ville de

Schefferville - Construction d'une école de Natashquan - Étude sur la ouananiche à Mashteuiatsh - Contrôle de la chasse aux caribous à Schefferville - Fouilles archéologiques - Chasse et trappe au Labrador - Champ de tir de l'Armée canadienne à Péribonka - Pêche commerciale à Mingan - Politique d'arrosage des pesticides - Pourvoiries à Mingan, à Natashquan et à La Romaine - Taxe à la consommation à La Romaine - Plan quinquennal de pêche aux saumons du Québec et du fédéral - Loi 15 sur les habitations fauniques - Politique québécoise sur la villégiature - Dossier Kruger à Natashquan - Négociation d'un CAAF pour Mashteuiatsh - Revendications particulières des Bandes - Statistiques démocraphiques - Route 138 à Betsiamites - Études archéologiques à Natashquan - Étude d'impact sur la route 138 à Natashquan - Dossier de la taxation des chalets avec les MRC.

PARTICIPATION DES JEUNES

Nous avions entrepris, avec un certain succès, une offensive importante auprès des jeunes pour qu'ils s'intéressent et s'impliquent de plus en plus dans le projet de société que nous étions en train d'élaborer. Ce projet, qui façonnerait leur avenir, les concernait à un plus haut point.

Un colloque avait d'abord eu lieu à La Romaine sur la Basse-Côte-Nord où ils avaient décidé de se former en association et de se regrouper dans chaque communauté. Ces groupes étaient encore actifs à mon départ Ils travaillaient à dégager les questions importantes qui les intéressaient.

Nous avons eu un autre colloque à Québec sur le dossier des négociations. Encore là, les jeunes ont formé un groupe qui se réunissait à chaque semaine pour discuter des dossiers de négociations qui leur étaient propres et pour s'impliquer dans l'élaboration de ce projet de société.

Enfin, un dernier colloque avait regroupé, à Mashteuiatsh, une cinquantaine de jeunes étudiants(es) du post-secondaire, atikamekw et innus, des deux blocs. On leur avait démontré l'importance d'une telle négociation pour leur avenir. Ils ont discuté de tous les thèmes importants, du territoire à l'autonomie gouvernementale. Ils ont appris quelles pourraient être les nouvelles carrières qui s'ouvriraient à eux après la signature d'une entente finale. Ils ont décidé de former des associations regroupant les étudiants de Chicoutimi, de Sept-Iles et de Montréal.

Cette initiative auprès des jeunes n'a pas continué après mon départ car les chefs du *Conseil des Atikamekw et des Montagnais* n'ont jamais cru à son utilité. Ils voyaient plutôt ces regroupements de jeunes comme de potentielles sources de contestations ou d'actions politiques partisanes.

ENTENTE-CADRE
ET ENTENTE DE MESURES PROVISOIRES

L'*Entente-cadre*, après avoir été acceptée à l'unanimité par les chefs au cours d'une réunion spéciale le 22 juin 1988, à Mingan, a été signée le 13 septembre 1988 par le président du *Conseil des Atikamekw et des Montagnais*, Gaston McKenzie, par les vice-présidents, Edmond Malec, de la Basse-Côte-Nord, Jean-Rock Picard, de la Côte-Nord et du Lac-Saint-Jean, et Marc Dubé, des

Atikamekw, et par les ministres représentant le Canada, Bill McKnight et Bernard Valcourt, et par ceux du Québec, Raymond Savoie et Gil Rémillard.

Puisque la politique fédérale des revendications territoriales globales, qui avait été amendée en 1986 par le gouvernement du Canada, avait introduit une nouvelle étape et que les parties avaient décidé de s'y conformer, nous avons négocié et paraphé une *Entente-cadre*, la première au Canada. Elle décrit le processus des négociations et démontre l'ampleur et la portée de la future entente finale. Ce plan de travail identifie les sujets traités, les paramètres à respecter ainsi que les échéanciers.

Parmi les points les plus importants de cette *Entendre-cadre*, soulignons la base de négociation qui est:

> « *Le territoire sur lequel les Atikamekw et les Montagnais ont établi leur revendication territoriale globale, fondée sur des titres ancestraux issus de l'utilisation traditionnelle et continue des terres, dont le gouvernement fédéral a accepté de négocier le règlement.* »

L'entente finale sera conclue sans extinction des droits ancestraux qui pourraient exister au sens de l'article 35 (1) de la *Loi constitutionnelle de 1982*. Elle sera rédigée sans porter préjudice aux droits conférés aux peuples autochtones suite à tout amendement futur de la *Constitution du Canada*.

Pour ce qui est des droits fonciers, ceux qui pourraient exister seront échangés par les Atikamekw et par les Montagnais en contrepartie des droits fonciers issus de traité au sens de l'article 35(1) de la *Loi constitutionnelle de 1982*.

Les parties négocieront la mise en place d'un gouvernement responsable pour les Atikamekw et pour les Montagnais. Ce gouvernement autonome fera partie de l'entente finale.

Cette *Entente-cadre* décrit le processus de la négociation. Elle en donne la responsabilité et la coordination à la table centrale en permettant de créer des tables sectorielles. Elle prévoit aussi les méthodes de travail qui consistent à formuler des propositions et des contre-propositions. Elle reconnaît le leadership de cette négociation au groupe autochtone et souligne que les négociations des dossiers s'amorceront à partir des propositions du C.A.M.

Comme les gouvernements avaient refusé catégoriquement, et cela à maintes reprises, de décréter un moratoire sur les activités de développement ou sur les activités traditionnelles de chasse et de pêche, nous avons donc négocié une *Entente de mesures provisoires* pour:

> « *[...] protéger les intérêts des Atikamekw et des Montagnais relativement au territoire et à l'exercice de leurs activités pendant la durée des négociations et de faciliter leur participation aux différentes étapes d'élaboration et de réalisation des projets de développement.* »

Les parties ont signé cette entente, approuvée par 11 communautés sur 12, le 25 avril 1989 à Québec. Elle était la première entente de mesures provisoires conclue avec les groupes autochtones au Canada et la seule actuellement. La communauté de Schefferville était dissidente et ne l'a pas endossée.

Dans ses grandes lignes, l'*Entente de mesures provisoires*, sans arrêter les projets, permettait aux Atikamekw et aux Montagnais de participer aux développements sur le territoire revendiqué et d'en tirer certaines retombées économiques ou sociales. Elle donnait donc les instruments nécessaires qui pouvaient permettre à nos populations d'être les premières informées et consultées et de se protéger contre certains aspects négatifs.

Dans le cas des activités traditionnelles, l'objectif était de faire cesser le harcèlement sans raison contre les Atikamekw et les Montagnais dans la pratique de leurs activités traditionnelles de chasse et de pêche. Les résultats à la suite de la signature de l'*Entente de mesures provisoires* ont démontré une diminution significative comme vous pourrez le constater en consultant le tableau comparatif suivant :

Nombre de constats d'infractions

	1988	1989	Variation
Atikamekw	6	1	-83%
Montagnais	112	45	-60%

Donc, il est évident que les cas de harcèlement ont diminué d'une manière appréciable après que les mesures provisoires aient été mises en application. Deuxièmement, il ne faut pas confondre un constat d'infraction, comme le fait voir le tableau, et les poursuites devant les tribunaux.

Dès la mise en application des mesures provisoires, les cas de poursuites ont été très rares, sinon existants.   Ils l'étaient d'autant plus que tout rapport d'infraction, qui devait passer par le comité des infractions du ministère *Loisirs, Chasse et Pêche* (MLCP) du Québec, devait d'abord faire l'objet d'un examen du groupe de travail mis en place.   Ce dernier avait pour fonction d'appliquer l'*Entente sur les mesures provisoires*.   De plus, nous avions réussi à faire retirer quelques causes inscrites devant les tribunaux.

Dans le cas de la chasse aux oiseaux migrateurs, nous avons eu plusieurs rencontres avec les représentants du *Service canadien de la faune*. À cause des ententes internationales, la *Loi sur la chasse des oiseaux migrateurs* devait être appliquée, mais avec certains assouplissements.   Tous les cas d'infraction devaient passer par le comité sur les mesures provisoires pour discussion avant de faire l'objet de poursuites judiciaires.

PROTECTION DES SITES AUTOCHTONES

Dans le cadre de la politique des *Contrat d'approvisionnement et d'aménagement forestier* (C.A.A.F.), nous avons été en mesure de faire respecter l'*Entente des mesures provisoires* par le biais de la Loi 150.   À ce jour (au mois d'avril 1990), nous étions intervenus dans quatre communautés montagnaises pour protéger certains sites autochtones par le biais de négociations régionales avec les unités de gestion du ministère *Énergie et Ressources* (M.E.R.) du Québec.

Les sites privilégiés sont les camps permanents et temporaires, les sentiers de portage, les sites de fréquentations des oies, les sites de frayères et les sites archéologiques.   Pour ces cas, nous sommes intervenus auprès des unités de gestion locales de Hâvre-Saint-Pierre, de Baie-Comeau, de Forestville, des Escoumins, de Chicoutimi, de Saint-Félicien et de Roberval.   Nous avons aussi transposé sur des cartes, pour l'ensemble des communautés, les occupations et les utilisations actuelles du territoire.   Les communautés de Betsiamites, d'Essipit (Les Escoumins), de Mashteuiatsh et de Uashat mak Mani Utenam ont déposé ces informations.

LÉGALISATION DES « SQUATTERS »

Suite à l'octroi d'un C.A.A.F. que j'ai négocié pour la communauté de Mashteuiatsh, le service des négociation a apporté un soutien pour l'élaboration d'un guide des modalités en milieu forestier à saveur montagnaise.

Nous sommes intervenus auprès de la Direction régionale du ministère *Énergie et Ressources* de Baie-Comeau pour délimiter certaines zones où le ministère n'accorderait aucun permis de villégiature. Cette intervention a pu être faite grâce à l'*Entente sur les mesures provisoires* et surtout parce qu'il n'existait pas de moratoire pour la construction de chalets dans la région 09.

Nous avons convenu, avec la direction régionale, qu'aucun permis de construction de chalet ne serait émis le long du littoral entre Mingan et Natashquan jusqu'à la signature d'une entente finale. Cette demande a fait suite à une consultation auprès des Conseils de Bandes, des comités de chasse et de la population. Nous leur avons aussi proposé d'étendre cette démarche à toutes les communautés autochtones de la région 09.

ALUMINERIE ALOUETTE

Pour le dossier de l'*Aluminerie Alouette*, dans la région de Sept-Iles sur la Côte-Nord, nous nous étions fixé comme objectif d'obtenir une part équitable de 10 pour cent (10%) des emplois sur le chantier de construction. L'*Aluminerie Alouette* devait employer 2,000 travailleurs pour cette étape. Au moment de l'exploitation de l'usine, qui devait aussi atteindre le nombre de 2,000 emplois au total, nous souhaitions obtenir à peu près le même résultat en pourcentage.

Il faut souligner que cette entreprise privée n'était pas soumise aux effets de l'*Entente sur les mesures provisoires*. Ce qui démontre à quel point cette entente était prise au sérieux pour les développements importants.

Nous avions mis en place un groupe de travail avec des représentants du consortium Alouette. Après trois réunions (au moment de mon départ du C.A.M.), nous avions constitué une liste de travailleurs qualifiés pour la construction, composée de 200 dossiers complets. Nous avions aussi entrepris les démarches nécessaires pour faire évaluer et reconnaître comme acquis les heures de travail effectuées sur réserves des travailleurs innus. Enfin, le C.A.M. s'était réuni avec les syndicats pour trouver des méthodes favorisant une meilleure concertation entre nous.

Comme résultats concrets, nous avions un accord de principe sur l'ensemble du dossier avec le consortium Alouette et sur l'engagement d'un agent de liaison pour représenter et défendre les intérêts des Innus dans la structure administrative de l'entreprise.

On pourrait ajouter que, pour la première fois, l'expérience prise pour du travail de construction effectué sur réserve par les travailleurs innus serait reconnue. Une personne-ressource à plein temps pendant quelques mois devait être fournie par le gouvernement pour faire l'évaluation des travailleurs qualifiables et ainsi leur permettre d'obtenir leur carte de compétence.

Pour l'avenir, on prévoyait la mise en place de mécanismes de concertation avec les syndicats pour favoriser l'embauche de travailleurs autochtones sur les chantiers de construction Alouette et, éventuellement, sur d'autres chantiers.

Nous avions décidé qu'à la suite de l'évaluation de la main-d'oeuvre montagnaise (formation, expérience, etc.), nous pourrions mettre en place une banque de données informatisées. Nous pourrons aussi rendre compatible cette banque de données avec les grandes banques déjà existantes ailleurs, en particulier celle de la *Commission de la construction du Québec*.

À ma connaissance, après mon départ du C.A.M. et l'abandon de l'*Entente sur les mesures provisoires*, peu de choses s'est réalisé. Le service de développement économique de la communauté de *Uashat mak Mani Utenam* a simplement repris le dossier pour s'occuper exclusivement des Innus faisant partie de leur Bande. Quelques personnes, un très petit nombre, ont trouvé un emploi temporaire à Alouette.

RÉSERVES ÉCOLOGIQUES

Dans le dossier des réserves écologiques, nous avons utilisé l'*Entente sur les mesures provisoires* pour essayer de contrer l'implantation unilatérale par le gouvernement du Québec des réserves écologiques sur le territoire revendiqué.

La démarche du C.A.M. a d'abord donné comme résultats de ralentir le programme québécois. Le gouvernement du Québec a remis à plus tard le projet de création de la réserve Matamek, près de Sept-Iles. On a, par la suite, créer des meilleures conditions de concertation entre le gouvernement et les Atikamekw et les Innus pour les projets futurs. Enfin, cela a permis de faire avancer l'idée de la création de parcs atikamekw et montagnais.

Plus encore, cette position claire du *Conseil des Atikamekw et des Montagnais*, qui prétendait à ce moment-là que les réserves écologiques, comme il le souhaitait pour les parcs nationaux du Canada, puissent permettre aux Indiens de pratiquer leurs activités traditionnelle de chasse, de pêche et de cueillette. Nous étions convaincus, comme nous l'avons vu pour la négociation des Innus de Mingan avec *Parcs Canada*, que la fréquentation des territoires ancestraux par les Indiens faisait partie de l'intégrité écologiques à préserver.

Or, il y a quelques mois, j'ai constaté, de la bouche même des hauts-fonctionnaires du ministère de l'*Environnement du Québec*, que la nouvelle politique des aires protégées devrait permettre cette fréquentation dans une très grande partie de ces territoires protégés. Elle donnera l'occasion aux représentants des Premiers peuples d'être associés aux choix des terres qui composeront les futures aires protégées. Ils pourront aussi en être les principaux gestionnaires.

GESTION DE LA RIVIÈRE OLAMANE

Après de nombreuses années de chicane entre les membres de la communauté innue de *La Romaine* et de la communauté *blanche* du même nom, nous avons réussi à conclure une entente de gestion conjointe de la rivière Olamane.

Le comité de gestion respectait la représentativité de chacun des groupes selon le prorata de la population. Ce qui signifie qu'il était composé en majorité d'Innus. Cette entente a ouvert la porte à la mise en place d'une pourvoirie pour la pêche aux saumons créant ainsi plusieurs emplois pour les Innus et les Québécois.

HYDRO-QUÉBEC ET L'ENTENTE SUR LES MESURES PROVISOIRES

En vertu de l'*Entente sur les mesures provisoires*, les représentants du C.A.M. et ceux d'*Hydro-Québec* ont formé un groupe de travail pour élaborer des mesures particulières concernant les projets de cette compagnie d'état sur la rivière *Sainte-Marguerite*. Le mandat du groupe de travail était de déterminer des mesures de mitigation et de compensation. Il assurait la participation des Innus à toutes les phases de conception et de réalisation du projet.

Il ne faut pas oublier que, dans le cas de la rivière Sainte-Marguerite, nous en sommes à la phase de conception. La décision gouvernementale d'aller de l'avant avec ce projet n'a pas encore été prise.

C'est à partir de l'expérience de ce groupe de travail que le C.A.M. a exigé la mise sur pied par *Hydro-Québec* d'une table sectorielle pour favoriser les intérêts des Innus.

Le Conseil de Bande de la communauté de *Uashat mak Mani Utenam* a tout tenté pour faire en sorte que le C.A.M. ne soit pas le chef de file dans la mise sur pied de cette table sectorielle de négociation. Il voulait, sans le dire, que toutes les retombées soient pour les membres de la communauté et non pas pour l'ensemble des Innus. Ses représentants avaient en tête le montant élevé potentiel de compensations monétaires qu'il ne voulait pas partager avec les autres communautés innues.

L'objectif de cette centralisation par le C.A.M. et de la bataille que nous avions livrée à ce moment-là contre le chef de la communauté, Daniel Vachon, pour faire respecter ce principe était clair. Nous ne voulions pas que les gouvernements, ou ses créatures négocient séparément avec chacune des communautés. Ce geste aurait pu ainsi créer une diversion et briser l'unité fragile, mais nécessaire, pour obtenir des résultats dans cette négociation.

Cela ne signifiait aucunement que la communauté touchée par ce barrage soit exclue des retombées et n'en retire pas la part du lion, la plus importante. On souhaitait faire en sorte de ne pas affaiblir le processus global et de faire profiter la communauté concernée de l'expertise de l'équipe de négociation.

En livrant l'information dans la communauté, j'ai fait la démonstration que le chef avait caché la vérité, pour ne pas dire menti, sur toute la ligne à sa population. La vérité toute simple a démontré qu'il avait injustement dénigré le C.A.M. Le chef ainsi démasqué a dû démissionner de son poste à la suite de pressions des membres de la Bande. C'était la première et la seule fois d'ailleurs que le *Conseil des Atikamekw et des Montagnais* osait corriger les informations mensongères livrées par un chef aux membres de sa communauté.

Comme l'*Entente sur les mesures provisoires* était claire sur ce sujet, les représentants du conseil de *Uashat mak Mani Utenam* ont dû employer une nouvelle tactique. Ils ont réussi, après mon départ, à convaincre les autres communautés et le C.A.M. de ne pas reconduire l'*Entente sur les mesures provisoires*. Le négociateur qui m'a remplacé, ayant choisi comme attitude de ne pas s'opposer aux chefs, a plié l'échine.

À la suite d'une telle erreur de l'équipe des négociations et du manque de leadership politique du C.A.M., le *Conseil de Uashat mak Mani Utenam* a pu commencer sa propre négociation séparément. Ce qui a donné, comme résultats, l'accentuation de la chicane entre les Innus de la Basse-Côte-Nord, de Mamit Innuat et ceux de la Côte-Nord, Mamuitun.

Comme les Atkamekw souhaitaient, depuis belle lurette, une telle chicane entre les Innus, ils en ont profité pour abandonner cette structure politique et voler de leurs propres ailes.

Constatant par la suite son erreur de jugement et surtout la faiblesse de son leadership politique devant l'adversité, le C.A.M. a voulu faire remettre en vigueur l'*Entente sur les mesures provisoires*, mais il était trop tard. Le mal était fait. Les gouvernements avaient tourné la page et ils ne se sentaient plus obligés de se conformer à des exigences encombrantes. Plus encore, *Hydro-Québec* négociait avec une communauté séparément espérant ainsi s'en tirer avantageusement; ce qui fut le cas avec *Uashat mak Mani Utenam*.

Fragile et sans véritable chef de file politique, le C.A.M. n'a pas pu survivre à tout ce branle-bas.

Au lieu de changer son président, les chefs Innus ont choisi de profiter de la faiblesse du C.A.M. pour mettre fin à cette structure politique et se séparer les restes de sa dépouille. Ils mettaient ainsi fin à de nombreuses années de travail intense et jetaient la meilleure instance politique canadienne d'autonomie.

Ils ont préféré envoyer le véhicule au dépotoir plutôt que changer le chauffeur. Ils anéantissaient du revers de la main plusieurs années d'efforts pour établir la crédibilité d'une instance d'autonomie gouvernementale qui avait déjà fait ses preuves dans plusieurs secteurs.

Malgré certaines faiblesses de leadership politique, les Innus et les Atikamekw avaient une structures politique qui faisait l'envie de plusieurs organisations politiques *blanches* ou indiennes des autres nations. Cette structure politique avait été développée au cours des ans par des Indiens qui croyaient à l'importance des institutions propres à chacune des Premières Nations. Évidemment, sa force politique dérangeait certains fonctionnaires fédéraux et provinciaux qui préféraient des Indiens beaucoup plus soumis.

La division, presque culturelle chez les Premiers peuples, a eu raison de cette force politique majeure. Elle a obligé les leaders politiques à reprendre, à la case départ, à partir de conseils tribaux regroupant une partie des communautés innues. Plutôt de regrouper nos forces déjà passablement faibles, nous les avons réduites à son stricte minimum...

Si l'on revient aux années 1989-90, un comité scientifique se réunissait dans le cadre de chaque projet d'*Hydro-Québec* pour faire valoir les préoccupations des Innus dans les études. Jusqu'au moment où je dirigeais la représentation du C.A.M. à ce comité, voici, en substance, comment nous avons défendu les intérêts des Innus par l'obtention de contrats et d'emplois, de même que par un suivi rigoureux des devis et des études qui les concernaient.

Projet de la rivière Sainte-Marguerite

Réalisation d'une étude sur l'utilisation du territoire de la rivière Sainte-Marguerite par les Innus de *Uashat mak Mani Utenam*. Amélioration du devis par le C.A.M. et emplois d'assistants innus.

Succès des pressions du C.A.M. pour favoriser l'emploi d'Innus de *Uashat mak mani Utenam* dans les travaux de réfection de la vieille route et emplois pour le gardiennage du chantier (1989).

Emplois d'assistants innus dans les travaux d'archéologie reliés au chantier de réfection de la vieille route (1989).

Réalisation d'une étude sur les conditions de pêche aux saumons des Innus de *Uashat mak Mani Utenam* à l'embouchure de la rivière Moisie et emplois d'assistants montagnais (1989).

Réalisation d'une étude sur l'utilisation du bassin de la rivière Moisie par les Innus de Uashat, amélioration du devis de la part du C.A.M. et emplois d'assistants montagnais (1990).

Réalisation d'une étude sur l'utilisation historique de la rivière Moisie par les Innus, amélioration du devis par le C.A.M. et emplois d'assistants montagnais.

Réalisation d'une étude socio-économique portant sur le milieu autochtone de Uashat mak Mani Utenam. Recommandation du choix du consultant, amélioration du devis par le C.A.M. et emplois d'assistants innus (1990).

Archéologie montagnaise

Travaux d'archéologie financés par *Hydro-Québec* près de Mingan; formation et emplois de plusieurs Innus (1989).

Accord de principe d'*Hydro-Québec* pour financer la tenue d'un atelier spécial sur l'archéologie chez les Innus avec le C.A.M. et les bandes concernées (1990)

Accord de principe d'*Hydro-Québec* pour financer un plan quinquennal (1990-94) de travaux d'archéologie innue dans la région de Mingan; emplois et formation de plusieurs Innus prévus.

Projet de ligne Hart Jaune - Fire Lake

Réalisation d'une étude sur l'utilisation du territoire par les Innus de Betsiamites et de *Uashat mak Mani Utenam*; amélioration du devis par le C.A.M. et emplois d'assistants innus (1990).

Succès des pressions du C.A.M. pour que l'entrepreneur privé, chargé de l'ouverture de la ligne de centre, engage des Innus de Betsiamites dans des emplois plus intéressants (1989).

Contrat de gré à gré accordé aux Innus de Betsiamites pour le contrôle de la végétation près de la centrale; création d'emplois (1989).

Accord de principe d'*Hydro-Québec* pour accorder un contrat de gré à gré aux Innus de Betsiamites et de *Uashat mak Mani Utenam* pour le déboisement de l'emprise de la ligne.

Entretien des emprises de lignes

Les critiques du C.A.M. ont conduit *Hydro-Québec* à apporter plusieurs améliorations à son étude d'impact sur le *Programme quinquennal d'épandage aérien de phytocides* dans la région de Manicouagan [dont une augmentation des contrats de coupe de bois mécanique par les Innus et l'identification prévue des éléments sensibles du territoire montagnais (1989-90)].

Contrats d'entretien mécanique de gré à gré aux Innus de Betsiamites pour certains tronçons de lignes et pour des digues et barrages d'Hydro-Québec (1989-90).

Projet Ashuapmushuan

Réalisation d'une étude sur l'utilisation du territoire de la rivière Ashuapmushuan par les Ilnutsh de Mashteuiatsh; amélioration du devis par le C.A.M. et emplois d'assistants innus (1989-90).

Réalisation prévue d'une étude socio-économique portant sur le milieu autochtone de Mashteuiatsh; recommandation du choix de consultant, amélioration du devis du C.A.M. et emplois d'assistants innus (1990).

Projet de la 12e ligne Chibougamau-Jacques Cartier

Réalisation d'une étude sur l'utilisation du territoire de Mashteuiatsh dans la zone d'étude visée; amélioration du devis par le C.A.M. et emplois d'assistants innus (1989).

Accord de principe d'*Hydro-Québec* pour l'engagement d'Ilnutsh de Mashteuiatsh dans les travaux de la ligne de centre (1990).

Projet de la 13e ligne Macua-Saguenay

Réalisation d'une étude sur l'utilisation du territoire par les Innus de Betsiamistes et d'Essipit (Les Escoumins) dans la zone d'étude visée, amélioration du devis par le C.A.M. et emplois d'assistants montagnais (1990).

Projets de Compensations Série

Accord d'*Hydro-Québec* pour considérer de façon spéciale les Innus de *Uashat mak Mani Utenam* pour les travaux d'agrandissement des postes Arnaud et Montagnais lors des appels d'offres (1990-91).

Profil d'embauche - Région Manicouagan

Accord de principe d'*Hydro-Québec* pour élaborer des mesures d'actions positives envers les Innus à des postes permanents à Hydro-Québec; formation adaptée, sélection préférentielle, etc. (1990).

Accord de principe d'*Hydro-Québec* pour favoriser l'accès des Innus aux cours de monteurs de lignes (1990).

Rivière Bersimis

Accord d'*Hydro-Québec* pour financer la réalisation d'une vaste étude sur le saumon et les habitats de la rivière Bersimis; amélioration du devis par le C.A.M. et emplois d'assistants innus (1990).

Projet de Manic 3- Puissance additionnelle

Accord d'*Hydro-Québec* pour la réalisation d'une étude sur l'utilisation d'un territoire par les Innus de Betsiamites dans la zone d'étude visée; amélioration du devis par le C.A.M. et emplois d'assistants innus (1990).

Projet du lac Robertson

Accord de principe d'*Hydro-Québec* pour la réalisation de travaux d'archéologie innue par les Innus de Pakuashipi (Saint-Augustin) et de La Romaine dans la zone d'étude visée; amélioration du devis par le C.A.M. et emplois d'assistants innus (1990).

Accord de principe d'*Hydro-Québec* pour la réalisation d'une étude sur l'utilisation du territoire par les Innus de Pakuashipi (Saint-Augustin) et de La Romaine dans la zone d'étude visée; amélioration du devis par le C.A.M. et emplois d'assistants innus.

En terminant cette partie des mesures provisoires, il faut convenir que, pour quelqu'un qui se donne la peine de constater, il peut voir que cette entente bien utilisée donnait des résultats impressionnants. Elle nous a permis de bien protéger les intérêts des Atikamekw et des Innus.

Comme je le souligne souvent, une entente est un instrument qu'il faut utiliser avec compétence si l'on veut qu'elle donne les résultats escomptés. C'est comme un bon fusil de chasse. Si le chasseur laisse son fusil à la maison le jour où il va à la chasse et que les résultats de cette chasse sont nuls, il doit s'en prendre à lui-même. Il ne pourra pas mettre le tort sur le dos de son fusil qu'il n'a pas eu le coeur d'apporter...

LES UTILISATEURS DE NOS TERRITOIRES, NOS DÉTRACTEURS ACHARNÉS

Historiquement, nos plus grands détracteurs ont toujours été les utilisateurs sportifs de nos territoires ancestraux de chasse, de pêche et de piégeage. Il était de notoriété publique que les membres des associations de chasse et de pêche sportives et leurs chevaliers servants, les chroniqueurs de chasse et de pêche sportives, critiquaient ouvertement les Indiens. Selon ces critiques, les Amérindiens jouissaient de privilèges accordés dans leurs ententes avec les gouvernements.

Au lendemain de la signature de l'*Entente des Cris de la Baie James, et du Nord-Est québécois*, en 1975, ils avaient même déclaré que plus jamais ils ne toléreraient qu'une entente semblable soit signée au Québec. Ils ne voulaient plus que des droits exclusifs de chasse et de pêche soient reconnus aux Amérindiens.

Il était donc important pour nous de créer avec elles des liens différents de collaboration de façon à développer nos convergences. Nous souhaitions ainsi éliminer, ou au moins mieux comprendre, nos divergences. On ne voulait pas que le *lobbying* de ces puissantes associations sportives détruise notre pouvoir de négociation. Il fallait faire en sorte qu'elles ne voient plus en nous des ennemis à abattre, mais plutôt des collaborateurs dans la défense d'intérêts communs. La protection de la ressource faunique était vraiment ce qui pouvait nous unir.

D'ailleurs, par sa participation active à la *Fédération québécoise du saumon atlantique* (F.Q.S.A.) depuis 1984, le *Conseil de bande de Mingan* avait ouvert une porte fort intéressante. Cette association sportive a facilité, à ce moment-là, l'intégration des Innus en leur accordant une représentation au conseil d'administration. La sérieuse participation de Mingan avait fait en sorte d'éliminer presque entièrement les préjugés face à la pêche de subsistance du saumon aux filets. La F.Q.S.A. a de plus honoré Mingan en lui accordant le prix

François de B. Gourdeau. Cette communauté innue a par la suite créer son propre prix. Elle remet donc depuis, à chaque année, le prix *Uitshitum.*

C'est donc dans ce sillon tracé par les représentants de Mingan que j'ai commencé à établir des relations avec les utilisateurs de la faune qui ont, dans bien des cas, les mêmes objectifs que nous. C'était le cas par exemple pour la *Fédération québécoise du saumon atlantique* (F.Q.S.A.) et la *Fédération québécoise de la Faune* (F.Q.F.). Comme nous et selon le même ordre d'importance, elles préservent la ressource, maintiennent la pêche et la chasse de subsistance autochtone, acceptent les activités sportives et permettent les activités commerciales.

Par de nombreuses rencontres avec les représentants nationaux et régionaux de la *Fédération québécoise du saumon d'Atlantique,* de la *Fédération québécoise de la faune,* de la *Fédération des ZECs du Québec,* de l'*Association des trappeurs indépendants du Québec* et de l'*Association des pourvoyeurs du Québec,* je crois avoir réussi le tour de force de leur sortir de la tête la peur de l'inconnu. Ils comprenaient beaucoup mieux le fait que les gouvernements du Canada et du Québec négocient avec nous une entente territoriale. Ils acceptaient même que cette négociation se fonde sur des droits ancestraux historiques et réels. Ils avaient donc constaté que nous n'étions pas en train de tripoter des privilèges sur le dos des Québécois.

Avec ces associations, nous étions associés pour la protection du saumon géant de la rivière Moisie, à Sept-Iles, et pour la demande d'un débat sur l'énergie que nous avons obtenu, en partie, par la suite. On a collaboré avec ces groupements pour la protection de la rivière Ashuapmushuan.

On pourrait ajouter qu'une tournée des trois négociateurs dans les régions touchées par nos futures ententes a énormément aidé les Québécois à mieux comprendre le sens véritable de cette négociation. J'avais proposé et défendu, à la table de négociation, ces tournées d'information. Je croyais qu'une telle opération faciliterait l'acceptation des résultats de nos négociations. De telles tournées font maintenant partie de tout processus de négociations entre les Premiers peuples et les gouvernements.

PARTICIPATION ET CONSULTATION

Il était très facile de constater, dans ces plans détaillés de négociation et d'information, que la négociation se réaliserait à partir d'un projet de société élaboré et discuté par les membres des communautés. C'était donc une négociation beaucoup plus sociale que juridique.

Dès le début de mon mandat, j'ai mis en place l'équipe des agents de liaison. Ces derniers avaient comme fonction d'informer les membres des communautés, de les consulter, d'échanger avec eux et de nous faire part de leurs remarques. Nous avons travaillé avec ces agents de liaison, au cours de sessions d'étude, à leur donner les méthodes nécessaires de base pour réaliser le plus efficacement possible leur travail. L'agent de liaison était d'abord et avant tout au service de la communauté même s'il travaillait pour les négociations du C.A.M..

Même s'il y a eu des manques dans certaines communautés dus à plusieurs facteurs qui étaient hors de notre contrôle, cette structure de liaison, malheureusement coûteuse, a connu une certaine efficacité.

En plus, chaque bloc, celui des Atikamekw, celui des Innus du centre de la Côte-Nord et du Lac-Saint-Jean et celui de la Basse-Côte-Nord, avait son propre négociateur à la table centrale. Ce dernier coordonnait le travail des agents de liaison.

J'ajouterais que les nombreuses tournées d'information et de consultation que j'ai effectuées dans les communautés montagnaises - les négociateurs atikamekw préféraient faire eux-mêmes leur information - ont permis à ceux qui voulaient suivre ce qui se passait dans la négociation de le faire. Plusieurs membres des communautés ont même assisté comme observateurs à des séances de négociation. Ils ont constaté de visu tout le sérieux mis à la défense de leurs droits ancestraux.

Les consultations, dans toutes les communautés, ont été fort nombreuses. Que ce soit auprès des comités de chasse, pour les mesures provisoires sur les activités traditionnelles ou sur la chasse aux oiseaux migrateurs, que ce soit soit sur la préparation du dossier de fond sur les activités traditionnelles de chasse et de pêche, que ce soit avec les agents de développement économique, pour les dossiers de mesures provisoires avec *Hydro-Québec*, *Parc Canada* avec Mingan, etc., l'équipe de négociation a toujours tenu à véhiculer les positions arrêtées avec les gens du milieu.

Dès le début de mon mandat, j'ai réuni, au cours d'un colloque à La-Malbaie, certains représentants dynamiques de nos communautés pour réfléchir sur ce que pourrait être notre futur projet de société. J'ai encore en mémoire les propos remplis d'émotions de Bernard Hervieux de Betsiamites qui soulignait que, pour la première fois, comme jeune, il pouvait donner son opinion sur l'avenir de son peuple.

C'était le prélude de ce qui allait devenir les *États généraux des nations atikamekw et montagnaise*. Ces états généraux ont fait partie de la plus importante opération de consultation jamais réalisée dans toutes les négociations territoriales globales au Canada, selon certains fonctionnaires faisant partie de l'équipe de négociation fédérale.

Cette période de consultation, de participation et d'animation, ne donnait pas de place à l'improvisation. Nous avons divisé cette opération en quatre étapes bien précises. Nous les avons réalisées à partir de documents de base de qualité. Cette vaste consultation nous a surtout permis de dégager des consensus importants sur des sujets majeurs. Le territoire, la pratique des activités traditionnelles de chasse et de pêche, les ressources du territoire, l'autonomie gouvernementale, la constitution, le contrôle et le développement de ce territoire, etc., ont été abordés au cours de ces débats. Les grandes orientations, acceptées par une très grande partie de la population choisie comme des délégués de chacune des communautés locales, ont servi de fondement aux demandes formulées par la suite.

Enfin, pour arriver à des résultats tangibles, il était impératif que les groupes autochtones comprennent que les négociations doivent être fondées sur des techniques reconnues partout et qu'ils s'adaptent. Il serait irréaliste de croire que les gouvernements actuels vont se contenter de simples palabres sans en arriver à des engagements concrets consignés dans des ententes ou traités modernes.

À titre d'exemple, je me permets de vous citer qu'il y a quelques années, les Innus de *Mamit Innuat* ont exigé des gouvernements qu'ils puissent négocier en langue innue. Comme les négociateurs gouvernementaux ne parlent pas cette langue, il s'en est suivi que les débats ont dû être traduits.

Or, la phase traduction a complètement annulé la dynamique la plus importante de toutes séances de négociation qui est de débattre pour convaincre du bien fondé des demandes. À cause de la traduction, les échanges musclés et rapides d'arguments, nécessaires à toute négociation, ne font plus partie de cette dynamique.

Cela est d'autant plus évident que les traducteurs montagnais doivent souvent décrire le sens de plusieurs mots français parce qu'il n'existe pas de termes dans cette langue pour les traduire. On enlève ainsi le *punch* nécessaire au débat dynamique en plus de prendre un risque énorme sur la compréhension du texte négocié.

Quand on sait à quel point le sens des mots est important dans une négociation, je ne comprends pas que l'on puisse laisser cette responsabilité à un traducteur, aussi compétent soit-il.

Enfin, les principes vagues doivent un jour se retrouver dans des propositions écrites, concrètes et claires qui feront l'objet de documents déposés aux tables de négociations. Ces documents doivent être négociés et acceptés par les négociateurs. Il faut que ces derniers s'engagent d'une façon évidente en paraphant les éléments sur lesquels il y a consensus à la table de négociation. Par la suite, la population autochtone concernée par ces ententes, les véritables mandants, se prononcera par voie de référendum en les acceptant ou en les refusant.

Il faut aussi que les leaders autochtones comprennent qu'ils ne puissent pas éternellement discuter aux tables de négociation sans jamais s'engager. Plusieurs chefs sont convaincus qu'ils ne doivent pas signer d'ententes avec les gouvernements. Ils préfèrent donner l'impression de négocier sérieusement en allant chercher le maximum sans jamais se commettre.

Un ancien chef d'une communauté innue des plus développée m'a souligné un jour que, comme négociateur crédible avec un certain talent, je devrais *tirer* tout ce que je pouvais des gouvernements sans jamais arriver à des ententes fermes.

Je lui ai répondu que jamais je n'aurais une telle attitude car j'étais convaincu qu'au contraire, les nations autochtones devaient conclure des ententes avec les gouvernements pendant qu'il en était encore temps.

Plus encore, les Autochtones doivent faire confiance à leurs négociateurs même si, malheureusement, à plusieurs occasions, ils considèrent que ces derniers les ont trompés. Il faut cependant qu'ils se gardent la réponse finale.

Enfin, il est difficile pour les Amérindiens de comprendre et d'adhérer à une négociation parce qu'il s'agit bel et bien de planifier l'avenir par un projet de société. Il ne faut jamais oublier que les Indiens étaient des nomades qui suivaient les caribous, ou les autres animaux de cet espèce, pour se nourrir. Ils faisaient partie, depuis des temps immémoriaux, d'une civilisation de survivance. Quand ils avaient de la nourriture, ils mangeaient.

Quand ils n'en avaient pas, ils attendaient au lendemain, ou aux jours suivants.

Ils vivaient donc au jour le jour sans notion d'économie, ni de conservation pour le lendemain ni de grande planification .

Or, dans une négociation, il faut prévoir pour les enfants de nos petits enfants. Pour les Atikamekw et les Innus, lorsque je parlais de cette vision de la négociation, ils ne comprenaient absolument rien. Pour certains, ils continuent à vivre au jour le jour.

Leur parler de planification à longs termes est du charabia de *Blancs*.

IMPORTANCE DES COMMUNICATIONS

Pour sa part, le *Plan de communication* reposait sur les grands principes suivants:

- Bien informer nos populations propres, en priorité;
- préparer symboliquement la terre québécoise et canadienne pour qu'elle soit prête à recevoir les résultats de nos négociations et ainsi élargir la marge de manoeuvre des politiciens et des négociateurs gouvernementaux;
- contrer la mauvaise image des Amérindiens que se font certains journalistes et certains Québécois;
- arrêter le plus possible les grands projets de développement sur notre territoire ancestral, ou du moins les civiliser pendant que nous étions en train de négocier.
- s'associer à divers groupes de pression pour faire appuyer nos positions sur la reconnaissance de nos droits ancestraux et critiquer les développements néfastes à l'environnement qui nuisent à nos intérêts;
- utiliser le langage d'avenir, plus dynamique, plutôt que celui du passé, déjà passablement employé par les groupes autochtones;
- s'associer aux non-Autochtones dans le développement de certains projets d'intérêt commun afin de démontrer nos capacités de vivre et de nous développer avec les autres;
- démontrer nos capacités de gestion et de développement;
- prouver la solidité de nos organisations et surtout la crédibilité politique du *Conseil des Atkamekw et des Montagnais* par des dossiers bien montés, une participation compétente, une responsabilité dans l'exercice de nos pouvoirs et de nos engagements;
- oeuvrer à développer, dans nos populations, la fierté, l'autonomie, l'indépendance, la volonté, les valeurs fondamentales, la démocratie, le respect des autres et vaincre les marasmes sociaux qui trônent de manière importante dans nos sociétés;
- utiliser les médias de masse tels la télévision, la radio et les journaux pour projeter une nouvelle image des Autochtones;
- définir une politique d'information et de sensibilisation des Québécois destinée à améliorer notre mauvaise image et la perception qu'ont les Québécois de la cause autochtone par une campagne de relations publiques efficace;
- définir notre projet de société et le faire connaître à l'extérieur de nos nations;
- développer une approche auprès de nos jeunes pour les motiver à oeuvrer pour leur peuple plutôt que de s'exiler à l'extérieur des réserves;
- faire en sorte que les véritables débats politiques sur l'avenir de nos nations se fassent dans un contexte de démocratie et non pas de *mémérages* de corridors et de fonds de tavernes.

Pour bien amorcer toute négociation, il m'apparaît important se donner le meilleur pouvoir de négociation (*bargaining power*) possible par un plan de communication et de relations publiques dynamique.

Sans un tel pouvoir de négociation, bâti en grande partie par des opérations de relations publiques ou des campagnes de presse professionnelles, il serait impensable pour les membres des Premières Nations d'obtenir des résultats satisfaisants dans leurs négociations.

Je sais qu'une négociation de cette ampleur, à cause des enjeux territoriaux importants et des dérangements inévitables qui suivront, ne peut obtenir de résultats tangibles sans une démarche professionnelle de sensibilisation auprès des Québécois. Ceux-ci doivent bien comprendre leur devoir envers les premiers habitants de cette terre. Il faut les convaincre de la nécessité de corriger cette erreur historique avec générosité.

Il est donc important que les Québécois sachent bien qu'il ne s'agit pas d'enlever quelque chose à quelqu'un, mais plutôt de permettre aux nations autochtones de se développer selon leurs propres choix de société. Les Québécois doivent comprendre que les Indiens veuillent conserver leur distinction évidente, reliée entre autres à leur culture, à leur langue et à leur mode de vie.

Il faut que les gouvernements fassent en sorte que la terre soit fertile à l'acceptation, autant du côté autochtone qu'allochtone, d'un tel règlement. Surtout si ces gouvernements ont vraiment en tête un règlement équitable pour les groupes amérindiens avec lesquels ils négocient. Ce nouveau contrat social ne manquera certes pas de causer des remous importants dans nos sociétés. Le seul moyen d'atteindre cet objectif est de faire comprendre aux uns comme aux autres que le geste posé est non seulement sérieux, mais essentiel. Plus encore, ils doivent percevoir que cette action sert à définir des droits existants, reconnus dans la *Constitution du Canada* depuis 1982 pour le plus grand bien des populations en cause. Il n'est donc aucunement question de tripoter des privilèges en catimini dans les *bunkers*, sur le dos d'une partie de la population.

Un contrat social clair favorisera, à ne pas en douter, un voisinage sain. Les uns comme les autres connaîtront ainsi les limites de leurs droits et de leurs responsabilités. Ils pourront les faire respecter.

L'incompréhension durera tant et aussi longtemps que la population *blanche* croira que ses gouvernements perpétuent, avec l'argent de ses taxes, ce qu'on appelle parfois les privilèges des Autochtones. Je peux affirmer que, pour les Indiens, cette incompréhension sera flagrante si ces derniers croient que tout règlement a pour objectif d'éteindre leurs droits et de montrer leur dépendance. Il faut que ces incompréhensions disparaissent si l'on souhaite que les chances de réussite soient plus évidentes.

Il faut que les parties travaillent chacune de leur côté et souvent ensemble à changer ces perceptions de part et d'autre. Le seul moyen d'y arriver est d'expliquer la portée du geste posé. Nous devons croire que les populations concernées sauront comprendre l'importance d'un nouveau contrat social fondé sur la reconnaissance des droits ancestraux des Autochtones et sur le principe de l'équité.

En terminant, il faut conclure qu'en l'absence de ces conditions de base, énumérées dans ce chapitre, je demeure convaincu que toute forme de négociation se dirigera vers un échec ou tournera tout bonnement à l'insignifiance.

Quant à nous, Amérindiens, seul l'intérêt suprême de nos peuples marginalisés, dépossédés et en voie de développement, doit être pris en compte au-delà des petits intérêts politiques et économiques à court terme.

J'ai constaté, au cours des dernières années, que le pouvoir politique des Indiens - ce qui me surprend toujours -, est de plus en plus évident. Malheureusement, nous ne savons pas toujours l'utiliser à bon escient. Ce qui donne pour résultats que les dossiers véhiculés par les bandes indiennes, aussi petites et peu organisées soient-elles, ont beaucoup plus de poids que le même genre de dossiers aurait par une communauté *blanche*.

Je peux vous donner, entre autres, comme exemple, celui des Innus de la Côte-Nord et de la Basse-Côte-Nord comme je vous l'ai souligné dans ce chapitre. Ils ont obtenu des résultats impensables au sommet socio-économique sur la Côte-Nord.

Je vous cite comme exemple supplémentaire celui des Micmacs de Gespeg, une minuscule bande indienne sans réserve. Elle tire bien son épingle du jeu dans les domaines économiques et sociaux. Elle trace la voie à des formules de partenariat intéressantes et prometteuses entre les Québécois de la Gaspésie et cette Première Nation. (Plus de détails dans le chapitre onze de cet ouvrage).

IX

LA RUMEUR...

CE QUE L'ON RACONTE,
ITATSHIMUNANUN, EN LANGUE INNUE

La **RUMEUR**... est primordiale pour un peuple de tradition orale.

Elle est l'essence même des légendes. Elle est le fondement des mythes. Elle est souvent la seule forme de communication. Elle est l'enseignement. Elle est le rire. Elle est la tristesse. Elle est le bruit. Elle est le sens des choses. Elle est la naissance. Elle est la lumière. Elle est la vie. Elle est la mort. Elle est la noirceur. Elle est la sécurité. Elle est l'insécurité.

Elle raconte. Elle récite. Elle relate. Elle rend compte. Elle retrace. Elle explique. Elle énonce. Elle narre. Elle détaille. Elle débite. Elle commente. Elle chante. Elle radote. Elle déblatère.

Elle peut donner la vie. Elle peut construire. Elle peut bâtir. Elle peut élever. Elle peut édifier. Elle peut créer. Elle peut réjouir. Elle peut fonder. Elle peut échafauder. Elle peut ériger. Elle peut engendrer. Elle peut composer. Elle peut concevoir. Elle peut former. Elle peut enfanter. Elle peut inventer. Elle peut produire. Elle peut réaliser. Elle peut imaginer. Elle peut élaborer. Elle peut découvrir. Elle peut établir. Elle peut constituer.

Elle peut détruire. Elle peut démolir. Elle peut raser. Elle peut abattre, Elle peut ruiner. Elle peut défaire. Elle peut anéantir. Elle peut altérer. Elle peut annihiler. Elle peut faire peur. Elle peut annuler. Elle peut pulvériser. Elle peut démanteler. Elle peut faire disparaître. Elle peut réduire à néant. Elle peut donner la mort. Elle peut broyer. Elle peut mettre en pièces. Elle peut mettre en miettes. Elle peut dévaster. Elle peut ravager. Elle peut saccager. Elle peut consumer. Elle peut engloutir. Elle peut dévorer. Elle peut dissoudre. Elle peut abolir. Elle peut massacrer. Elle peut exterminer.

Que de pouvoirs pour un seul mot.

Quand **la RUMEUR**... se met à courir, il est difficile de l'arrêter. Rien ne lui échappe... Elle circule à une vitesse vertigineuse. Elle s'imprègne petit à petit pour devenir la vérité inventée, façonnée, embellie ou enlaidie. Elle est la nouvelle vérité. On y croit hors de tout doute, dit-on. On la raconte en ajoutant une partie de son cru.

Le talent de conteur prend ainsi toute sa signification.

Une société de tradition orale, nomade de surcroit, comme les peuples innus (montagnais), atikamekw, algonquin, naskapi, mohawk, cris, abénaquis, wendat (huron), micmac, cultive **la RUMEUR**... Elle est la clé qui ouvre la porte d'une relation avec les autres. Elle sert à entretenir l'intérêt. Elle est une partie fonctionnelle d'une quelconque relation. Plus **la RUMEUR**... a du *punch*, plus elle retient l'attention. Plus elle soulève la curiosité et saisit la concentration, plus le messager est intéressant. **La RUMEUR**... donne ainsi du sens aux choses. Ces dernières prennent de la noblesse, elles deviennent la nouvelle vérité. Elle fabrique une personnalité attachante au messager.

Il connaît tant de choses, dira-t-on de lui!

Le rêve, l'imaginaire, l'irréel, le mythe, la légende font partie intégrante des sociétés traditionnelles. Les aînés content, les jeunes écoutent et apprennent. On se parle, on communique. C'est la tradition orale qui domine.

J'ai entendu **la RUMEUR**... dans les réserves. Je l'ai presque vue, palpée du bout des doigts. Très jeune, j'ai senti tous ses effets. **La RUMEUR**... m'a fait du bien. **La RUMEUR**... m'a fait du mal. On l'aime. On la déteste. On n'y est pas indifférent.

Certains anthropologues comme, entre autres, Paul Charest, Hélène LeBlond, Serge Bouchard et Rémi Savard, lient l'intensité de **la RUMEUR**... chez les Autochtones à l'état d'insécurité.

N'oublions surtout pas qu'il n'y a pas beaucoup plus d'une cinquantaine d'années, le véritable monde du nomadisme des Indiens du Québec s'est effondré d'un seul coup. Cette façon de vivre, plusieurs fois millénaires, a été mise en pièces, en quelques années tout au plus, par les occupants prétendument pacifiques.

Comme pour un château de cartes fragiles à plusieurs étages, ou les tours *new yokaises* du 11 septembre 2001, emblèmes du pouvoir économique américain, des millénaires se sont affaissés, emportant avec eux toute une civilisation de survivance.

Leur arme destructrice a été le nombre. Le multiple a rattrapé les Indiens au fond des bois, leur territoire ancestral et dernier refuge. Ils s'y étaient terrés pour échapper à l'invasion pacifique. La santé, l'instruction, les services sociaux, l'économie, des concepts bien nobles me direz-vous, auront servi de justifications. Le pouvoir du nombre a fait disparaître presque toute trace réelle d'un mode de vie lié profondément à la survie et aux ancêtres.

Je visualise toujours ce phénomène par une armée de fourmis qui rasent tout sur leur passage.

Bien sûr, il était normal que ce mode de vie s'adapte, change même, mais ce qui n'était pas souhaitable, c'est que ça se fasse en un laps de temps si court. Il ne faut jamais oublier qu'il y a seulement une cinquantaine d'années, plusieurs membres des Premières Nations du Québec vivaient comme nomades dans des tentes sur leur territoire ancestral. C'est donc dire à quel point ils ont dû vivre rapidement un tel heurt dû aux changements de leur mode de vie et s'y adapter tant bien que mal.

Quand on est assailli de toute part aussi brusquement, il s'ensuit un effondrement, un burn-out dirait-on aujourd'hui! Je sais qu'aucune société au monde ne peut résister à un tel choc. La *Commission royale sur les peuples autochtones du Canada* en a parlé amplement, dans son rapport, en proposant que la solution et le remède soient une nécessaire période de guérison.

La RUMEUR... s'est emparée de cet état de faits. Menacés dans leur rôle traditionnel de sages, les anciens en ont péroré à leur façon. Ils ont d'abord condamné énergiquement cette intrusion d'un autre monde. L'analyse juste du départ des sages véritables a subi la déformation de l'interprétation du bouche à oreille.

Des *p'tits* malins se sont servis de cette vision normale pour y ajouter des éléments de leur cru. Ils se sont distingués en y insérant leurs bibittes personnelles. Ils en ont profité pour se donner un certain capital politique. Le messager de malheur est donc devenu intéressant, le seul interlocuteur valable. Plus il était écouté, plus il en rajoutait « pour faire peur au monde ».

Cela a donné comme résultat final que tout ce que faisait l'envahisseur *blanc* était condamnable. Ils leur avaient mis sur le dos tous les péchés d'Israël, même les leurs. C'était toujours la faute [...] des autres, [...] des *Blancs*.

La RUMEUR... continue toujours à ronger le bon sens. Elle est l'essence même de la désinformation, le fléau moderne chez les Autochtones. Il y a toujours quelqu'un, à quelque part, qui soulève le doute. Il n'aura qu'à sous-entendre que les *Blancs* ont toujours trompé les Indiens qu'il aura raison. Il n'aura qu'à prétendre qu'un de leurs chefs de file vend leurs droits ancestraux, territoriaux et autres, pour que le débat négatif reprenne sa place.

Toute proposition honnête sera mise au banc des accusés. Plusieurs Indiens préféreront l'abomination actuelle pour suivre le messager de **la RUMEUR**...

Cette maladie, presque incurable, est un frein puissant au développement des nations autochtones. Elle empêche les *leaders* politiques de faire des choix aujourd'hui nécessaires. Ce sont pourtant ces choix qui apporteraient de véritables solutions aux marasmes sociaux affligeant les communautés autochtones. Tous les gens sérieux, dans les communautés autochtones, souhaitent de l'emploi pour leurs jeunes. Les chefs favorisent le développement économique dans leur discours politique.

À toutes les réunions publiques qu'une communauté tient à la suite d'un suicide d'un de ses jeunes, on prend la résolution de travailler fort pour créer des emplois dans la réserve. Ils souhaitent ainsi donner « une raison de vivre aux jeunes ». Ils déduisent que préparer un avenir économique à leurs jeunes leur donnera cette raison de vivre. Ils auront un but. Ils pourront profiter des avantages que procure un emploi. Ils jouiront tout bonnement des mérites de cette société dite moderne qu'on leur a imposée, mais qu'ils auraient dû choisir un jour ou l'autre, quoi qu'il en soit.

Pourtant, aussitôt que s'annonce un tel projet susceptible de se réaliser chez eux et avec eux, **la RUMEUR**... s'en empare. Les messagers de malheur ressortent leurs vieux discours défaitistes qui servent toujours d'épouvantails à moineaux. Ils disent n'importe quoi et on les écoute encore. La désinformation prend le dessus, mêle les membres de la Bande et embrouille leur jugement. Elle sert d'éteignoir. Ces derniers ont peur de se tromper et ils préfèrent ne rien faire. Ils refusent le projet au nom du choc de société qui s'est passé il y a quelque 50 ou 60 ans. La secousse quasi sismique continue donc de détruire.

Et **la RUMEUR**..., une fois de plus, a fait ses ravages.

À plusieurs reprises, j'ai fait face à des situations où **la RUMEUR**... avait commencé, comme un cancer, à ronger la société. Je vais vous donner quelques exemples personnels pris chez les Innus (Montagnais). À chaque fois, pour vaincre ce cancer, j'ai utilisé le même antidote. J'ai toujours combattu **la**

RUMEUR... par l'information exacte, honnête et objective. J'ai ainsi détruit toutes formes de désinformation en m'attaquant aux messages des messagers qui la pratiquaient.

LA RUMEUR... FAIT SES RAVAGES À MINGAN

Le premier exemple s'est passé au moment où j'étais négociateur pour le *Conseil des Atikamekw et des Montagnais*.

Mécontents des résultats de la négociation, comme vous l'ayez lu dans le chapitre précédent, TRIBULATION DU NÉGOCIATEUR AMÉRINDIEN, le chef de la communauté innue de Mingan, Philippe Piétacho, et les membres du conseil de Bande m'avaient demandé de renégocier pour eux l'entente de mesures provisoires sur la *Réserve de parc de la Minganie avec Parcs Canada.*.

Après plusieurs mois de négociations ardues avec *Parcs Canada*, nous avions réussi à arracher, de peine et de misère, une entente du gouvernement du Canada. Nous avions clairement défini cette « gestion en commun » en forçant de plus *Parcs Canada* à inclure, dans sa représentation sur le conseil de gestion, des Québécois représentant le milieu.

Pour arriver à ces résultats, nous avions utilisé une stratégie agressive, plutôt provocante, nous menant à des démonstrations collectives de toutes sortes.

Selon mon habitude, je suis arrivé sur les lieux la veille de la signature de cette entente pour m'assurer que tout baignait dans l'huile. Le ministre de l'*Environnement* du gouvernement du Canada, l'ancien Premier Ministre du Québec, Lucien Bouchard, venait signer l'entente dans la réserve de Mingan le lendemain.

À mon arrivée à l'aéroport de Hâvre-Saint-Pierre, une délégation des membres du Conseil, avec le chef Philippe Piétacho en tête, m'attendait. Les membres du Conseil de Bande avaient, prétendait le chef, une importante question à discuter avec moi. Dès ma sortie de l'avion, le chef Philippe Piétacho m'a déclaré qu'il ne signerait pas l'entente, le lendemain, car « la population de Mingan ne voulait pas qu'il la signe ».

— Ai-je bien compris, lui dis-je ? Tu prétends que la population de Mingan ne veut pas que tu signes l'entente. Tu es conscient que le ministre Bouchard sera ici demain matin. Tu lui annonceras tout bonnement la décision du Conseil et il s'en retournera bredouille chez lui à Ottawa. Sais-tu que tu vas créer tout un incident diplomatique, d'autant plus que le Conseil avait donné son accord de principe à la table de négociation ?

— Oui, nous sommes conscients du problème.

Comme je venais de réaliser que **la RUMEUR**... avait fait ses ravages, je demande à Philippe:

— Tu me dis que la population a dit non à l'entente. Donc, tu as fait une assemblée publique et elle s'est prononcée contre l'entente ?

— Non, nous n'avons pas fait d'assemblée publique.

— Comment peux-tu savoir que la population dit non à l'entente si tu n'as pas fait d'assemblée publique pour lui demander ? D'ailleurs, n'avions-nous pas décidé d'en faire une ce soir pour donner à la population les derniers détails de l'entente ?

— Oui, tu as raison, mais je sais qu'elle va dire non.

— Tu sais qu'elle va dire non sans que tu lui aies posé la question. Je t'avoue que je suis un peu surpris de ton assurance car, à toutes les assemblées publiques que j'ai faites ici, et la dernière ne remonte qu'à tout au plus un mois, je n'ai pas perçu une telle opposition.

Par contre, tu me convaincs, par tes propos, que **la RUMEUR**... a commencé à détruire le travail positif effectué par les membres du Conseil. Aussi, je crois que la population, comme tu le dis, s'appelle Jos Mollen, un Innu qui a la réputation de dire n'importe quoi, par plaisir de détruire. C'est lui qui répand des faussetés. Il fait ce que l'on appelle communément de la désinformation. Je constate qu'il est en train d'obtenir la victoire politique sur les membres du Conseil de la Bande par une contestation vicieuse de l'entente projetée. Et cela n'a aucun bon sens.

Serais-tu d'accord Philippe que l'on tienne la réunion, promise à la population, ce soir et que j'explique de « A » à « Z » le contenu de l'entente ? Serais-tu d'accord que je réponde à toutes les questions, surtout celles de Jos Mollen, s'il en pose évidemment. À la fin de la réunion, tu poseras la vraie question clairement à ta population et elle te répondra par un vote. Si la réponse est négative, je téléphonerai tôt demain matin au ministre Lucien Bouchard pour lui dire de ne pas venir parce que nous ne signerons pas l'entente.

— D'accord.

Le soir, nous avons tenu cette réunion et, pendant cinq heures, j'ai informé les membres de la Bande sur le contenu de cette entente. J'ai répondu à toutes leurs questions. Pour les questions de Jos Mollen, j'ai fait tous les efforts nécessaires pour m'assurer qu'il comprenait bien et surtout qu'il soit d'accord avec les réponses.

Les gens, après avoir constaté les avantages d'une telle entente, ont voté à l'unanimité, y compris Jos Mollen, en faveur de la signature le lendemain. Ils ont assisté à la cérémonie de l'engagement et ils en étaient fiers.

Que se serait-il passé maintenant si j'étais arrivé le matin même de cette signature ?

Le 21 avril 1989, le chef Philippe Piétacho et les représentants du Conseil de bande de Mingan et le ministre de l'*Environnement du Canada*, monsieur Lucien Bouchard, ont signé une entente bipartite. Elle consacrait le principe de la planification et de la gestion conjointe de la *Réserve de parc de l'Archipel de Mingan*.

Le ministre Lucien Bouchard a qualifié cette entente préliminaire, qui devait régir la forme de cogestion avant la conclusion d'une entente finale tripartite, « de modèle des plus avancé à travers le Canada ».

Ce protocole d'entente avait permis de maintenir la pratique des activités de chasse aux oiseaux migrateurs sur la très grande majorité des îles de l'archipel fréquentées depuis toujours par les chasseurs de Mingan. Cette entente autorisait aussi les membres de la communauté innue de Natashquan à pratiquer leurs activités de chasse aux oiseaux migrateurs dans le secteur est de l'archipel de Mingan.

Au moment d'écrire ces pages et cela depuis plusieurs années, cette entente n'a pas été renouvelée par la communauté innue de Mingan.

Il faut ajouter cependant que, quelques années plus tard, **la RUMEUR**... est revenue. Et, comme je n'étais plus là pour défendre l'entente signée et combattre **la RUMEUR**... cette dernière a eu raison du bon sens et, depuis ce temps, il n'y a plus d'entente. *Parcs Canada* s'en porte à merveille et fait tout ce qu'il veut.

LA RUMEUR... ENVAHIT UASHAT MAK MANI UTENAM

Le deuxième cas remonte à tout au plus cinq ans. Il s'agit de l'acceptation par les membres de la communauté de *Uashat mak Mani Utenam*, par voie de référendum, de l'entente négociée par les membres du Conseil de bande avec *Hydro-Québec*. Pendant toute la durée de la négociation, la *Coalition sur le Nitassinan* a utilisé **la RUMEUR...** pour combattre le projet. Son leader, un spécialiste de la désinformation, a dit n'importe quoi pour alimenter négativement le débat.

Les membres du Conseil ont décidé d'engager **LE GROUPE CLEARY** pour informer la population. Ils étaient conscients de la côte à remonter s'ils voulaient que la population accepte cette entente par référendum. Voyant dans quel bateau je m'apprêtais à monter, je leur ai proposé un processus complet d'information et de consultation, indépendant du conseil et des négociateurs de l'entente et totalement objectif.

Pendant plus de deux mois, sous l'oeil des membres d'une commission indépendante, nous avons rencontré, par petits groupes-cibles, une très bonne partie des Innus de *Uashat* et de *Mani Utenam*. Nous leur avons présenté le contenu de l'entente. En aucun temps, nous avons fait en sorte de leur vendre cette entente. Nous ne sommes pas intervenus pour influencer qui que ce soit. Les aînés ont assisté à ces réunions. Ils ont posé des questions. Les gens comprenaient le contenu de cette entente. Nous leur permettions donc de porter leur jugement éclairé à partir d'une connaissance objective. Ils ont pu juger et ainsi donner certaines réponses à la désinformation.

La population a voté en faveur de cette entente à 52.6%. Elle a été signée par la suite. Il ne fait aucun doute, dans mon esprit, que la population de Uashat mak Mani Utenam aurait voté contre le projet si une campagne d'information objective n'avait pas eu lieu. **La RUMEUR...** aurait sans aucun doute eu gain de cause.

Une nouvelle équipe siège en ce moment, début du présent millénaire. Comme le *leader* de la *Coalition sur le Nitassinan* a une forte emprise sur les membres du Conseil de Bande rien ne se fait. **La RUMEUR...** a repris de plus bel son droit de siéger. Ce conseil tente en vain, par tous les moyens imaginaires, de mettre fin à cette entente signée de bonne foi par *Hydro-Québec* et l'ancien Conseil de bande.

LA RUMEUR... ATTEINT BETSIAMITES

Un autre exemple est celui de Betsiamites. Au cours du mois de juillet et du mois d'août 1999, les membres du *Conseil de Betsiamites* m'ont engagé comme consultant pour faire l'information sur l'entente de partenariat négociée. Elle concerne la réalisation des travaux de dérivation partielle des rivières Portneuf, Sault-aux-Cochons et Manouane et la construction du barrage sur la rivière Toulnustouc.

Là comme ailleurs, **la RUMEUR...** s'était mise en branle. Elle fauchait toute tête qui voulait s'élever et parler positivement de l'entente de partenariat. Elle s'en prenait même aux membres du Conseil.

La population de Betsiamites a combattu **la RUMEUR...** et l'a vaincue en choisissant très majoritairement (79,5%) de favoriser le partenariat d'affaires avec *Hydro-Québec*. Il est certes important maintenant d'en connaître les raisons fondamentales et surtout d'en tirer les bonnes conclusions.

Mettant de côté **la RUMEUR**..., la population a cru à la recommandation des élus et a suivi ses chefs de file politiques. Elle a donc donné la chance au coureur. Le *Conseil de Betsiamites* doit maintenant lui démontrer que ce choix a été des plus judicieux. Il s'agit d'une lourde responsabilité, pleine de conséquences positives, ou même négatives, si le travail de mise en oeuvre n'est pas satisfaisant, ou est trompeur.

Après avoir participé à toutes les séances d'information et après avoir écouté certains commentaires des participants, pendant et après les réunions, j'ai constaté qu'il se dégageait plusieurs leçons. Je crois qu'il serait utile pour les membres du *Conseil de Betsiamites* de faire cette analyse. Ils doivent réfléchir sur les quelques éléments négatifs soulevés par **la RUMEUR**...

Il serait beaucoup trop facile de conclure que **la RUMEUR**... venait uniquement des personnes qui s'opposent d'une façon ou d'une autre à tout ce que le Conseil fait. Elle était des opposants, bien sûr, mais aussi d'autres Innus de Betsiamites qui avaient peur du changement et de l'avenir incertain. Plusieurs, parmi ces derniers, souhaitaient que leur chef et les membres du conseil les rassurent. C'est ce qu'ils ont fait avec les résultats que l'on connaît.

Dès le départ, certains participants ont souligné le manque de transparence du Conseil. Le peu d'information qui a circulé au cours de la période des négociations de cette entente de partenariat a rendu suspects ses résultats. Cet élément a alimenté **la RUMEUR**... Plusieurs questions lors des séances d'information avaient comme objectifs de rechercher des formes de tromperies, convaincus qu'il y avait anguille sous roche.

Curieusement, plusieurs Innus de Betsiamites voulaient lire le texte intégral de l'entente. Comme le Saint-Thomas de la Bible, ils souhaitaient tout vérifier, « mettre le doigt dans le trou ». Deux cent quatre (204) copies de l'*Entente Pesamit* (1999) se sont envolées comme de la banique (pain indien) chaude. Elles ont été remises aux membres sur demande. Pourtant, il y a des textes à lire beaucoup plus intéressants qu'une entente juridique...

Ce n'est qu'après avoir cherché ce que prétendait **la RUMEUR**..., sans réellement trouver, que la confiance est revenue petit à petit.

Pour **la RUMEUR**..., si le Conseil a informé la population à la toute dernière minute, la raison était qu'il avait besoin de leur accord pour signer l'entente.

Dans le même ordre d'idées, **la RUMEUR**... s'interrogeait sur la mise en oeuvre de l'entente. Certains croyaient fermement que le Conseil allait continuer à les priver d'information et à mener le canot sur la rivière tumultueuse sans les consulter. La population avait besoin de se faire convaincre avant de croire en la bonne foi des membres du Conseil. **La RUMEUR**... a rendu plusieurs Innus de Betsiamites incrédules. Ils pourraient même demeurer sceptiques.

Il est évident que la partie du partenariat d'affaires a séduit, à un plus haut point, les participants aux séances d'information. Pour eux, il s'agissait d'une fierté bien légitime. Ils ont constaté qu'ils n'étaient plus des « assistés », mais bel et bien des « participants qui mettaient la main dans leur poche pour investir ». Par la suite, ils récolteront les fruits de leurs investissements.

Après nous avoir interrogés sur la provenance des fonds qui vont permettre de *rendre* la dette de 14,350,000 $ pour couvrir l'investissement de 17.5% du *Conseil de Betsiamites*, ils étaient beaucoup plus rassurés.

Il n'en demeure pas moins qu'ils n'avaient pas la foi du charbonnier. Ils auront besoin de participer à établir la politique reliée à la gestion financière de tous ces fonds. Ils voudront, par la suite, suivre l'évolution financière de l'entente et constater de visu les résultats tangibles.

Plusieurs ont découvert, à la suite de **la RUMEUR**..., fondée ou non, que l'entente sur le barrage SM-3 des Innus de *Uashat mak Mani Utenam* avait, elle aussi, son lot de promesses non remplies. On ne les a pas convaincus que les Innus de Betsiamites allaient récolter autant d'emplois qu'en a promis l'entente. Pas plus d'ailleurs qu'ils ne croyaient que les entreprises de Betsiamites allaient avoir leur part promise de 35,000,000 $ des contrats, tel que l'a spécifié l'entente.

Pour ces derniers, il s'agissait de promesses presque irréalisables surtout s'ils se fient aux résultats obtenus par les Innus de *Uashat mak Mani Utenam*. Comme **la RUMEUR**... qui vient de *Uashat mak Mani Utenam* était forte, ils avaient tendance à s'en tenir aux résultats négatifs plutôt qu'à regarder pourquoi ces promesses n'avaient pas été tenues. Ils voyaient les erreurs des autres sans étudier ce que les Innus de *Uashat mak Mani Utenam* n'avaient pas fait pour atteindre ces objectifs. **La RUMEUR**... prétendait donc que ce serait la même chose à Betsiamites.

La balle est dans le camp du *Conseil de Betsiamites* qui devra regagner cette confiance. Les éléments prometteurs d'un projet de société économique sont là, à portée de main, dans cette entente de partenariat. Il faut cependant que les membres du Conseil de Bande prennent tous les moyens disponibles pour atteindre et même dépasser ces objectifs.

Plus encore, le Conseil doit convaincre les dirigeants d'*Hydro-Québec* et le gouvernement du Québec que cette entreprise d'État a tout intérêt à faire en sorte de remplir les promesses stipulées dans l'entente. Si ce n'était pas le cas, plusieurs observateurs pourraient bien croire un jour que l'entreprise d'État dupe les nations autochtones en leur promettant, dans ses ententes, des avantages qu'elle sait qu'ils ne se réaliseront jamais. Une telle tromperie aurait l'effet d'un boomerang et annulerait tous les gains faits pour favoriser un réel partenariat.

Comme partenaire sincère, *Hydro-Québec* a tout intérêt de faire en sorte que le *Conseil de Betsiamites* tire le maximum de cette entente de partenariat. Le modèle mis de l'avant par la société d'État a un avenir certain en autant que la nation autochtone concernée retire tous les bienfaits d'une telle entente. Je suis convaincu que les observateurs, autant autochtones que non autochtones, seront nombreux à suivre ce dossier et à le commenter. Alors pourquoi les partenaires de cette entente, qui ont tout à gagner, ne se donneraient-ils pas les moyens pour qu'elle soit une réussite totale.

Enfin, il ne faut surtout pas oublier qu'il s'agit d'une grande victoire pour le *Conseil de Betsiamites*. Remporter le référendum avec un pourcentage favorable de 79.5% de votes constitue, à ne pas en douter, un succès sans précédent. Ce succès n'est pas, quant à moi, le fruit du hasard.

Le chef René Simon et ses conseillers ont mené d'une main de maître la campagne de ce référendum. Ils ont fait ce qu'il fallait pour que **la RUMEUR**... n'ait pas d'emprise.

Il faut souligner qu'en ayant réalisé leurs débats entre eux avant plutôt que pendant la campagne, les élus ont pu montrer à la population de Betsiamites un front uni. Ils ont été de vrais chefs de file en étant tous fiers de cette entente de partenariat et, surtout, en l'affirmant haut et court devant l'adversité. Ils ont répondu à **la RUMEUR**... en faisant valoir les avantages de cette entente.

Un tour de table final du chef et de tous les conseillers, lors de la dernière assemblée publique, le lundi 16 août 1999, a convaincu les derniers hésitants. Ils se sont prononcés pour la signature de cette entente de partenariat.

La population de Betsiamites a senti que les luttes fratricides, maintes fois dénoncées par certains critiques honnêtes des Autochtones, passaient bien après l'intérêt général de la Première Nation. Leurs représentants politiques avaient oublié leurs propres intérêts pour prôner les avantages d'une telle entente. En cela, plusieurs Innus de Betsiamites en ont été convaincus. Le front commun des élus a favorisé le large consensus de la population.

Le fait aussi d'avoir choisi un processus d'information complet favorisant les contacts par petits groupes-cibles a certes été un élément positif qui a permis à plusieurs de bien comprendre le contenu de l'entente. Ils ont posé des questions, on leur a répondu et ils ont compris. La campagne d'information menée par des professionnels a donné l'occasion à tous de comprendre le contenu réel de l'entente. Ils ont pu ainsi répondre aux faussetés de **la RUMEUR**...

L'objectivité de cette campagne d'information a démontré une crédibilité certaine parmi les membres sérieux de la communauté. Les Innus ont bel et bien compris que le rôle de l'information n'était pas de convaincre, mais bien d'informer. À l'inverse, ils ont aussi accepté que les membres du Conseil de Bande étaient justifiés de les convaincre du bien fondé d'une telle entente de partenariat.

Ils étaient immunisés contre la désinformation toujours présente dans de tels débats chez les Autochtones. Les spécialistes de la désinformation ne pouvaient plus leur dire n'importe quoi parce qu'ils connaissaient l'entente et pouvaient en débattre.

Le plus bel exemple que l'on puisse citer est la campagne de désinformation menée par le chef de *Uashat mak Mani Utenam* et ses acolytes anonymes de la destruction à tout prix. Elle ne semble pas avoir obtenu de résultats tangibles. Au contraire, cette intrusion contre nature dans les affaires internes de Betsiamites a plutôt choqué. Je suis convaincu d'ailleurs que ça s'est retourné contre les détracteurs et que cela a incité plusieurs personnes à appuyer le Conseil de Bande. **La RUMEUR**... sous ce visage n'avait donc plus d'emprise.

Voilà donc l'objectif que nous nous étions fixé comme *Groupe de travail de l'information*.

Les élus du *Conseil de Betsiamites* doivent avoir la sagesse d'utiliser ce vent de positivisme pour redonner, aux membres de la Bande de Betsiamites, cette fierté qui a caractérisé leurs ancêtres.

Il existe des éléments de base pour un projet de société économique intéressant. L'utilisation maximale de ces éléments de base peut aider à éliminer certains marasmes sociaux tel le chômage. Le travail, pour certains, fera ressortir les avantages d'un avenir meilleur par le développement économique.

Il s'ensuivra que les autres accoutumances, comme la consommation des boissons alcooliques ou des drogues, disparaîtront un jour. Les jeunes auront goûté aux bienfaits d'une société économiquement développée, ils auront aussi fait l'expérience de la fierté retrouvée et ils trouveront cela délicieux. Pour eux, la vie retrouvera un sens et **la RUMEUR**... aura moins d'emprise sur eux.

Il ne fait aucun doute que d'avoir compris qu'on ait besoin des autres pour donner le coup de pouce nécessaire du départ démontre beaucoup de maturité. Il est faux de prétendre qu'on est toujours « capable de tout faire seul ». Cette attitude enfantine n'est pas digne d'un peuple millénaire dont la sagesse sert souvent d'exemple. C'est ce qu'a démontré la *Commission royale sur les peuples autochtones du Canada* en proposant, dans son rapport, une période de guérison.

Sur son territoire ancestral, dans une société de survivance, le chasseur-cueilleur innu, atikamekw ou algonquin, nomade, a toujours su qu'il avait besoin des autres pour survivre durant des périodes difficiles. Dans la société actuelle, il devra avoir la maturité et la sagesse de compter sur des éléments extérieurs comme *Hydro-Québec* pour redémarrer dans sa nouvelle existence. Reconnaître que l'on a besoin d'aide et s'en servir intelligemment deviennent de grandes qualités.

Voilà donc les trois exemples où j'ai vaincu **la RUMEUR**...

Dans le prochain chapitre, je vais vous donner un exemple où **la RUMEUR** m'a vaincu.

X

LA RUMEUR... CRÉE,
DE TOUTES PIÈCES, DEUX CRIMES

UN TOURBILLON VERTIGINEUX
NOUS A TOUS ENTRAINÉS

Je vais vous rapporter maintenant un autre cas, plus sérieux et révélateur celui-là, où **la RUMEUR**... m'a trompé comme elle l'a fait pour plusieurs autres personnes sincères.

C'est un exemple des plus probant qui démontre que **la RUMEUR**... s'est exprimée totalement, presque de bonne foi, ne voulant pas berner. Il n'y avait pas de malhonnêteté en cela pour la très grande majorité des gens qui l'ont véhiculée, mais de l'inconséquence à la base.

Elle a expliqué trop rapidement certains faits dont l'interprétation hâtive ne pouvait que conduire à cette forme de dénouement. Elle a conclu en faveur d'une fin plausible, dictée par des événements trompeurs. Ces conclusions vraisemblables ont été alimentées par l'incompétence des uns, par la mauvaise foi des autres, par des jugements de valeurs trop hâtifs, souvent racistes, ou au moins biaisés, de part et d'autre, *Blancs* ou Indiens. Elles l'ont été par la logique momentanée, par la peur, par des connaissances qui n'auraient pas résisté à l'analyse scientifique et par des *p'tit-jos-connaissants*. Enfin, **la RUMEUR**... a été alimentée par des coïncidences et par des inventions d'une imagination trop fertile qui a échafaudé certains scénarios, etc..

La RUMEUR... a donc imaginé ce qui s'est passé comme si cela était des plus vraisemblable. Les porteurs de **la RUMEUR**... en sont venus eux-mêmes à croire à ce qu'ils racontaient. **La RUMEUR**... est devenue la vérité, toute la vérité, hors de tout doute raisonnable.

La RUMEUR... insistante a berné des gens habituellement sensés. Ces derniers, de bonne foi, ont accusé les autorités gouvernementales en place de tous les péchés d'Israël allant même jusqu'à croire qu'elles cherchaient à protéger des criminels. Ces coupables appréhendés étaient pointés du doigt par **la RUMEUR**... Même s'ils étaient les instruments peut-être trop zélés, racistes, démontrant un empressement excessif à s'attaquer aux Indiens, ils ne méritaient pas d'être ainsi poursuivis, condamnés sans procès et lynchés psychologiquement par un drôle de jury, **la RUMEUR**... publique.

Il y a de cela une bonne trentaine d'années, au début des années 1970, au moment où j'étais journaliste au quotidien **LE SOLEIL**, je collaborais à la création de l'*Association des Indiens du Québec*. J'y oeuvrais avec mes amis Andrew Deslisle, de la nation mohawk, président de cette association, Aurélien Gill, de la nation montagnaise, Max Gros-Louis « One-Onti », de la nation huronne, Robert Kanetewat, de la nation crie, et feu Tom Rankin, de la nation algonquine, vices-présidents, tous membres de l'exécutif. J'agissais, à ce moment-là, à titre de conseiller ponctuel dans les domaines de la politique et de l'information.

J'étais un de ceux qui produisaient des textes de réflexion sur les prises en charge, les négociations avec les gouvernements et les opérations de relations publiques. J'écrivais certains discours des membres de l'exécutif et je préparais les communiqués de presse. Comme les ressources humaines, chez les Indiens, étaient peu nombreuses, mon expérience dans le monde des communications et mes contacts politiques du milieu blanc étaient fort appréciés.

Je travaillais donc bénévolement à préparer les stratégies qui nous permettraient plus tard, comme nous l'espérions, une plus grande reconnaissance de nos droits de Premières Nations.

J'étais leur *coach* avant les conférences de presse et je leur apprenais comment se comporter devant les journalistes de la presse écrite et de la presse électronique. Je leur enseignais l'ABC de la communication publique de masse. Je considère, par ailleurs, avoir assez bien réussi avec certains d'entre eux; j'ai en tête Max Gros-Louis, « One Onti », Wendat (Huron), Aurélien Gill, Innu (Montagnais) et Andrew Delisle, Mohawk, qui avaient beaucoup de talents comme communicateurs.

L'*Association des Indiens du Québec*, il ne faut pas l'oublier, a été créée expressément pour les négociations des Premières Nations du Québec avec les gouvernements, fédéral et québécois, au début des années 1960.

C'est à la fin des années 1960 que l'*Association des Indiens du Québec* a conclu une première entente territoriale au Québec avec le ministre Gabriel Loubier, du ministère *Tourisme, chasse et pêche* du Québec. Cette entente s'est conclue à la suite du dépôt d'un mémoire sur la reconnaissance des droits de chasse et de pêche des Indiens du Québec.

Pour sa part, le gouvernement libéral de Robert Bourassa, qui a été élu quelque temps plus tard, n'a jamais mis en oeuvre le contenu de cette entente conclue par Gabriel Loubier de l'*Union nationale*. Il a plutôt continué à nier les droits ancestraux de chasse et de pêche des Indiens du Québec et il a même tenté de faire oublier les engagements du gouvernement du Québec.

Dès lors, les Indiens ont commencé à perdre confiance en ce gouvernement du Québec qui était incapable de tenir parole. Ils considéraient que ses leaders politiques avaient une langue fourchue...

Cette entité politique dynamique, regroupant les onze (11) nations autochtones du Québec, se voulait être le contrepoids à la puissance gouvernementale. Une négociation allait s'amorcer pour le projet hydroélectrique de Bourassa à la Baie-James. Les nations autochtones du Québec souhaitaient donc se donner, par ce projet, le pouvoir de négociation nécessaire pour obtenir des résultats avantageux dans leurs négociations globales.

C'est à ce moment-là que le ministère des *Affaires indiennes et du Nord Canada* faisait des mains et des pieds pour contrecarrer tous les regroupements des nations autochtones. Il n'avait pas de programme financier permettant de tels regroupements et ses fonctionnaires sortaient toutes sortes d'arguments, aussi farfelus les uns que les autres, pour nous empêcher d'y arriver. Ces regroupements politiques étaient rares et existaient surtout dans l'Ouest canadien.

À l'inverse, aujourd'hui, il souhaite l'interlocuteur unique: L'*Assemblée des Premières Nations*. Les fonctionnaires sont maintenant convaincus qu'il est plus facile pour eux de travailler avec les regroupements nationaux comme l'*Assemblée des Premières Nations*.

Ils savent très bien d'ailleurs que l'*Assemblée des Premières Nations* n'a aucun pouvoir réel. Les seuls qu'elle possède sont ceux que veulent bien leur déléguer les chefs des Premières Nations. Or, les chefs ne donnent jamais de mandats clairs et durables à l'*Assemblée des Premières Nations* sachant très bien qu'au moment d'un changement de chef et de conseillers, les orientations peuvent souvent se transformer du tout au tout. Il s'ensuit que les mandats sont retirés au moment de difficultés, ou de pressions individuelles des gouvernements auprès des conseils de Bandes, la méthode toujours efficace.

Donc, au début des années 1970, pendant les négociations de la Baie-James, les gouvernements du Canada et du Québec ont tôt fait de semer la zizanie entre les nations autochtones du Québec. Ils ont utilisé leurs méthodes habituelles qui consistent à nous diviser pour mieux régner.

Il faut se souvenir que John Ciacia avait été sous-ministre des **Affaires indiennes et du Nord Canada**, pendant plusieurs années, avant de devenir député québécois. Il était le négociateur choisi par Robert Bourassa pour le dossier de la Baie-James.

Il n'avait pas tramé, avant de partir d'Ottawa, de discuter avec les autres nations du Québec, mais bel bien avec les Cris et les Inuits et, plus tard, les Naskapis.

John Ciacia était un transfuge intéressé du poste de sous-ministre aux *Affaires indiennes et du Nord Canada*, qui se prétendait défenseur des Autochtones, à celui de député-négociateur, pour le gouvernement du Québec du Premier Ministre Robert Bourassa, *abuseur* des Autochtones. Il avait pour mission d'éteindre leurs droits ancestraux comme la *Couronne* le faisait dans tous les traités signés par le Canada. Cette mission bien particulière, il allait l'accomplir pleinement en devenant ainsi celui qui allait tasser l'*Association des Indiens du Québec* et qui a réussi à faire accepter l'entente aux Cris, aux Inuits et aux Naskapis. Un quart de siècle plus tard, il tentera, sans succès, la même stratégie au cours de la négociation territoriale globale des Atimamekw et des Montagnais.

Les intérêts et l'appétit financier du jeune avocat James O'Reilly, alors négociateur pour l'*Association des Indiens du Québec*, ont donné une bonne raison pour faire éclater l'entité politique des nations autochtones du Québec. Cela s'est produit lorsque les membres de l'exécutif ont osé demander à James O'Reilly de changer sa forme de rémunération.

Les membres de l'exécutif de l'*Association des Indiens du Québec*, après en avoir longuement discuté, en étaient venus à douter des futurs « conseils impartiaux » de James O'Reilly. Ce doute était dû au fait qu'il avait un pourcentage important sur le montant des compensations monétaires. Ils croyaient donc ainsi qu'en cas de conflit majeur entre les parties, il pouvait difficilement être impartial Ils ont plutôt préféré lui proposer de changer leur contrat avec lui. Ils ont mis l'emphase sur de très généreux honoraires plutôt que sur de simples honoraires, accompagnés d'un pourcentage sur les compensations monétaires.

Pouvons-nous sincèrement croire que James O'Reilly conseillerait, à l'*Association des Indiens du Québec* et aux nations concernées, de refuser de signer l'entente à cause d'un principe? Il ne le ferait pas même si cette hypothèse était aussi importante que celle de la non-extinction de nos droits ancestraux. Donc, si les gouvernements nous offraient des centaines de millions de dollars en compensations monétaires, il tenterait sûrement de nous convaincre d'accepter.

C'était d'une naïveté immensurable de la part des membres de l'exécutif de l'*Association des Indiens du Québec* de croire au désintéressement de James O'Reilly face à ces compensations monétaires, comme il le soulignait trop souvent pour que ce soit vrai...

Il faut dire que la position ferme prise par l'*Association des Indiens du Québec*, ne voulant aucune clause d'extinction de droits ancestraux, était un os difficile à faire avaler aux deux partenaires gouvernementaux. Dans tous les traités signés préalablement, le gouvernement du Canada exigeait cette clause. C'est ce qu'il a obtenu dans celui des Cris de la Baie-James, des Inuits et des Naskapis.

Voyant cela, ce dernier a mis en tête des représentants politiques cris de sortir de l'*Association des Indiens du Québec* qui ne travaillaient plus pour leurs intérêts, selon l'avocat pour le moins intéressé. C'est ce qu'ils ont fait au cours d'une réunion houleuse des membres de l'*Association des Indiens du Québec* à la Maccaza, au Nord de Montréal, un ancien camp militaire de l'*Armée canadienne* devenu, pour peu de temps, une école secondaire pour tous les Indiens.

Il était devenu plus facile, pour James O'Reilly, de soutirer un accord des leaders cris, inuits et naskapis, inexpérimentés, que de convaincre ceux de l'*Association des Indiens du Québec*, déjà beaucoup plus aguerris, d'accepter une clause d'extinction de droits ancestraux.

Nous avons d'ailleurs eu immédiatement une réponse claire de sa part à notre question.

Il négociera par la suite uniquement pour les Cris, les Inuits et les Naskapis sur la base de pourcentages sur les compensations monétaires comme le spécifiait son contrat d'engagement initial avec l'*Association des Indiens du Québec*. Cela donnera, comme résultats financiers et politiques, une rondelette somme d'argent de plusieurs millions de dollars pour l'avocat O'Reilly et l'extinction des droits ancestraux des Cris, des Inuits et des Naskapis.

Sans consultation auprès de l'*Association des Indiens du Québec* qui ne faisait plus partie des négociations et sans leur consentement, les Cris et les Naskapis ont accepté l'extinction des droits territoriaux des Montagnais, des Atikamekw et des Algonquins, sur la partie de leurs territoires ancestraux qui chevauchaient sur ceux des Cris ou des Naskapis.

Ce geste a été sévèrement contesté par l'*Association des Indiens du Québec* et par les aînés des nations montagnaise, atikamekw et algonquine. Ils ont dénoncé cette attitude en commission parlementaire fédérale et par des opérations de presse. Rien n'a pu faire fléchir les gouvernements du Canada et du Québec, pas plus d'ailleurs que les Cris, les Naskapis et les Inuits qui étaient pressés de signer cette entente pour des avantages financiers évidents de part et d'autre. Les signataires de l'entente ont pris l'engagement, à l'article 2.14, de régler cette question lors de négociations avec les nations touchées. Or, aucun règlement n'a eu lieu à date...

Quelques années plus tard, à la suite d'une recommandation de la *Commission Coolican*, le ministère des *Affaires indiennes et du Nord Canada* a réglementé la question des chevauchements dans les négociations territoriales globales. Il a obligé les groupes autochtones à s'entendre entre eux sur cette question avant de signer une quelconque entente. Cela n'a pas encore donné de résultats dans le cas des négociation des Innus (Montagnais) et des Atikamekw.

À la fin de 1999, le gouvernement du Canada, faisant fi de cette politique, a signé une entente avec les Nisg'as de la Colombie Britannique! Ces Indiens n'ont pas réglé la question des chevauchements puisque des Bandes indiennes de ce secteur contestent, en Cour de justice, l'entente signée.   Ils prétendent que les Nisg'as ont éteint leurs droits ancestraux territoriaux comme l'avaient fait les Cris avec les Montagnais, les Atikamekw et les Algonquins en 1975. Le ministère des *Affaires indiennes et du Nord Canada* oublie ses propres règles lorsqu'il est lui-même concerné. Pour un exemple, c'est tout un exemple...

La signature de l'*Entente de la Baie-James* entre les Cris, les Inuits, les Naskapis et les gouvernements du Canada et du Québec a encore plus marginalisé les Montagnais qui, pour leur part, n'avaient pas encore conclu d'ententes avec les gouvernements.

Il faut par ailleurs souligner qu'au milieu des années 1970, les relations entre les *Blancs* et les Indiens étaient pour le moins tendues.

Quelques années après le départ des Cris, des Inuits et des Naskapis de l'*Association des Indiens du Québec*, en 1975, les Innus et les Atikamekw avaient formé un conseil tribal voué à la préparation de leur propre négociation territoriale globale: Le *Conseil Atikamekw-Montagnais* remplaçait, en quelque sorte, l'*Association des Indiens du Québec* devenue inopérante depuis 1973, suite à la scission amenée par James O'Reilly. Max Gros-Louis, Grande-Chef des Hurons, a toujours reproché aux Montagnais et aux Atikamekw d'avoir, à leur tour, songé qu'à eux en mettant de côté les autres Premiers Nations du Québec.

Le mépris envers Indiens était donc monnaie courante et le racisme dominait les relations. Les Innus, pour leur part, tentaient, tant bien que mal, de se mobiliser pour créer une force politique. Le cheval de bataille tout indiqué pour eux était évidemment la pratique des activités traditionnelles de chasse et de pêche, reliées au territoire ancestral.

Le symbole de cette bataille des droits ancestraux pour les Innus de la Côte-Nord et de la Basse-Côte-Nord était le saumon de l'Atlantique.

Depuis des temps immémoriaux, ce noble poisson est, pour les Innus, le roi des vertébrés aquatiques.   Cette richesse constitue un des éléments les plus importants de leur cycle d'alimentation. Le saumon les nourrit en grande partie au cours des mois de mai, de juin et même de juillet lors de leur campement à l'embouchure de la rivière Moisie, ou d'autres rivières à saumons de la Côte-Nord et de la Basse-Côte-Nord. Il fait partie de toutes les fêtes et de tous les mariages. Il agrémente tous les *makushams*. Il constitue leur nourriture au moment où ils utilisent cette rivière, comme « chemin qui marche », pour se rendre sur leurs territoires de chasse et de trappe plus au Nord au mois d'août.

Donc, le roi des rois, un saumon géant, pesant souvent plus de 30 livres, règnait dans les eaux de la rivière Moisie. Cette dernière, convoitée par les riches Américains, est l'une des plus belles rivières à saumons du côté de l'Atlantique, sinon la plus belle. Elle est une des rivière du patrimoine des Premiers peuples.

Vers le milieu des années 50, guidées par un Innu qui deviendra plus tard illustre par sa sagesse, feu Mathieu André, les compagnies minières avaient découvert un important gisement de fer dans la région de Schefferville.

L'arrivée massive des aventuriers de passage, qui voulaient s'enrichir rapidement, a créé un véritable séisme dont l'épicentre se trouvait sur la Côte-Nord. Que ce soit à Schefferville ou à Sept-Îles-Malioténam, les Montagnais subissaient les contrecoups de cette tornade. Ces villes minières poussaient comme de la mauvaise herbe. L'occupation pacifique par les nouveaux arrivants n'a jamais été aussi sauvage qu'elle ne l'a été à ce moment-là .

La venue des aventuriers a fini par écraser les Innus qui étaient contraints à ne plus aller sur leurs territoires. Les représentants de cette civilisation du développement à tout prix creusaient des trous immenses au fin fond de leurs terres ancestrales, à Schefferville, en fouillant grossièrement les entrailles de leur *Terre-Mère*.

Les Innus réalisaient qu'ils avaient presque tout perdu. Ils étaient devenus des marginaux, maltraités par les gouvernements et leur développement moderne, par les compagnies minières et par les aventuriers de tout acabit.

Les ressources naturelles, minières, forestières ou halieutiques, surtout la pêche aux saumons, tirées des territoires ancestraux des Innus, étaient devenues les véritables sources d'éclatements.

L'*Union nationale* de Maurice Duplessis a donné le minerai de fer aux Américains pour « un cent la tonne », disait, à ce moment-là, **la RUMEUR...** publique.

Le chemin de fer s'est construit entre Schefferville et Sept-Iles. Par lui s'organisait le transport des *boulettes* de minerai de fer vers la côte, Sept-Iles plus précisément. Elles étaient chargées sur des bateaux et envoyées ailleurs pour être traitées.

Je me rappelle qu'au début des années 1970, en tant que chroniqueur politique pour **LE SOLEIL**, j'avais rédigé un texte, du genre analyse sociologique, pendant une élection complémentaire dans cette région. Je soulignais à quel point cette élection était marquée du sceau de la compagnie Iron Ore. Cet article avait été publié dans **LE SOLEIL** au cours de laquelle l'ancien maire de Sept-Iles, Donald Gallienne, candidat libéral, avait été élu.

En visitant Schefferville, on constatait que tout appartenait à la compagnie Iron Ore: Les routes, le *Club house*, les maisons, les magnifiques chalets des *boss* de la compagnie, les édifices publics, le centre de loisir, l'aéroport, le barrage, etc., même le candidat péquiste de cette élection complémentaire, maire de cette ville minière, travaillait pour l'Iron Ore.

Les jobs étaient rares pour les Indiens. Quelques-uns seulement à Schefferville et encore moins à Sept-Iles. Ils étaient toujours limités à des travaux secondaires et empreints de discrimination et de racisme.

J'ai découvert, quelques mois plus tard, que les conventions collectives, négociées par le *Syndicat des Métallos* de la *Fédération des travailleurs du Québec* (FTQ), étaient discriminatoires et limitaient leurs membres-cotisants montagnais à des postes d'échelons mineurs. Ces derniers ne pouvaient même pas postuler comme chauffeur de camion, même s'ils possédaient les compétences et un permis de conduire.

À Schefferville, j'ai eu une altercation avec l'hôtelier de la place. Il refusait de servir une bière à mon invité innu qui dînait avec moi. L'hôtelier m'a expliqué qu'il ne servait pas de boisson alcoolique à un Indien. Je lui ai souligné qu'il me servait bien, moi qui était aussi un Innus de Pointe-Bleue, au Lac-Saint-Jean. Il m'a rétorqué, sans gêne, que je n'étais pas un Indien comme ceux de Schefferville. Je lui ai souligné qu'il n'avait pas le droit de faire une telle différence raciale entre deux Innus.

Il ne voulait rien entendre et j'ai dû quitter le restaurant et l'hôtel pour habiter ailleurs. Une plainte a été logée par la suite à la *Ligue des droits et libertés*. Cette dernière nous a donné raison.

À la même période, Max Gros-Louis « Oné-Onti », grand chef de la nation huronne, a vécu une une situation semblable le jour où il est allé, en tant que représentant de l'*Association des Indiens du Québec*, rencontrer un *boss* de l'Iron Ore. Le jeune fils de ce patron de la compagnie a avoué candidement à Max qu'il était chanceux de ne pas être un Indien comme ceux de Sept-Iles car son père aurait détaché son chien dangereux pour le chasser du terrain familial...

À Sept-Iles-Maloténam, je me suis aussi attaqué à la compagnie minière Iron Ore qui avait congédié quinze (15) Montagnais qui avaient osé faire du piquetage et refusé de travailler. Je m'en suis également pris au *Syndicat des Métallos* de la *Fédération des travailleurs du Québec* qui ne les avait pas défendus.

Les raisons de ce piquetage étaient pourtant simples: Un Innu, qui remplaçait périodiquement, depuis plusieurs années, un camionneur *blanc* pendant ses vacances, voulait avoir son poste suite du décès de ce dernier. La compagnie lui a refusé cet emploi en soulignant que la convention collective ne permettait pas à un Indien d'accéder à l'échelon de chauffeur de camion.

Pour appuyer leur confrère, les autres travailleurs innus ont décidé de débrayer. C'était pourtant une méthode employée par leur propre syndicat. Leur syndicat, le *Syndicat de Métallos* de la F.T.Q., ne les a pas soutenus et la compagnie Iron Ore les a congédiés dans un geste d'autoritarisme sans précédent et inacceptable.

En deux jours, au cours de plusieurs séances de *tordage de bras*, j'ai convaincu la compagnie Iron Ore de réengager les 15 Innus, sans aucune perte de salaire et d'ancienneté. J'ai aussi exigé du syndicat de changer la convention collective en ouvrant, sans discrimination, tous les postes aux Innus, qui font la preuve de leur compétence, et d'accorder le poste de chauffeur de camion au Montagnais concerné.

Les difficultés de cohabitation entre Innus et *Blancs* ont continué à s'accentuer. Elles ont atteint l'apogée vers le milieu des années 1970.

Il ne faut pas oublier qu'on était à l'époque où le premier ministre Robert Bourassa planifiait son projet du siècle à la Baie-James. Pour lui et ses acolytes, une rivière sans projet hydroélectrique était une rivière inutile qui ne rapportait pas de revenus de vente d'hydroélectricité pour le Québec.

La vision du *Parti libéral du Québec* sur le développement hydroélectrique était ceci: Il fallait construire des barrages sur plusieurs rivières du Québec pour produire de l'électricité à bon marché pour vendre aux Américains, comme Duplessis l'avait fait pour le minerai de fer.

Il fallait aussi couper tous les arbres de nos forêts pour alimenter les usines à papier journal. « Un arbre debout était un arbre qui ne rapportait pas », disaient d'une manière ridicule certains fonctionnaires du ministère d'*Énergie et Ressources* du Québec.

La conception du développement de Québec, à ce moment-là, heurtait de plein front la vision des Premières Nations. Les ressources de leurs territoires ancestraux étaient une richesse que leur *Terre-Mère* demandait de protéger en les utilisant avec parcimonie. Il ne pouvait être question pour eux de construire des barrages sur toutes les rivières ou de couper tous les arbres. Seuls les castors peuvent construire des barrages et les animaux ont besoin des arbres pour leur nourriture et pour leur habitat, disaient les anciens.

Comme des animaux retranchés dans leur dernier terrier, les Innus se défendaient avec l'énergie du désespoir.

Il faut dire que l'opposition des Innus à la négociation de la Baie-James, par la voie de l'*Association des Indiens du Québec*, indisposait les Québécois. Les adeptes du développement à tout prix, abrutis par la publicité autour « des 100 000 jobs » à Bourassa, étaient offensés par la contestation des Innus.

Ils voyaient les Innus comme des empêcheurs de tourner en rond. D'autant plus que, pour ceux de la Côte-Nord, les Innus étaient des rabats-joie qui les avaient restreints dans l'exploitation outrancière des ressources minières et des rivières à saumon. Plus tard, ils ont réagi de la même manière pour les ressources hydrauliques et forestières.

À cause de leurs droits ancestraux qu'on étalait avec de plus en plus d'emphase, les Innus seraient toujours pour eux des importuns et des gêneurs. Malheureusement pour eux, les droits ancestraux des Amérindiens trouvaient de plus en plus d'écoute auprès de la haute Justice canadienne, la *Cour suprême du Canada*, et de la population canadienne en général.

La *Cour suprême du Canada* avait reconnu, en 1973, les droits ancestraux des Indiens du Canada dans la cause Calder en Colombie britannique. Au même moment, le juge Malouf obligeait le gouvernement du Québec à négocier avec les Cris et les Inuits avant de continuer les travaux de construction du barrage de la Baie-James. À son tour, le jugement Malouf reconnaissait implicitement la valeur de ces droits des Premiers peuples et exigeait que le gouvernement Bourassa en tienne compte. Le gouvernement du Québec devait conclure une entente de compensations monétaires avant d'utiliser leurs territoires et leurs ressources tel que le prévoyait la *Proclamation royale de 1763*.

À ce moment-là, j'étais très près des Innus de Sept-Îles et de Malioténam. Un de leurs conseillers, Paul-Émile Fontaine, m'avait invité à camper avec lui et sa famille sur le bord de la rivière Moisie au début de juin.

J'y suis donc allé avec mon épouse Lise et mes deux jeunes enfants, Chantal et Dominic. L'atmosphère était lourde et les sujets de conversation tournaient constamment autour de la pression exercée par les patrouilles des gardes-pêche. On m'a aussi raconté les altercations, plutôt verbales, survenues entre ces derniers et les Innus. À ce moment, j'étais convaincu des abus causés par les gardes-pêche parce que je connaissais l'attitude du gouvernement du Québec en rapport aux droits de pêche des Indiens.

Je savais que le lobby des pêcheurs sportifs était de plus en plus puissant, organisé et écouté par le gouvernement québécois.

Même si cela était inacceptable pour nous, il était normal que la pression sur les gardes-pêche soit forte. Plusieurs Québécois leur demandaient de corriger ces indésirables et incorruptibles qu'étaient les Innus. D'autant plus que ces derniers devaient prendre en compte le lobbying d'une bonne partie de la population québécoise, des pêcheurs sportifs et des chroniqueurs de chasse et pêche. Ces derniers étaient souvent leurs amis ou leurs voisins. Il faut considérer la présence d'un accord tacite, voire même d'un appui, du gouvernement pour ces derniers.

Je demeurais tout aussi convaincu que certaines histoires concernant les attaques des gardes-pêche étaient amplifiées, comme c'est le cas habituellement, par **la RUMEUR**... Il n'en demeurait pas moins que les tensions entre les deux groupes étaient manifestes et de mauvais augures.

Je me souviens d'une dispute avec mon épouse. Nous étions allés, à une heure très avancée dans la nuit, « à la pêche miraculeuse » dans une embarcation où le conducteur et nous avions consommés des boissons alcooliques. Aujourd'hui, je sais que ça n'avait aucun sens de prendre de tels risques. J'estimais pourtant qu'il fallait que je le fasse et que je parte pêcher avec eux si je voulais connaître réellement leur état d'âme.

J'admets que, cette nuit-là, les Innus de Uashat mak Mani Utenam m'ont fait connaître, dans des conditions difficiles, voire mêmes dangereuses, un des beaux moments de ma vie.

Pour la première fois, on me donnait l'occasion de pêcher au filet.

J'ai connu, par la même occasion, les craintes des hors-la-loi en écoutant tous les bruits qui survenaient de la rivière. J'appréhendais les ronronnements d'un moteur de bateau d'un garde-pêche. Évidemment, j'ai forcé la chance en prenant de sérieux risques. J'ai vécu de cette adrénaline causée par le danger. J'ai accompagné mes frères innus dans cette épopée difficile et j'ai surtout partagé leur peur et leur appréhension sur la rivière Moisie. J'ai apprécié leur grande habilité à conduire un bateau en pleine noirceur, changeant de cap à tout moment pour éviter les fonds sablonneux. De ces événements, en tant que défenseur des droits des Autochtones, je pourrai en parler plus tard en connaissance de cause.

J'ai pris part à cette joie indescriptible de rechercher, sans bruit, la fosse miraculeuse et de jeter le filet dans ce trou profond et noir comme de l'encre, presque sans fond, disaient les Innus. J'ai perçu d'instinct que cette eau était agitée par des centaines et des centaines de saumons qui s'étaient réfugiés dans cette fosse pour se reposer avant de franchir la chute que l'on entendait au loin sans la voir. J'ai savouré ce plaisir de ressentir vibrer le filet sous mes doigts lorsque les saumons se sont pris dans les mailles de cet outil de pêche ancestral.

Au cours de ces quelques instants, j'ai enfin compris le rôle crucial de pourvoyeurs joués par mes ancêtres au cours de leur civilisation de survivance. Pourtant, je joue ce rôle depuis des années en assurant le bien-être de ma famille. Cette nuit-là, j'ai éprouvé une toute autre impression. Je ne pêchais pas pour m'amuser, en pêcheur sportif, comme je l'avais toujours fait sans vraiment me soucier de ramener, ou pas, de poisson. Ce soir-là, dans mon esprit, il ne s'agissait pas de poisson, mais bel bien de nourriture nécessaire pour les gens qui nous attendaient sur la berge.

Quand nous avons relevé prudemment le filet pour ne pas perdre le produit de « cette pêche miraculeuse », nous avions pris quatre magnifiques saumons de plus de 25 livres qui se débattaient vaillamment pour nous échapper. Nous aurions pu ainsi en prendre des douzaines et des douzaines. Mais, comme nous avions pour objectif de nous nourrir une seule fois avec nos prises, nous sommes immédiatement repartis pour le campement.

Nous avons d'abord pris soin de bien cacher nos filets dans les aulnes, sur la berge, à quelques centaines de verges de la fosse.

À notre arrivée au campement, c'était « la fête du saumon » et une trentaine de personnes nous attendait sur la berge.

Dans le fond d'un baril métallique grossièrement taillé, Madeleine, l'épouse de Paul-Émile, avait déjà préparé le feu. Il était alimenté par de petites pièces de bois taillées dans un immense tronc d'arbre. Elle avait déposé, sur une grille de fabrication artisanale, les poêles noircies par la fumée, prêtes à recevoir le produit de notre pêche, et y avait fait fondre la graisse.

Sitôt débarqués, nous avons remis nos quatre saumons à quatre Innues, le couteau à la main, qui les ont rapidement vidés et préparés en tranches épaisses pour la cuisson.

En moins de temps qu'il faut pour l'écrire, les saumons, les plus frais que l'on puisse imaginer avoir, cuisaient dans la graisse légèrement brûlée. À elle seule, l'émanation odorante qui se dégageait du feu lorsqu'on s'en approchait, nous pâmait de joie culinaire. L'ajout d'épices quelconques aurait été inutile, sinon futile. La saveur du met traditionnel innu se dégageait de la fraîcheur de l'aliment. Voilà sans doute pourquoi les femmes indiennes apprêtaient et apprêtent toujours leurs mets traditionnels sans aucun assaisonnement complémentaire.

À peine quelques minutes plus tard, ils étaient prêts à être servis.

J'allais maintenant comprendre pourquoi Madeleine avait fait cuire les quatre gros saumons alors que nous n'étions que quatre adultes autour du feu. Elle avait aussi préparé un grand plat de riz sauvage et un autre de pommes de terre.

Après qu'elle nous eut servis abondamment de cette sublime nourriture, sans invitation et sans avertissement, des Innus, jeunes et vieux, près d'une vingtaine, sont arrivés avec une assiette à la main. Ces parents et amis, sans avoir besoin de demander la permission, se sont servis raisonnablement et sont partis, sans dire un mot, manger près de leur tente. Rapidement, les plats se sont vidés.

Je venais de comprendre, par un exemple évident, le sens du mot partage pour les Innus de Uashat mak Mani Utenam et de celui de pêche de subsistance. Au cours de la semaine passée sur la Moisie, nous avons fait de même à plusieurs reprises. Nous sommes allés nous servir, au feu voisin, du saumon apprêté de la même façon et aussi frais. Nous faisions partie de la grande famille et la nourriture de l'un était la pitance de l'autre. Nous avons vraiment fêté le roi des saumons, le saumon géant de la Moisie.

Pour pêcher au filet, selon la manière innue, il fallait attendre la nuit, comme je l'ai décrit, sinon les pêcheurs se faisaient harceler et saisir leurs poissons et leurs filets par les gardes-pêche. Ils étaient passibles d'emprisonnement selon la loi des autres qui ne prenaient aucunement en considération leurs droits ancestraux de premiers habitants.

Or, rendus à la nuit, plusieurs Innus étaient éméchés parce qu'ils avaient pris de la bière au cours de la journée et une partie de la nuit.

J'ai constaté dans des clubs privés huppés de pêche aux saumons, ou sur des terrains de camping publics québécois, que les Innus ne sont pas différents des pêcheurs sportifs *blancs*, ou des campeurs qui vont dans ces endroits. Ces derniers aussi boivent, en abondance, des boissons alcooliques pendant la journée et en soirée autour d'un feu de camp. Quand vient la nuit, ils sont, eux aussi, passablement éméchés.

La seule différence est que ces derniers, quand arrivent les ténèbres, vont simplement se coucher en zigzaguant après avoir raconté les péripéties de leur magnifique journée de pêche passée dans une des meilleures fosses de la rivière. Qu'ils aient pris ou non un saumon, leur vie en n'est pas affectée. Ils vont manger quand même le lendemain parce que leur substance et celle de leurs proches ne sont pas directement reliées aux résultats de cette pêche. Quant à l'action de pêcher, en aucun temps, ils ont subi la pression de qui que ce soit parce qu'ils suivent la norme que leurs leaders politiques ont arrêtée.

Pour les Innus, la noirceur amenait la liberté. Elle était merveilleuse cette liberté de pouvoir pêcher le saumon, leur principale nourriture pour cette période de la saison, selon leur tradition ancestrale. Tous savaient que ces saumons vont nourrir demain leurs enfants, leurs femmes, leurs petits enfants et leurs aînés. Ils avaient l'infrangible impression que, s'ils n'apportaient pas cette nourriture, ils n'accompliraient pas leur rôle de pourvoyeurs pour ceux qu'ils aiment et qui sont sous leurs responsabilités.

Cette charge les force à affronter la noirceur de la nuit. Cette obscurité rend plus dangereuse la navigation sur la rivière Moisie dont les bancs de sable se déplacent ici aujourd'hui et demain ailleurs. Les Innus, on le sait, sont particulièrement habiles comme navigateurs sur les rivières. Ils me le démontraient d'une manière évidente. Il ne faisait aucun doute aussi que l'esprit des ténèbres guidait ces pêcheurs nocturnes.

Se pourrait-il maintenant que quelques-uns buvaient le jour pour se donner le courage d'affronter leurs difficultés pendant la nuit?

Sans aucune subtilité, les gardes-pêche imposaient leur autorité aux Innus. Les plus vieux, par habitude, fermaient les yeux et s'éloignaient, mais les plus jeunes, eux, rechignaient. Ils s'en prenaient verbalement, avec toujours plus d'agressivité dans leurs propos, aux gardes-pêche.

Ces derniers répondaient avec l'arrogance évidente de ceux qui possèdent les « gros bras » de l'autorité. Ils savaient d'ailleurs que leurs patrons les appuyaient. Ces derniers souhaitaient qu'ils appliquent intégralement les lois. Pour eux, il était évident que les Innus n'avaient pas plus de droits que les pêcheurs sportifs.

Plus d'uns, parmi eux, ne connaissaient absolument rien de cette question de droits ancestraux des Premières Nations. On leur avait dit que les Indiens n'avaient pas de droits, donc qu'ils ne pouvaient pas y avoir deux sortes de lois: Une pour les *Blancs* et l'autre pour les Amérindiens. Et eux, bêtement, appliquaient ces lois sans aucune nuance. C'était leur travail qu'ils faisaient souvent avec une ardeur excessive, empreinte de racisme.

Je n'ai donc pas été surpris du tout lorsque, au début du mois de juin de l'année suivante, le chef de Sept-Iles m'a demandé de me rendre au campement des Innus sur le bord de la rivière Moisie. Le chef m'avait expliqué que la tension montait dangereusement et qu'il craignait le pire.

À mon arrivée à Malioténam, j'ai constaté que l'eau de la bouilloire était en pleine ébullition, fortement agitée, et que le couvercle ne pouvait que sauter...

J'ai appris à ce moment-là qu'Eugène Vollant, que je connaissais très bien depuis longtemps, s'en était pris verbalement à des gardes-pêche. Pourtant, Eugène était un Innu d'âge moyen, père de famille sérieux et habituellement calme. Il l'avait fait parce que ces derniers avaient saisi la canne à pêche de son fils Achille.

C'était une raison bien mineure en comparaison avec ce qui se passait depuis longtemps sur la rivière; ce qui prouvait qu'une peccadille pouvait maintenant mettre le feu aux poudres.

L'esclandre d'Eugène Vollant, habituellement impassible, avait surpris tout le monde. Son indignation ne présageait rien de bon. Sa colère inexplicable me démontrait surtout que les nerfs des Innus étaient à fleur de peau.

Les jeunes Innus, qui étaient à la rivière Moisie à ce moment-là, *se montaient la tête* mutuellement et, après voir bu quelques bières, parlaient de s'en prendre aux gardes-pêche.

J'ai eu beau essayer de tenir des propos sans passion et rassurants, évitant toute forme d'agitation possible, on n'écoutait plus. La situation était beaucoup trop tendue et l'ambiance beaucoup trop agressive.

Comme j'étais propriétaire de journaux hebdomadaires à cette époque et que mon travail professionnel exigeait ma présence, je devais retourner à Québec rapidement.

Ce sont des collaborateurs réguliers du *Conseil Atikamekw-Montagnais*, l'association tribale des Innus et des Atikamekw qui ont pris la relève. Ils se sont rendus sur place pour nous faire rapport à tous les jours de l'évolution du dossier. Pour ma part, j'ai continué de le suivre de près sans pourtant être présent sur les lieux.

Les jours qui ont suivi seront à jamais ineffaçables pour la famille d'Eugène Vollant, pour celle des Régis et pour l'ensemble des Innus de Uashat mak Mani Utenam.

Au matin du 9 juin 1977, vers 4h., le fils d'Eugène, Achille, et son ami Moïse Régis ont décidé d'aller pêcher le saumon au filet sur la rivière Moisie. Ils sont partis dans la nouvelle embarcation que ce dernier avait reçue en cadeau de sa femme quelques jours plus tôt. Un des Innus sur les lieux avait *patenté*, à l'aide de bouts de bois, l'ajout d'un autre moteur pour donner plus de puissance à l'embarcation; ce qui leur permettrait probablement de s'enfuir plus rapidement si les gardes-pêche voulaient s'en prendre à eux.

Les jeunes Innus voulaient se rendre à l'embouchure de la rivière Moisie où les pêcheurs commerciaux avaient leurs filets.

Au cours de la journée du 8 juin, ils avaient « fêté le saumon », disait-on sur les lieux, en buvant des boissons alcooliques.

Pendant toute la journée du 9 juin 1977, on n'avait reçu aucune nouvelle des deux jeunes pêcheurs innus. Ce fut une journée d'attente et d'inquiétude funestes pour les familles Vollant et Régis. Elles vivaient dans l'expectative d'une noyade des jeunes Innus depuis le moment de leur départ pour la rivière Moisie, la nuit d'avant.

Il était donc tout à fait normal que les Innus, comme l'auraient fait tous les nomades, aient utilisé **la RUMEUR**... comme échappatoire. Ils nageaient en pleine période de tensions et d'insécurité face au gouvernement du Québec et à ses représentants, les gardes-pêche, ou les agents de la *Sûreté du Québec*.

Pour une société de tradition orale, qui cultive **la RUMEUR**..., c'était le passe-partout idéal qui ouvrait la porte à la diversion. Elle entretenait différemment l'intérêt.

Cette attitude était d'autant plus compréhensible que, pour tout peuple nomade tels les Innus, **la RUMEUR**... est culturelle. Le bouche à oreille a été, pendant des millénaires, le seul moyen de communication et de transmission de l'information. Les Innus pratiquent donc *talentueusement* l'art de **la RUMEUR**... D'instinct, ils l'avaient choisie comme moyen de défense.

Quand **la RUMEUR**... se met à courir, il est difficile de l'arrêter. Et, petit à petit, elle devenait la vérité inventée. On la façonnait, cette vérité, en l'embellissant par la création de héros et en l'enlaidissant par celle de criminels. Elle était la nouvelle vérité. Celle qu'il fallait croire hors de tout doute sérieux. Cette nouvelle vérité, on la racontait en ajoutant une touche personnelle.

Le talent de celui qui contait prenait ici toute sa signification. Plus **la RUMEUR**... avait du *punch*, plus elle retenait l'attention. Plus elle retenait l'attention, plus elle soulevait la curiosité. Plus elle soulevait la curiosité et retenait l'attention, plus le messager était intéressant. Et c'était la grande roue de **la RUMEUR**... qui avait commencé à tourner. Elle devenait même étourdissante par sa vitesse vertigineuse et personne ne savait trop comment l'arrêter.

La RUMEUR... donnait ainsi du sens aux événements. Ces derniers prenaient de la noblesse, ils devenaient les nouveaux faits, la nouvelle vérité. Elle fabriquait souvent une personnalité attachante pour le messager.

Les scénarios d'altercation entre les gardes-pêche et les deux jeunes pêcheurs innus ont commencé immédiatement à circuler au campement sur le bord de la rivière Moisie. **La RUMEUR**... s'installait d'une manière plus définitive. Les spécialistes commençaient à s'approprier de cette absence des deux jeunes Innus. **La RUMEUR**... étendait ses ailes parce que ses artisans échafaudaient toutes sortes d'hypothèses aussi vraisemblables les unes que les autres. **La RUMEUR**... ressassait tout ce qui pouvait alimenter l'intrigue.

L'altercation, beaucoup plus accrocheuse, était de plus en plus retenue par **la RUMEUR**... À la suite de tout ce qui s'était produit sur la rivière au cours des dernières années, l'échauffourée devenait plus plausible, possible, voire même probable. Les dernières démonstrations agressives, survenues entre certains

Innus et les gardes-pêche, jusque là plus verbales que physiques, allaient se concrétiser.

On racontait que la méthode utilisée par les gardes-pêche pour l'intimidation consistait à tourner autour des embarcations de pêcheurs innus à toute vitesse pour les faire chavirer. Il se trouvait toujours un Innu pour souligner que les gardes-pêche lui avaient fait ce genre de démonstration; ils avaient bien failli le faire chavirer avec son canot. C'est donc ce que les gardes-pêche avaient fait, retenait tout naturellement **la RUMEUR**...

La RUMEUR... était en train de créer des héros avec ces jeunes Innus disparus. Pour **la RUMEUR**..., Achille et Moïse avaient tenu tête aux gardes-pêche et le combat avait suivi. Malheureusement, les deux jeunes belligérants n'avaient pas vaincu l'ennemi coriace et aguerri. Ils avaient cependant combattu vaillamment jusqu'à la mort. Cette hypothèse sera plus tard rapportée et amplifiée par l'homélie incendiaire et irréfléchie du curé Omer Provencher.

Certains Innus racontaient « que le bateau des gardes-pêche, Louis Bolduc et Michel Piché, aurait frappé le bateau de Moïse Régis et d'Achille Vollant ».

Un constable de la *Police amérindienne*, Jos Wézineau, un Atikamekw, temporairement en poste à Malioténam, à l'occasion d'une visite impromptue au chalet des agents, avait observé une marque rougeâtre sur la partie supérieure avant de l'embarcation fraîchement peinturée.

De même, des membres des familles avaient aussi constaté que les agents de conservations avaient peinturé en vert l'embarcation utilisée par les gardes-pêche qui patrouillaient cette nuit-là. Ce travail avait été exécuté le lendemain de la nuit tragique. Ils avaient relevé une trace de peinture de couleur orange, semblable à celle de l'embarcation des jeunes Innus.

Plus tard, on découvrait l'embarcation dans laquelle avaient pris place Achille Moïse; cette dernière était « bossée et défoncée », dira le témoin Paul-Émile Fontaine.

Comme **la RUMEUR**... d'une altercation entre les jeunes Innus et les gardes-pêche avait circulé depuis la disparition des deux Indiens, il n'en fallait pas plus pour que ces faits deviennent des preuves accablantes.

Il ne faisait maintenant plus de doute, pour **la RUMEUR**..., que les faits relatés constituaient des preuves pour le moins irréfutables. **La RUMEUR**... commençait même à prétendre que l'on voulait camoufler les preuves incriminantes.

Les autorités judiciaires avaient refusé une demande d'autopsie formulée par la famille de Moïse Régis sous prétexte que les coûts étaient trop élevés. Pourtant, quelques jours plus tard, cette autopsie sera faite sans que les familles en soient avisées. Une attitude aussi déconcertante, pour le moins bizarre, des autorités judiciaires en place continuait à alimenter **la RUMEUR**... qui voulait que l'on tente, par tous les moyens possibles, de cacher la vérité.

La RUMEUR... soulignait en outre que les agents de la *Sûreté du Québec* qui voulaient intimider les Innus exigeaient, à un des policiers amérindiens, Germain Grégoire, de cesser d'enquêter sur cette question et « se mêler de ses affaires ». Pourtant, les Innus étaient convaincus qu'il s'agissait, en tant que policier amérindien, de ses affaires...

Le 15 juin 1977, un groupe d'Innus, parti à sa recherche, découvrait le corps d'Achille Vollant. Mathieu André, un ancien, Innu respecté, faisait partie de ce groupe de chercheurs.

Le corps d'Achille reposait sur le ventre. On y observait un liquide rougeâtre, semblable à celui qui s'écoulait du nez et de la bouche. « Quand on l'a sorti du trou, il y avait une grande mare de sang », dira un couple d'Innus. Un noyé ne saigne pas, soulignera Mathieu André, un des membres du groupe. On remarquait quelques éraflures au visage.

Mathieu André, un ancien crédible, par des propos péremptoires, sans possibilité de répliques à cause de sa grande crédibilité dans le milieu, prétendait qu'Achille Vollant ne s'était pas noyé puisque « l'eau ne sortait pas de son corps». Par ces propos, cet aîné venait de clore toute discussion. Madame Louise Einish-Vollant rapportait ainsi ses mots : « Ce corps ne s'est pas noyé, il a été tué ».

Il n'en fallait pas plus pour que la RUMEUR... utilise la déclaration du sage Mathieu André comme étant des propos auréolés d'une infaillibilité presque papale.

Comme une traînée de poudre, ces faits se sont répandus dans la communauté. Les membres des familles Vollant et Régis ainsi que la majorité des Innus ont fait un rapprochement de cause à effet avec les derniers événements. Le climat malsain des dernières années, la saisie de la canne à pêche de Moïse Vollant, le bateau des gardes-pêche peinturé en catastrophe, l'accident et la découverte des corps des noyés, dont un saigne, tous ces faits avaient inexorablement des liens...

C'est d'ailleurs cette déclaration de l'aîné Mathieu André qui a convaincu les membres du conseil d'administration du *Conseil Atikamekw-Montagnais* de s'impliquer davantage dans ce dossier. Le C.A.M. a donc dénoncé publiquement, en conférence de presse, la parodie d'enquête qui se déroulait à Sept-Iles.

Au cours des obsèques d'Achille Vollant, le curé Omer Provencher a alimenté, de façon percutante, la RUMEUR... en déclarant:

« Achille n'avait pas d'argent et il voulait pêcher. Il s'est embarqué sur la rivière dans son canot. Les gardes-pêche lui ont demandé: " Montres-nous ton permis ". C'est alors qu'ils l'ont forcé à sortir de la rivière en lui enlevant, à lui et à son compagnon, les deux cannes à pêche qu'ils avaient en leur possession. Achille a bien été obligé de plier la tête et il est débarqué.

Bien sûr, devant nous autres, il souriait. Il souriait, il était gêné; il avait été privé de sa liberté. Pourtant c'est un Indien... dont les ancêtres avaient toujours vécu sur le bord de la rivière Moisie ».

Le cinéaste Arthur Lamothe, un des premiers et des plus fanatiques indianistes que j'ai connus, était là pour prendre sur pellicule le discours du curé-vedette. Quelle scène pour un cinéaste... Cette séquence servira d'ailleurs, plusieurs années plus tard, d'élément-punch au film de ce cinéaste sur les événements tragiques de la rivière Moisie: « Le silence des fusils ». Ce film témoignera, sur pellicule, de la RUMEUR... de la rivière Moisie. Romancé par les éléments-clés de la RUMEUR..., ce film sera pour les Innus leur témoignage. Un peu comme certaines personnes vont dire : « C'est la vérité, un journaliste l'a écrite dans le journal... ».

Une telle exhortation d'une personne crédible aux yeux des Innus, religieux et fervents catholiques, suivant les propos quasi infaillibles de Mathieu André, a attisé la flamme d'un feu de camp déjà fort alimenté par la RUMEUR... Comme si la robe noire avait jeté un baril d'essence sur ce feu. Ces propos inconséquents, pour un homme de l'Église dont l'influence était au maximum pendant une aussi grande détresse, ont servi d'encouragement et de motivation à la RUMEUR... Ces propos faisaient maintenant foi de la RUMEUR...

Après cela, la RUMEUR... n'était plus contestable. Elle était la vérité, toute la vérité, rien que la vérité... La RUMEUR... a accentué son droit d'interpréter. Elle s'est ensuite développée sans que la contestation de qui que ce soit puisse vraiment l'atteindre.

Près d'un mois plus tard, le *Conseil Atikamekw-Montagnais* prend le dossier en main et entreprend une croisade pour démontrer aux Québécois et à leur gouvernement qu'Achille Vollant et Moïse Régis ne sont pas morts noyés. Rémi Savard et moi-même avions amené l'exécutif du *Conseil Atikamekw-Montagnais* à prendre clairement partie dans ce dossier. **La RUMEUR...** a soufflé les soupçons généralisés et l'insistance du milieu. Ces certitudes ont été des éléments-clés dans cette décision du *Conseil Atikamekw-Montagnais*.

Publiquement, au cours d'une conférence de presse, nous demandions à la *Ligue des droits et libertés* d'entreprendre une enquête sur ce dossier. L'objectif du *Conseil Atikamekw-Montagnais* était de convaincre le gouvernement du Québec d'enquêter sérieusement sur ce qui paraissait être des crimes camouflés. Nous étions formels, il fallait une enquête publique pour faire la lumière sur ce dossier.

Nous n'avions pas accepté les réponses du sous-ministre de la *Justice du Québec* d'alors, René Dussault, futur co-président de la *Commission royale sur les peuples autochtones du Canada*. Ce dernier prétendait pourtant qu'une enquête menée par son ministère avait révélé que les deux jeunes Montagnais s'étaient noyés à la suite d'un accident.

Rémi Savard, anthropologue, défenseur de la cause autochtone et confident d'Eugène Vollant, travaillait pour la *Ligue des droits et libertés* à bâtir un document à charge. Rémi Savard recueillait les éléments susceptibles de démontrer que les deux jeunes Innus ne s'étaient pas noyés. Il a dû compiler toutes les informations concernant les enquêtes menées par les policiers et par le coroner pour les utiliser dans nos campagnes de presse. Nous utilisions la thèse de la conspiration du silence entourant le décès de ces deux jeunes Innus.

La RUMEUR... et les soupçons entretenus par Eugène Vollant et les familles des victimes n'étaient pas les fruits du hasard; ils avaient un fondement. Les faits, les événements passés et l'examen des documents officiels de la *Sûreté du Québec* et de la *Police amérindienne* le révèlent. **La RUMEUR...** a réuni et rassemblé tous les ingrédients nécessaires à l'amorce et au déclenchement de telles accusations.

La RUMEUR... a découvert que madame Évelyne Fontaine-Régis avait vendu une importante pièce à conviction à messieurs Jocelyn Turcotte et Jean-Claude Turcotte, tous les deux fortement impliqués dans ce dossier. L'un était enquêteur alors que l'autre avait participé à l'événement. Jean-Claude Turcotte revendra plus tard l'embarcation.

À la suite de son enquête sommaire à partir des versions recueillies, Rémi Savard avait dégagé certains constats:

-   Le coroner a refusé une demande d'autopsie;
-   Moïse Régis avait la tempe défoncée;
-   les policiers ou les gardes-chasse ont fourni de faux renseignements, ou tout au moins inexacts, sur l'endroit où Moïse Régis a été retrouvé;
-   selon M. Mathieu André, Achille Vollant n'est pas mort noyé car l'eau ne sortait pas de son corps et il avait un caillot de sang au-dessus du nez. L'os du nez semblait fracturé;
-   selon M. Octave Bacon, un noyé ne peut pas saigner;
-   Évelyne Régis-Fontaine ignore la provenance d'un couteau retrouvé sous la ceinture du pantalon de son mari, Moïse Régis, alors qu'il était à la morgue;
-   Moïse Régis a été exhumé et ré-inhumé sans que la famille en soit avisée;

- le caporal Jocelyn Turcotte, l'un des enquêteurs du dossier, s'est porté acquéreur de l'embarcation que Mme Évelyne Régis-Fontaine avait donné à son mari Moïse à l'occasion de la Fête des pères en juin 1977.

La *Ligue des droits de l'homme*, sous la plume de Mme Gervaise Bouchard, écrit au ministre de la *Justice du Québec* d'alors, Marc-André Bédard, lui soulignant que le conseil d'administration, suite à un rapport du comité des droits des Autohtones, demandait une nouvelle enquête du coroner au sujet du décès de messieurs Achille Vollant et Moïse Régis, survenu le 9 juin 1977.

Quelques jours plus tard, le ministre Bédard reçevait cette requête formelle qui invoquait les motifs suivants:

- Une présomption d'Indiens saouls a marqué tout le déroulement de l'enquête du coroner et a fortement influencé ce dernier;
- il y a contradiction entre les témoignages des agents Piché et Bolduc et celui de Géraldine Lapierre;
- il y a contradiction entre les témoignages rendus par quatre représentants du ministère du *Tourisme, de la Chasse et de la Pêche* au sujet de l'opération des canots qui ont été repeints;
- l'enquête du coroner a manqué de sérieux en ce qui a trait à:
  a) à l'état du corps d'Achille Vollant;
  b) le rapport d'analyse établissant le taux d'alcool dans le sang des victimes;
  c) le couteau trouvé sous la ceinture du pantalon de Moïse Régis;
  d) la conclusion du représentant du ministère de la Justice, Me Paul Chevalier.

Donc, pour la *Ligue des droits de l'homme*, le verdict du coroner manquait de rigueur et était inacceptable puisque tous les faits apparaissant au dossier n'avaient pas été portés à sa connaissance.

C'est alors que le *Conseil Atikamekw-Montagnais* a convoqué la presse et a rendu publiques les conclusions de l'enquête de la Ligue des droits de l'homme.

VINGT ANS PLUS TARD...

Au cours de ces 20 ans, **la RUMEUR**... est restée tapie dans l'esprit des Innus de Uashat mak Mani-Utenam. Les Innus ont toujours cru que la vérité n'avait pas réellement eu droit de cité.

À chaque fois qu'il était question de ces deux noyades, comme cela a été le cas à la sortie du film du cinéaste Arthur Lamothe, « Le silence des fusils », **la RUMEUR**... reprenait de plus bel.

Cela a été le cas le 19 février 1996. Dans le cadre de l'émission *Enjeux*, la Société Radio-Canada a diffusé un reportage de la journaliste Anne Panasuk intitulé: « Dix-huit ans de silence ». Ce reportage questionnait les enquêtes antérieures. Il évoquait la possibilité d'une altercation sur la rivière Moisie entre les gardes-pêche et Achille Vollant et Moïse Régis.

Cette diffusion de l'hypothèse principale de **la RUMEUR**... a relancé le débat. Le ministre de la *Sécurité publique du Québec* n'a pas eu d'autre choix que de confier le mandat d'enquêter de nouveau sur les deux noyades des jeunes Innus. Au mois de mars 1996, il a demandé, au *Service de police* de la ville de Québec, d'enquêter plus particulièrement sur les allégations contenues dans le reportage.

Le 15 avril suivant, la Société Radio-Canada a ravivé le dossier par un second reportage d'Enjeux sous le même titre: « Dix-huit ans de silence », où la journaliste a dévoilé qu'une troisième personne, Jack Vallière, alias Fernand Vachon, est évoquée. Il aurait participé à l'altercation.

Des citoyens d'un village de Beauce ont rapporté que Fernand Vachon leur aurait avoué qu'il avait tué deux Indiens sur une rivière de la Côte-Nord...

Or, la Commission du juge Yvon Roberge démontrera plus tard que Fernand Vachon, garde-pêche et, parfois, agent d'infiltration, n'était pas sur la rivière Moisie les 8, 9 ou 10 juin 1977.

Les personnes, dont les entrevues ont été utilisées par Anne Panasuk et par Jean-Claude Le Floch, ont nié, ou nuancé, leurs propos aux enquêteurs de la ville de Québec ou de la **Commission**...

Il ne fait pas de doute que le journalisme d'enquête, même s'il est très difficile à pratiquer, ne permet pas le subterfuge pour obtenir des informations. Il autorise tout au plus à prendre certains risques. D'ailleurs, habituellement, dans ces cas-là, les directions de l'information s'assurent, presque hors de tout doute, que les méthodes employées pour soutirer des informations sont inattaquables et subiront facilement l'épreuve des poursuites en Cour de justice.

Je vous avoue avoir été un peu surpris de voir à **Radio-Canada** des reportages sur ce dossier, réalisés par Anne Panasuk. Tout le monde aurait dû savoir qu'Anne-Marie, son prénom lorsqu'elle vivait dans la région de Sept-Iles, avait été très impliquée dans ce dossier lors des événements de 1977 à titre d'anthropologue. Ce fait démontrait certainement qu'il y avait, tout au moins, apparence de conflit d'intérêt.

De cette question journalistique, je pense que je peux en parler en connaissance de cause puisque j'ai été un des premiers journalistes au quotidien **LE SOLEIL** à pratiquer ce genre de journalisme d'enquête. J'en connais donc toutes les difficultés et les embûches.

À maintes reprises, j'ai été sur la sellette avec ce genre de reportages. Je me souviens, entre autres, de la série d'articles dénonçant le patronage éhonté qui se faisait autour de la construction des maisons historiques à Place royale, à Québec. Le *Parti libéral du Québec* de Robert Bourassa m'a dénoncé à l'*Assemblée nationale*. On m'a menacé de poursuites en Cour de justice si je ne me rétractais pas. Le ministre du *Parti libéral du Québec* concerné par ce dossier journalistique m'a accusé de vouloir faire de la politique active parce que j'avais l'intention de me présenter contre lui lors de la campagne électorale suivant les événements. Cette campagne est venue et je ne me suis pas présenté comme candidat...

Je ne me suis jamais rétracté car j'avais en main des preuves irréfutables.

Les fonctions de chef de pupitre et de chef de nouvelles au **SOLEIL** et de vice-président de l'information et des affaires publiques à **Télé-Capitale**, au réseau **TVA**, m'ont conduit à la prudence dans ce genre de dossiers. J'ai donc été à même d'exiger des journalistes des preuves de la qualité des informations véhiculées. Ce qui m'a amené à refuser plusieurs reportages qui ne subissaient pas ce genre d'évaluation.

Enfin, comme professeur de journalisme à l'université **Laval** pendant plus d'une douzaine d'années, j'ai participé à de nombreux débats sur cette question. De plus, j'ai enseigné les techniques du journalisme d'enquête.

Le 25 septembre 1996, les enquêteurs du *Service de la police de Québec*, après avoir interrogé 93 témoins, ont déposé leur rapport au ministère de la *Sécurité publique*. Ils ont conclu à un double décès accidentel par noyade. Les enquêteurs ont transmis les conclusions du rapport aux familles lors d'une rencontre qui s'est tenue à Malioténam.

On m'a raconté par la suite que cette rencontre a été des plus houleuse. Les familles Vollant et Régis n'acceptaient pas les conclusions de cette nouvelle enquête et continuaient à prétendre qu'on cherchait, une fois de plus, à camoufler la vérité. On était revenu à la case départ et **la RUMEUR**... avait beau jeu de prétendre que cette enquête, dite familiale, servait à protéger certaines personnes.

Quelque temps plus tard, le chef de Uashat mak Mani-Utenam, Élie-Jacques Jourdain, me demandait d'organiser une conférence de presse à Québec. Au nom des membres de la Bande et des familles, il voulait demander au gouvernement du Québec de mettre en place une commission d'enquête publique pour que la vérité sorte une fois pour toutes.

Le gouvernement a résisté à cette demande officielle et publique du Conseil en soulignant que les enquêteurs du *Service de police de Québec* avaient tout vérifié et qu'ils étaient formels: Les deux jeunes Montagnais étaient morts noyés. Pour le ministre de la *Sécurité publique du Québec*, Robert Perreault, et pour le ministre du *Secrétariat aux affaires autochtones*, Guy Chevrette, cette commission publique était inutile et coûteuse.

Une conseillère, Marie-Marthe Fontaine-Régis, et le chef Élie-Jacques Jourdain voulaient que je les aide à démontrer au gouvernement du Québec que les familles devaient être moralement convaincues qu'il y avait eu justice entière. Elles voulaient savoir, hors de tout doute, que les deux jeunes Innus étaient bel et bien morts noyés.

Nous avons rencontré le ministre Guy Chevrette dans une salle de l'édifice principal du Parlement. Je lui ai fait part de l'insistance de la famille pour qu'une commission publique fasse un travail en profondeur. Je lui ai démontré que seule une commission publique réussirait à convaincre les membres des familles et les Innus qu'Achille et Moïse étaient morts noyés. Après plus d'une heure de discussion, j'ai réussis à le convaincre. Il nous a fait part qu'il allait en intercéder pour nous auprès du ministre de la *Justice du Québec* et de la *Sécurité publique*.

Le 21 mai 1997, par décret, le gouvernement du Québec ordonnait la tenue d'une enquête publique sur les circonstances entourant les décès de messieurs Achille Vollant et Moïse Régis, survenus en juin 1977.

Le mandat de la commission était de « de faire la lumière sur les circonstances entourant ces décès ». Il ne nous appartient donc pas, ajoutait le président de cette **Commission**..., le juge Yvon Roberge, le 26 juin 1997, à la première séance publique de la commission, « de trouver des coupables, porter des accusations, diriger des reproches contre qui que ce soit: policiers, enquêteurs, politiciens ou même, agents de conservation ». Il terminait en précisant qu'il avait le pouvoir d'aborder tous les sujets qui ont contribué: « à soulever des doutes sur le caractère accidentel de ces décès ».

La **Commission**... a démontré qu'Achille et Moïse étaient en boisson lorsqu'ils sont partis sur la rivière Moisie. Elle a aussi prouvé que leur embarcation n'était pas sécuritaire par le fait que deux moteurs de 6 HP avaient été fixés côte à côte sur le tableau arrière du bateau et que ces deux moteurs étaient alimentés par deux réservoirs de cinq gallons d'essence chacun. « M. Achille Vollant ne possédait pas la dextérité requise au bras pour manoeuvrer une embarcation selon cette méthode ».

De plus, on a aussi appris, vingt ans plus tard, que, dès le 10 juin 1977, des gardes-pêche du ministère du *Tourisme, de la Chasse et de la Pêche* ont effectivement repeint l'embarcation dans laquelle prenaient place les agents Michel Piché et Louis Bolduc dans la nuit du 8 au 9 juin.

C'est au cours de la matinée du 11 juin que les membres de la famille Régis identifiaient le corps de Moïse Régis. « Tous ont constaté que ce corps n'était pas enflé, mais présentait des éraflures au visage; un liquide d'apparence sanguine s'écoulait de l'oreille droite. M. Mallet (de la Maison funéraire Mallet et Fils) a aussi noté que de l'écume suintait de sa bouche. Il a de plus constaté qu'un couteau d'environ quatre pouces de longueur, la pointe vers le haut, était glissé sous la ceinture de son pantalon ».

À **la RUMEUR**... qui parlait de substitution de l'embarcation, entre le 9 et le 15 juin, la *Commission*... a répondu que cette hypothèse n'était pas que peu probable, elle était illogique « car elle sous-entendait l'existence d'une conspiration entre une trentaine de personnes ».

Le juge Roberge a complètement écarté le témoignage de Jos Wézineau, ancien policier amérindien, à l'égard de l'embarcation. Il affirme que Jos Wézineau « semblait incapable d'évaluer la portée ou les conséquences de ses déclarations ou opinions qu'il émettait, fussent-elles publiques ou sous serment». C'est pour ces raisons qu'il a écarté de la preuve toute déclaration qu'il a formulée et qui portait sur cet objet.

Selon le rapport du physicien métallurgiste André Van Neste, cette embarcation n'avait jamais subi d'accident qui aurait endommagé la structure, créé des déformations majeures par choc ou nécessité du travail de *débosselage*. Il s'agissait alors d'un témoignage d'expert qui contredisait un des éléments des plus important véhiculé par **la RUMEUR**.

Quant à la peinture intérieure, couleur verte pomme, soulignait-il dans son rapport, elle ne comportait aucun endroit de chauffe qui aurait pu modifier la texture et la teinte. « Je considère cette embarcation dans un très bon état de conservation, dont l'utilisation a été soignée et certes pas abusive ».

En ce qui a trait à la peinture orangée, encore présente sur l'embarcation des agents, après enquête et analyse, elle provenait de la moulure de la porte 8 et 9 de la bâtisse de la ville de Grasse, où l'embarcation a été fabriquée. Elle ne pouvait donc pas être reliée à l'embarcation de Moïse Régis.

Comme on a pu le constater au cours des audiences publiques, la *Commission*... a accordé beaucoup d'importance au rôle des experts. Les conclusions que les témoins experts ont tirées, à la lumière des documents ou des pièces examinées, leur ont permis de conclure ou de fournir des éléments de preuves que la commission considérait beaucoup plus probants, car leurs témoignages, contrairement à ceux livrés par des témoins dits ordinaires, étaient fiables, impartiaux et non tributaires de perceptions ou de souvenirs qui ont été altérés par le temps, a souligné le rapport.

La *Commission*... a de plus ajouté que les résultats obtenus par les expertises menées ne règlaient pas tous les problèmes, ne répondaient pas à toutes les interrogations qu'ont suscités ces événements depuis 20 ans. Elles permettaient cependant, a prétendu le juge Roberge, de tirer certaines conclusions portant sur des sujets très controversés.

À la lumière de la preuve présentée et des rapports soumis, le juge Yvon Roberge a conclu:
- « l'embarcation dans laquelle MM. Achille Vollant et Moïse Régis ont pris place le matin du 9 juin 1977 a chaviré tout près de l'embouchure de la rivière Moisie vers 05h 30;
- les décès de MM. Achille Vollant et Moïse Régis sont attribuables à la noyade;
- une nouvelle autopsie pratiquée sur les corps n'a révélé aucune évidence de traumatisme décelable ou susceptible de causer une perte de conscience avant le décès ou toute forme de lésion traumatique ».

Il a ajouté que les marques ou traces de peinture relevées sur l'embarcation dans laquelle ils prenaient place, ou sur celle des agents de conservation, ne permettaient pas d'inférer qu'il y a eu contact entre ces embarcations.

Ces premières conclusions, a souligné le président, me permettaient donc de résoudre toutes les questions soulevées et reliées à:
- l'existence d'une possible altercation ayant causé des lésions
  corporelles apparentes à MM. Achille Vollant et Moïse Régis;
- une collision ou un impact probable entre les deux embarcations.

« En conséquence, toutes les hypothèses, déductions ou inférences découlant du peinturage de l'embarcation des agents de conservation sont devenus sans objet. »

Quant à la théorie de l'envahissement par l'eau provoquée par une embarcation qui tourne autour, qui frôle..., les hypothèses étudiées ne l'écartent pas, a mentionné le juge Roberge. « Cette éventualité est peu probable car elle implique, je l'ai souligné, la recherche de l'embarcation de deux Montagnais en pleine brume, sans point de repère, sans motif apparent, hors la présence de M. Bolduc ou en présence d'un autre garde-pêche dont on ne peut même pas soupçonner l'identité. Bien que possible, cette hypothèse n'est supportée par aucun élément factuel qui la rende un temps soit peu probable ».

Le juge Yvon Roberge a conclu son rapport de la façon la plus humaine qui soit, sans aucune condamnation:
« L'Innu est prudent dans les territoires, c'est une question de survie. Il est aussi fier et téméraire, c'est de son âge.

M. Achille Vollant accepte mal ses handicaps, sa fierté est doublement blessée, il a mal à l'âme. On fête. Autant d'éléments ponctuels qui réduisent sa perception des dangers de la rivière, qui atténuent sa prudence... Moïse n'interviendra pas! »

Au cours des 23 dernières années écoulées, ces deux courts et merveilleux paragraphes ont été les plus belles phrases qui m'ont été permises de lire sur le sujet.

Eugène, tu peux les retranscrire sur l'épitaphe de ton fils car, pour le mien, j'en serais très fier.

Et maintenant, tu peux oublier car tu as fait tout ce que tu devais faire pour savoir...

En guise de conclusion, j'utiliserai les propos du juge Yvon Roberge que j'ai trouvés justes et pertinents.

Il a souligné que, dans les événements, qui s'étalent sur une vingtaine d'années, une constance demeure. Si les différents intervenants avaient voulu concevoir un scénario visant à démontrer ce que l'indifférence, l'incompétence, voire même le mépris d'un groupe dominant peuvent susciter chez un groupe dominé en proie à de grandes tensions internes, ils n'auraient pas mieux réussi.

Toutes les enquêtes réalisées au cours des ans, loin de convaincre qui que ce soit, ont alimenté de plus bel **la RUMEUR**...

Comme l'a prétendu Rémi Savard à la fin de l'enquête et je souscris entièrement à ces propos: « On répète souvent, ça aussi, c'est de la rumeur, qu'il y a eu quatre enquêtes. Je considère qu'il y a eu qu'une seule enquête et c'est celle-ci. L'enquête du coroner ne nous a pas satisfaits et on a demandé une réouverture de l'enquête. Il n'a jamais eu d'enquête. Celle-ci est la première et je vous avoue que je commençais à désespérer ».

C'est pour les membres des familles Vollant et Régis qui voulaient savoir la vérité, une fois pour toutes, que Marie-Marthe Fontaine-Régis m'a convaincu d'intercéder auprès du ministre Guy Chevrette pour que le gouvernement ordonne une vraie commission d'enquête publique. Elle m'avait mentionné qu'elle accepterait les conclusions de cette commission même si elle confirmait qu'Achille et Moïse étaient morts noyés. « Je veux enfin savoir la vérité... », m'a-t-elle dit.

Le geste dont je suis le plus fier dans ce dossier a été de permettre de lever le voile sur ce triste événement. Nous devons mettre fin à une épisode sombre de notre histoire innue. J'espère que nous tous tirerons des leçons qui éloigneront définitivement **la RUMEUR**... destructrice de nos réserves. Elle a fait tant de torts au cours des ans et à plusieurs occasions.

La ***Commission***... nous a aussi appris, bien sûr, ce n'est pas ce que nous avions cru durant plus de 20 ans, que **la RUMEUR**... nous avait **TOUS** embobinés, nous avait **TOUS** enjôlés. **La RUMEUR**... nous avait **TOUS** trompés.

C'est évidemment très difficile pour nous tous d'admettre et d'accepter que **la RUMEUR**... nous ait eu à ce point et de ce fait fausser notre jugement collectif. Mais, c'est le cas et nous ne pouvons plus continuer à prétendre le contraire. Il nous faut maintenant être assez adultes pour admettre ces faits.

Les familles Vollant et Régis doivent cesser de se torturer: Leurs enfants, Achille et Moïse, sont morts accidentellement comme bien d'autres enfants. Il n'ont pas d'autres choix que de l'accepter. Avec eux, nous avons tout fait pour connaître cette vérité et nous la connaissons. Personne ne les a lâchés au cours de ces années difficiles.

Cela devrait être une délivrance pour nous tous.

Tel que promis, le juge Roberge a fait la lumière sur les événements du mois de juin 1977 sur la rivière Moisie. Il nous a expliqué pourquoi et en quoi nos opinions, nos visions, nos versions étaient diamétralement opposées à celles des autorités gouvernementales. Il a départagé les erreurs de chacun et, surtout, nous a expliqué pourquoi elles ont été commises.

En cela, nous devons sincèrement le remercier.

Il faut admettre avec lui notre manque total d'objectivité dans ce dossier même si on peut le justifier par le climat social qui prévalait à ce moment-là sur la Côte-Nord. La haine viscérale des Innus face aux gardes-pêche, qui le méritaient bien d'ailleurs pour certains, et aux policiers obscurcissait totalement notre jugement. **La RUMEUR**... avait toute la place voulue pour se satisfaire pleinement. Nous buvions aveuglément ses exagérations...

Il faut dire que le gouvernement du Québec, par son inconséquence, n'a pas aidé personne. Les gestes posés par ses responsables, à eux seuls, nourrissaient, jour après jour, **la RUMEUR**... J'ai même l'impression que ces autorités judiciaires doutaient à ce moment-là des résultats d'une commission d'enquête sérieuse et impartiale. Elles n'étaient sans doute pas convaincues que ses agents étaient innocents comme l'enfant qui vient de naître. Elles préféraient bâcler le plus rapidement possible ce dossier dérangeant. Personne n'oserait sérieusement prendre la défense de ces petits « Indiens saouls, voleurs et braconniers », croyaient-elles.

Les enquêteurs concluaient, sans démonstration sérieuse, qu'il s'agissait d'une noyade de ces derniers « qui ont chaviré en tentant d'aller voler du saumon dans les pêches commerciales pour pouvoir le revendre pour boire ». Cette conclusion sans objectivité, fondée en grande partie sur le racisme, n'avait surtout pas l'heur de nous satisfaire. Cette façon de voir les événements nous hérissait. Elle avait comme résultats de nous porter à nous refermer encore plus, comme une huître, à toutes les explications plausibles.

Comme l'a si bien souligné la **Commission**..., on enquêtait de part et d'autre pour confirmer ses soupçons, ses croyances, mais non pour déterminer comment l'accident ou l'incident était survenu. « Lorsque deux groupes ont des perceptions différentes des mêmes événements, que chacun a ses propres perceptions; il s'avère extrêmement difficile de tenter un rapprochement entre eux ».

Il est bien triste cependant que le juge Yvon Roberge n'ait pas eu l'occasion et surtout le temps d'aller expliquer en détails son jugement aux membres des familles Vollant et Régis. Il aurait ainsi éliminé tout doute dans leur esprit. Il aurait été beaucoup plus sage que le gouvernement du Québec lui permette de bien terminer son travail. Il est malheureusement parti comme une personne qui a manqué de civilité.

Pour des raisons que je ne m'expliquais pas à ce moment, il est allé rendre public son rapport à Sept-Iles sans pour autant consacrer le temps nécessaire à bien faire comprendre ce rapport à la population innue. Le gouvernement du Québec a donné l'impresssion de s'être débarrassé d'une *patate chaude*, un point c'est tout. Il a fait son devoir et que la population innue comprenne, ou ne comprenne pas, les conclusions de la commission, cela lui importait peu.

Ayant posé, plus tard, la question au juge Yvon Roberge, j'ai appris que Régis Larrivée, coordonnateur du *Secrétariat aux affaires autochtones* au ministère de la *Sécurité publique* ne lui avait pas permis de faire ce travail pour des raisons inexplicables. Le juge Roberge y a vu là simplement le geste d'un carriériste qui voulait protéger ses arrières politiques au détriment de la réussite de l'opération normale d'information auprès des familles... Il a ajouté que, d'une façon ou d'une autre, il ferait tout ce qui est en son pouvoir pour rencontrer les familles pour leur expliquer de long en large le contenu de son rapport.

Pourtant, au cours des audiences de la **Commission**..., il avait pris la peine et le temps nécessaire de faire comprendre aux Innus les procédures judiciaires. Pourquoi n'a-t-il pas pris la peine et le temps de le faire pour l'élément le plus important, c'est-à-dire son rapport ?

Il faut, sans aucun doute, que le juge Roberge trouve le moyen de reprendre cette partie manquée de son travail. Elle est, quant à moi, aussi importante que le reste sinon son rapport sera une oeuvre inachevée. Les familles, maintenant que tout est revenu normal, devraient l'inviter à venir terminer son travail auprès d'eux.

XI

LA GUERRE DU SAUMON N'EST PAR TERMINÉE

LES MERCENAIRES QUÉBÉCOIS DES PECHEURS AMÉRICAINS SEMBLENT VOULOIR REPRENDRE DU GALON

Devant une campagne de désinformation et de salissage sans borne, orchestrée par l'individu Jean Roy, nouveau directeur général de la *Société de gestion des rivières du grand Gaspé*, et par l'exagération de ses propos racistes et irresponsables qui se dégagent de la démesure employée, je me retrouve dans l'obligation de remettre les pendules à l'heure.

Je vous avoue que je le fais avec beaucoup de tristesse et de mal à l'âme. La constatation d'un raciste latent dans la population qu'une simple étincelle a réussi à rallumer me surprend et me déçoit. Il le faut d'autant plus qu'au cours des dernières années, les Micmacs de Gespeg avaient pris tous les moyens possibles pour négocier un nouveau contrat social faisant beaucoup de place à un partenariat sincère avec la communauté québécoise de Gaspé. Ils voulaient ainsi aider cette dernière, passablement amochée, dans son développement économique et social.

Il est bien triste de constater que des agitateurs irresponsables réussissent à tromper l'ensemble de la population par la tricherie, par le mensonge et par la désinformation. Plus encore, ils sont soutenus par des journalistes nationaux biaisés qui utilisent leur média pour faire de la politique anti-autochtone. Ces derniers n'ont même pas assez de conscience professionnelle pour vérifier leurs informations à la source. Ils se contentent bêtement de prendre la dictée de leurs mécènes.

Il n'est pas question qu'à cause de certaines personnes quant à moi malhonnêtes, nous changions notre propre vision de l'avenir qui est surtout de rechercher un partenariat sincère avec le milieu régional.

Oui, les membres de la *Nation micmac de Gespeg* sont de descendance autochtone et ils en sont fiers. Ils s'approprient de leur culture, de leurs traditions et de leurs droits de Premiers peuples. Au même titre d'ailleurs qu'ils sont contents et heureux de faire partie de la population gaspésienne. Ils savent pertinemment que leur avenir est intimement lié à ce milieu et à la population. C'est pour cette raison qu'ils font en sorte de partager les avantages, pour les uns et pour les autres, de cette nouvelle relation de Gespeg avec les gouvernements du Canada et du Québec.

Même après tous les affronts subis sans raison, ils ont toujours l'intention de continuer à donner généreusement d'une main. Ils désirent cependant, comme c'est tout à fait normal, recevoir de l'autre... Ils souhaitent, de tout coeur, que les autres Gaspésiens les respectent comme ils sont. Ils veulent que ces derniers les aident à développer cette fierté autochtone qui est une richesse immensurable pour la région de Gaspé au même titre que l'honneur d'être Gaspésiens et Québécois l'est aussi.

Le 18 avril 2002, lors d'une assemblée d'information avec les partenaires de la *Société de la Faune et des Parcs*, le gouvernement du Québec a présenté le contenu d'une entente de pêche négociée au cours des deux dernières années. Cette entente est un élément de la négociation sur l'autonomie gouvernementale entreprise par la *Nation micmac de Gespeg* avec le gouvernement du Canada et celui du Québec. Elle fait suite à la signature d'une *Entente cadre* entre les trois parties. Elle vise la mise en place d'une nouvelle relation qui se fonde, pour l'essentiel, sur partenariat.

Au nom de la transparence, la *Nation micmac de Gespeg* a insisté auprès du négociateur en chef du gouvernement du Québec, Barry LeBlanc, pour que le contenu de cette entente soit dévoilé à la population locale. Le Conseil de Bande ne voulait pas que les Gaspésiens aient l'impression qu'il était en train de tripoter avec les gouvernements pour obtenir des privilèges.

Au contraire, croient les représentants du conseil, le chef Richard Jalbert en tête, la nation discute du respect des droits de Premier peuple de ses membres. Plus encore, elle le fait avec un souci évident et généreux de partenariat pour en faire profiter pleinement l'économie de la région de Gaspé.

Au lieu de faire un travail d'information objectif auprès de la population, les autorités régionales de la *Société de la Faune et des Parcs* ont favorisé la consultation d'un petit cercle fermé de leurs partenaires. Cette opération ouvrait la porte à la désinformation et, surtout, à l'agitation sociale. Cette façon de faire, plutôt inusitée pour un organisme gouvernemental, a permis aux gestionnaires des rivières du grand Gaspé d'attaquer le projet d'entente et la *Nation micmac de Gespeg* pendant plus de deux heures. La direction régionale de la *Société de la faune et des Parcs* ne les a interrompus d'aucune façon, ni ramener à la raison.

Le nouveau directeur général de la *Société de gestion des rivières du grand Gaspé*, Jean Roy, et le président de la *Fédération québécoise du saumon de l'Atlantique* (F.Q.S.A.), Yvon Côté, sont tombés, à bras raccourcis, sur le dos des autorités du conseil de la *Nation micmac de Gespeg*. Ils avaient, tous les deux, été soigneusement préparés, au cours de rencontres préliminaires, par les autorités de la *Société de la Faune et des Parcs*. Le président de la F.Q.S.A. est venu expressément de Québec pour appuyer cette opération de *salissage*.

On avait demandé au chef Richard Jalbert et à un conseiller de la Bande, Donald Basque, d'assister à la réunion d'information à titre d'observateurs.

En s'opposant avec autant de vigueur à cette entente légitime, on voulait mettre une forte pression sur le dos du chef et du conseiller de Gespeg pour qu'ils abandonnent cette idée. Le président de la société de gestion leur a d'ailleurs proposé le plus bas dénominateur commun. Il consistait à renégocier une entente avec eux en dehors du processus de négociation mis en place. L'entente avait pourtant été négociée et acceptée par les représentants du gouvernement du Québec.

On a constaté plus tard, dans une lettre du président de la société de gestion des trois rivières au chef Richard Jalbert, que la section régionale de la *Société de la faune et Parcs* - ce que nous avons toujours cru - était favorable à cette renégociation contre nature. Une telle position, inacceptable, amène à nous poser de sérieuses questions sur l'intérêt réel à négocier de certains hauts fonctionnaires québécois dans les régions... Ces derniers insistent pour que les négociations autochtones se passent en région pour plus facilement écraser la reconnaissance des droits existants sur les activités traditionnelles de chasse et de pêche. Ils savent pertinemment qu'ils pourront utiliser plus aisément la pression du milieu; ce que les fonctionnaires de la *Société Faune et Parcs* essaient partout dans les régions.

En convoquant une assemblée publique à Gaspé, les gestionnaires des rivières à saumon ont prétendu vouloir informer la population à la place de la *Société de la Faune et des Parcs*. Ils l'ont fait d'une manière biaisée en cachant le véritable contenu de cette entente. Ils voulaient faire en sorte d'influencer le ministre de la *Société de la Faune et des Parcs*, Richard Legendre, dans le sens de ne pas signer cette entente. Ils ont convaincu les personnes présentes d'envoyer au ministre du Québec une lettre-type l'invitant à rejeter une telle entente.

Gonflés à bloc par la réussite de leurs attaques auprès de la direction régionale de la *Société de la Faune et des Parcs* et du député péquiste du comté, Guy Lelièvre, ils ont continué leur campagne de *salissage* par la désinformation sur la place publique à Gaspé et au congrès de la F.Q.S.A..

Menacé de ne pas être élu à la prochaine élection à cause de son impuissance à régler certains problèmes économiques et politiques, le député du *Parti québécois*, Guy Lelièvre, et les fonctionnaires régionaux, qui ne voulaient pas, eux aussi, une telle entente, ont demandé au ministre d'en retarder la signature. Le député péquiste semble rechercher toutes sortes d'appuis et, ce, à n'importe quel prix, pour redorer son blason,

Mal conseillé et sans expérience, le ministre est tombé dans le panneau. Il a posé un geste trop hâtif sans considération réelle pour la *Nation micmac de Gespeg* qui avait négocié de bonne foi. Son « ami personnel » Jean Roy, comme le clame ce dernier, se vante, à qui veut l'entendre dans la région de Gaspé, d'avoir utilisé le ministre Richard Legendre « en le convaincant de ne pas signer une telle entente ». Encore une fois, contre toute logique, les gros bras du nombre, racistes et anti-autochtones, ont eu temporairement raison sur la bonne foi des Indiens.

Cette opposition démesurée des gestionnaires des rivières du grand Gaspé a, quant à moi, d'autres raisons cachées. Il n'est pas logique de prendre un bazooka pour pour tenter d'abattre une mouche. Je crois que ces attaques, féroces et inappropriées, démontrent que l'on a peur que les Micmacs de Gespeg prennent de plus en plus d'importance dans le domaine de la gestion des rivières à saumon du grand Gaspé. Trop, c'est trop...

Craignent-ils qu'ils découvrent certaines pratiques peu recommandables et « pas très catholiques ». On peut au moins se poser la question à la suite de leurs gestes de dénonciation sans aucune mesure raisonnable et, surtout, inexplicables. Et la *Société de la Faune et des Parcs*, le véritable gestionnaire québécois des rivières à saumons, devrait au moins avoir la décence de s'en poser et cesser de tripoter avec certains gestionnaires actuels!

Parce que Gespeg semble une communauté des plus faible parmi les nations autochtones tributaires de la ressource saumon, leurs détracteurs irrespectueux et leurs chevaliers servants ont cru qu'elle baisserait les bras. Ils étaient convaincus que les bonasses Micmacs de Gespeg laisseraient tomber ce que les autres Premiers peuples ont obtenu de longues guerres. Ils ont oublié que la solidarité amérindienne était forte lorsqu'il s'agit du respect de leurs droits ancestraux de Premiers peuples. Ils ne peuvent pas amoindrir ce que les autres ont réussi à obtenir à la suite de difficiles luttes.

Les modalités particulières d'accessibilité à cette ressource halieutique pour les Micmacs de Gespeg ont été négociées, toute visière levée, avec le gouvernement du Québec. Les négociateurs gouvernementaux les ont acceptées après que les parties ont fait toutes les concessions nécessaires.

Les Micmacs de Gespeg ont consenti que ces particularités soient restreignantes. Ils l'ont fait pour exprimer leur volonté bien arrêtée de protéger la ressource saumon. Ils voulaient aussi manifester leur ouverture à son partage entre les utilisateurs. De plus, l'entente et le code de pratique de leurs activités traditionnelles de pêche permettent un contrôle des activités. Cette pêche alimentaire sera surveillée par les autorités politiques de la communauté et par les services gouvernementaux de protection de la ressource.

Il s'agit d'une quantité limitée de 49 saumons pêchés sur trois rivières à partir d'une montaison annuelle évaluée à quelque 3,000 saumons dont on parle. Le fondement de ce contingentement de grands saumons est la disponibilité de la ressource, la conservation de l'espèce et la récolte sportive. Il sera établi à chaque année en tenant compte de la moyenne de montaison des cinq dernières années et, en soustrayant le nombre de grands saumons, à maintenir pour assurer le seuil de conservation. Cette limite est établie par la *Société de la Faune et des Parcs* pour chacune des rivières visées. Ces résultats équivalent à la récolte maximale possible, dont cinq pour cent (5%) sera alloué aux Micmacs de Gespeg pour leur pêche alimentaire.

L'application de cette formule novatrice donne, pour l'année 2002, huit (8) saumons dans la rivière Dartmouth, onze (11) dans la Saint-Jean et trente (30) dans la rivière York, pour un grand total de 49 grands saumons. On est bien loin des prétentions apocalyptiques des bonhommes-sept-heures de tout acabit puisqu'il s'agit d'un nombre maximum de prises.

Le Conseil de Gespeg ne récoltera que ce qu'il lui faut pour répondre à ses besoins. Tous les saumons pris à la pêche communautaire devront être remis au Conseil qui décidera de leur utilisation. Il est prévu que ces saumons servent à de la dégustation pour les touristes sur leur site d'interprétation et à leur pow-wow annuel, ouvert aux Québécois.

Plus encore, les Micmacs ne poseront pas leur filet dans les meilleures fosses, mais à l'embouchure des rivières. Ce filet sera enlevé de la rivière dès que le contingentement aura été atteint et il ne devrait donc être que quelques jours dans ces rivières.

Il n'est donc pas question de pêcher au filet maillant durant toute la saison de pêche, mais pendant les quelques jours que ça prendra pour attraper ces 49 saumons.

D'ailleurs, les engins et les modalités pour la pêche au filet maillant sont décrits dans l'entente négociée:
- Un seul filet par rivière;
- maintien de zones libres de chaque côté du filet qui ne devra pas obstruer plus des deux tiers de la rivière;

- un filet ne devant pas dépasser vingt (20) brasses, soit 120 pieds de longueur sur une brasse de largeur, six pieds;
- et la grandeur des mailles étirées étant d'au moins six pouces.

LE FILET MAILLANT EST UN SYMBOLE APEURANT, DÉNONCE-T-ON, MAIS C'EST UN BON ENGIN DE PÊCHE

En se donnant la possibilité de choisir comme engin de pêche communautaire entre le filet maillant, la mouche, la ligne, le harpon, ou l'épuisette, la *Nation micmac de Gespeg* a simplement posé un geste responsable d'autonomie gouvernementale. Le Conseil l'a fait dans le sens de la politique du gouvernement du Canada sur le droit inhérent à l'autonomie gouvernementale. Il a aussi respecté les orientations du gouvernement du Québec à l'égard de l'autonomie gouvernementale des Autochtones. Enfin, il a suivi, à la baisse, les directives de la *Cour suprême du Canada* dans ses jugements, passés et récents, et les recommandations de la *Commission royale sur les peuples autochtones du Canada*.

En quoi un tel choix éclairé et respectueux de toutes les règles de la Justice, des lois et des politiques des gouvernements légitimement élus peut-il s'attirer l'opprobre de certaines personnes supposément sensées... Les détracteurs des Micmacs de Gespeg s'amusent et nuisent à l'avenir social et économique de la région de Gaspé. Ils détruisent alors l'harmonie et la coopération établies difficilement, dans certains cas, entre les deux groupes culturels.

Si les filets maillants sont bien installés et que l'on exerce la surveillance requise, il s'agit d'un bon engin, pas plus dangereux pour la ressource saumon qu'un autre, vous diront plusieurs biologistes renommés. L'idée que le filet constitue un engin dangereux (i.e. destructeur de la ressource) est véhiculée de façon démagogique par ceux qui ne veulent pas reconnaître aux Autochtones une culture différente et l'exercice d'activités de pêche selon des modalités distinctes.

Le filet maillant est reconnu comme un moyen efficace pour prendre rapidement une quantité de poissons donnée puisque les prises (quantité, grosseur, espèce) peuvent être contrôlées par les pêcheurs. Cet engin efficace a été retenu par les deux parties à la table des négociations parce qu'il ne s'agissait pas de pêche sportive, mais de pêche traditionnelle à des fins alimentaires, sociales et culturelles. Il faut ajouter qu'un contingent (quota) était alloué, que le contrôle du nombre de prises était tout à fait réalisable et que Gespeg s'était engagé à prendre les moyens nécessaires pour ne pas dépasser ces contingents. C'est un engin contrôlable lorsqu'il y a une surveillance constante des filets installés dans une rivière et lorsque les filets sont levés dès que les contingents alloués sont atteints. On peut ajouter que c'est un engin associé à une « pêche humanitaire » par le fait que la souffrance du poisson est minimisée par la levée des filets peu de temps après la prise du grand saumon dans le filet maillant.

Cet engin est décrié à tort par la *Société de gestion des rivières du grand Gaspé* et par la *Fédération québécoise du saumon de l'Atlantique* (F.Q.S.A.). En fait, pour le président actuel de la F.Q.S.A., il s'agirait d'un symbole apeurant pour les gestionnaires et les pêcheurs sportifs. Ce symbole fait surgir en eux les spectres de la pêche commerciale et du braconnage tout en annonçant la chute de l'activité économique qu'est la pêche sportive.

Or, beaucoup de symboles, de peurs et de souvenirs existent dans la société. Ils créent, a priori, des blocages dont il faut pourtant se départir pour être sensés, justes et respectueux des besoins, des goûts et des attitudes des autres.

Par exemple, un engin, qui est symbole de violence, éveille fortement la peur. Par conséquent, l'une des peurs des plus légitimes, qui marquent notre société, est la possession des armes. On relie cette crainte à leur utilisation possible à des fins de violence sur les personnes qui pourrait même conduire à la mort.

Or, les chasseurs sportifs se sont opposés avec fougue au contrôle gouvernemental. Ils alléguaient leur droit à une activité sportive libre de contraintes quant à l'achat, à la possession, etc. ? Comment ces chasseurs auraient-ils réagi si ont leur avait interdit l'utilisation de ces armes pour les limiter à l'utilisation des arcs et des flèches ?

L'enjeu était pourtant majeur et la symbolique autrement forte que le filet maillant! Le gouvernement a participé à rétablir l'équilibre par un meilleur encadrement. Enfin, la population a accepté une certaine circulation des armes à feu et leur acquisition par des chasseurs, non seulement à des fins de protection, mais également à des fins sportives.

Peut-on demander aux pêcheurs sportifs - qui sont, en grande partie, les mêmes que les chasseurs - de faire aussi la part des choses sur une question tout de même moins cruciale ? Peut-on solliciter de ceux qui se disent les représentants des pêcheurs sportifs de faire davantage confiance au bon sens et à l'ouverture. Pourquoi croire qu'ils vont désormais fuir les rivières qu'ils fréquentaient parce que les Autochtones y installent prudemment des filets, suite à une entente qu'ils se sont engagés à respecter ?

Non, je ne crois pas que la réaction que l'on vit soit surtout liée au mot «filet». Elle est beaucoup plus associée au mot « autochtone ». On ne veut pas reconnaître, à cette population, une histoire et une culture différentes à sauvegarder. D'ailleurs, les propos racistes et la violence verbale, hors portée des micros et des caméras, dont sont victimes les Micmacs de Gespeg, le confirment. Les détracteurs de l'entente sont tout à fait conscients de ce racisme latent et l'encouragent par la démesure de leurs propos.

Pour leur part, les Autochtones travaillent, depuis fort longtemps, à ne pas s'arrêter aux symboles des gestes et des attitudes qui les ont marqués lorsqu'il s'agit de leurs relations avec les non-Autochtones. Si c'est vraiment le symbole qui entraîne la réaction, pourquoi n'a-t-on jamais entendu les pêcheurs sportifs dénoncer l'utilisation des filets maillants pour la capture des saumons par les chercheurs (biologistes)...

LA REMISE À L'EAU DU GRAND SAUMON

L'entente convenue ne nuit pas à la conservation du saumon, ou aux activités de la pêche sportive. Deux particularités de l'entente sont associées à la pêche individuelle en ce qui touche le grand saumon. Il s'agit de la remise à l'eau lorsque cette mesure est décrétée par le gouvernement du Québec parce que le seuil de conservation est atteint. On ne se pliera pas à une directive administrative des gestionnaires des rivières pour faire plaisir aux pêcheurs américains qui fréquentent les pourvoiries haut de gamme.

La seule autre particularité concerne un accès facilité aux territoires contingentés. Elle assure qu'au moins deux pêcheurs micmacs de Gespeg, après réservation par le Conseil au moins 48 heures à l'avance, pourront pratiquer leurs activités sportives sur une des trois rivières visées par l'entente. Pour ce qui est des autres modalités relatives à la pêche aux grands saumons, les règlements en vigueur s'appliqueront aux pêcheurs de Gespeg.

La remise à l'eau du grand saumon est une mesure dont l'effet bénéfique recherché, soit la survie du saumon pour la reproduction, est questionné. Elle demeure un inconnu, à ce moment-ci, parce qu'elle est peu documentée par des études sérieuses. Ça, le président de la *Fédération québécoise du saumon atlantique*, un biologiste, spécialiste du saumon, devrait le savoir. Pourtant, le président de la F.Q.S.A. se tait pour ne pas déplaire à certains clients américains des pourvoiries haut de gamme qui financent leurs campagnes de relations publiques. Par son manque d'épine dorsale, il fortifie la thèse perverse de l'effet négatif sur le développement économique; ce qui est loin d'être assuré selon plusieurs observateurs sérieux de cette ressource...

Cette question est trop importante pour que la *Société de la Faune et des Parcs*, le véritable gestionnaire des rivières à saumons du Québec, prennent des risques en fondant son opinion sur des impressions de *p'tits-jos-connaissants*. Il doit connaître objectivement les effets de la remise à l'eau, contestée par plusieurs grands spécialistes du saumon, avant de donner son imprimatur pour l'application d'une telle formule.

Dans le bal des incertitudes et du mystère qui entourent le comportement du saumon, est-ce qu'on sait: Premièrement, dans quelle proportion et combien de temps le grand saumon survit au combat et aux blessures après sa remise à l'eau; deuxièmement, dans quel état il continue sa montaison lorsqu'il survit; et, troisièmement, s'il y a un affaiblissement et des blessures chez les femelles, connaît-on l'état (qualité) des oeufs déposés ?

Il ne faudrait pas oublier que l'autre effet recherché est la disponibilité du grand saumon pour la pêche sportive (voire même après plusieurs combats et remises à l'eau lors de sa montaison). On devrait donc viser la satisfaction des pêcheurs. Or, combien de pêcheurs trouvent-ils encore plaisir à exercer cette activité lorsque la prise de possession du saumon devient secondaire? Plusieurs pêcheurs n'abandonnent-ils pas leur activité, ou ne délaissent-ils pas les rivières lorsque ce genre de mesure est décrété ?

En conséquence, le développement économique local et régional ne pourrait-il pas être directement touché par une telle mesure ?

Ne le fait-on pas uniquement pour attirer les riches clients américains dans les pourvoiries haut de gamme ? Ces derniers partent de l'aéroport de Gaspé avec « des grandes boîtes remplies de saumons ». Ils le font aussi pour récompenser les gestionnaires et leurs amis journalistes qui conservent le produit de leur pêche, au détriment des pêcheurs québécois qui, eux, doivent remettre leurs grands saumons à l'eau ? Ces questions sont sans réponse et elles exigeraient des études sérieuses avant de prendre des décisions sur l'avenir économique...

Entre parenthèses, il serait plus sérieux et plus important pour le futur que la *Fédération québécoise du saumon atlantique* étudie ces importantes questions lors de ses assises annuelles plutôt que de déblatérer d'une façon biaisée et malhonnête sur le dos des Indiens au sujet des filets maillants. Maintenant, si elle veut vraiment le faire qu'elle le fasse avec compétence en permettant à des spécialistes objectifs et compétents de leur montrer toutes les facettes. Ils pourront alors parler sérieusement sur cette question sans charrier des peurs maladives pour soulever des passions et se donner bonne conscience.

Ce n'est pas par les récents propos publics de Gilles Schooners, biologiste à la solde d'*Hydro-Québec*, sur ce dossier du filet maillant dans LE DEVOIR que l'on va convaincre qui que ce soit. Tout le monde du saumon sait que ce dernier a été un des biologistes qui ont recommandé à la *Fédération québécoise du saumon atlantique* de ne pas faire partie d'une vaste coalition qui s'opposait au détournement de rivières sur la Moisie; ce qu'elle a faite d'ailleurs au grand dam et à la honte des participants à ce regroupement et des membres de la F.Q.S.A. venant de la région de Sept-Iles. La F.Q.S.A. a préféré appuyé publiquement *Hydro-Québec* dans ce dossier.

Pourtant le B.A.P.E. a refusé, plus tard, son autorisation sur cette question alléguant qu'*Hydro-Québec* n'avait alors fait aucune étude sérieuse sur les impacts réels d'une telle décision. Tous auraient donc cru que la plus forte opposition lors des audiences publiques vienne de la F.Q.S.A., mais ce ne fut pas le cas. Non, elle est venue des Innus (Montagnais) de Uashat mak Mani Utenam, que je pilotais personnellement comme professionnel, et des associations locales des pêcheurs de la région de Sept-Iles.

La commandite d'*Hydro-Québec* a eu facilement le dessus sur la ressource saumon. Tout le monde sait aussi que Gilles Schooners était alors en plein conflit d'intérêt, donc sans crédibilité aucune, puisqu'il faisait des études à grands frais sur le saumon depuis des années pour la société d'État...

L'exemple de la rivière Matane serait à analyser et à prendre en compte. C'est là où les gestionnaires ont retenu d'autres modalités de protection du saumon que la remise à l'eau. Ils ont favorisé l'accessibilité par des particularités moins contraignantes et par un coût d'accès peu élevé.

Une autre forme de critique, que soulève la remise à l'eau du grand saumon, est que la mesure mène parfois à l'élitisme par rapport à l'accessibilité à cette ressource: Deux types de permis de pêche sont offerts, soit un permis de pêche moins coûteux (8.96 $) obligeant à la remise à l'eau, et un permis de pêche plus coûteux (31.73 $), où le grand saumon est gardé.

Pourquoi la seule rivière où la remise à l'eau est décrétée pour la saison par la société de gestion des rivières du Grand-Gaspé est-elle celle qui a le statut de réserve faunique ? Pourquoi est-elle celle où l'on retrouve des clubs de pêche haut de gamme ? Pourquoi un pêcheur américain verse-t-il, selon les dires du nouveau directeur général, Jean Roy, un généreux montant de 50 000 $ à 60 000$ à la société de gestion, « à la condition que la remise à l'eau demeure en vigueur du 1er au 15 juin ».

On a, quant à nous, certains éléments de réponse qui ne sont pas à l'avantage des gestionnaires. La *Société de la Faune et des Parcs* aurait peut-être intérêt à regarder d'un peu plus près ce qui se passe parmi ses partenaires. Il y découvrirait probablement certaines anomalies des plus discutables...

Il ne faudrait pas qu'elle oublie que le « déclubbage » a été réalisé pour ouvrir les rivières à saumon à l'ensemble des Québécois et non pas à certaines cliques plus fortunées. Cette position de société visait surtout à civiliser les Américains qui avaient vidé nos rivières de sa richesse naturelle.

Je ne crois pas que les Québécois souhaitent qu'à coup de 50,000 $ ou 60,000$ les Américains viennent, de nouveau, nous dire quoi faire avec nos rivières et qui, des Québécois ou des riches pêcheurs américains, doivent remettre les saumons à l'eau. Si l'on se fie à ce qui se passait jadis dans les rivières à saumon du Québec, les Américains n'ont pas de leçon à nous faire. Ils auraient dû, eux aussi, faire des remises à l'eau avant de vider nos rivières de cette ressource. Je ne crois pas que nous désirons retourner à la période où l'on pouvait tout acheter...

En somme, la remise à l'eau du grand saumon devrait être interdite. Il faudrait plutôt obliger les pêcheurs à consommer le produit de leur pêche; ce qui assurerait le respect de la ressource et de la *Loi sur la conservation et la mise en valeur de la faune* qui interdit le gaspillage. Le combat au bout d'une ligne occasionnera souvent des blessures et un affaiblissement du grand saumon qui pourraient le conduire à la mort avant qu'il n'ait pu se reproduire.

Donc, trois raisons majeures militent en faveur de l'interdiction de cette mesure:

-   L'effet présumé de la remise à l'eau sur le grand saumon est négatif (effet négatif probablement moindre sur d'autres espèces) à cause de la longue période de lutte entre le pêcheur et le saumon avant de le sortir de la rivière; l'objectif recherché de favoriser la reproduction ne sera probablement pas atteint et les sacrifices imposés aux pêcheurs et aux grands saumons risquent de se révéler inutiles;
-   la mesure de remise à l'eau et le comportement qu'elle engendre chez le pêcheur font, de la pêche, un sport où l'on prend plaisir à attirer un animal uniquement pour se mesurer à lui dans un jeu cruel sans tenir compte de la souffrance et de l'état de cet animal une fois le jeu terminé;
-   un nombre important de pêcheurs de saumons délaissent l'activité ou abandonnent les rivières pour lesquelles cette mesure est décrétée; ce qui entraîne des difficultés au sein des organismes gestionnaires et une perte de retombées économiques indirectes pour la région.

REMETTONS LES PENDULES DE L'HISTOIRE À L'HEURE EXACTE

Contrairement à ce qu'a prétendu le nouveau directeur général de la *Société de gestion des rivières à saumon du grand Gaspé*, Jean Roy, la *Nation micmac de Gespeg* « ne fait pas revenir les filets maillants dans nos rivières » puisqu'ils ne sont jamais partis.

Comme vous l'avez lu dans le chapitre précédent, LA RUMEUR... CRÉE, DE TOUTES PIECES, DEUX CRIMES, les Indiens, que ce soient les Innus (Montagnais), ou les Micmacs de la Gaspésie, n'ont pas cessé de pêcher de la façon traditionnelle aux filets. Et se sont eux qui ont livré les véritables batailles pour retrouver nos rivières qui avaient été abandonnées aux Américains pour une poignée de dollars

L'*Association des Indiens du Québec* a été créée expressément pour les négociations des Premières Nations avec les gouvernements du Canada et celui du Québec au début des années 1960.

La *Cour suprême du Canada* avait reconnu, en 1973, les droits ancestraux des Indiens du Canada dans la cause Calder en Colombie britannique. Au même moment, le juge Malouf obligeait le gouvernement du Québec à négocier avec les Cris et les Inuits avant de continuer les travaux de construction du barrage de la Baie James. À son tour, le jugement Malouf reconnaissait implicitement la valeur de ces droits des Premiers peuples et exigeait que le gouvernement Bourassa en tienne compte. Le gouvernement du Québec devait conclure une entente de compensations monétaires avant d'utiliser leurs territoires et leurs ressources tel que le prévoyait la *Proclamation royale de 1763*.

Avant de terminer, je voudrais conclure ce difficile, mais important, épisode en soulignant que les Innus et les Micmacs ont perdu bien des batailles au cours des 35 dernières années, mais qu'ils ont gagné la « guerre du saumon ». Aujourd'hui, tous les Innus qui ont, sur leurs territoires ancestraux, des rivières à saumon et les trois communautés micmaques de la Gaspésie sont maîtres de leurs activités de pêche. Ils ont amené le gouvernement du Québec à conclure des ententes. Ils peuvent pêcher aux filets selon leur code de pratique, sans se faire harceler par qui que ce soit. Ils possèdent plusieurs pourvoiries haut de gamme qui leur permettent maintenant de recevoir les Américains, comme clients.

Cette bataille a aussi été livrée par la petite communauté innue d'Essipit, David contre Goliath, qui a repoussé les assauts des pêcheurs sportifs. En s'opposant physiquement aux « gros bras » du nombre, sans l'aide extérieure, comme les *warriors*, ils leur ont ainsi démontré que jamais les Innus n'abandonneraient leurs rivières à saumons.

Le gouvernement du Québec a enfin compris. Pour leur part, les associations de pêcheurs sportifs, dont la *Fédération québécoise du saumon de l'Atlantique* (F.Q.S.A.) de l'ancien président Bernard Beaudin, ont accepté que les Innus contrôlent leurs propres rivières et les utilisent pour se développer dans le domaine économique.

Par la suite, au *Conseil des Atikamekw et des Montagnais*, nous avons travaillé d'arrache-pied à convaincre le gouvernement du Québec de racheter les permis des pêcheurs commerciaux aux filets aux embouchures des rivières à saumon de la Côte-Nord et de la Basse-Côte-Nord. Se fondant sur des études sérieuses faites par des spécialistes du saumon, nous leur avons démontré que la pêche aux filets des Autochtones ne prenait que six pour cent (6%) de toutes les prises. Donc, il fallait contrôler le 94% des saumons pêchés par la pêche commerciale et la pêche sportive. Le problème était donc là et non pas chez nous.

C'est ce que le gouvernement du Québec a fait à la suite de nos pressions. Aujourd'hui, il n'existe plus de pêcheurs commerciaux aux filets aux embouchures des rivières à saumon sur le territoire ancestral des Innus et des Micmacs. Ces privilèges ont été généreusement rachetés par le gouvernement du Québec.

Ne serait-il pas bon de rappeler ici certains faits historiques plus précis. Ils démontrent, hors de tout doute, que les autorités gouvernementales ont le plus souvent et, depuis longtemps, pris pour acquis que les droits ancestraux de chasse et de pêche des Premiers peuples existaient bel et bien.

Avant 1760, sous le régime français, les activités de chasse, de pêche et de piégeage des Autochtones n'ont pas été touchées par des règles qui les restreignaient.

Les lois de 1807 à 1829 interdisaient certaines pratiques concernant la pêche au saumon, sauf pour les Indiens qui pouvaient continuer « à attraper de saumon pour leur propre usage et celui de leur famille ». Par la suite, les lois ont prévu des mesures particulières d'exemption ou d'assouplissement pour les Indiens, soit de 1884 à 1895, en 1928 et en 1930.

En 1984, des modifications sont apportées et la *Loi sur la conservation et la mise en valeur de la faune* intègre les articles suivants:

62) Le ministre élabore, à chaque année, un plan de gestion de la pêche. Ce plan vise l'optimisation des bénéfices sociaux et économiques reliés à l'exploitation de la faune tout en assurant la conservation des espèces animales.

63) Le plan détermine la répartition de la ressource halieutique selon l'ordre de priorité suivant:

    1) Le stock reproducteur;
    2) la pêche à des fins d'alimentation [autochtone];
    3) la pêche sportive;
    4) la pêche commerciale.

En 1990, dans le jugement Sparrow, la *Cour suprême du Canada* s'inspirera de la *Loi sur la conservation et la mise en valeur de la faune du Québec*. Elle enjoindra les gouvernements à respecter l'ordre de priorité suivant: Suite à la mise en oeuvre des mesures de conservation, on devra, dorénavant, accorder une priorité absolue à la pêche par les Indiens avant la pêche sportive et avant la pêche commerciale. De plus, la *Cour suprême du Canada* indiquera aux gouvernements d'autres mesures à prendre à l'égard des Autochtones afin de respecter la *Constitution du Canada*, notamment la consultation de ces derniers au sujet des mesures de conservation.

L'entente de Gespeg ne constitue pas une application stricte du jugement Sparrow. Elle se situe bien en deçà des indications contenues dans ce jugement quant aux droits à accorder aux Autochtones. Les Micmacs de Gespeg sont soucieux de la protection des espèces animales. Ils ont pris en compte les besoins des pêcheurs sportifs (partage de la ressource) et les retombées économiques de cette activité pour conclure une entente qui leur serait néanmoins acceptable.

J'espère que vous avez compris, par ce court historique, que ce ne sont pas les Jean Roy, de la *Société des rivières à saumon du grand Gaspé*, Yvon Côté, de la *Fédération québécoise du saumon de l'Atlantique*, André-A. Bellemarre, chroniqueur de chasse et pêche au SOLEIL, ou Louis-Gilles Francoeur, journaliste au DEVOIR, qui vont nous faire mettre de côté nos objectifs en lien avec la reconnaissance de nos droits ancestraux reconnus par la constitution de ce pays. Leur attitude raciste anti autochtone a plutôt tendance à faire en sorte de nous resserrer entre nous pour nous défendre contre ce genre d'individus. Ils nous motivent à nous battre de toutes nos forces.

LA NÉGOCIATION PAR GESPEG D'UN NOUVEAU CONTRAT SOCIAL AVEC LES GOUVERNEMENTS EST AVANTAGEUX POUR LA RÉGION

Au moment d'écrire ces lignes, la négociation d'une entente de principe d'autonomie gouvernementale, entre la *Nation micmac de Gespeg* et les gouvernements du Canada et du Québec, est rendue au stade de la conclusion. Cette négociation devrait se terminer à l'automne 2002. Elle contient déjà des formules de partenariat intéressantes et prometteuses entre les Québécois de Gaspé et cette Première Nation.

Les Micmacs de Gespeg, comme ils ont commencé à le faire, vont sans aucun doute jouer un rôle majeur dans le développement économique régional de la Gaspésie.

Ils ont déjà profité de cette négociation et d'une définition plus libérale et généreuse des droits de subsistance par la *Cour suprême du Canada* pour s'équiper pour la pêche en haute mer. La communauté de Gespeg a obtenu, du gouvernement du Canada, des permis de pêche aux crabes et aux crevettes. Pour pêcher en haute mer, elle a ensuite acheté un bateau d'un Gaspésien, évalué à plus d'un million de dollars. Le Conseil de Bande devient donc un joueur majeur dans le domaine des pêches en haute mer. Il projette de s'associer pour le développement de cette économie avec des partenaires gaspésiens importants.

La communauté micmaque et Parcs Canada sont à rédiger une entente de principe pour l'établissement du premier parc national amérindien au Canada, le *Parc micmac de Gespeg*, à Pointe-Penouille, dans le parc national Forillon. *Parcs Canada*, à la suite d'une sérieuse démonstration de la Bande, a compris l'importance d'un tel parc pour le développement touristique de la région de Gaspé.

Enfin, elle est co-propriétaire d'une entreprise forestière à développer dans la région gaspésienne dont les actifs pourraient atteindre plusieurs millions de dollars. Elle a mis, à la disposition de cette entreprise, sa capacité de négocier un C.A.A.F. avec le gouvernement du Québec. Cette nouvelle entreprise aidera la relève économique de cette région et pourrait créer de nombreux nouveaux emplois.

La Nation de Gespeg a créé et développé un site historique qui se positionne aujourd'hui comme l'un des premiers attraits touristiques de la région. Elle est, par ce biais, un partenaire important dans ce secteur de développement économique.

Il y a quelques années, les membres de cette communauté autochtone ne recevaient aucune considération évidente du milieu. Au contraire, ils étaient même rabattus, par l'ancien maire de la municipalité de Gaspé et ses comparses, soutenus par le représentant de la compagnie forestière Gaspésia qui exploitait honteusement les forêts de la Gaspésie, au niveau d'une société inutile. On prétendait alors que les Micmacs de Gespeg souhaitaient « profiter de droits ancestraux, obscurs et non définis ». Les membres de cette Bande n'avaient ainsi, pour eux, aucune importance, ni aucun impact social.

Quelques mois plus tard, à cause de leur pouvoir politique et des moyens comme la négociation avec les gouvernements, ils renversent la vapeur. Ils deviennent une partie prenante et active travaillant concrètement à la recherche de solutions pour le développement économique de cette région. Ils vont occuper une place importante dans le milieu. Ils deviendront surtout un modèle québécois et même canadien de partenariat et d'entraide possible entre les Indiens et les *Blancs*.

Après plusieurs années d'efforts surhumains, d'acharnement et de *tordage de bras* que j'ai menés pour défendre ce dossier auprès des gouvernements, j'ai réussi à faire asseoir les deux paliers de gouvernements, québécois et canadien, à une table de négociation officielle d'autonomie gouvernementale. La ministre des *Affaires indiennes et du Nord Canada*, madame Jane Stewart, et celui du *Secrétariat aux affaires autochtones du Québec*, Guy Chevrette, ont signé une Entente cadre mettant officiellement en place cette négociation importante.

Les représentants de ces gouvernements sont maintenant fiers du travail effectué à cette table. Cette négociation donne des résultats concrets en respectant les échéanciers arrêtés, contrairement à la presque totalité des négociations autochtones effectuées présentement à travers le Canada.

LA PÊCHE AU FILET MAILLANT AU SERVICE DU DÉVELOPPEMENT TOURISTIQUE RÉGIONAL

L'utilisation prévue d'une partie importante du produit de la pêche à des fins sociales et culturelles vise la mise en valeur de la culture micmaque reliée au saumon (pêche, conservation, préparation etc.) sur le site touristique de Gespeg. Il en sera de même lors des fêtes réunissant les membres de la communauté et les

Québécois de Gaspé et des environs. Cet élément créera un intérêt supplémentaire pour un attrait touristique majeur en Gaspésie. Il aura des effets sur le nombre de visiteurs par année et son effet important sur la rétention des touristes dans la région de Gaspé.

Gespeg, par sa spécificité et, surtout, par sa diversité de nation amérindienne, contribue au développement de l'industrie touristique de la région de Gaspé. Gespeg s'est associée, au cours des dernières années, aux efforts de développement de cette industrie importante pour le milieu. Plus encore, le site historique de Gespeg est devenu l'attrait le plus visité par les touristes, même avant le musée régional.

Le même individu, Jean Roy, aujourd'hui nouveau directeur général de la société de gestion des trois rivières à saumon, s'attaque à Gespeg avec une agressivité inimaginable. Il a pourtant, à maintes reprises dans le passé, reconnu la contribution de Gespeg au développement économique régional alors qu'il était président de l'*Office du tourisme de Gaspé*.

Pourquoi ne reconnaît-il pas aujourd'hui l'importance que cette Nation autochtone s'affirme et s'approprie sa culture originelle ? Ne le fait-il pas par jalousie malsaine ou envie maladive ? La culture autochtone n'est-elle à ses yeux, qu'un vestige que l'on doit retrouver rangée sous la poussière des musées, ou un attrait touristique campé dans les sites historiques ? Ne doit-elle servir, comme nous avait souligné l'ancien maire de Gaspé, qu'à enrichir le milieu, surtout les notables...

Comment peut-on se battre si fort contre l'exercice des particularités de cette culture menacée au nom de la sauvegarde du saumon ? Comment peut-on penser être crédible lorsqu'on attaque une entente raisonnable à tous les points de vue qui ne porte aucun préjudice à l'espèce saumon, ou aux activités qui l'entourent, en défendant avec certitude et arrogance sa propre vision de la gestion des activités de pêche au saumon ? Qui peut assurer la population de la région de Gaspé que les décisions des gestionnaires des rivières du grand Gaspé sont les meilleures en regard du développement économique régional à court, moyen et long terme ?

La vision, supportée par le nouveau directeur général de la Société de gestion des rivières à saumon du grand Gaspé, veut que la remise à l'eau soit, à coup sûr, la panacée dans le train des mesures de protection de l'espèce « saumon ». Pour ce dernier, elle assure le maintien de la clientèle de pêcheurs sportifs et, par conséquent, distribue des retombées indirectes dans la région.

Or, pour plusieurs autres commerçants, les pêcheurs américains de saumon arrivent en avion, se rendent à la pourvoirie haut de gamme et repartent par le même moyen sans visiter la ville. Ils ne laissent donc aucune retombée financière pour les commerces de la région sauf pour les propriétaires de pourvoiries et leurs employés. D'ailleurs, c'est ce même Jean Roy qui aurait prétendu que si les Américains ne se rendent pas en ville c'est la faute de la population gaspésienne qui ne sait pas les recevoir comme il se doit...

La vision discutable de la remise à l'eau du grand saumon est questionnée par plusieurs spécialistes. On retrouve des gestionnaires de rivières à saumon, entre autres ceux de la rivière Matane, dont l'ouverture à la démocratisation de l'activité de pêche et la recherche de solutions éclairées, devant une problématique complexe, ont conduit à des décisions dont les résultats sont des plus probants.

Les personnes et les organismes intéressés par le développement économique local et régional, surtout dans la région du grand Gaspé, auraient intérêt à questionner les gestionnaires des rivières à saumon. Au besoin, ils auraient avantage à influencer leurs décisions à l'égard d'une ressource qui appartient l'ensemble de la collectivité. Dans le cas de Gaspé, ce soutien éclairé pourrait aider les gestionnaires actuels des rivières à sortir la société de gestion de ce qui semble être un marasme financier. Ils pourraient le faire en orientant leurs efforts vers des avenues plus lucratives, tout en augmentant l'accessibilité ou la démocratisation de l'accès à la pêche et en participant aux efforts visant l'amélioration des stocks de saumon.

Ainsi, au lieu de laisser certains gestionnaires s'acharner à détruire une entente et, au sein d'organismes locaux, des relations où régnaient l'harmonie et la coopération, on réussirait à jeter les bases d'un processus de concertation rassemblant les intervenants socio-économiques qui ont à coeur le développement régional. Prôner la division, au moment où la région a tant besoin de support et de partenariat, ne me semble pas issu d'une très grande sagesse. Au contraire, c'est courir, avec insignifiance, à sa perte...

Avant de terminer ce chapitre, il serait peut-être bon de rappeler qu'en 1983, le gouvernement du Québec, a adopté quinze principes qui reconnaissent notamment que les Nations autochtones « peuvent exercer, sur des territoires dont elles ont ou auront convenu avec le gouvernement, des droits de chasse, de pêche et de piégeage ».

En 1985, c'est une résolution unanime des députés de l'*Assemblée nationale du Québec* qui presse le gouvernement de poursuivre les négociations et de conclure avec les nations des ententes leur assurant l'exercice de leur droit de chasser, de pêcher, de piéger, de récolter et de participer à la gestion des ressources fauniques ». Enfin, les gouvernements de Robert Bourassa, en 1988, et de Lucien Bouchard, en 1998, consacreront les énoncés de 1983 et de 1985.

Depuis 1997, un ajout à la *Loi sur la conservation et la mise en valeur de la faune* autorise le ministre responsable de conclure des ententes avec les Autochtones. Ces ententes doivent permettre « de mieux concilier les nécessités de la conservation et de la gestion de la faune avec les activités traditionnelles des Autochtones, dont les dispositions prévaudront sur les dispositions incompatibles de la Loi ».

Le ministère de la gestion de la faune et des parcs, aujourd'hui la *Société Faune et Parcs*, a dès lors offert aux communautés autochtones d'amorcer un processus de négociation. Quelques négociations ont été réalisées. Elles ont résulté en des ententes (Abénaquis, Malécites). Plusieurs autres nations autochtones du Québec avaient déjà ce genre d'ententes avec le Québec. Pour Gespeg, la négociation concernant la pêche s'inscrivait dans une négociation plus large de l'autonomie gouvernementale de la Première Nation.

Suite à cette levée d'armes et de boucliers, on s'attendait à ce que le gouvernement actuel respecte les engagements de ses prédécesseurs et, pour ce faire, défende le bien-fondé du projet d'*Entente de pêche de Gespeg* et mette, en lumière, les véritables enjeux de cette entente ?

C'est ce que le ministre québécois Richard Legendre a fait en signant cette entente dès cette année contrairement à ce que souhaitaient les gestionnaires des rivières à saumon du grand Gaspé. Les principes de la pêche au filet maillant pour la pêche communautaire et du non rejet du saumon des prises, à moins que ce soit décrété par la *Société Faune et Parcs* pour la protection de la ressource, sont consacrés dans l'entente.

À cause du branle-bas de combat ridicule, soulevé par les gestionnaires des rivières à saumon, le Conseil de Bande de Micmacs de Gespeg, par résolution, a décidé de ne pas utiliser, au cours des prochaines années, le filet maillant comme engin pêche communautaire. Il a posé ce geste, même si l'entente lui permet de pêcher au filet maillant, et de recommander aux pêcheurs micmacs de remettre à l'eau le grand saumon. C'est ça poser un geste d'autonomie gouvernementale...

Évidemment, nous savons pertinemment que les baisses constantes de population du saumon atlantique, plus particulièrement sur certaines rivières, sont problématiques et extrêmement complexes. Les membres du Conseil de Bande sont aussi conscients que le développement économique régional est un problème majeur en Gaspésie et repose sur une problématique également très complexe ?

Nous connaissons donc ces situations et les autorités de la *Nation micmac de Gespeg* s'y intéressent de très près. Plus encore, elles ont démontré une sensibilité remarquable, un grand souci de la conservation et du partage de la ressource avec les sportifs, de même qu'une solidarité peu commune avec la communauté régionale. Les représentants de Gespeg, comme vous avez pu le lire dans ce chapitre, ont vraiment pris en compte ces réalités lors de la négociation: Leurs demandes n'ont jamais été exagérées et ils ont convenu d'une entente des plus raisonnable que le gouvernement du Québec doit maintenir et conclure.

Nous savons aussi que la gestion des activités associées aux rivières est problématique. Plusieurs raisons sont à l'origine de ce constat. Bien sûr la baisse des populations de saumon, mais aussi et surtout la baisse spectaculaire des adeptes de la pêche due aux coûts et aux modalités d'accès. Elle est due aussi à l'absence de relève chez les pêcheurs sportifs. Gérer des rivières à saumon sans tenir compte de ces aspects et sans rechercher des solutions adaptées, c'est vouer cette gestion à l'échec.

Cette réalité est reconnue par des spécialistes de la question, mais semble être ignorée par les gestionnaires des rivières du grand Gaspé et le président de la *Fédération québécoise du saumon atlantique*, Yvon Côté. Ces derniers auraient avantage à s'interroger, à reconnaître les failles de leur gestion et, en gens responsables, à revoir leurs positions. L'arrogance qu'ils manifestent en se faisant les seuls sauveurs du saumon et du développement économique régional, n'a d'égal que leur capacité à tenir des discours démagogiques et trompeurs, à se fermer les yeux, à garder la tête sous l'eau en attendant la noyade et à rechercher des boucs émissaires...

Enfin, le lobby des organismes gestionnaires et des partenaires de la *Société de la Faune et des Parcs* ne doit pas prendre le pas sur l'objectivité des fonctionnaires, notamment des spécialistes du saumon et de ceux qui ont négocié l'entente, ni sur les droits des Autochtones qui s'exercent d'une façon légitime et raisonnable, ni sur les besoins économiques de la communauté locale et régionale de Gaspé, ni sur les droits des défenseurs des animaux lorsqu'ils participent à une prise de conscience nécessaire.

XII

LA SPIRITUALITÉ AUTOCHTONE, LA RECOUVRANCE D'UNE IDENTITÉ PERDUE

L'EXPRESSION RELIGIEUSE DES PEUPLES AUTOCHTONES

L'intérêt grandissant des Indiens pour la spiritualité s'inscrit dans une problématique relative à l'identité. Cette spiritualité qui leur est propre se retrouve, tout au moins pour ces derniers, dans le désir et la volonté de *recouvrance* d'une partie des territoires ancestraux. Ce relent de spiritualité s'exprime dans la réalité en plein coeur des croyances des Premiers peuples.

Le danger de succomber à la facilité d'une mode passagère est omniprésent. Vous souvenez-vous du mouvement de retour à la terre de certains Québécois, il y a de cela une vingtaine d'années ? Certains vendeurs d'illusions pourraient souhaiter profiter de cette conjoncture favorable à la naïveté sentimentale. J'ose croire que ces derniers abandonneront leurs décevantes intentions.

Espérons que cette menace n'assombrira pas les bienfaits du ressourcement auprès des principes fondamentaux nécessaires à la résurgence de la fierté autochtone. Cette dernière pourra certes être rallumée par la brise de la spiritualité ancienne.

J'ai longuement hésité avant de me décider d'écrire sur l'expression religieuse des peuples autochtones et sur leurs valeurs spirituelles. Pourtant, en tant que journaliste et analyste politique, j'ai traité, à maintes reprises, des dossiers tout aussi délicats. Ils étaient cependant pour moi beaucoup moins engageants. C'est donc pour cette raison que, contrairement aux autres chapitres de cet ouvrage, vous constaterez que je cite plusieurs sources extérieures avec les références appropriées.

Il faut ajouter que j'ai eu la chance et le plaisir de travailler avec René Boudreau, chercheur érudit, qui a amélioré mes connaissances historiques du monde autochtone et de celui des religions.

La première raison de cette hésitation est que je ne suis pas un spécialiste des questions religieuses autant autochtones qu'allochtones. La seconde est la crainte de mal interpréter la façon d'être, de penser, de voir la vie, d'envisager le présent et l'avenir, de méditer et de prier des Indiens plus âgés, ou de degrés de filiation antérieurs. Ces générations incarnent davantage une philosophie et une spiritualité ancienne. Et, la dernière raison, c'est que je ne suis pas moi-même des plus pratiquant.

Qui ne les a pas admirés en découvrant la verve, l'intensité dans le ton, la philosophie sous-jacente et la poésie des orateurs indiens d'Amérique. Le doux mélange de spiritualité ancienne et d'analyse politique qu'on trouve dans le discours de ces ancêtres en a fasciné plus d'un. Pourtant, ils ont fréquenté, pour seule école, celle de la vie et de la transmission de la connaissance par la tradition orale.

« Il est bien dommage qu'on ne se serve plus autant de l'hémisphère droit de notre cerveau (l'intuition) car cet aspect de notre culture favoriserait le culte de notre spiritualité amérindienne. Je crois sincèrement que si la spiritualité et la politique étaient réunies bien des problèmes seraient résolus. » (Germaine Mestanapéo, « Innu Montagnais, Innushkueu, la femme amérindienne dit », *Pleine terre*, volume 1 No.1, p.12)

De toute évidence, les propos de Germaine Mestanapeo, Innue de Natashquan, ne vise pas une perspective d'État religieux. Elle exprime la considération des valeurs spirituelles des peuples autochtones. Elle cible plutôt l'éthique naturelle qui découle de leur vision de la *Terre-Mère* dans les décisions politiques qui concernent, entre autres, le développement du territoire ancestral.

Je voue un immense respect aux personnes qui ont atteint un niveau de liberté intérieure qui leur inspire une pensée et un discours structurés et logiques, empreints de sagesse et de sérénité. Sans doute, ces personnages touchent-ils à l'universalité et à l'éternité des Etres par une voie qui leur est propre. On retrouve ces personnes chez tous les peuples du monde. Ces gens ont consacré leur vie entière à essayer d'assumer, ou tout au moins de comprendre, les mystères de la vie et de la nature et à communiquer avec l'univers psychique.

Quant à moi, j'ai humé très jeunes l'odeur de l'asphalte et du béton. Puis, m'ayant abreuvé à satiété à la source du savoir des auteurs et philosophes d'origine latine et grecque au cours de mes études classiques et universitaires, j'ai donc acquis les mêmes armes qu'utilisent les représentants des gouvernements. Enfin, ayant aussi fréquenté l'école de la vie professionnelle des journaux et des caméras de télévision, je suis habilité à me battre sur plusieurs tribunes avec la passion du pamphlétaire. Je maîtrise, avec une certaine habilité, les forces de la parole, de l'écriture et des images. J'utilise ces techniques modernes de la communication de masse, entre autres, pour faire reconnaître les droits des Innus, de nos peuples, les peuples autochtones.

Je me montre tout de même téméraire en prenant le risque de cette présente réflexion sachant fort bien que plusieurs spécialistes feront la part des choses. Elle s'inscrit dans un contexte où de plus en plus d'Amérindiens publient eux-mêmes des oeuvres littéraires illustrant leur pensée et leurs valeurs spirituelles.

Je propose donc une analyse bien liminaire de cette question comme membre de la grande Nation innue. Je le fais premièrement à partir de mon expérience de journaliste, de communicateur et d'enseignant de l'université *Laval* de Québec. Enfin, je puiserai dans des dossiers majeurs de revendications territoriales globales, de revendications particulières, d'autonomie gouvernementale et d'application de droits de traité pour parfaire mes connaissances pratiques.

J'aborderai donc la question avec la lorgnette d'un praticien qui vit sur le terrain en rajustant continuellement sa vision du passé, du présent et de l'avenir, sur la réalité vécue dans les réserves. Je ne la tamiserai pas par le prisme de certains chercheurs spécialisés, trop souvent enfermés dans leur cocon universitaire et coupés de la vraie vie.

Avant de puiser dans mon bagage d'expériences personnelles, j'ai feuilleté quelques ouvrages pour identifier la piste du mouvement religieux dans les milieux autochtones.

L'AMPLEUR DES RELIGIONS AUTOCHTONES

L'ouvrage collectif dirigé par Michel Clévenot, *L'état des religions dans le monde*, m'a semblé un instrument d'information privilégié pour situer l'ampleur des religions autochtones par rapport aux autres cultes connus.

J'ai lu, dans le chapitre consacré aux statistiques générales qu'on y trouve sur les religions, qu'on classe les croyances traditionnelles autochtones dans les animistes et on les définit ainsi: « [...] leurs noms varient selon les ethnies, les pays, etc. Les animistes sont les adeptes des religions traditionnelles où se pratiquent la vénération de nombreux dieux ou esprits et le culte des ancêtres avec l'utilisation de la magie comme moyens de contrôle du monde et l'aide des habitants de l'au-delà. Dans certaines zones géographiques, un type particulier d'animisme existe. C'est le cas du chamanisme en Union soviétique, au Canada et aux États-Unis ainsi que dans certains pays asiatiques, ou du druidisme au Royaume-Uni. » (Voir l'ouvrage collectif de Michel Clévenot, p. 9, p. 14 et 294-299)

Par leur nombre, les animistes représenteraient environ 100 millions de personnes par le monde par rapport à près d'un milliard cent millions de catholiques et d'un milliard deux cents millions de musulmans. Voilà une donnée intéressante qui, au-delà du problème de la définition donnée des religions, nous indique l'importance de maintenant des cultes dits animistes.

Dans le chapitre réservé aux Amériques, on ne distingue pas d'une manière évidente les croyances autochtones. Avec un regard empreint d'un certain paternalisme, on envisage les croyances dites officielles et reconnues. On suppose sans doute que la spiritualité autochtone se confond dans un certain syncrétisme avec les religions majeures ou qu'elle a disparu. La vérité me semble moins simpliste. Je préfère de beaucoup la définition de la religion au sens de l'Évangile essénien qui traduit le mot par « se relier à ». On y définit donc la « Loi » non pas comme « une loi religieuse dogmatique et figée, mais [comme] l'intuition de vie qui réside en chacun et lui apprend à vivre en harmonie avec l'univers ». (Voir l'ouvrage de Bordeaux-Szekely, p. 16 et 17)

Cette définition correspond à la réalité de l'univers religieux traditionnel des peuples autochtones d'Amérique. L'Église officielle a carrément écarté cette approche trop simpliste et beaucoup trop naturelle, semble-t-il, du message chrétien au Concile de Nicée au quatrième siècle. Elle a malencontreusement délaissé un message de paix et d'harmonie au profit de dogmes rigides sans ouverture d'esprit et sans avenir pour les peuples autochtones.

« Elle a dénigré une création harmonieuse avec soi-même pour ne valoriser que la vie intellectuelle en prônant une spiritualité purement cérébrale. Le bien-être, la santé, l'observation de soi, la connaissance intérieure ont été supprimés pour faire place à une science analytique, dont on mesure actuellement les limites et les dangers ». (Voir l'ouvrage de Bordeaux-Szekely, p. 15)

J'espère qu'une approche plus soucieuse de la vie spirituelle des autres sera un jour réhabilitée. Elle correspond sur le fond à la spiritualité autochtone.

Le grand chef Seattle de la tribu Dwamish haranguait en 1855, à Fort Elliot, dans ce qui allait devenir l'État de Washington:

« Notre religion,
c'est la tradition de nos ancêtres:
les rêves que nos anciens reçoivent
du Grand Esprit
aux heures solennelles de la nuit,
et les visions de nos sachems;
et ceci est inscrit
dans nos coeurs. » (Voir l'ouvrage de Nathalie Novik, non paginé)

Seattle, chef d'une nation de la côte du Pacifique, exprime bien la pensée religieuse traditionnelle du peuple innu de la côte de l'Atlantique de l'autre côté du continent.

Oui, il est évident que l'intérêt grandissant de plus en plus de personnes pour les spiritualités autochtones s'inscrit dans une problématique relative à l'identité amérindienne.

RETROUVER UNE IDENTITÉ PERDUE

Une importante partie de la jeune génération autochtone tente de plus en plus de retrouver une identité perdue. Elle le fait dans un univers où des jeunes ne se sentent pas totalement compétents dans la société industrielle ou post-industrielle allochtone. Pas plus enfin qu'elle ne l'est dans une société traditionnelle autochtone.

Dans un contexte que l'on peut qualifier de résurgence religieuse, ce que d'aucuns ont appelé la renaissance socio-culturelle, politique, spirituelle, ou simplement la renaissance indienne, certains *leaders* autochtones privilégient des choix d'interventions de type traditionnel. Ils veulent ainsi rééquilibrer leurs valeurs. Ils souhaitent retrouver leurs racines, évoluer culturellement et progresser vers une authentique intégration mutuelle entre les sociétés. Ils refusent un destin d'assimilation pur et simple que les gouvernements et la société actuelle dominante ne cessent de leur faire miroiter par toutes sortes de moyens plus ou moins subtils.

Plusieurs jeunes Indiens ont besoin de retrouver leurs forces vitales intérieures afin de vaincre le sentiment de découragement et d'échec dramatique qu'ils connaissent. Cet état de fait se caractérise par un taux de suicide important, l'abandon scolaire et la violence sous toutes les formes.

La *recouvrance* de la fierté collective des peuples autochtones et l'atteinte d'un équilibre entre notre santé physique, psychologique, intellectuelle, mentale et spirituelle sont des conditions essentielles à notre guérison, à notre libération et à notre développement. La liberté intérieure est capitale à reconquérir car, sans elle, à quoi sert la liberté extérieure, les biens matériels et le pouvoir!

J'ai constaté qu'on a trop souvent caché nos déboires derrière une bouteille de boisson alcoolique, des pilules et tous autres artifices, mais que cela n'a jamais rien résolu. Cette approche n'a fait qu'avilir nos gens et rendre nos peuples encore plus dépendants.

On ne pourra pas éternellement chercher des excuses ou des boucs émissaires. Nos enfants, détruits par le fait que nous n'aurons pas eu la force de caractère nécessaire pour guérir ces cancers qui rongent certains d'entre nous, nous reprocheront ces faiblesses. Ils nous diront, avec raison d'ailleurs, que nous n'avons pas su arrêter l'hémorragie. Ils ajouteront que nous n'avons pas pu rallumer la flamme d'un projet de société qui aurait attisé, dans le coeur de tous les Amérindiens, jeunes et vieux, cette fierté qui caractérisait nos ancêtres.

Le courage, l'autonomie, l'indépendance, la volonté et les principes fondamentaux et religieux, c'est dans la tête de chaque individu que ces valeurs prennent racines et surtout retrouvent leur véritable signification.

C'est de là que partiront notre indépendance, notre autonomie et la *recouvrance* de cette fierté tant de fois soulignée avec nostalgie, des beaux mots qui auront maintenant une véritable signification.

Ensemble, droits, forts et majestueux, comme les bouleaux d'une forêt que les fléaux modernes n'ont pas atteints, ou encore comme l'orignal, ou le caribou de tête de troupeau, nous marcherons vers cette liberté. Nous verrons rapidement poindre l'orée du bois.

La période de portage sera beaucoup plus courte si chacun de nous transporte sur ses épaules une partie de la charge. Nous arriverons ensuite à ce grand lac conservé à son état pur. Ce dernier fournira la nourriture par les poissons qui y vivent, les orignaux ou les caribous qui s'y nourrissent et les oiseaux qui viennent s'y rafraîchir.

Là où est le caribou, tel que transmis de génération en génération par la tradition orale, est l'Innu nomade... C'est là, en partie, que se trouve ce grand lac, le paradis des Indiens.

Il ne faut pas se leurrer non plus car la liberté intérieure ne nous assurera pas automatiquement la réparation et la reconnaissance de nos droits historiques de Premiers peuples. Personne ne nous en fera cadeau surtout quand on connaît les puissants intérêts des milieux qui hantent les corridors du pouvoir et de la finance.

« L'enfant de 7000 ans,
retranché dans les coins de terre qu'on lui laisse fréquenter,
rêve maintenant de retrouver
ses richesses perdues,
sa fierté,
sa personnalité. » (Voir l'ouvrage de Bernard Cleary, *L'enfant de 7 000 ans*, p. 201)

Je déduis qu'il appartient strictement aux peuples autochtones avec l'aide et l'accompagnement de ceux qui les aiment profondément de définir leur propre processus de guérison. Il se fonde sur nos valeurs de respect, de fierté, de dignité, de partage, d'hospitalité et d'entraide. Il a pour fondement la vénération de la terre et de ses ressources. Cette terre que tous les peuples autochtones d'Amérique au-delà de leurs différences appellent leur mère.

L'espace intellectuel mondial, réservé à toutes les philosophies et à toutes les cultures, doit reconnaître dorénavant la place des peuples autochtones. Ce champ doit prendre en compte l'importance de leur spiritualité dans le traitement de ce que les Indiens du Canada appellent la *Terre-Mère*.

L'expression spirituelle d'un peuple va de pair avec son mode de vie. Les connaissances de l'un exigent celles de l'autre. La spiritualité de mon peuple, le peuple innu, est entièrement tributaire de son mode de vie comme de sa langue et de sa culture.

Il faut bien reconnaître que la spiritualité, la langue et la culture d'un peuple sont des phénomènes évolutifs. Ils changent donc avec le temps et ils s'adaptent aux réalités nouvelles. Leur refuser ce droit à l'évolution et à l'adaptation équivaut à les condamner à une mort lente, mais sans aucun doute certaine. Ceux-ci deviendraient une spiritualité, une langue et une culture mortes, dignes d'intérêt pour les experts de tout acabit des civilisations disparues ou pour les gens qui se spécialisent dans les autopsies.

Or, notre langue, notre culture et notre spiritualité sont toujours bien vivantes mêmes si elles ont subi le choc des valeurs et des erreurs des sociétés nouvelles qui ont immigré sur nos terres ancestrales.

L'impact du christianisme, de l'occupation pacifique du territoire et du développement des ressources naturelles, a fait subir à notre cosmologie ancienne une transformation certaine qui mérite qu'on s'y arrête. Ces transformations, par des interventions de l'appareil de l'État et par ce qu'on a appelé en général le modernisme, ont rendu plus difficile l'évolution des Amérindiens. Ce choc a conduit à la spoliation des territoires ancestraux, à la dépossession de l'autorité individuelle et collective, à la ghettoïsation de mon peuple et, en corollaire, à une affliction de sa fierté.

LA SPIRITUALITÉ QUI ANIME MON PEUPLE

Parlons plus précisément de mon peuple, le peuple innu. On comprendra mieux l'origine de la spiritualité qui l'anime encore.

Les Innus vivaient jusqu'à une époque récente en petits groupes familiaux à l'intérieur des terres pendant les longs mois d'hiver. Ils se regroupaient en communautés plus larges au printemps, principalement à l'embouchure de rivières importantes ou de grands plans d'eau intérieurs.

Ainsi, la période estivale favorisait l'éclosion d'une vie sociale plus intense et l'organisation de festivités et de cérémonies à caractère spirituel et religieux. Elle se prêtait bien aux mariages inter-groupes autochtones. Mon peuple a donc été longtemps un groupe nomade de chasseurs, de pêcheurs et de cueilleurs.

La composition et la dimension des clans ne comportaient pas de règles strictes. Les alliances et les liens de parenté les déterminaient. Les Innus pouvaient, à l'occasion des regroupements, choisir un chef. Ils le faisaient sur la base du prestige d'un meneur jugé d'après ses qualités personnelles telles son habileté de chasseur, son leadership personnel, sa sagesse ou sa capacité de communiquer avec l'esprit des animaux.

Les tâches se répartissaient selon l'appartenance à un sexe ou à l'autre. Ainsi, les hommes s'occupaient ordinairement de la chasse au gros gibier, de la planification des voyages et des déplacements, de la construction du campement et du troc. Ils fabriquaient certains outils, pièges et équipements sophistiqués comme le canot, les fûts de raquettes, les avirons, etc.

Les femmes s'occupaient habituellement de l'aménagement du campement, de la petite chasse, de la pêche et de la trappe près du campement, du tressage des raquettes, de la fabrication et de l'entretien des vêtements et des tentes. Elles faisaient la cueillette des fruits sauvages et des herbes médicinales. Les femmes demeuraient plutôt au campement, prenaient soin des aînés et veillaient à l'éducation des enfants. Elles entretenaient le feu et la réserve de bois de chauffage.

Les connaissances se léguaient de pères en fils et de mères en filles.

Les Innus vénèrent la forêt génératrice de toutes les sources de vie. Mon père m'a raconté que les croyances innues reposaient sur l'idée qu'il y aurait eu, au début des temps, des mariages entre des animaux qui possédaient une âme et avaient les mêmes facultés que les humains.

Après un certain temps, on libérait les humains à la condition qu'ils ne dévoilent jamais les secrets de la forêt qu'ils avaient appris. Ensuite, il y a eu une autre capture des êtres humains possédant ce savoir par les animaux en raison de leur promesse rompue. Les humains repris ne sont jamais revenus. Depuis ce temps, la connaissance de la forêt provient des animaux. Par la suite, la voix des animaux ne se faisait entendre qu'occasionnellement lors du rituel de la tente tremblante exercé par de rares chamans ou lors des incantations au tambour.

Les Indiens ont créé et raconté les mythes pour perpétuer les messages des animaux de la forêt.

Afin de communiquer avec l'esprit des animaux, les Innus ont traditionnellement utilisé la tente à suer, la divination, la scapulomancie, la suspension des os et divers cultes comme celui de l'ours, du caribou, du saumon, etc. (Voir l'ouvrage dirigé par Hélène Dionner, l'article de Pierre Beaucage: « Les animaux dans les mythes », p. 33-50).

Chez les Innus comme pour la plupart des nations algonquiennes, on croyait en un pouvoir suprême, en une force créatrice de toutes choses. La religion évoluait autour du Grand Esprit, *Tshitshe Manitu*, l'Etre bon et suprême.

L'omniprésence des forces spirituelles, une âme propre à chaque chose et à chaque espèce de même que la place essentielle de chacun, y compris les humains, dans le cercle du cosmos, favorisaient le respect de chacun de ces éléments. L'équilibre de cet écosystème ainsi que la prière et la communion parfaite avec l'univers formaient le monde des croyances religieuses réel des Amérindiens.

La vieillesse passait pour un honneur. La mort menait l'esprit dans les riches régions où la maladie et la tristesse n'existaient plus. Les âmes des morts continuaient à vivre dans l'au-delà comme elles avaient vécu sur terre, mais bienheureuses et débarrassées des soucis des vivants.

Plusieurs Innus contemporains demeurent profondément imbus de la mystique traditionnelle et respectueux de l'éthique spirituelle de leurs ancêtres. La plupart sont aussi des catholiques très fervents.

Même si cette coutume s'est perdue quelque peu en raison des changements de notre mode de vie, certaines familles innues plus traditionnelles se transmettent encore oralement des récits. Ils racontent leurs expéditions, la vie de leur famille, l'histoire de leur nation, de l'époque du nomadisme jusqu'à aujourd'hui, mais aussi la grande partie des divers mythes. Ces derniers permettent de comprendre ce que sont l'ordre et la hiérarchie des êtres et des choses dans la complexité de l'univers.

Dans ce concert de vedettes mythiques, nous avons nos anti-héros, joueurs de tours, tel Kwekwetshew, ou le Carcajou, qui se spécialisent à transgresser les règles naturelles et sociales pour en forcer l'évolution. Ils montrent aux humains « le chemin et les risques de la liberté ». (Ouvrage précédent p. 50)

La vie des Innus a beaucoup changé depuis une cinquantaine d'années. L'école, la télévision et la radio ont contribué à transformer la société traditionnelle de mon peuple. Aujourd'hui, les parents s'efforcent de transmettre leur identité innue tout en adoptant un mode de vie différent sans renier cependant leurs origines. Les témoignages des aînés sont essentiels au maintien de l'identité.

Notre environnement physique et social a énormément changé au cours des siècles derniers même si les changements culturels les plus importants sont relativement récents. Le catholicisme a été en contact avec le groupe innu de ma région d'origine, le Lac-Saint-Jean, en même temps que les débuts de la colonisation du territoire au XVIe siècle. La sédentarisation a fait de même vers le milieu du XIXe siècle.

Nos ancêtres ont dû s'adapter et renoncer à certains rituels, comme la pratique de la cérémonie de la tente tremblante, identifiés au paganisme par les missionnaires. Elle leur permettait de communiquer avec les maîtres des animaux pour faciliter les rendements de la chasse ou de la pêche. Nous avons gardé cependant ce que j'appelle la spiritualité de la nature et une philosophie originale de la vie et du développement.

Mathieu André, ancien, Innu de Schefferville, décédé il y a quelques années, écrivait dans un livre publié quelque temps avant sa mort: « Avant leur conversion au christianisme, les Innuts contemplaient le soleil. Pour eux, il y avait un genre de Dieu-Soleil. Ils pensaient qu'un Etre y habitait et, dans la journée, quand l'astre rayonnait, ils priaient l'Etre en lui demandant ses bienfaits. Ils lui rendaient grâce pour la lumière du jour, la nourriture, l'eau, l'abondance des forêts qui leur donnaient abri et subsistance. Ils remerciaient pour ce qu'ils voyaient, ce qu'ils trouvaient et pour la variété des animaux... Ainsi priaient-ils! S'ils ne savaient comment le nommer, ils reconnaissaient l'existence d'un Etre suprême et pensaient qu'il vivait dans le soleil. Je pense qu'ils n'avaient pas tort puisqu'on dit souvent que le bon Dieu est là-haut, dans le ciel. »

Il est aussi à noter que leur religion leur recommandait l'entraide dans les moments difficiles. Ils devaient prendre en charge les orphelins et secourir les veuves. Ils enseignaient tout genre de travail et si l'un d'eux ne pouvait le faire, ils le leur offraient de le faire sans rien attendre en retour. [...]

Tout bien réfléchi, je crois ce qui est écrit dans la Parole de Dieu car nous l'avons toujours mis en pratique : « Tu aimeras le seigneur ton Dieu » et « Tu aimeras ton prochain comme toi-même ». Il ne nous manquait que le baptême, mais peut-être que celui-ci se faisait sous une autre forme, et à tout cela se mêlait un peu de sorcellerie... (Voir l'ouvrage de Mathieu André)

Cette candide et même naïve réflexion illustre bien le peu de difficultés qu'ont rencontrées les missionnaires pour implanter le christianisme dans une terre déjà fertile et profondément religieuse. Ajoutons à cela le prosélytisme de ces missionnaires et la solidarité qui se développait entre personnes qui partageaient les mêmes conditions de vie simples. Nous avons là les principaux ingrédients de la recette. Elle a permis l'implantation de la religion catholique chez mon peuple et son enracinement profond et indélébile jusqu'à aujourd'hui.

QUE RESTE-T-IL MAINTENANT
DE CETTE SPIRITUALITÉ ?

On peut sans grand danger de se tromper évoquer la profonde piété de plusieurs Indiens de diverses nations, particulièrement chez les aînés.

On constate un intérêt certain pour les Autochtones et Allochtones qui veulent se ressourcer dans cette approche spirituelle fondée sur l'équilibre du corps et de l'univers. Il y a là tous les ingrédients pour amorcer sérieusement un processus de guérison sociale. Quelques-uns y trouvent un rempart pour protéger l'environnement: « Les autochtones sont les sentinelles de l'écologie et on devrait se poser des questions lorsqu'elles tombent. On devrait s'en poser d'autres lorsqu'on apprend ce qui les fait tomber. » (Voir l'ouvrage de Claude Marcil et Danielle Thibault, p. 203)

Les *leaders* amérindiens font de plus en plus une utilisation politique de certains objets ou gestes jadis réservés exclusivement au domaine du sacré... Qui n'a pas vu le député autochtone du Manitoba, Elijah Harper, brandir la plume de l'aigle pour refuser l'accord constitutionnel du lac Meech. Ou encore qui n'a pas entendu le battement du grand tambour des quatre directions devant le Parlement d'Ottawa lors des conférences constitutionnelles. Ou qui n'a pas senti la fumée du foin d'odeur et de la pipe cérémonielle lors de rencontres politiques impliquant des Indiens. Ou encore qui n'a pas observé la danse du Makusham avec crécelle et tambour lors de fêtes autochtones.

Il ne faudrait surtout pas cependant que, par politicaillerie, on utilise d'une manière tout croche certains gestes pieux, historiquement significatifs, pour leur faire dire le contraire.

J'ai malheureusement en tête le spectacle raté et gênant de l'ex-chef national de l'*Assemblée des Premières Nations*, Ovide Mercredi, à l'*Assemblée nationale du Québec*. Mal conseillé par un jeune avocat innu de Schefferville, il s'est servi de certains vieux de cette communauté qui, naïvement, sans comprendre ce qui se passait vraiment, ont dansé le Makusham sur le son du tambour. Pour eux, il s'agissait d'un signe de joie, de fête et d'amitié. En aucun temps, ils ont voulu déplaire à leurs hôtes.

En même temps et contraire à son bon sens, les propos incendiaires du chef national à la commission parlementaire de l'*Assemblée nationale* insultaient et semaient la discorde entre les Amérindiens du Québec et les Québécois.

Je crois que les Indiens du Canada ont beaucoup à dire dans le concert culturel, poétique, environnemental, économique, social et politique des peuples du monde. Quand on analyse le développement de l'occident avec ses grandeurs et ses misères, on constate qu'il lui reste beaucoup à apprendre s'il se donne la peine d'écouter, entre autres, notre message.

Je souligne que le message spirituel, social et politique des peuples autochtones est encore à l'aube de la connaissance. Il ne demande qu'à évoluer pour atteindre son apogée.

OUVRAGES CONSULTÉS

M. André, *Moi, Mestanapeu*, Québec, Édition Ino, 1984.

M.-J. Basile, *Atanukana. Légendes montagnaises.* Collection Nordicana, C.E.N. Université Laval, Québec, 1971.

E. Bordeaux-Szekely, *L'Évangile essénien, vivre en harmonie avec l'univers*, Genève : Édition Le Soleil, 1990.

B. Cleary, *L'enfant de 7 000 ans, le long portage vers la délivrance*, Sillery, Septentrion, 1989.

M. Clévenot, ouvrage collectif sous la direction de, *L'état des religions dans le monde*, Paris, Éditions La Découverte/Éditions du Cerf, 1987.

H. Dionne, ouvrage collectif, *L'oeil amérindien, regards sur l'animal*, Musée de la civilisation, Sillery, Les éditions du Septentrion, 1991.

R. Dominique et G.-G. Deschênes, *Cultures et sociétés autochtones du Québec, Bibliographie critique*, Ville-Saint-Laurent, Institut québécois de recherche sur la culture, 1985.

R. Dominique, *Le langage de la chasse. Récit autobiographique de Michel Grégoire*, Sillery, Presses de l'Université du Québec, 1989.

A. Hultkrantz, *Native Religions, Religious Traditions of the world*, San Francisco, Harper & Row, Publishers, 1987.

J. Kurtness, *Les facteurs psychologiques des parcours de l'acculturation chez les Montagnais du Québec*, thèse de doctorat, Québec, Université Laval, 1983.

C. Marcil, et D. Thibault, *Le printemps indien*, S.I. Québec/Amérique, 1985.

N. Novik, Traduction, *Le pouvoir des ombres, Discours du chef Seattle, chef de la nation Dwamish*, Paris, Nitassinan, 1988.

R. Savard, *Destins d'Amérique, les autochtones et nous*, Montréal, L'Hexagone, 1979.

LES ÉGLISES DOIVENT ÊTRE DES BOUGIES D'ALLUMAGE

Je considère qu'il est important que la cause des Premières Nations trouve écho dans tous les milieux, englobant l'entour religieux. C'est donc avec plaisir que je vous livrerai, sans fard et sans prétention d'ailleurs, quelques éléments essentiels de ma réflexion sur cette question.

Quant à moi, il est primordial d'atteindre les chefs de file des Églises à ce moment-ci, encore plus qu'en autre temps, à cause de la tempête anti autochtone qui souffle sur le Québec et sur le Canada. Ils ont, au départ, un préjugé favorable à la cause des Premiers peuples et ils sont fort influents,

C'est donc l'occasion d'exprimer mes préoccupations et celles des nations autochtones sur les conditions qui pourraient, selon l'expression utilisée par les évêques du Québec, consacrer la « nouvelle alliance » nécessaire entre nos peuples.

Il me semble fort important de méditer avec des gens dont la mission fondamentale de son leadership moral est d'interpréter et surtout de faire comprendre le message de l'Evangile. Ce message, à ma lecture et à ma connaissance, dénonce les injustices structurelles entre les peuples de la terre. Il propose une vision d'amour et d'entraide fraternelle.

Avec moi, vous admettrez sans doute que la période actuelle est le moment privilégié, voire historique, pour définir les principes de ce que sera notre nouveau contrat social. Cette période est d'autant plus propice que les gouvernements et les Premières Nations expriment leur volonté commune de définir clairement les grands enjeux politiques,

UNE POSITION CLAIRE

C'est donc aujourd'hui que le train part. Demain sera trop tard pour nous tous. Nous aurons manqué le voyage...

Je crois que les Églises québécoises et canadiennes doivent se positionner sans ambiguïté dans le dossier social et politique des revendications des Premières Nations. Elles doivent surtout utiliser leur influence pour faire avancer cette cause qui n'est pas facile à défendre sur la place publique du Québec à ce moment, il faut bien l'admettre.

Comme les gens des Églises l'ont si souvent prêché, c'est dans les périodes difficiles que nous avons besoin de nos vrais amis. Vous êtes, à ne pas en douter, de ceux-là.

L'instant ne peut pas être plus favorable à une prise de position claire, sans équivoque et accompagnée de gestes concrets. Je pense qu'il est plus important de travailler avec nous à façonner le futur que de pleurer sur le passé et d'implorer le pardon.

Ce qui m'apparaît sain dans la démarche actuelle des Églises, c'est qu'elles [les Églises] recherchent franchement une façon efficace de continuer à travailler corps et âmes pour les Autochtones. Quant à moi, plusieurs de ses membres l'ont toujours fait avec honnêteté en commettant, comme n'importe qui d'ailleurs l'aurait fait, certaines erreurs de parcours. Là où il y a les hommes, il ne faut surtout pas oublier qu'il y a l'*hommerie* et les membres du culte n'en sont pas exclus.

C'est d'autant plus important pour nous que l'influence des Églises est énorme et qu'elle peut apporter, à ce moment, un support incommensurable.

Plusieurs *leaders* sociaux et politiques que je connais attendent vos prises de positions claires dans ce dossier. Je suis certain qu'elles les influenceront d'un côté comme de l'autre.

Je ne veux aucunement dire par cela que vous devez être les porte-étendards de la cause autochtone. Non, cela est le rôle des Indiens eux-mêmes. Cependant, par votre influence et sans paternalisme, vous pouvez faire beaucoup pour nous aider à convaincre les Québécois afin qu'ils permettent aux Premières Nations d'occuper une place à la hauteur de leurs espérances.

Votre leadership moral peut être une bougie d'allumage et faire en sorte que le débat se fasse sans une approche raciste qui ne donne rien de bon à ce moment.

LA DIMENSION RELIGIEUSE

Je n'ai surtout pas de leçons à vous faire. D'ailleurs, dans la très grande majorité des cas, ce qui a été fait dans le passé par les missionnaires et par les autres religieux, l'a été honnêtement avec comme objectif principal l'aide aux peuples autochtones.

Individuellement, au cours du siècle passé, les missionnaires ont tellement aimé les Indiens que, comme certains parents d'aujourd'hui, ils ont péché par faiblesse en tentant de surprotéger, un peu trop à mon goût, mes ancêtres.

Convaincus qu'il s'agissait d'une bonne chose, les Églises se sont impliquées au cours des années 1850 dans la sédentarisation des Amérindiens, la création des réserves et même dans l'avancée de la colonisation. Personnellement, je crois que ce fut une bonne chose pour certains cas (comparativement à ce qui existait avant). Il ne faut surtout pas oublier que plusieurs Autochtones, comme par exemple, les Ilnutsh de Mashteuiatsh (Pointe-Bleue), ma communauté d'origine, ont supplié le gouvernement fédéral, par la plume de leurs missionnaires, d'établir une réserve. Il faut se souvenir que les Indiens nomades mouraient comme des mouches, souvent de faim et de manque de soins, sur les territoires ancestraux de chasse.

Porter un jugement éclairé sur l'évangélisation de 1841 à aujourd'hui, sans recherche approfondie, sociologique ou anthropologique, serait à mon avis bien téméraire. Il le serait d'autant plus que certains éléments sortis de leur contexte ou décrochés du conditionnement sociologique de l'époque où les événements se sont passés perdent toute leur signification.

Il faut analyser, selon moi, la qualité de l'évangélisation dispensée avec le rôle social que les missionnaires, les prêtres et les religieux ont joué. Il est très difficile de démontrer d'un trait de plume l'effort consenti et ses résultats.

Donc, le voeu d'éliminer la mortalité infantile, de faire instruire les jeunes Indiens et de faire en sorte qu'ils deviennent aussi compétents que les petits *Blancs* ont emmené la sédentarisation. Le désir de leur faire connaître le confort et de relever le niveau de vie leur a fait quitter leurs territoires ancestraux de chasse et de trappe.

Les objectifs sous-jacents n'étaient quand même pas si mauvais. Avec ces objectifs et la sédentarisation, les fameux pensionnats que certains ont tellement critiqués au cours des dernières années, quelques fois d'une façon biaisée et exagérée selon moi, ont vu le jour.

Peut-on sérieusement croire aujourd'hui que les nomades auraient pu rester des chasseurs-cueilleurs pour l'éternité ?

Ce qui ne veut donc pas dire que les buts n'étaient pas louables et que l'amour n'était pas au centre de la préoccupation des promoteurs.   Cela n'a malheureument pas empêché cependant que la méthode choisie a eu des conséquences malheureuses sur la fierté culturelle, l'appartenance à son peuple, la pratique de la langue maternelle, etc.

Il ne faut jamais oublier que cinquante (50) ans auparavant, la grande majoritée des Indiens du Québec vivaient encore dans des tentes. En une aussi courte période, ils ont dû digérer tous les éléments reliés au modernisme. Une aussi forte ingestion de notions inconnues et révolutionnaires ne pouvait que rendre malades, socialement et psychologiquement, les consommateurs. Aujourd'hui, l'étape « guérison » prônée par la *Commission royale sur les peuples autochtones du Canada* (cf. les chapitres concernant la Commission royale, FONDEMENTS DE L'AVENIR, et MANIFESTATIONS D'UN RAPPROCHEMENT) prend toute sa signification.

Certains esprits accusent, sans analyse objective, les missionnaires d'avoir acculturé les Amérindiens. Selon moi, ce n'est pas seulement les missionnaires qui ont fait cela, mais tout l'environnement écrasant et envahissant de l'établissement pacifique.   Au contraire, comme l'a souligné Mgr Henri Goudreault alors évêque de Labrador-City-Schefferville, je ne crois pas que les missionnaires aient posé des gestes pour tuer les langues et les cultures autochtones.   Comme cela a été fait, il faut chercher les coupables parmi les membres ou les représentants du gouvernement du Canada, notre fiduciaire.

L'énergie dépensée par certains missionnaires à apprendre les langues autochtones m'a toujours fasciné. Ils ont travaillé avec les Indiens à créer des institutions de culture et à participer à la propagation de ces langues qui nous sont fort utiles aujourd'hui.   Ils le faisaient avec un grand respect des cultures autochtones. Nos aînés leur ont été d'ailleurs fort reconnaissants.

J'ai appris que plusieurs missionnaires ont été beaucoup plus acculturés que les Autochtones en devenant aussi Indiens ou Inuits que les Indiens et les Inuits eux-mêmes.

Ils ont vécu simplement ou pauvrement, tout comme les Indiens eux-mêmes. Ils ont partagé leur misère, les ont défendus et ont proclamé leurs droits ancestraux.   Ils ont écrit pour eux aux représentants des gouvernements. Ils ont publié des livres en langues autochtones. Enfin, ils ont voué leur vie à l'amour de leur peuple d'adoption.

D'autres ont malheureusement pratiqué, consciemment ou non, le jeu du pouvoir en place en explorant les territoires à l'aide du bras séculier. Certains ont condamné, sans analyse préalable, les pratiques spirituelles et traditionnelles. Quelques-uns ont utilisé les privilèges des compagnies. Enfin, d'autres ont fait la promotion exagérée des pouvoirs *blancs*. Ces derniers ont souvent joué le rôle de facilitateurs au détriment des Indiens pendant que les gouvernements s'accaparaient de leurs terres ancestrales.

Plus récemment, certains ont abandonné leur responsabilité de maintenir une éthique sociale face aux fléaux qui affligent les milieux autochtones. D'autres ont continué à agir en tuteurs ou de façon paternaliste. Plusieurs, par crainte de perdre leurs ouailles, ont eu le réflexe condamnable de conseiller les Amérindiens au repli sur eux-mêmes et le refus de la société moderne. Ils l'ont fait en leur proposant le refuge exclusif du mode de vie archaïque de la chasse et de la pêche.

Une telle approche ne peut hélas que conduire à la pauvreté et au vécu d'une culture et d'un mode de vie qui ne tarderaient pas à s'éteindre, incapables de survivre au stress du développement qui est pourtant inévitable.

QUELQUES PRINCIPES AUTOCHTONES À RAPPELER

Je sais que l'Indien retrouve toujours son harmonie quand il est en symbiose avec la forêt, sa terre ancestrale, et qu'il brise l'unité de son être quand il détruit son environnement.

Le premier principe de ma culture est que l'homme a le même niveau d'importance environnemental que les animaux et les arbres qui l'entourent même s'il possède l'intelligence et l'âme. Son intelligence ne lui donne pas le jugement ni le droit d'anéantir ce qui l'entoure.

L'homme a sa place dans la nature, mais les êtres et les choses l'ont aussi. Tout ça forme une chaîne où chacun des maillons est essentiel. Si on brise un maillon, on brise la chaîne. Quand il casse la chaîne, l'homme va vers sa destruction et celle de ses enfants et de ses petits enfants. Tous les participants à cette chaîne doivent être en équilibre constant.

Je sais aussi que la population humaine se développe trop rapidement et que cela risque d'amener la surexploitation des ressources nécessaires pour nourrir tout ce monde. Si, au moins, on faisait cela pour nourrir les humains... Non, je vois que c'est souvent pour améliorer notre luxe et notre standard de vie. Le résultat est cependant que les pauvres sont de plus en plus pauvres et que les riches surexploitent la planète pour s'enrichir davantage.

Mes ancêtres ont toujours circulé en rotation sur leurs terrains de chasse comme les cultivateurs laissent périodiquement des champs en jachère pour que la terre se repose. La terre peut produire dans la mesure ou on la respecte. Elle ne peut pas surproduire et elle ne peut pas non plus se regénérer si on la saigne à blanc.

Nous sommes responsables de gérer l'exploitation des ressources pour répondre à la demande de gouverner la production et la regénérescence de la terre.

Cette terre est notre mère. Elle est la mère nourricière de tous les Amérindiens et de tous les peuples. On n'assassine pas sa mère. On ne commet donc pas de matricide.

Notre génération, probablement plus que celles qui nous ont précédés, a l'immense responsabilité de décider de la forme que prendra l'avenir de notre planète qui est devenue un village global comme l'a prophétisé Mc Luhan.

Quelle sera notre définition de la qualité de la vie ? Qui prendra les décisions et comment ? Des scientifiques reconnus! Des dictateurs éclairés! Des technocrates avertis! Des multinationales! Des prophètes! A coup de sondages et de manipulation de l'information...

Cette forme se concrétisera-t-elle par une véritable participation des citoyens et des groupes qui possèdent l'information authentique ? Ces derniers pourrontils, en toute connaissance de cause, discuter des diverses options et de leurs conséquences quant à l'avenir, en renouant avec la sagesse traditionnelle ? Succomberont-ils à la désinformation toujours nuisible face à une importante décision ?

Je voudrais vous citer un passage qui, pour moi, est important du rapport Brundtland de la *Commission mondiale sur le développement et l'environnement* de l'ONU: « Les peuples autochtones constituent une force majeure en faveur de la conservation et de la préservation des ressources naturelles et patrimoniales. »

« Les peuples qui vivent en tribus et les populations autochtones devront être l'objet d'une attention particulière à mesure que les forces de développement économique viendront perturber leurs modes de vie traditionnels, des modes de vie qui d'ailleurs pourraient donner d'utiles leçons aux sociétés modernes en ce qui concerne la gestion des ressources présentes dans les écosystèmes complexes des forêts, des montagnes et des terres sèches. »

Il nous faudra méditer sur ces réfexions...

UN MESSAGE À PORTER

L'important dans ce message humain est sans aucun doute l'invitation à la participation des sans-voix. Il fait appel à la recherche des moyens pour la diminution des écarts que nous apporte la richesse. Enfin, il souhaite une démocratie qui dépasse les mots et le droit du peuple à un discours vrai.

Il doit se distinguer par une pratique désintéressée des décideurs et par la priorisation des intérêts du peuple et non pas ceux des lobbies ou de la minable partisanerie du pouvoir à tout prix.

Ce message, c'est un appel à la reconnaissance des droits collectifs des Autochtones et de leur autonomie par un nouveau niveau de juridiction.

Il m'est facile de blâmer les autres de nos misères et particulièrement les *Blancs*, mais ce discours ne serait pas réaliste et crédible si nous n'étions pas capables de faire notre autocritique.

Je comprends qu'il ne suffise pas de crier notre dépendance pour bâtir notre fierté et notre autonomie. Nous avons déjà commencé. Il faudra continuer à nous relever les manches, à faire des sacrifices et à travailler à vaincre nos problèmes sociaux. Il faudra nous ouvrir au monde extérieur. Nous devrons assumer notre leadership, développer des solidarités et nous dissocier de la violence. Enfin, il nous faudra assumer un authentique développement économique au-delà des bingos, des jeux, des loteries, de la vente prohibée de cigarettes sans taxe et d'armes.

Nous allons devoir éviter les pièges de la bureaucratie, développer notre capacité de justice sociale interne, apprendre à redistribuer la richesse collective et améliorer réellement le dialogue entre les vrais traditionalistes et les véritables modernistes. Il nous faudra surtout poursuivre la tâche qui consiste à assumer notre responsabilité et notre imputabilité au lendemain de la levée de la tutelle gouvernementale.

Nous devons élaborer notre projet de société et nous avons besoin des leviers et des pouvoirs nécessaires pour le faire. Par exemple, il faudra adapter le système de justice actuel *blanc* à nos propres besoins et à notre code traditionnel. Je crois qu'il y a là amplement matière à réflexion.

Il est évident que le message qu'on doit porter, comme Chrétiens, est fondamentalement un message de justice, d'équité, de respect des différences, de tolérance et de droits historiques.

Il est évident que l'*Assemblée des évêques* doit s'inspirer de la doctrine sociale de l'Église catholique. Elle sait mieux que moi que l'engagement social des Chrétiens a précédé de longue date la publication de l'encyclique Rerum Novarum de 1891.

Dans le combat des humains, il y a des hommes et des femmes provenant de sociétés et de cultures différentes, mais motivés par la même foi chrétienne. Ils tentent d'orienter leur action pour la justice sociale et de faire valoir leur option pour la liberté humaine.

C'est sur le terrain que se révèle la véracité du discours chrétien et c'est dans le quotidien qu'on le reconnaîtra comme ferments de la sainteté et comment révélatrice est la communion réelle.

Notre planète évolue et la doctrine sociale de l'Église doit suivre cette évolution. Elle devra parler du dialogue Nord-Sud. Le discours et l'action devront rejoindre concrètement les luttes collectives pour une transformation des rapports sociaux qui répriment le quotidien de la majorité des humains.

Même si cette parole déplaît ou si elle rencontre différentes sortes de discours sur la libération, elle devra suivre son chemin, pénétrer le coeur des grands et rester toujours fidèle aux petits. C'est à son enracinement radical et fondamental avec les petits et les pauvres que l'Église s'est identifiée au départ. C'est donc de cette racine qu'elle fleurira encore.

Permettez-moi de citer le message d'un groupe de militants chrétiens en milieu ouvrier devant la commission Bélanger-Campeau car il résume bien l'analyse que nous devons tous faire face à l'avenir qui se redéfinit rapidement:

« L'horizon politique doit prioriser trois projets:
1. La réduction des écarts entre les riches et les pauvres;
2. la participation et la prise de parole des sans-voix dans la vie collective;
3. le respect de l'écologie, des ressources et de la qualité de vie de la planète.»

Pour y parvenir, nous devons identifier les ornières où nous sommes enlisés par le prétexte de la préséance des droits individuels sur les droits spécifiques et historiques de certaines minorités. Il s'agit de la surconsommation, de notre égoïsme énergétique, de nos choix de développement, de l'indifférence, de l'intolérance, du fatalisme, du cynisme, de la survalorisation de l'individualisme et du nivellement vers le bas.

Pour moi, à cause de leurs orientations fondamentales, les Chrétiens sont capables de dépasser la logique de l'Etat et des gouvernements. Ils le sont pour la bonne et simple raison que leurs références fondamentales puisent à un message qui dépasse l'État, les puissants et les rois de ce monde.

Je me souviens que, dans le message de Jean-Paul ll, ce dernier a invité les Chrétiens, lorsqu'il s'agit du dossier autochtone, à la justice sociale caractérisée par le respect de la personne et des cultures. « L'Église exalte l'égale dignité de tous les peuples et défend leur droit de sauvegarder leurs caractéristiques propres avec leurs traditions et coutumes particulières ».

Je vous rappelle ce que le Saint-Père avait proclamé à Fort-Simpson en 1987: « Le droit à toutes les populations aborigènes du Canada et du monde à leur égale dignité humaine avec celle de tous les peuples et leur droit de sauvegarder leur propre caractère culturel avec ses traditions et ses coutumes particulières. »

J'ajoute qu'il avait de plus insisté pour affirmer clairement le « droit à une juste et équitable mesure d'auto-gouvernement et à la possession des terres propres et des ressources appropriées indispensables au développement d'une économie vitale, adaptée aux besoins de l'actuelle génération et de celles de l'avenir ».

Enfin, j'ai en mémoire que Jean-Paul II a également conseillé aux peuples autochtones de « ne pas abandonner les valeurs authentiques qui les ont soutenus pendant des générations en adoptant une mentalité étrangère où les personnes sont jugées en fonction de ce qu'elles ont et non suivant ce qu'elles sont ».

Il faut le dire et même le répéter que les Amérindiens ont une histoire, une culture, un mode de vie et une spiritualité riches qui sont largement à découvrir. Ils ont un avenir particulier qui est à valoriser et non à dévaloriser.

Bien sûr, ils rencontrent plusieurs difficultés et ce n'est pas toujours facile. On pourrait citer de nombreux exemples: Personnes déroutées, abus d'alcool, violence conjugale, autoritarisme parfois exagéré de certains chefs, incompréhensions culturelles presque toujours à leur détriment, choix difficiles à faire, pratiques traditionnelles impraticables, responsabilités dans le monde moderne et responsabilités très lourdes à assumer pour leurs *leaders*.

Brefs, ils ont besoin qu'on les écoute, qu'on les comprenne mieux et surtout qu'on les appuie.

Je déduis de tout cela qu'on pourrait définir le rôle des Chrétiens de façon schématique en disant qu'il leur appartient plus qu'à d'autres de répondre aux trois exigences suivantes: Écouter les Autochtones, comparer les valeurs chrétiennes de base avec les valeurs, culturelles et spirituelles, fondamentales des Autochtones - respect envers la personne, considération envers la nature, joie de vivre, autonomie personnelle valorisée tout en reconnaissant la part d'imprévus et de faits qui sont la volonté de plus grand que soi - et agir en prenant clairement position.

Permettez-moi de vous donner quelques exemples où les Chrétiens pourraient prendre position:

1. Faut-il que les Autochtones soient intégrés au marché du travail tel qu'on le connaît ? Ou prendre en considération les valeurs particulières des Amérindiens comme, par exemples, le travail communautaire et l'absence de relations patrons-employés.

2. Faut-il que les institutions autochtones soient identiques à celles de la majorité (cf modèle des municipalités) ?

3. Faut-il que ce soit toujours les Indiens qui cèdent leurs territoires pour assurer le développement des autres (cf les bases militaires, l'OTAN, l'Hydro, les compagnies forestières) ?

4. Faut-il que ce soit toujours les Autochtones qui aient à perdre leur culture et leur spiritualité pour apprendre celles des autres ?

Le projet de société des Premiers peuples est plus vivant que jamais et suscite beaucoup d'espoir. Cependant, la situation est loin d'être facile parce que, autrement dit, entre l'espoir et la réalité, l'écart est si grand.

Quelle responsabilité pour ceux qui, comme moi, suscitent un espoir si grand. Si jamais, nous n'arrivions pas à de réels résultats qu'adviendra-t-il de nos populations, de nos jeunes, de nos chasseurs et de nos communautés ?

Je constate que cette responsabilité est tellement lourde qu'elle doit être partagée avec des gens comme vous.

Même si le défi est de taille à ce moment, je suis moralement convaincu qu'un Canada uni ou un Québec indépendant ne peut pas laisser de côté les réclamations non-solutionnées des Autochtones.

Plus encore, le sens des responsabilités des *leaders* politiques et sociaux vis-à-vis des changements majeurs à venir commande une attitude ouverte. Surtout si les gouvernements, celui du Québec en tête, ne souhaitent pas que les nations autochtones contestent légitimement ces changements qui les affectent sur la scène internationale.

Il est évident que la réalisation du projet de société des Amérindiens ne peut qu'être salutaire à l'ensemble des habitants de cette terre québécoise. Le problème de survie des Autochtones devient celui des Canadiens et des Québécois.

Il ne faut surtout pas avoir peur de nous aider à préparer les nôtres, surtout les plus jeunes, au long et difficile portage vers la délivrance. Il faut nous aider à convaincre le gouvernement du Canada et ceux des provinces d'appliquer le programme dynamique sur 20 ans, proposé par la *Commission royale sur les peuples autochtones du Canada.*

Il faut nous soutenir pour l'étape importante et première de la guérison. Il faut nous aider à chasser le malin qui s'exprime par le fléau des drogues qui a envahi nos réserves et qui détruit systématiquement nos enfants et nos petites enfants. Il faut nous aider à faire des jeunes qui s'épanouissent des fiers compétiteurs. Ils occuperont plus tard leur place réelle dans une société plus moderne en respectant la philosophie derrière une tradition et un mode de vie qui nous sont propres.

Enfin, vous devez adapter votre message et votre pastorale sociale à l'époque actuelle, respectueuse de la culture de mon peuple, mais en encourageant la compétence dans un monde ouvert et moderne.

XIII

LES FOSSOYEURS

« LES INDIENS SE SONT AINSI FORGÉ UNE REDOUTABLE ARME JURIDIQUE QUI SEMBLE MENACER LES FONDEMENTS MÊMES DE NOS SOCIÉTÉS... »

Après avoir ignoré les Indiens dans leurs ouvrages sur l'histoire du Canada, voilà que certains historiens de la chapelle des plus politiciens que scientifiques reviennent à la charge. Ils espéraient que les Amérindiens disparaîtraient à tout jamais, ou s'émanciperaient, à cause de l'infériorité de la race dite sauvage. Ils deviendraient par la suite de la matière à l'anthropologie, ou à l'ethnologie.

Considérant que ces derniers ne s'éteindront pas, ils adoptent une toute autre stratégie. Cette fois-ci, par leurs critiques directes, ils tendent de donner le *coup de jarnac* à la cause autochtone.

Certains historiens attaquent tous azimuts, au cours d'une période politique pour le moins bien choisie pour ce genre d'interventions, les fondements des droits ancestraux des Premiers peuples. Pourtant, la *Constitution du Canada* ne fait que reconnaître, bien timidement d'ailleurs, à l'article 35(I), ces « droits existants, ancestraux et issus de traités, » des Autochtones.

Un quelconque historien du Saguenay-Lac-Saint-Jean vole encore plus bas, même au ras des pâquerettes, en s'en prenant à l'existence même des nations autochtones par la thèse raciste de la pureté du sang. Il est appuyé dans sa campagne de salissage par des historiens à l'emploi du gouvernement du Québec, plus précisément au ministère des *Ressources naturelles*. Ces derniers soutiennent sa thèse insipide et risible qui veut qu'il ne reste plus d'Innus (Montagnais), ni d'Atikamekw.

Leur logique biaisée les amènerait aux mêmes résultats pour les autres nations autochtones du Québec qui ne sont pas en négociation. Cela ne les intéresse pas à ce moment-ci parce que ces nations sont moins menaçantes et qu'elles sont sous la responsabilité financière du gouvernement fédéral.

Ce même historien du Saguenay a de plus pris la tête d'une campagne méprisante contre les négociations territoriales des Innus de Mashteuiatsh, d'Essipit, de Betsiamites et de Natashquan.

Heureusement, cet individu a été dénoncé par l'ancien ministre attaché au *Secrétariat aux affaires autochtones* du Québec, Guy Chevrette, qui n'a pas eu peur de « mettre ses culottes » en le traitant d'individu raciste. Le ministre aurait dû cependant commencer par nettoyer son propre entourage d'historiens travaillant pour le gouvernement du Québec, ceux-là même qui alimentent le ministère de la *Justice du Québec* sur l'histoire des Premiers peuples.

Je comprends que ces attaques en bas de la ceinture - du genre tuer une mouche avec un bazooka -, bien orchestrées avec certains journalistes renommés pour prendre docilement la dictée, n'aient qu'un objectif: Démontrer que les gouvernements ne doivent pas s'occuper des droits ancestraux « qui créent deux sortes de citoyens ». Ils tentent ainsi d'affaiblir les revendications territoriales autochtones au nom d'une menace potentielle à l'intégrité territoriale du Québec.

Denis Vaugeois a donné toute une crédibilité à cette thèse en publiant *La fin des alliances franco-indiennes*, un volume-choc de cet auteur habituellement crédible.

Constatant sans aucun doute son erreur de jugement par la publication de *La fin des alliances franco-indiennes*, il s'est empressé d'écrire, entretemps, un autre livre sur cette période de l'histoire. Il était cette fois-ci beaucoup plus impartial envers les Mohawks, des ennemis jurés de ses ancêtres. Les Mohawks ont joué un rôle majeur dans la conquête en influençant les autres nations autochtones à s'allier avec les Britanniques.

Les Hurons, eux, étaient des alliés des Français pendant des générations...

A plusieurs titres, Innu, Québécois, négociateur, journaliste et personnalité impliquée dans presque tous les débats publics majeurs depuis près d'une quarantaine d'années, j'ai dû lire puis critiquer *La Fin des alliances franco-indiennes*. Je l'ai fait parce que j'ai toujours cru que la vérité toute simple, sans fard, avait droit de cité.

En constatant avec beaucoup de déception que pas un seul Huron et Québécois influents, dont certains autres historiens, répondait à ce personnage connu, j'ai relevé publiquement certaines énormités inconséquentes de l'écrivain. Je l'ai fait à contrecœur parce que Denis Vaugeois est une relation proche et respectée depuis plusieurs années et, en plus, mon éditeur de *L'enfant de 7 000 ans*.

Ce genre de faussetés nourrit les préjugés anti-autochtones en mettant de l'huile sur un feu déjà passablement alimenté.

Même si pour certains ce n'était pas *politiquement correct*, il me fallait dénoncer l'artifice de l'historien et du politicien branché, ancien ministre du *Parti québécois*, avec beaucoup d'ascendant auprès des intellectuels québécois. Ce dernier utilise, selon moi, le prétexte de l'histoire pour faire de la politique anti-autochtone et ainsi accumuler du crédit personnel comme écrivain.

SUBTERFUGE DE L'HISTORIEN CRÉDIBLE

Le plus illustre de ces historiens-politiciens, dans son livre *La Fin des alliances franco-indiennes*, a souligné candidement: « Il était normal pour les historiens d'étudier le rôle des puissances européennes dans le "Nouveau Monde" et d'observer la naissance des nations nouvelles ». Les anthropologues, se disaient-ils, pourraient toujours étudier la disparition des populations indigènes. « Chacun son métier! Très tôt, les Indiens ont cessé d'intéresser les historiens ».

Comment se fait-il qu'aujourd'hui, par un virage à 180 degrés, cet historien renommé soit tellement intéressé par les Indiens ? Il consacre un volume entier, avec tout le battage publicitaire nécessaire pour le rendre populaire, à la validité du *Traité Murray* de 1760 sous le régime britannique. C'est quand même un élément pour le moins anodin et secondaire sur l'ensemble de l'histoire des débuts de la *Colonie française* et des relations des Amérindiens avec les premiers Européens.

Je déduis que l'histoire a plutôt été l'artifice et le prétexte qui permettent au politicien de tenter d'anéantir la valeur des droits ancestraux des Autochtones. C'est d'ailleurs ce que démontre le texte publicitaire de l'endos de son volume qui donne un ton mesquin à ses propos. « Les Indiens se sont ainsi forgé une redoutable arme juridique (la Loi Constitutionnelle de 1982) qui semble menacer les fondements mêmes de nos sociétés et qui laisse parfois l'impression qu'il y a deux catégories de citoyens: les uns soumis aux lois provinciales et à l'obligation de payer des taxes, les autres non. »

On peut au moins souligner que ce ne sont pas les Indiens « qui forgent la *Constitution du Canada* », mais bel et bien les représentants des gouvernements du Canada même si le Québec en était absent en 1982... D'ailleurs, dans sa *Loi sur l'exercice des droits fondamentaux et des prérogatives du peuple québécois et de l'État du Québec*, le gouvernement du Québec a clairement reconnu, « dans l'exercice de ses compétences constitutionnelles, les droits existants, ancestraux ou issus de traités, des nations autochtones du Québec ». Elle reprend donc textuellement le contenu de l'article 35(1) de la *Loi constitutionnelle de 1982* du Canada, loi que le Québec ne reconnaît pas actuellement.

C'est ce même personnage public qui, pour détruire la valeur du *Traité Murray* des Wendats (Hurons) avec la *Couronne britannique*, en 1760, s'en prend d'une manière totalement irresponsable à la *Cour suprême du Canada*, le fondement de la Justice canadienne. Il porte ainsi un dur coup à la base même de « SA » société de droit pour l'offrir à l'autel de ses détracteurs.

Je perçois qu'il veut convaincre grossièrement ses lecteurs que les neuf juges de la *Cour suprême du Canada*, **unanimement**, et deux juges sur trois de la *Cour d'appel*, **soit 11 juges sur 12**, ont erré. Cette erreur a été de reconnaître que le prétendu sauf-conduit avait valeur de traité au sens de l'article 88 de la *Loi sur les Indiens*.

Pourtant, ils ont fait ces constatations après une étude détaillée de la preuve extrinsèque. Cette étude s'étendait sur plusieurs milliers de pages. Ces dernières couvrent la presque totalité de l'ensemble des éléments abordés par l'auteur.

Entre parenthèses, les juges savaient que la copie originale mentionnait le mot garnison et non pas les Anglais. Ils ont déduit qu'il y avait eu une erreur de retranscription et non pas qu'on ait voulu tronquer le document. Avec une logique implacable, ils ont cru qu'en 1760 les seuls Anglais au Canada représentant de la *Couronne britannique* étaient membres des garnisons.

Vous admettrez sans doute avec moi que ça fait plusieurs incompétents, ou personnes malhonnêtes, et non les moindres, dans l'appareil judiciaire québécois et canadien; ce qui n'est pas pour impressionner monsieur-tout-le-monde qui a plutôt tendance, ces temps-ci, à croire que la Justice n'existe pas.

Comme rien ne semble vouloir l'arrêter pour atteindre son objectif, il biaise impunément les faits actuels en ne trouvant pas une seule ligne dans son volume pour mentionner que la *Cour suprême du Canada* a rendu un jugement unanime.

Il s'époumone plutôt à souligner, à plusieurs reprises, qu'il s'agit du jugement du juge Antonio Lamer. Il tente de le discréditer en affirmant que ce dernier voulait plaire au juge Brian Dickson, celui qu'il frappe d'anathème, afin qu'on le nomme juge en chef. Le juge Dickson a osé prétendre que les traités anciens doivent « s'interpréter de façon généreuse et libérale ».

« Ce dernier [le juge Lamer] est plus préoccupé par les opinions de son juge en chef. Le juge Dickson est en effet réputé pour ses sympathies à l'endroit des Indiens... Un évident sentiment de culpabilité l'habite, disent ceux qui l'ont côtoyé. Homme de conviction et de foi, ne lui revient-il pas de réparer les torts causés, dans la mesure de ses moyens ? Or, ceux-ci sont considérables. Ses opinions ont valeur de loi. Le juge Dickson donnera à la Cour suprême une nouvelle direction avec ses jugements sur les revendications amérindiennes. Antonio Lamer est à la veille de succéder à Brian Dickson. Il fera brillamment la démonstration qu'il mérite bien cette succession. »

Ne veut-il pas réduire à sa plus simple expression l'impact public d'un jugement unanime de neuf juges ? Il espère ainsi que ses lecteurs croiront qu'il s'agit d'égarements d'un nombre restreint de juges. Le principal visé et le plus important, le juge Lamer, affirme-t-il, avait un tout autre motif que la Justice pour donner raison aux Wendats. Un procès d'intention plutôt évident... Et un outrage au tribunal assuré.

En critiquant sans vergogne les juges, il sème le doute dans l'esprit des Québécois. Plus encore, en tentant de les décrire comme des ignares dans le domaine de l'histoire, ou des gens malhonnêtes qui font passer leur avancement professionnel avant l'intérêt de la Justice, il méprise la plus haute instance de cette dernière.

Par son outrage au tribunal indubitable, il encourage tous ceux qui favorisent l'approche juridique dans les dossiers qui touchent les Autochtones et non celle de la négociation politique. Il prétend même que les tribunaux, en constatant leur erreur de jugement, ont commencé à « découdre » ce traité et surtout qu'ils continueront à le faire.

« La découverte du «certificat de protection» signé de la main de Murray ne changera rien en ce qui concerne les jugements rendus jusqu'à maintenant, mais aura un impact sur ceux à venir ». Denis Vaugeois a fait plus tard cette déclaration au quotidien LE SOLEIL.

L'effet du pendule, si cher à la *Cour suprême du Canada*, prétend-il, risque maintenant d'affaiblir d'une manière significative la reconnaissance déjà bien fragile des droits ancestraux des Autochtones. La teneur de ces propos usés à la corde démontre qu'il est la marionnette de certains représentants du ministère de la *Justice du Québec* qui radotent sur cet argument faiblard depuis plus d'une dizaine d'années.

Selon ce discours, il se confie, ou s'est fait confier, la mission de soutenir le ministère de la *Justice du Québec* par la publication de son volume. Il tente maladroitement, en publiant ce livre, d'arrêter les incartades des juges de la *Cour suprême du Canada* face à la définition des droits ancestraux des Amérindiens à la place des avocats du Québec. Il souhaite ainsi influencer les jugements futurs.

Or, sur ce dernier point, il a échoué lamentablement. Une série de jugements rendus depuis par la *Cour suprême du Canada*, dont le jugement Côté-Décontie, a défini plus clairement et d'une façon tout aussi « libérale et généreuse » les droits ancestraux des Premières Nations. Ce que vous avez constaté à la lecture du chapitre six, INFLUENCES OBSCURES DES PLUS DESTRUCTRICES, sur ce sujet.

Par sa crédibilité, il donne plutôt les arguments nécessaires à certains juristes du gouvernement du Québec et celui du Canada qui veulent tenter de régler, en Cour et à grands frais juridiques, le compte des droits des Autochtones.

LE VRAI SUJET :
RACISME ET INCOMPÉTENCE
DE CERTAINS HISTORIENS

Les historiens-politiciens se réveillent. Ils découvrent des milliers de pages d'histoire sur ce que les Américains appellent depuis toujours la *French and Indian War*. Elles concernent le rôle des Indiens dans l'histoire. Leur niveau de surprise n'a d'égal que leur ignorance, leur incompétence et leur approche raciste de la « grande Histoire ».

Je sais aussi qu'il est facile pour eux de dire ce qui se passait en 1760 et d'interpréter les événements à leur propre sauce. Peu de personnes a lu ces documents et est en mesure de critiquer leurs livres. Les historiens, tout le monde le prétend, ne se contredisent pas entre eux et la caste se protège jalousement.

Rares sont les historiens québécois qui ont découvert les Amérindiens et leur rôle dans l'histoire. Pour ces historiens, la « grande Histoire » a préféré nous créer des héros européens, race prétendument supérieure, dont certains étaient des bandits, des aventuriers en quête de pouvoirs et d'or et des assassins.

C'est d'ailleurs ce que Denis Vaugeois conclut dans son livre: « Bel exemple, dans l'*Histoire du Canada par les textes*, ouvrage de trois excellents historiens, publié chez *Fides* en 1952, un seul texte sur 105 traite de la présence indienne! Deux autres textes auraient pu et dû y faire référence: la *Capitulation de Montréal en 1760* et la *Proclamation royale de 1763*. Or, en présentant la capitulation, les auteurs omettent de citer les articles concernant les «sauvages». Tout au plus conservent-ils un bref passage de la *Proclamation royale de 1763* qui mentionne la réserve des terres « pour l'usage des-dits sauvages ». C'est bien peu surtout quand on compare cette timidité avec l'enthousiasme du juge Hall de la *Cour suprême du Canada* qui, en 1973, qualifiait la *Proclamation royale de 1763* de «déclaration des droits des Indiens». »

« Avec le temps, les livres d'histoire étaient corrigés, le terme « sauvage », au sens premier pourtant si séduisant, était abandonné ». Les Québécois étaient même venus à identifier, avec fierté, les Indiens qu'ils retraçaient à l'intérieur, ou en marge, de leur arbre généalogique, écrit-il.

C'était toute une correction de l'histoire par les historiens! On avait enlevé le mot « sauvage », sans rien changer sur les faits, l'essence même de l'histoire. Et on veut sérieusement que l'on accepte leur magnanimité. De la pure foutaise...

En terminant la lecture du livre, j'en ai déduit qu'il n'avait pas cogné sur le bon clou.

Et, encore aujourd'hui, je ne comprends pas pourquoi les savants lecteurs de son manuscrit ne lui ont pas conseillé de changer complètement son point vue. Au lieu de dénoncer les droits spécifiques des Wendats, il aurait dû s'en prendre aux vrais problèmes soulignés d'ailleurs par le contenu de son texte.

Ce qui ressort clairement de ce livre, c'est le racisme et l'incompétence évidente sinon malhonnête de certains historiens. Ces derniers ont omis d'écrire sur cette période importante de l'histoire. Pourquoi ne pas le dire au lieu de s'attaquer aux Premiers peuples, les victimes de cette incompétence...

La seule explication que j'y trouve enrichit la conclusion de mon analyse. Il s'agit bel et bien d'un livre engagé et anti-autochtone ayant pour marché-cible certains lecteurs, très nombreux à ce moment-ci, qui savourent d'une façon maladive toute littérature s'attaquant aux Indiens. C'est donc une clientèle financièrement intéressante pour une maison d'édition.

AGITATION COMPLÈTEMENT INUTILE

Denis Vaugeois illustre la situation qui prévaut entre l'automne 1759, après la prise de Québec par les Anglais, et novembre 1760, aux lendemains de la prise de Montréal. Il situe le traité du 5 septembre 1760 dans le contexte du virage des alliés amérindiens qui abandonnent les Français pour conclure des alliances, ou des engagements de neutralité, avec les Anglais. Ces derniers ont le dessus dans cette guerre.

Avant le 5 septembre, il y a eu en août le *Traité d'Oswegachie*, village le long du fleuve près du lac Ontario. Par la suite, ce fut le tour de la rencontre, avec William Johnson, de tous les Indiens domiciliés, le 16 septembre à Caughnawaga, soit les Indiens catholiques de la vallée du Saint-Laurent.

Après avoir écrit 170 pages, il avoue candidement que « le jugement de la *Cour suprême du Canada* n'a jamais dit que ledit sauf-conduit était un traité ».

« Textuellement, le juge Lamer n'a pas vraiment déclaré que le document du 5 septembre 1760 est un traité. Au sens propre, il est sans doute d'accord avec Marcel Trudel et la plupart des historiens, c'est-à-dire la vérité historique. »

Si on accepte cette dernière interprétation de l'auteur, pourquoi soulève-t-il tout ce branle-bas de combat contre les Wendat ? Pourquoi, à ce moment-ci de l'histoire contemporaine, déterre-t-il des éléments historiques anodins ?

En résumé, qu'il m'explique donc le pourquoi et la raison d'être de cet ouvrage fallacieux qui hurle une forme de démonstration tendancieuse et pour le moins discutable. « Les Indiens se sont ainsi forgé une redoutable arme juridique (la *Loi Constitutionnelle de 1982*) qui semble menacer les fondements mêmes de nos sociétés... »

Que le texte soit un original, ou qu'il n'en soit pas un, que le grand « S » remplace le petit « s », que Neilson ait imprimé ou non le document à Halifax, peu nous en chaut puisqu'un fait demeure: Le document est un traité au sens de l'article 88 de la *Loi sur les Indiens*, selon la *Cour suprême du Canada*. Il le demeurera quelles qu'en soient les prétentions des chapelles d'historiens...

Je constate qu'une chose est d'ailleurs certaine, les autorités britanniques ont conclu à ce moment une ou des ententes de relations politiques et militaires avec les chefs indiens, donc des traités de paix, de neutralité et d'alliance. Les Wendats ont un texte qui démontre qu'ils ont été en relation de Nation à Nation avec les autorités de la *Couronne britannique*. Ce traité porte encore aujourd'hui une valeur juridique dont l'application doit être négociée. Les interprétations des uns et des autres ne sont que des balivernes de politicailleurs frustrés.

Fermons la première partie de ce chapitre sur les propos d'un historien, M. Denis Delâge, cités dans l'ouvrage qui, à mon sens de néophyte, connaît bien mieux l'histoire des Wendats et de cette époque que Denis Vaugeois:

« Le traité signé entre Murray et les Hurons en 1760, écrit-il, se situe donc dans le contexte général de la stratégie anglaise, servant à briser l'alliance entre

Français et Amérindiens et à conclure des traités séparés avec ceux-ci. Ajoutons ceci: Compte tenu du leadership exercé par les Hurons (Wyandots ou de Lorette) auprès des autres nations amérindiennes, la conclusion d'une paix entre Anglais et Hurons avait une portée qui dépassait largement les partenaires immédiats. »

Depuis les élucubrations historiques de Denis Vaugeois autour du *Traité Murray*, j'ai pris une bouffée d'air frais en lisant la série de quatre volumes sur l'IROQUOISIE, publiés en 1998 par la maison d'édition le Septentrion, par l'historien Léo-Paul Desrosiers, décédé en 1967.

Plus de 30 ans après sa mort, une maison d'édition - celle de Denis Vaugeois - publie cette oeuvre magistrale de plus de 2,000 pages, en quatre volumes, sur le rôle de premier plan qu'ont joué les Iroquois de 1534 à 1652.

Léo-Paul Desrosiers, sans paternalisme de mauvais aloi et sans fard, nous fait découvrir le vrai rôle des Indiens dans l'histoire de la *Colonie française*. Il nous fait constater que le commerce des fourrures est complexe, mais aussi très important au cours de cette période cruciale. Il ne camoufle pas les atrocités des tortures et les situent correctement dans le temps.

L'IROQUOISIE restera donc pour moi, après la lecture de cet ouvrage de Desrosiers, une autre histoire des premiers temps de cette terre d'Amérique.

Je l'attendais sincèrement depuis très très longtemps...

« Les historiens [...] n'ont pas su voir fondre sous leurs yeux, jour après jour, la Coalition laurentienne (Hurons, Algonquins, Montagnais). Ils n'ont pas compris le grand drame huron: une puissante nation indienne qui se détruit sous la serre de trois épidémies successives ». C'est que tout d'abord notre monde moderne, depuis la découverte de Pasteur, souligne Léopold Desrosiers, ne connaît plus la puissance ancienne des maladies contagieuses qui ont emporté, autrefois, jusqu'aux deux tiers des populations de certaines villes. «L'imagination ne conçoit plus ces grands spectacles de terreurs ».

Mes sorties publiques, à quelques jours de la parution de *La fin des alliances franco-indiennes*, n'auraient servi qu'à la publication de cette oeuvre magistrale de Léopold Desrosiers, qui traînait inutilement dans les classeurs de maison d'édition depuis de nombreuses années, que j'aurais atteint mon objectif. Il était plus que le temps qu'un historien québécois crédible trace un portrait objectif et sans complaisance du rôle des Indiens dans l'histoire des premiers temps des colonies, française et britannique.

De cette façon, on a vraiment commencé à corriger l'histoire... Il restera maintenant à mettre définitivement à la poubelle certains livres d'histoire biaisés qui ont alimenté faussement la formation en histoire des Québécois. C'est la seule et unique façon de corriger l'histoire.

POTINEUR DE L'HISTOIRE DU SAGUENAY-LAC-SAINT-JEAN

Flairant que l'occasion était belle pour vendre des livres pour un auteur qui adore la controverse et la polémique pour tenter de se distinguer, l'historien saguenéen a repris les potins anodins de l'histoire régionale du Royaume. Il a cru que le moment était propice pour cracher son venin sur les membres des Premières Nations.

Le potineur local a repris certains thèmes racistes de ses livres précédents. Puis, il a agrémenté son hypothèse des oeuvres d'autres historiens plus crédibles (voir la longue liste de ses repères bibliographiques à chaque chapitre), des ingrédients nécessaires à sa recette pour tenter de la rendre crédible.

Enfin, ce cuisinier amateur et heureusement sans talent a ajouté les épices de son cru. Il s'agit de son obsession quasi maladive de la pureté du sang, des mariages autochtones internations et du métissage des Autochtones avec les Québécois(es). Il a d'ailleurs joyeusement assouvi cette phobie, pendant un certain temps, dans des chroniques de potins à l'émission matinale de CKRS-radio, à Jonquière, dont je possède la retranscription.

Tout ça a donné sa propre *tourtière saguenéenne* de l'histoire au début du XVIII ième siècle, une hypothèse farfelue qui a fait sourire plus d'un historien, ou anthropologue sérieux, au titre très original : *Le dernier des Montagnais*.

L'exagération au goût démesurément trop piquant de ses propres épices a gâté toute sa recette. Le point de vue exprimé en conclusion de son livre est évident.

Notre Dracula saguenéen veut détruire, par l'analyse du sang, toute velléité de revendications territoriales des *leaders* amérindiens contemporains. Depuis 1845, prétend-il, il n'est plus possible, selon les recenseurs du Bas Canada qui lui servent de faire-valoir pour son hypothèse farfelue, d'y trouver « un seul Sauvage pur sang », comme on le dit pour les chevaux de race.

Ce *savant* chercheur devrait pourtant savoir que « les sauvages pur sang », des nomades, étaient très souvent dans le bois quand les recenseurs du Bas-Canada faisaient leur recensement dans les villes et les villages. Donc, ces Indiens nomades, pratiquant leurs activités traditionnelles sur leurs territoires ancestraux, ne faisaient pas partie de la liste des supposés recenseurs puisque ces derniers, incompétents, n'allaient pas plus loin que les villes et les villages pour recenser la population canadienne...

Ils en déduisaient que les Indiens nomades avaient disparu par enchantement; ce qui faisait l'affaire du fiduciaire des Indiens du Canada.

Les gouvernements du Canada et du Québec ont évalué en 1979, à la suite d'une vaste étude d'occupation par des chercheurs professionnels québécois, indépendants, selon une méthodologie acceptée par le gouvernement fédéral, la valeur des revendications des Atikamekw et des Montagnais.

Après avoir constaté une occupation continue du territoire ancestral par les Montagnais et par les Atikamekw, sans extinction de leurs droits ancestraux et territoriaux par traité ou conquête, ils ont accepté ces revendications globales. Un an plus tard, le gouvernement du Québec consentait à cette revendication. Ils ont même signé une *Entente cadre*, que j'ai négocié personnellement comme négociateur en chef, reconnaissant les fondements juridiques de cette prétention. Les parties négocient présentement et depuis cette date sous cette base.

« Le constat est brutal, voire même cruel aujourd'hui pour ces gens qui se disent appartenir aux «Premières Nations» et qui essaient de se redéfinir une place au soleil en tentant d'isoler en éprouvette les derniers liens génétiques les rattachant à la sueur de cette terre d'Amérique et en imposant à la communauté tout entière une sorte de politique d'apartheid au profit d'une infime minorité. »

« Même bardés de plumes bigarrés, garnis de pectoraux scintillants, vêtus des plus beaux costumes traditionnels, protégés par un sauf-conduit militaire signé aux lendemains de la Conquête et bourrés de planteureuses subventions, la tragédie humaine qui les a frappés en plein fouet ne pourra jamais être effacée. Ni Dieu, ni Diable n'y pourront jamais rien! Et faute de ne pouvoir refaire l'histoire à l'envers, il ne sera jamais à propos de remplacer l'injustice par l'injustice. Il y a de cela un demi-millénaire déjà, un continent nouveau, jusque-là maintenu dans l'état le plus primitif qu'il soit, quittait la nuit des temps pour faire son entrée dans la grande Histoire. Dès les premiers contacts établis entre les deux Mondes, des alliances militaires furent conclues pour le profit de tous, des promesses furent proférées de part et d'autres, des échanges commerciaux et culturels soudèrent l'interdépendance des peuples en présence et une culture nouvelle s'imposa d'elle-même en empruntant le sillon tout tracé de la marche de l'Humanité. A partir de ces premiers instants qui lièrent les uns aux autres, plus rien ne devait être comme avant. Plus rien n'allait jamais être comme avant... »

Je n'ai jamais lu autant de stupidités - le mot n'est pas trop fort - regroupées en deux paragraphes. Il me faudrait une édition spéciale d'un livre pour répondre à la sottise de ces grossiers jugements de valeur, fascistes et racistes.

Si jamais vous désirez des réponses honnêtes à ces absurdités, je vous invite à lire les quatre derniers chapitres de cet ouvrage consacré au rapport de la *Commission royale sur les peuples autochtones du Canada* qui a reconstitué objectivement l'histoire du Canada.

Vous constaterez à quel point la malhonnêteté intellectuelle peut influencer le faible jugement de certaines personnes qui veulent se distinguer par le pire en écrasant leurs ancêtres déjà passablement amochés par l'histoire. On aurait pu croire, au moins, à cause de la descendance de sa mère montagnaise, qu'il ne tronquerait pas l'histoire pour la vengeance personnelle...

NOUVELLE TACTIQUE DE CERTAINS HISTORIENS

Malheureusement pour eux et heureusement pour nous, les Indiens ne sont pas disparus. Ils sont de plus en plus convaincus que leurs droits ancestraux ont de la valeur. Et, la *Cour suprême du Canada* le confirme, jugement après jugement...

La tactique de la nouvelle vague de certains historiens-politiciens du Québec, voyant que les Autochtones sont de plus en plus embarrassants, serait-elle maintenant de détruire la force de leurs droits ancestraux ? Et la façon de le faire ne serait-elle pas d'enlever toute valeur aux miettes que leur a laissées l'histoire *tripotée* par certains d'entre-eux ?

Je sais que, même si le défi est de taille, les gouvernements doivent s'attaquer aux réclamations non-solutionnées des Amérindiens. Ils doivent faire en sorte que les nations autochtones, qui sont en période de renouveau, connaissent un printemps à la hauteur de leurs espérances. L'avenir n'est donc pas dans l'opposition stérile, mais dans le partenariat constructif, respectueux des intérêts légitimes de chacun, comme l'a constaté le *Forum paritaire Québécois-Autochtones*.

On est donc bien loin du scénario rocambolesque de Denis Vaugeois qui veut que « l'arme juridique des Autochtones, l'article 35 de la *Constitution du Canada*, est ou sera utilisée pour ébranler les fondements de nos sociétés ».

Ben voyons donc, cessons toutes ces folies apocalyptiques de *bonhommes-sept-heures*...

Je considère que certains historiens québécois ont agi avec irresponsabilité en utilisant ainsi l'histoire. Les Indiens ont pourtant déjà assez souffert de l'histoire tronquée. Pourquoi les historiens utilisent-ils l'histoire pour faire de la politique contre les Amérindiens pendant cette période troublée et négative face à toute reconnaissance normale des droits des Premières Nations ? Cette inconséquence risque de produire des résultats néfastes qui seront déterminants pour l'avenir de notre société moderne.

À la suite d'une telle attitude, frustrés, les historiens se demanderont pourquoi les Indiens du Québec contestent l'accession du Québec à son indépendance sur la scène internationale. Les Amérindiens souligneront que les Québécois n'ont pas considéré les Premiers peuples au moment de leur accession à l'indépendance. Les Québécois auront à défendre leur vision bornée qui veut que les droits des premiers habitants n'existent pas et que les Indiens doivent accepter d'être des Québécois comme les autres. Ils auront à défendre leur position indéfendable qui veut que les Premières Nations ne fassent pas partie de la mise en place de ce nouvel état.

Il ne faut pas être bien malin pour déduire à ce moment-ci que cette opposition des Indiens sera un lourd boulet aux pieds du Québec.

Denis Vaugeois pose la question dans son volume à savoir qui, des historiens ou des juges, doivent trancher dans le débat historique, « compte tenu de l'importance que la nouvelle Constitution accorde aux traités indiens ». À cette question, je lui réponds franchement qu'après avoir lu son livre et celui du potineur saguenéen, je n'ai plus aucun doute.

Tout le monde sait pourtant que je ne suis pas reconnu comme un fan des artisans du milieu judiciaire, les avocats. Je dois reconnaître qu'il est évident que les juges sont beaucoup plus compétents que le sont jusqu'ici certains historiens sur la question des Autochtones. Plus encore, ils sont surtout plus honnêtes,

En terminant, je voudrais vous souligner que les énormités inconséquentes de ces historiens nourrissent les préjugés anti-autochtones en mettant de l'huile sur un feu passablement alimenté. Ils élargissent les fossés déjà beaucoup trop larges. J'ose espérer qu'à cause d'un manque de rigueur intellectuelle évident, leur travail biaisé servira tout juste de texte de recherche aux potineurs des lignes ouvertes.

XIV

LES ABUSEURS
DE LA NAIVETÉ DES AUTOCHTONES

AGITATEURS VIVANT AU CROCHET
DE CERTAINES ASSOCIATIONS

Certains Indiens manipulateurs se nomment eux-mêmes traditionalistes sans l'être vraiment. Ils utilisent frauduleusement ce terme, pourtant si sympathique, pour faire de l'agitation sociale et politique, destructrice. Ils abusent ainsi de l'opinion publique canadienne et des Autochtones eux-mêmes en détruisant à la racine tout mouvement de sympathie qui pourrait émerger de la population en général.

Je sais que plusieurs de ces *abuseurs* sont même rendus de véritables professionnels vivant au crochet des associations internationales, surtout certaines Églises, en organisant toutes sortes de tournées d'information. Ils racontent n'importe quoi à un auditoire naïf et crédible qui est prêt à accepter toutes les histoires misérabilistes sur les Indiens du Canada.

Ils n'ont aucune difficulté à convaincre ce public de n'importe quoi. La naïveté de ces gens n'a pas de limite lorsqu'il s'agit des Premiers peuples d'Amérique et du Canada. Tous ces spectateurs religieux se sentent redevables pour les abus passés, commis lors des premiers contacts des missionnaires.

Habituellement, ces individus agissent sans aucun mandat légitime de qui que ce soit. Ils forment des associations-bidons, avec peu de membres, sinon des adeptes de la destruction à tout prix, ou des gens naïfs, souvent contrôlés par des *artifices*. Ils prétendent que ces minuscules rassemblements de cuisine sont voués à la défense des droits des Indiens.

Au lieu de soutenir des fauteurs de troubles nuisibles au développement des Premières Nations, ces associations internationales, remplies probablement de bonnes intentions, devraient être plus vigilantes. Elles auraient intérêt à conserver leurs fonds pour appuyer les véritables combats des Premières Nations du Canada.

Il y a de ces spécialistes dans presque tous les Premiers peuples. Depuis des années, au nom du traditionalisme, ces derniers détruisent systématiquement tout ce qui peut être fait de positif par d'autres qui sont de bonne foi.

À ce qu'on sache, ils n'ont jamais pu demeurer plus d'un mois sur le territoire de leurs ancêtres. Et, bien entendu, ils n'ont jamais pu vivre, ni même survivre, de la pratique des activités traditionnelles de chasse, de pêche et de piégeage. Cette société traditionnelle qu'ils disent vénérer est fondée en grande partie sur la subsistance et sur la survivance en forêt. Ils n'y auraient pas survécu.

D'ailleurs, quelques-uns ont tenté l'expérience pour la frime. Certains ont même retiré leurs jeunes enfants de l'école, soit disant pour leur enseigner la vie traditionnelle en forêt. Irresponsables dans leur rôle de parents, ils voulaient ainsi imiter bêtement certains vieux Indiens qui prétendent à tort que l'école est nuisible aux jeunes et les éloigne de la vie en forêt. Ils avaient oublié que, contrairement à eux, ces derniers sont sincères et vivent depuis toujours sur le territoire ancestral.

Ils ont été la risée générale de la part des vrais traditionalistes lorsqu'ils sont revenus bredouille de ces expériences quelques semaines plus tard.

Par la suite, ils ont laissé passer le temps pour se faire oublier. Sachant très bien que, pour ces genres de bévues, les Indiens ont la mémoire courte et qu'ils auront vite oublié. Ils savent que certains journalistes recherchent des individus tels qu'eux pour diffuser leur information sensationnaliste anti-autochtone qui privilégie les divisions internes.

Il ont repris plus tard leur travail destructeur...

À mon avis, ils sont plutôt des froussards. Comme des poltrons, ils se réfugient sous la coupe du faux traditionalisme pour prêcher le retour en arrière. Qu'ils le fassent pour eux-mêmes, peu m'en chaut, mais qu'ils entraînent avec eux d'autres personnes, souvent des jeunes, cela exige une réaction spontanée. On ne peut pas laisser ce genre d'apprenti-sorcier démolir notre jeunesse en l'entraînant sur une pente abrupte qui mène au désespoir et à la déchéance d'une société.

J'ai rencontré, à l'été 1999, un jeune homme et sa mère, des adeptes de cette forme de secte de la « destruction à tout prix ». Rongés par des drogues interdites, ils divaguaient sur les thèmes si nobles du retour en forêt. Leur délire faisait peur. Ils étaient endoctrinés à un tel point que plus rien de sensée ne pouvait sortir d'eux. C'est alors que j'ai compris pourquoi des fanatiques pouvaient poser des gestes insensés comme provoquer des suicides collectifs et des meurtres et placer des bombes meurtrières.

Aujourd'hui encore, je ne m'explique pas pourquoi de tels individus ont autant d'emprise. Les Indiens connaissaient leur objectif de toujours de « détruire pour détruire ». Plus encore, le *tam-tam* à potins autochtones a depuis longtemps raconté toutes les péripéties de leur vie tumultueuse et de leurs gestes malhonnêtes. Rien ne change à leur égard et ils continuent de répandre la destruction de leur peuple sans que quiconque les mette vraiment à leur place. Ils profitent donc de la faiblesse inacceptable de nos leaders.

Cette attitude étrange qui veut qu'on ne puisse pas blâmer, ou dénoncer, un autre Indien, m'exaspère toujours. Elle m'agace d'autant plus que des gens sans scrupule profitent de cette faiblesse de la société autochtone. Ils posent des gestes graves car ils savent très bien que, même découverts, ils n'auront pas à payer le prix de leur faute.

Nos individus pratiquent la philosophie marxiste-léniniste que les Marxistes-Léninistes eux-mêmes n'appliquent plus. Elle consiste surtout, et depuis toujours d'ailleurs, à garder le « bon peuple » le plus près possible de la dégradation pour le préparer au « matin tant attendu de la révolution sanglante ». Ils peuvent ainsi le manipuler plus facilement à leur guise. Cette philosophie est pourtant derrière nous depuis plusieurs générations. Il ne reste que quelques adeptes nostalgiques, ou encore des gens retardés qui ignorent qu'ils pratiquent naturellement cette philosophie d'un temps passé, même lointain, et dénoncée maintenant par tous.

Les vrais traditionalistes que j'ai connus parmi les aînés, qui fréquentent encore assidûment leur territoire ancestral de chasse, de pêche et de piégeage, n'ont pas besoin de se qualifier. Ils incarnent, dans les faits, cette tradition de chasseurs-cueilleurs avec surtout les principes fondamentaux qui les ont caractérisés en tout temps.

Pour leur part, les fraudeurs utilisent les vrais traditionalistes à leur fin pour la parade devant les caméras. Ils s'en servent pour donner une certaine crédibilité à leur forme nuisible d'agitation sociale. Cela a été le cas, à maintes reprises, pour les individus dont je parle.

L'utilisation des aînés, ou mêmes des femmes et des enfants, pour combattre dans une cause me choque toujours profondément. Combien de fois ai-je vu ces vieux utilisés dans des manifestations qui frisent la violence, ou des femmes et des enfants placés bravement devant l'ennemi pour l'arrêter... Bien souvent, ces derniers ne comprenaient pas la portée des gestes de la cause qu'ils appuyaient.

Selon la philosophie pacifique des Indiens nomades, ces manifestations, contre nature, portent à faux. Ils n'ont jamais été de véritables guerriers. Dans le passé, ils ont toujours choisi de s'éloigner de ce genre de problèmes et plutôt de se réfugier sur leur territoire ancestral. C'est ce qui a d'ailleurs permis « l'occupation pacifique » au Canada.

J'ajouterais que certains individus trompent consciemment les groupes d'appui européens et, ce, de plusieurs façons. Ils empêchent ainsi les véritables opérations de trouver le soutien nécessaire pour leurs campagnes légitimes. Ce fut le cas lors d'une opération mener contre les vols à basse altitude par le *Conseil des Atikamek et des Montagnais* à la fin des années 1980.

IMPRUDENCE DES ÉGLISES

C'est à Malioténam, une partie de la réserve innue de <u>Uashat mak Mani Utenam</u>, que s'est tenue la rencontre, à caractère international, sur le droit à l'autodétermination des Autochtones. Les médias canadiens l'ont rendue publique pendant toute la tenue de cette conférence, le 4 avril 1994, et les jours qui ont suivi. Le *Global Consultation on Self-Détermination* a été parrainé par le *Conseil mondial des Églises*.

Les responsables de la tenue de cet événement ont été identifiés comme étant madame Marilla Schuller, alors permanente du *Conseil mondial des Églises*, et le *leader* de la *Coalition Nitassinan*, Gilbert Pilot.

Les conseils tribaux montagnais et l'*Association des Premières Nations du Québec et du Labrador* ne reconnaissent pas ce regroupement minuscule de contestataires.

Les médias ont donné une large place aux opinions du *leader* de la *Coalition du Nitassinan*. Elles concernaient surtout ses objections au projet du barrage SM-3 d'Hydro-Québec et celles sur l'extinction des droits autochtones qui, selon lui, s'en suivait. Pourtant, une clause de *sans préjudice* aux droits ancestraux faisait partie de l'entente administrative négociée avec *Hydro-Québec*.

Le projet d'aménagement hydroélectrique Sainte-Marguerite-III d'Hydro-Québec a été condamné par le *Conseil mondial des Églises*. La conférence a conclu que le gouvernement du Québec et celui du Canada violaient les droits à l'autodétermination du peuple innu. Suite au témoignage du *leader* de la *Coalition Nitassinan*, elle a également conclu que le peuple innu était un peuple oppressé au même titre que d'autres peuples à travers le monde. Elle a aussi appuyé inconditionnellement la position de la *Coalition Nitassinan* qui contestait le projet accepté par le conseil de bande de *Uashat mak Mani Utenam*.

Il faut spécifier ici que le leader de ce groupuscule, malgré plusieurs tentatives, n'a jamais pu se faire élire comme chef de la communauté de *Uashat mak Mani Utenam*. Il a donc été obligé d'agir en coulisse en faisant élire des marionnettes qu'ils agitaient à sa guise. Le marionnettiste profitait de son influence passagère pour faire mousser ses idées. C'est ainsi qu'il fut à l'origine de la division de *Uashat et de Mani Utenam*.

La réserve de *Uashat mak Mani Utenam* est constituée des Innus de Sept-Iles (Uashat) et de Malioténam (Mani Utenam). Elle se distingue des autres réserves autochtones par le fait qu'elle est géographiquement divisée en deux par une dizaine de kilomètres de territoire de la région de Sept-Iles. Un référendum pour la formation de deux Bandes distingues, une à Sept-Iles et l'autre à Maliotenam, tenu dans l'ensemble de la communauté, a donné des résultats ambigus. La majorité des membres de l'ensemble de la communauté a voté pour conserver un seul conseil de Bande alors que 55% des gens habitant Malioténam voulait un conseil de Bande indépendant pour ce secteur. Ces derniers favorisaient donc la séparation de la communauté innue en deux parties distinctes avec chacun son propre conseil.

À la suite de ce référendum, des habitants plus extrémistes de Mani Utenam, dont le *leader* de la *Coalition Nitassinan*, n'ont pas accepté cette défaite. Après une campagne de désinformation, ils ont décidé de procéder à l'élection d'un conseil de bande provisoire. Ils ont désigné une des marionnettes reconnues du *leader* de la *Coalition Nitassinan*, comme chef.

Heureusement, pour les gens sincères, le ministre des *Affaires indiennes et du Nord Canada*, fiduciaire des Indiens du Canada, n'a pas reconnu la validité de cette élection. Elle ne l'a pas été, non plus, par les organisations politiques autochtones qu'elles soient régionales ou nationales. Ainsi, le *Conseil tribal Mamuitun*, le *Conseil des Atikamekw et des Montagnais*, l'*Assemblée des Premières Nations du Québec et du Labrador* et l'*Assemblée des Premières Nations du Canada* n'ont pas reconnu ce nouveau conseil de Bande illégitime.

Cette parodie de démocratie n'a trompé personne, sauf le *Conseil mondial des Églises*.

Le *Conseil mondial des Églises* était évidemment associé à la thèse du *leader* de la *Coalition Nitassinan* et un document a été approuvé en ce sens par les participants de cette rencontre. Ce document devait être présenté, par la suite, au *Conseil mondial des Églises* à Genève.

La représentante du *Conseil mondial des Église*, madame Marilla Schuller, a aussi annoncé, à cette occasion, que le conseil amorcerait des pressions auprès du gouvernement du Canada pour faire bloquer le projet d'Hydro-Québec. Elle ajoutait que le débat serait même porté jusqu'au siège social de son organisme à Genève. Les grandes agences de presse ont publié le communiqué émis par la conférence de Sept-Iles.

Le lendemain de la tenue de la conférence, le Conseil *Innu Takuaikan mak Mani Utenam*, de la communauté de Sept-Iles-Maliotenam, élu démocratiquement, a répliqué vivement par la voie d'un communiqué de presse.

Il a blâmé le *Conseil mondial des Églises* pour la tenue de la rencontre dans la région de Sept-Iles, au Québec, en l'accusant d'ingérence dans les affaires internes de la Bande et de mesquinerie.

Innu Takuaikan a reproché au *Conseil mondial des Églises* de ne pas avoir respecté la parole donnée lors d'une rencontre tenue entre des représentants des deux organismes le 24 mars 1994 pour éviter toute ingérence dans les affaires de la Bande.

« Notre peuple innu a la maturité et la sagesse nécessaires pour prendre les décisions qui seront les meilleures pour son développement présent et futur ». Que nul ne sous-estime les valeurs et les aspirations des citoyens de ma Nation, a mentionné le chef élu de *Uashat mak Mani Utenam*, Élie-Jacques Jourdain.

« Je vais laisser nos gens parler et s'exprimer sur la question en respectant les principes démocratiques qui guident ce genre d'exercice. La voix du peuple sera ma voix. Que ceux qui s'opposent à notre démarche n'utilisent pas ce référendum pour promouvoir localement leur propre option politique. Je tiens à ce que les jeunes, comme nos aînés, puissent exprimer leurs préoccupations et leurs aspirations les plus légitimes ».

Dans un tipi, a écrit Élie-Jacques Jourdain, il n'y a qu'une porte. Que ces représentants des Églises protestantes n'entrent pas chez les Innus en se taillant un trou dans le bas de la toile. Qu'ils se présentent à la porte d'entrée et ils seront bien accueillis. Sinon, nous n'avons que faire de toute cette mesquinerie. « Nous sommes, et serons toujours, pour une Église qui prône le respect, la paix et l'amitié ».

Innu Takuaikan a promis publiquement que « cette affaire n'en resterait pas là et qu'une action serait entreprise pour éviter, à l'avenir, l'ingérence indue des Églises dans leurs affaires internes et pour dénoncer le fait que ces Églises fomentent le trouble et incitent davantage au déchirement entre frères et soeurs innus ».

Une lettre de la *Coalition pour les droits des Autochtones* (affiliée au *Conseil mondial des Églises*), en date du 25 mars 1994, a été acheminée au chef de Innu Takuaikan, Élie-Jacques Jourdain. Elle lui signifiait que la « rencontre internationale prévue se tiendra à Sept-Iles - partie québécoise - et non à Maliotenam et qu'il était impossible de la contremander pour des raisons de logistique et de délai ».

Cet événement soulevait de nombreuses questions.

Par exemples: Quels étaient les objectifs de ce groupe ? Qui finance ses activités ? Comment se fait-il que ce groupe, qui traite des droits des Autochtones, s'est réuni à Sept-Iles sans l'autorisation du *Conseil Innu Takuaikan mak Mani Utenam* ? Encore pire, comment a-t-il pu ignorer un avis contraire de la part de ce dernier et agir ainsi alors qu'il avait fait une promesse de ne pas tenir cette réunion à Malioténam au *Conseil Innu Takuaikan mak Mani Utenam* ? Que peut être l'impact des activités de ce groupe sur les débats internes de la communauté innue de *Uashat mak Mani Utenam* et des Indiens du Canada en général ? Quelle action devait être entreprise pour éviter qu'à l'avenir de tels groupes puissants s'associent avec des marginaux qui prônent des positions dévastatrices ?

Une petite enquête a permis de savoir que la rencontre de Sept-Iles avait effectivement une teneur internationale. Elle réunissait bel et bien une trentaine d'Autochtones et quelques non-Autochtones de plusieurs pays à travers le monde sous l'égide de la *Coalition pour les droits des Autochtones*, organisme parrainé par le *Conseil mondial des Églises*.

Du Québec, le leader de la *Coalition Nitassinan* et un autre Innu étaient présents ainsi que deux Algonquins de Maniwaki. Ces derniers ont quitté les lieux en critiquant la légitimité de la rencontre qui ne tenait pas compte des autorités politiques élues en place, le *Conseil Innu Takuaikan mak Mani Utenam*. Sam Bull, d'Alberta, Wee Seeks et Dan Ryan, de la Colombie-Britannique, Rita Sullivan, Anishabe de l'Ontario, Stan McKay, modérateur de l'*Église unie du Canada* et Cri, deux Autochtones d'Haïti, un de l'Australie, un de la Nouvelle-Zélande, un du Brésil, un des Philippines et un de Taiwan, un Lakota des États-Unis, un Sami de Scandinavie, un Miskito du Nicaragua, un Maya d'Amérique centrale et un Quechua de la Bolivie. Quelques autres Anglophones de la *Coalition des Églises* assistaient à la rencontre.

Cette rencontre faisait suite à celle tenue au Guetemala en 1993 avec Rigoberta Manchu Tüm (prix Nobel de la paix) au moment du coup d'État militaire dans ce pays. C'est Conrad Sioui, délégué de l'*Association des Premières Nations du Québec et du Labrador* qui assistait à cette réunion.

Elle était organisée par la *Coalition pour les droits des Autochtones* (projet nordique) dont le siège social est déménagé, en 1994, de Toronto à Ottawa. Ce regroupement d'aide était une coalition oecuménique d'Églises chrétiennes qui voulaient défendre la cause de la justice autochtone du Canada. Cette coalition était financée par plusieurs Églises du Canada, dont l'Église catholique, et par quelques communautés religieuses telles les Oblats et les Jésuites.

Le financement de la rencontre de Sept-Iles aurait été assuré par le *Conseil mondial des Églises*, dont le siège social est à Genève. Ce conseil regroupait la plupart des Églises chrétiennes, à l'exception de l'Église catholique qui s'associe cependant de l'extérieur de ce groupement à la démarche oecuménique des autres Églises chrétiennes.

Le *Conseil mondial des Églises* a mis sur pied un *Comité de lutte contre le racisme* et c'est dans ce contexte qu'il finance des opérations qui peuvent permettre aux Autochtones de diverses parties du monde de se rencontrer.

Le *Conseil mondial des Églises* avait, à ce moment-là, une succursale au Canada qui se nomme le *Conseil canadien des Églises*. Le *Conseil canadien des Églises* représente les Églises luthériennes, protestantes, baptistes, anglicanes, les amis Quakers, l'Armée du salut, etc. La *Conférence des évêques catholiques du Canada* s'associait aux activités du *Conseil canadien des Églises*.

L'*Assemblée des évêques du Québec* est le pendant québécois de la *Conférence des évêques catholiques du Canada*. À ce moment-là, l'évêque du diocèse de Haute-Rive, Mgr Pierre Morrisette, était le président de la *Commission des affaires sociales de l'Assemblée des évêques du Québec*. Par lui, le *Conseil mondial des Églises* aurait pu s'informer des enjeux locaux. Il aurait pu ainsi mieux connaître la réputation du *leader* de la *Coalition Nitassinan*.

Deux organismes autochtones canadiens, les Gitsans-Wetsuwet'n de la Colombie-Britannique et la *Coalition pour le Nitassinan*, ont envoyé une invitation à la *Coalition des Églises pour les droits des Autochtones* pour la tenue de la rencontre internationale de 1994. On avait prétendu que des raisons pratiques de destination, de déplacements et de facilités aéroportuaires avaient favorisé l'invitation de la *Coalition du Nitassinan*.

La *Coalition des Églises pour les droits des Autochtones*, très largement, sinon entièrement, anglophone, semblait être déconnectée de la problématique des Autochtones et du développement du Québec. Elle ne s'est même pas posée la question de savoir si les autorités ecclésiastiques locales étaient en accord avec ces événements contrôlés par la *Coalition Nitassinan*, ni sur la participation et l'appui des peuples autochtones du Québec. On sait que la tenue de cet événement allait à l'encontre du conseil élu démocratiquement de *Uashat mak Mani Utenam*.

La *Coalition pour les droits des Autochtones* a préféré tenir une réunion avec deux individus d'un groupe marginal s'opposant au Conseil de bande légitime de *Uashat mak Mani Utenam*. Ces derniers ont utilisé l'événement à leurs fins personnelles. Ils ont profité largement de l'accès aux médias et de la publicité entourant l'événement international pour faire connaître le discours contestataire et de désinformation de la *Coalition Nitassinan*.

Le conseil d'administration de la *Coalition des Églises pour les droits des Autochtones* était formé des personnes suivantes: Sam Bull, Wee Seeks, Rita Sullivan, John Siebert, Lorna Schwartzentruber (coordonnatrice), Lorraine Land, Eva Salomon, Mili Popler (de l'Union des chefs de C.B.) Sherril Johnson (une Chippewa) Roger Materdale (de l'Ontario) et Gerry Pascal (de Montréal).

LES RÉACTIONS SONT VIRULENTES

D'abord, le conseil *Innu Takuaikan mak Mani-Utenam*, dans une lettre signée par son chef légitime, Élie-Jacques Jourdain, publiée par le quotidien de Montréal LA PRESSE, s'en est pris ouvertement à l'ingérence du *Conseil mondial des Églises*.

Dans les paragraphes qui suivent, je vais citer textuellement les propos du chef Élie-Jacques Jourdain publiés dans ce quotidien québécois :

[...] « Ce type d'événement et les attitudes qui s'y rapportent sont une illustration éloquente de l'attitude paternaliste et colonialiste de certains groupes externes à la réalité et à la dynamique des milieux autochtones et du Québec. Il s'agit ainsi d'une démonstration patente de l'atteinte de résultats qui sont en totale contradiction avec les objectifs que ces groupes poursuivent et qui peuvent être louables en soi.

[...] Plusieurs normes d'éthique élémentaire ont été carrément bafouées dans ce processus cautionné par les grandes organisations religieuses qui risquent d'y perdre leur crédibilité, à moins qu'elles ne réagissent rapidement et réorientent leur action. »

Il nous semble qu'une organisation mondiale sérieuse, tel que le *Conseil mondial des Églises*, devrait s'assurer de la représentativité réelle des soi-disant représentants des organisations autochtones nationales qu'elle fait voyager à travers le monde et qui commentent des situations et des dossiers dont ils ne connaissent à peu près rien. Le Conseil devrait s'assurer que l'argent provenant de la générosité de ses fidèles est judicieusement dépensé pour faire avancer la cause juste des droits autochtones et de la justice sociale et non pour appuyer des propos biaisés dans diverses instances et médias nationaux et internationaux sur nos droits et sur nos luttes et, par le fait même, financer des opérations préméditées de dissension et de division au sein de nos communautés.

Une conférence de représentants des organisations autochtones du monde ne devrait pas s'appuyer sur quelques marginaux qui veulent faire avancer leur thèse minoritaire sur l'exercice des droits de leur peuple, mais plutôt sur les institutions reconnues par les peuples autochtones eux-mêmes.

La rencontre de Sept-Iles s'est tenue malgré l'assurance que nous avions obtenue, quelques jours auparavant, de la *Coalition des Églises* à l'effet que la conférence internationale ne se tiendrait pas dans notre région et surtout qu'elle ne se mêlerait pas de nos affaires locales. Il s'agit là d'une « parole brisée » et d'un bel exemple de « langue fourchue » de la part de représentants de grandes institutions religieuses qui tiennent tous les jours le discours de la justice, de la droiture et du respect de l'autre.

Le *Conseil mondial des Églises* et de sa coalition, par son attitude, manque à l'éthique, non seulement en ignorant complètement les autorités légitimes et représentatives des Innus de notre communauté, mais en appuyant la thèse d'un groupuscule qui n'est pas reconnu par nos institutions tribales. Il le fait envers les autorités ecclésiastiques du Québec.

Nous nous posons de sérieuses questions sur les raisons profondes de l'attitude colonialiste de la part des Églises anglophones qui, à partir d'une organisation établie sur la rue Laurier à Ottawa, prennent ouvertement et avec empressement position dans un dossier qui concerne strictement un projet négocié de bonne foi entre une société d'État québécoise et une organisation autochtone oeuvrant en milieu francophone, au Québec.

Serait-ce que les Églises canadiennes, comme certains groupes qui militent à tous crins pour les causes désespérées, prétendent mieux connaître que les Autochtones eux-mêmes leurs droits et la façon de les défendre, les institutions dont ils devraient se doter ainsi que les leaders qu'ils devraient élire? Cette attitude ressemble à s'y méprendre à de l'impérialisme de la part d'organisations dont l'histoire passée n'est pas particulièrement virginale au chapitre des interventions « en pays autochtone », ici comme ailleurs où elle a été présente.

Il s'agit là d'une évidente démonstration du dicton « l'enfer est pavé de bonnes intentions ».

Même si le projet hydroélectrique SM-III nous concerne au premier chef et que nous considérons que nous n'avons pas à nous expliquer devant toute forme d'inquisition, nous n'avons rien à cacher sur ce que nous faisons.

Depuis les débuts du projet SM-III d'Hydro-Québec, nous avons adopté une attitude responsable visant nos droits spécifiques et nous avons cherché à atteindre les meilleurs résultats pour notre peuple, sachant pertinemment que la plupart de nos enfants avaient tant besoins d'emplois, de développement et d'espoir. [...]

Nous avons également agi avec responsabilité et ouverture d'esprit pour prendre des mesures appropriées d'atténuation concernant les impacts sociaux et environnementaux du projet SM-III. De plus, nous avions amorcé avec Hydro-Québec une négociation qui protège totalement nos droits ancestraux sur le territoire et qui, en surcroît, nous permettrait de tirer certains avantages en compensation des inconvénients qui nous étaient causés. Ces décisions relevaient totalement de nos responsabilités politiques, sociales et économiques et nous les assumons au meilleur de notre connaissance.

Nous avions prévu un processus d'information et de consultation des membres de notre communauté, étalé sur deux mois, concernant le projet d'entente avec Hydro-Québec. Ce processus était parmi les plus complets que nous connaissions comme exercice démocratique et nous avons appelé en conclusion un véritable référendum contrôlé par des observateurs neutres et objectifs pour ratifier ou non le projet.

Est-ce pour notre excès de démocratie qu'on a recherché à nous déstabiliser ou du fait que nous utilisions avec responsabilité les quelques leviers d'autonomie que nous détenions ?

Malgré tout, nous avons osé croire à la bonne volonté générale des Églises dans leur croisade pour la justice sociale et plusieurs déclarations publiques nous ont conduits à cette appréciation.

Nous avions aussi osé croire que les hauts dirigeants des diverses Églises, membres des conseils, canadien et mondial, n'étaient pas au courant des erreurs de parcours majeures et des attitudes douteuses de la part de comités régionaux ou de permanents qui ont terni leur réputation. Nous souhaitions qu'elles réagiront de façon appropriée pour corriger leur tir dans le sens où nous les avons prévenus de nos inquiétudes et de la piste que nous croyons honnêtes pour une juste lecture de la réalité.

Nous avions donc communiqué avec les autorités des Églises canadiennes membres du *Conseil canadien des Églises* et du *Conseil mondial des Églises* ainsi qu'avec leurs collaborateurs et nous leur avions signifié officiellement de se mêler de leurs affaires et de retirer leurs gros pieds qu'ils avaient posés sur les nôtres. Nous avions exigé des excuses pour leur manque général d'éthique dans le processus que nous venions de vivre.

Il appartient strictement aux Premières Nations de juger ce qui est bon et ce qui ne l'est pas pour elles. Il nous semble que nous avons assez du fardeau de la tutelle et du paternalisme des gouvernements sans nous faire imposer, en plus, le colonialisme naïf d'organisations qui se disent nos alliés.

Tout comme le dicton: « Avec des amis de cette qualité, on peut sérieusement se demander si on a vraiment besoin d'ennemis! »

Si, dans l'avenir, des groupes d'action veulent se solidariser avec notre cause, il faudra qu'ils soient derrière nous et non pas devant nous, car ils nous bloquent la vue et galvaudent notre cause légitime. Cela nuira cependant à leur visibilité, dérangera leur quiétude doctrinale, désorganisera leurs préjugés et les obligera à nuancer leurs prises de position. C'est à cette condition seulement que les exclus du pouvoir pourront peut-être à nouveau leur faire confiance. »

ÉLIE-JACQUES JOURDAIN, CHEF DE INNU TAKUAIKAN UASHAT MAK MANI UTENAM

Voici une autre lettre sous forme de document, publié dans le quotidien LA PRESSE, sous la signature du père Julien Harvey, décédé, et de madame Caroline Sharp, tous deux du *Centre justice et foi*, qui blâme le *Conseil mondial des Églises*.

« Nous avons pris connaissance d'une rencontre appelée *Global Consultation on Self-Détermination*, convoquée par le programme pour combattre le racisme du *Conseil oecuménique des Églises* (C.O.E.) - il s'agit bel et bien du *Conseil mondial des Églises* - du 31 mars ou 3 avril 1994, à *Mani Utenam*. Conscients de la controverse qui a entouré cette rencontre, nous désirons vous faire part de notre réflexion sur ce sujet.

À plusieurs égards, nous considérons que l'organisation de cette rencontre a été maladroite. Et nous croyons que si l'O.D.E. ne prend pas des actions immédiates pour redresser la situation, la consultation tenue à *Mani Utenam* compromettra l'ensemble du travail que le *Conseil oecuménique des Églises* a souhaité accomplir lors de cette rencontre.

[...] En sollicitant et en acceptant une invitation du chef Jules Bacon (chef du conseil de Bande provisoire de *Mani Utenam*) à tenir une consultation sur sa réserve, le C.O.E. a manqué de prudence. Car il est difficile de voir comment un tel geste ne constitue pas un parti pris pour Jules Bacon au sein de ce conflit. Et, en ceci, le C.O.E. donne l'apparence d'ingérence dans les affaires internes de cette communauté alors qu'il revient au peuple montagnais de résoudre ce conflit sérieux.

Nous nous demandons si le C.O.E. et son partenaire canadien, la *Coalition pour les droits autochtones*, ont vraiment agi avec intégrité dans leurs contacts avec le Conseil de bande de *Uashat mak Mani Utenam*. Lorsque celui-ci a appris l'intention du C.O.E. de tenir sa réunion à *Mani Utenam*, il demande qu'on fasse la rencontre ailleurs. Dans sa réponse, Mme Lorna Schwatzentruber, coordonnatrice de la *Coalition pour les droits autochtones*, a affirmé qu'il n'était pas possible d'annuler la rencontre, mais que, par respect pour le Conseil de Bande de *Uashat mak Mani Utenam*, le C.O.E. tiendrait sa rencontre à Sept-Iles et non pas sur la réserve. Or, par la suite, malgré cette promesse, les délégués réunis par le C.O.E. ont tenu leur rencontre à *Mani Utenam* (Rappelons qu'à la suite de cette décision, deux délégués de *Maniwaki*, invités à cette consultation, ont choisi de partir). On peut difficilement comprendre comment de telles actions incarnent les principes de justice et de respect que le C.O.E. place au centre de ses liens avec les peuples autochtones.

[...] Dans sa lettre à M. Jourdain, Mme Schwatzentruber a affirmé que le point de mire de la rencontre n'était pas le projet SM-3 et que les décisions en cette matière revenaient nécessairement au peuple montagnais. Cependant, lors de la rencontre, les délégués se sont bel et bien penchés sur la question de SM-3 et ils ont pris publiquement position sur cette question au nom des « groupes autochtones d'à travers le monde ». Selon nous, cette prise de position représente une ingérence injustifiable dans les affaires internes de la communauté de *Uashat mak Mani Utenam*. Aucun délégué présent n'avait de mandat pour parler de la question SM-3 au nom de son peuple (rappelons que ces personnes ont été déléguées par des Églises chrétiennes et non par des nations autochtones). Finalement, nous désirons souligner que le dossier du développement hydro-électrique est fort complexe, tant sur le plan des droits des peuples autochtones que sur le plan écologique. Si le C.O.E. désire prendre partie dans ce débat, il faudrait se documenter, consulter l'ensemble des acteurs dans le débat et éviter des prises de positions hâtives.

Nous voulons aussi signaler notre perplexité devant l'intervention de madame Marillia Schuller, quant à un financement possible de la *Coalition Nitassinan* par le C.O.E. Alors que le C.O.E. a bien le droit d'étudier une telle possibilité, rien ne nous permet de croire que madame Schuller avait un mandat pour engager le C.O.E. dans un tel financement, ni pour en évoquer publiquement la possibilité. Nous souhaiterions que le C.O.E. clarifie, le plus vite possible, si madame Schuller parlait bien au nom du C.O.E. ou si elle a tout simplement dit tout haut son opinion personnelle dans ce dossier.

Nous tenons aussi à souligner que nous croyons qu'en tant qu'organisation internationale des Églises chrétiennes, le C.O.E. ainsi que son unité de combat contre le racisme doivent jouer un rôle actif dans des questions de justice sociale, dont celle de la reconnaissance des droits autochtones ».

LE CONSEIL OECUMÉNIQUE DES ÉGLISES SE DOIT D'ÊTRE PRUDENT

« Cependant, nous soulignons qu'en tant qu'organisation internationale, le C.O.E. doit procéder avec prudence dans les situations locales, surtout quand il s'agit de situations où des tensions et des conflits internes existent. À notre avis, si le C.O.E. a agi avec maladresse dans le cas actuel, c'est parce qu'il n'a pas suffisamment consulté des acteurs nationaux et locaux. Entre autres, nous regrettons que le C.O.E., en tant qu'organisation des Églises, envoie une délégation à Sept-Iles sans consulter l'évêque de Baie-Comeau, Pierre Morisset, actuellement président de la *Commission des affaires sociales* et membre du *Comité de pastorale auprès des Autochtones*. Nous regrettons aussi que l'*Assemblée des Premières Nations du Québec*, le *Conseil des Atikamekw et des Montagnais*, le *Forum paritaire Québécois-Autochtones* (dont sont membres l'*Assemblée des évêques du Québec* et le *Centre justice et foi*) n'aient pas été consultés, lors de la planification de cet événement.

Nous croyons aussi qu'une grande part des responsabilités pour les difficultés qui ont entouré la rencontre de la C.O.E. à *Mani Utenam* revient à la *Coalition des Églises pour les droits autochtones* (Projet nordique), en tant que partenaire canadien chargé de l'organisation de cette rencontre.

Cette coalition, qui est une organisation officielle des Églises canadiennes, catholiques et protestantes, est financée par ces Églises ainsi que diverses communautés religieuses. En tant qu'organisation canadienne, cette coalition canadienne aurait dû comprendre la complexité des enjeux vécus à *Uashat mak Mani Utenam*, être sensible aux conséquences importantes d'une ingérence extérieure dans la vie interne d'une communauté autochtone et pouvoir identifier et consulter l'ensemble des acteurs dans les diverses situations. En passant outre à de telles considérations, la *Coalition pour les droits des Autochtones* n'a pas été à la hauteur de la confiance que lui a accordée le C.O.E. et mis en danger la collaboration oecuménique sur le dossier autochtone au Canada. De même, parce que cette coalition demeure une organisation fondamentalement anglophone, dont la majorité de ses membres représentent le Canada anglais, une telle maladresse au Québec risque de nuire aux efforts importants actuellement déployés pour résoudre la question autochtone en dehors du contexte du conflit constitutionnel entre le Québec et le reste du Canada.

La présente lettre ne se veut aucunement une prise de position du *Centre justice et foi* sur les deux grands débats qui se vivent au sein de la communauté de *Uashat mak mani Utenam*: l'établissement éventuel d'un conseil de bande indépendant à *Mani Utenam* et la construction de SM-3. Et même si nous regrettons la façon dont s'est déroulée la rencontre du 31 mars au 3 avril, nous voulons aucunement remettre en question l'importance que le C.O.E. entreprenne un travail de concertation et d'information sur le dossier autochtone au sein des églises chrétiennes.

RETIREZ VOS GROS PIEDS POSÉS SUR LES NÔTRES

La *Coalition des Églises pour les droits autochtones* (Projet nordique) a souvent eu - espérons qu'il s'agit bien du passé - la fâcheuse habitude d'occuper beaucoup de place dans les dossiers autochtones qu'elle défendait. Elle choisissait habituellement les plus radicaux, voire même des agitateurs, parmi ces groupes pour occuper les tribunes publiques.

Je pourrais personnellement témoigner de cette théorie dans le dossier des vols à basse altitude sur la Basse-Côte-Nord. La façon de travailler de la coalition avec les Innus du Labrador a fait en sorte qu'il a été impossible pour le *Conseil des Atikamekw et des Montagnais* (C.A.M.) de collaborer avec eux. Le choix des leaders parmi les plus radicaux, pour défendre ce dossier sur la place publique, rendait la collaboration quasi impensable. Pourtant, pour la défense des groupes autochtones concernés, nous aurions eu tout intérêt à travailler ensemble. Au contraire, on a tout fait pour nous diviser...

Nous avons livré notre propre lutte, convaincus qu'il nous appartenait de porter le flambeau et que c'était à nous de décider de nos propres choix et de nos stratégies de combat. Les autres groupes d'appui qui travaillaient avec nous au cours de cette période très active devaient bel et bien être derrière nous. Il n'était pas question de nous laisser infiltrer par qui que ce soit, même pas par les Églises.

Dès ce moment-là, les accointances de la *Coalition des Églises pour les droits autochtones* (Projet nordique) avec le leader de la *Coalition Nitassinan* nous surprenaient. Et je puis vous affirmer que cela rendait impensable tout rapprochement entre cette coalition et le C.A.M..

D'ailleurs, la façon de décrire les autorités du C.A.M. à la *Coalition des Églises pour les droits autochtones* par cet informateur privilégié du Québec n'était certes pas pour rapprocher les parties. C'était fort probablement le cas pour les informateurs du Labrador, des amis personnels de cet individu. Connu dans son milieu, ce dernier avait tout intérêt à éviter ces liens qui l'auraient rapidement démasqué. Il voulait continuer profiter pleinement du contenu de l'adage qui dit : « À beau mentir qui vient de loin ». Surtout si ces mensonges ne sont vérifiables que dans une autre langue seconde, le français...

Un fait demeure, c'est que le *Conseil mondial des Églises*, par inconséquence ou par intérêt, s'est associé avec certains agitateurs sans crédibilité positive auprès des nations autochtones. Il a préféré, dans le cas des Atikamekw et des Montagnais, continuer ses relations malsaines avec le leader de la *Coalition Nitassinan* et d'autres agitateurs du même acabit qui dénonçaient les autorités en place plutôt que de connaître la vérité. Cela a donné les résultats soulignés dans ce chapitre.

Le *Conseil mondial des Églises* doit porter la responsabilité du choix de ses amis et surtout des stratégies développées par eux et avec eux. Dénoncer seulement par de l'agitation plutôt que de tenter de convaincre est un choix politique que le *Conseil mondial des Églises* doit assumer. En cela sûrement, il a outrepassé la mission qu'il s'était donnée. Il a été trompé par ses fondés de pouvoir. Il lui reste maintenant à agir en corrigeant le tir. Sinon, il devra continuer à porter le poids de ses propres choix.

Au moment où j'écris ce chapitre, aucune indication me démontre que le *Conseil mondial des Églises* a fait amende honorable. Il est vrai qu'il n'est pas présent comme groupe dans les débats publics autochtones québécois. La douche d'eau froide qu'il a reçue en 1994 a certainement refroidi ses ardeurs.

Trop orgueilleux pour admettre honnêtement ses erreurs et s'excuser publiquement du tort causé, tel que lui demandait le Conseil de Bande de Uashat mak Mani Utenam, le *Conseil mondial des Églises* a dû blâmer, à l'interne, le manque de jugement de ses fondés de pouvoir. Cependant, il n'a rien fait pour corriger le mal. Il a préféré garder le silence en souhaitant que les gens oublient. Comme l'avaient fait d'ailleurs les missionnaires colonisateurs lors de l'occupation pacifique qui, aujourd'hui, demandent pardon aux Indiens pour le rôle qu'ils ont joué.

Le *Conseil mondial des Églises* demandera-t-il pardon, dans un siècle, pour son ingérence indue, en 1994, dans les affaires de la communauté innue de *Uashat mak Mani Utenam* ?

En terminant cette partie de chapitre, peut-on au moins s'interroger sur la provenance des moyens financiers du leader de la *Coalition Nitassinan* qui lui permettent ses chevauchées activistes à travers le monde? Il donne l'impression de jouir des mêmes généreux bailleurs de fonds. Peut-on être convaincus que le *Conseil mondial des Églises* n'est plus le bailleur de fonds de la destruction systématique orchestrée par cet individu et ses semblables? Avons-nous la certitude que le *Conseil mondial des Églises* a tiré sa leçon de cette expérience malencontreuse et qu'il a apporté les corrections nécessaires pour que cela ne se reproduise plus ?

Je crois que les Autochtones et les défenseurs honnêtes des droits ancestraux méritent une réponse. L'attitude du *Conseil mondial des Églises* les choque profondément. Plus encore, ils s'attendent à une juste réparation. Et, cette juste réparation porterait sur la collaboration du *Conseil mondial des Églises* dans leurs opérations publiques qui feront réellement avancer la cause des Indiens du Canada.

LES COMMUNAUTÉS AUTOCHTONES SONT LES LABORATOIRES PRIVILÉGIÉS POUR LES SECTES OU LES RELIGIONS DOUTEUSES

La détresse et le désarroi de certains groupes autochtones favorisent l'infiltration et la croissance de diverses sectes, ou religions, dans les communautés. Ces indésirables se donnent comme mission de sauver leurs âmes et de les évangéliser en les exploitant. Ils s'agglutinent autour des plus faibles comme des oiseaux de proie.

Bien sûr que la plupart d'entre eux aide vraiment les Autochtones à combattre des tares comme l'alcoolisme et c'est vraiment louable... mais, malheureusement, c'est rarement gratuit.

Très souvent, en les guérissant de ces maux, ils en font des esclaves de leur secte, ou de leur religion. Cette forme d'esclavage est parfois pire et tout aussi nuisible que ne l'était l'alcoolisme. Il est beaucoup plus difficile de se sortir des griffes de ces dinosaures. Ces abus inacceptables doivent être dénoncés par nos leaders autochtones même si le pouvoir politique de ces sectes, ou religions, est omniprésent et tout-puissant dans nos communautés.

J'ai été à même de constater cette avancée lors de mon passage comme négociateur en chef du *Conseil des Atikamekw et des Montagnais*, où j'ai été impliqué dans plusieurs combats qui ont conduit, entre autres, à mettre sur pied des coalitions. À l'occasion, j'ai dû tasser certains de ces groupes qui voulaient nous aider en se plaçant bien avant nous dans le combat. Ils pensaient savoir bien mieux que nous ce qui était bon pour notre défense. Il nous restait, naïfs petits sauvages sans aucune connaissance stratégique pour ce genre de combat, à s'en remettre à eux...

Dès le moment où je leur disais qu'il s'agissait de notre combat et que je les avertissais énergiquement qu'ils devront être derrière nous, qu'ils devront suivre nos stratégies et que nous serons les véritables décideurs, il se créait un grand vide autour de moi. Seules les organisations sincères, qui ne voulaient pas nous utiliser à leurs fins, demeuraient sur place.

J'ai éprouvé une curieuse sensation quand j'ai vu, pour la première fois, aux audiences publiques de la *Commission royale sur les peuples autochtones du Canada*, à Montréal, le représentant québécois d'une secte américaine puissante. Il tentait, par tous les moyens inimaginables, de se coller, comme une sangsue, au co-président de la commission royale, le juge René Dussault. Il le faisait avec une telle insistance, voire une grande malhabilité, que ce dernier semblait gêné par son attitude. Il voyait sans doute, dans ces audiences publiques, un moyen simple, rapide et efficace pour s'introduire auprès des groupes autochtones, sa proie identifiée. Il se voyait déjà le guérisseur appelé et désigné...

Il ne fait aucun doute dans mon esprit qu'il aurait souhaité que le co-président de la *Commission royale sur les peuples autochtones du Canada* l'utilise, mais le juge Dussault était beaucoup trop habile et prudent pour se laisser enjôler si facilement.

Voyant qu'il ne réussirait pas à le convaincre, il s'est plutôt tourné vers des subalternes autochtones moins perspicaces pour tenter de les influencer et ainsi atteindre son objectif.

J'ai appris plus tard que le représentant officiel de cette secte d'origine américaine arpentait, depuis quelque temps déjà, les corridors du pouvoir sous de fausses représentations pour obtenir à tout prix des appuis. Il racontait partout, pour se donner du capital, qu'il aidait énormément la cause autochtone et celles des gens les plus démunis. Il prétendait favoriser les rapprochements entre les Québécois et les Autochtones.

C'est à la suite de ce témoignage douteux que je lui ai manifesté mon désaccord sur son attitude paternaliste de mauvais aloi et celle des autres sectes. J'ai essayé de lui faire comprendre que, comme Autochtone, émancipé depuis belle lurette de la Loi sur les Indiens et de toutes les organisations, religieuses ou autres, je ne permettrai jamais que le travail destructeur reprenne comme cela a été jadis fait par certains missionnaires...

Les peuples autochtones ont déjà trop souffert de ces influences destructrices et surtout très néfastes. Sous le couvert de l'amitié et de la charité chrétienne, ils nous ont livrés, pieds et mains liés, au joug des conquérants pacifiques. Eux aussi ont voulu hypocritement nous sauver...

Leurs langues fourchues et leurs paroles mielleuses ont donné les résultats que l'on connaît. Jamais, tant que je vivrai, je laisserai ce genre d'individus et leurs comparses nous ramener à cet état. De plus, ils ont le front de prétendre qu'ils veulent nous aider à « nous guérir » tels que les missionnaires l'avaient cru... Désormais, nous n'attendrons plus pendant des siècles pour recevoir des excuses inutiles, nous rejettons immédiatement ces « sépulcres blanchis » à la porte de nos réserves.

Voilà donc l'hérésie que j'ai commise, pour toute faute, à ses yeux. Ça été de lui dire sincèrement ce que je pensais de lui et de sa secte. Était-ce si malhonnête que ça ?

Ce triste sire et ceux qui les entretiennent d'une manière anonyme, lui et sa secte,   doivent comprendre que nous ne serons pas dupes et que nous n'accepterons plus jamais de suivre ces charlatans. Qu'ils aillent exercer leur métier douteux ailleurs. Nous n'avons pas besoin de ce genre d'oiseaux de malheur. Nous aurions assez soufferts, au cours des siècles, à cause de ces faux prophètes qui exploitent la misère humaine.

De plus, le représentant de cette secte américaine influente laisse traîner son hameçon dans les eaux troubles des Québécois les plus vulnérables, tels que les Autochtones, les personnes âgées et les gens perturbés. Il sait que ces personnes recherchent, dans les formes de religions, une bouée de sauvetage pour éviter de se noyer. Il croit que ses chances d'attraper certains *poissons* sont plus évidentes et aussi plus faciles dans ces milieux vulnérables.

Il utilise le prétexte fallacieux de favoriser les rapprochements entre les Québécois, les Autochtones, les aînés, etc., pour enrégimenter certaines personnes à devenir des adeptes de sa secte et ainsi mieux les dominer. Il a beaucoup d'ascendant sur une catégorie de gens naïfs et faiblards qui sont souvent prêts à embarquer avec n'importe quel sauveur; pourvu que celui-ci leur apporte une certaine attention... Ce qui est facile pour ce professionnel de la tricherie qui a beaucoup de temps libre parce qu'il n'a pas besoin de gagner sa pitance.

Il ne tolère surtout pas que ses adeptes se permettent de lui tenir tête, comme si ces *clercs* avaient fait le voeu d'obéissance. Lorsqu'ils ont des écarts de comportement, il leur tape sur les doigts. Et, s'ils ne comprennent pas, il fait tout pour se débarrasser d'eux.

Mon objectif dans ce combat personnel était d'essayer d'empêcher les fumistes dits religieux de nuire et, surtout, de les éloigner, j'espère à tout jamais, du milieu autochtone. Ce milieu défavorisé et fragile, qui recherche la guérison sous toutes ses formes, a beaucoup plus besoin, pour le soutenir véritablement, d'amis réels que de profiteurs intéressés de la misère humaine.

ÊTRE VRAI ET DÉFENDRE UNE CAUSE NE SERVENT PAS TOUJOURS À SE FAIRE DES AMIS

C'est avec des vrais que nous réussirons à rétablir solidement des contacts avec les peuples autochtones et, québécois et canadien. Nous ne pouvons plus nous permettre de nous laisser envahir par des prêcheurs sans principes fondamentaux. Ils nous nuisent plus qu'ils nous aident. Le temps est aujourd'hui trop précieux pour le perdre à palabrer inutilement, ou à réparer les pots cassés. La crédibilité d'une vie active à la défense d'une cause est trop difficile à acquérir pour laisser des fossoyeurs l'enterrer.

Oui, c'est vrai que mes prises de positions personnelles pour la cause autochtone en ont dérangé plus d'un. C'est évident qu'en attaquant, avec autant d'acharnement, les gouvernements, ou leur ministère de la *Justice*, pour la défense des droits ancestraux des Autochtones, je ne me suis pas fait que des amis...

Voyons, je ne suis quand même pas assez dépourvu d'intelligence pour croire le contraire. Mais, quant à moi, il fallait le faire. S'il avait été nécessaire que j'attende après nos eunuques, qui veulent avant tout conserver la possibilité de retourner travailler au ministère des *Affaires indiennes et du Nord Canada*, ou qui ont eu, ou ont encore avec ce dernier des liens d'emploi, je ne verrai jamais cette cause chérie plus que tout faire des gains importants.

Oui, c'est vrai qu'en me battant aux tables de négociations avec acharnement comme je le fais depuis plus de 15 ans, ce n'est pas la meilleure façon de se faire des amis chez les fonctionnaires et chez les politiciens bornés.

C'est vrai qu'en acceptant d'aller défendre la cause des Autochtones, toute visière levée, à un congrès du *Bloc québécois*, ce n'est pas la meilleure façon de se faire des amis chez certains fanatiques libéraux fédéraux. Ça peut même nuire à mon entreprise pour l'obtention de contrats auprès de ce gouvernement. Ou tout au moins, ça donne l'occasion à certains profiteurs - et ils le font allègrement - de faire circuler que je suis un galeux *séparatisse* parce que je ne suis pas en faveur de ce Canada centralisateur tel que précisé dans cet ouvrage. Ils savent très bien que ce genre de dénonciation atteint certaines fibres chez plusieurs sectaires politiques et nuit énormément.

Cependant, je crois qu'il faille le faire. Je n'ai pas le droit de faire passer mon intérêt personnel avant celui de la cause que je défends. Je me croise les doigts en espérant que les politiciens, provinciaux et fédéraux, sont assez intelligents - et il y en a qui le sont - pour comprendre que je ne fais pas de politique partisane. Ils doivent comprendre et accepter que je doive faire ce genre de travail pour faire connaître la cause autochtone que je défends de toutes mes forces. Nous sommes si peu nombreux à le faire qu'ils doivent nous laisser effectuer ce travail.

La seule fois où j'ai fait de la politique active partisane a été à une campagne fédérale où j'ai travaillé, sans être rémunéré, comme conseiller à l'information pour Aurélien Gill, Innu de Mashteuiatsh, aujourd'hui sénateur libéral, qui se présentait dans le comté de Roberval pour le *Parti libéral du Canada*. Je l'ai fait pour un ami personnel autochtone de ma communauté d'origine et non pas pour un parti politique. Quant à moi, il aurait pu faire un excellent député fédéral.

Oui, c'est vrai qu'en critiquant, sans cesse, le gouvernement du Québec pour sa façon cavalière et inacceptable d'aborder les questions autochtones, je ne me suis pas fait beaucoup d'amis. Je ne m'en suis pas fait aussi en dénonçant les positions indéfendables des représentants du ministère de la *Justice du Québec* ou celui du Canada qui prétendent que nous avons aucun droit ancestral. Cela donne comme résultats qu'au moment où j'écris ces lignes, le dimanche 19 mars 2000, mon entreprise, qui opère depuis 10 ans, n'a jamais eu un seul contrat du gouverment du Québec, libéral ou péquiste.

Oui, c'est vrai qu'en prenant la défense des plus faibles parmi nous, comme je l'ai fait pour la communauté des Micmacs de Gespeg, à Gaspé, j'ai dérangé la quiétude de certains fonctionnaires importants, fédéraux et québécois. Je les ai obligés à mettre de côté leur *p'tit manuel* du parfait fonctionnaire, contenant les politiques qui régissent tous leurs gestes.

Jamais, sans ma tenacité légendaire de *pitbull* - comme le dirait mon ami Max Gros-Louis -, qui m'a amené à me battre envers et contre tous pendant près de six ans, je n'aurais pu amener les gouvernements du Canada et celui du Québec à conclure, avec ces « hors réserve », une *Entente-cadre* tripartite. Cette entente devrait les conduire rapidement à leur autonomie gouvernementale avec une assise territoriale, un pas de géant.

Pour les fonctionnaires rencontrés, à peu près tous sans exception, ces Micmacs n'avaient aucun droit. Ils devaient, pour l'éternité, se contenter du rôle et des avantages des Indiens vivant hors réserve. Donc, j'ai été, pour les fonctionnaires fédéraux de la région de Québec et ceux d'Ottawa et pour ceux du gouvernement du Québec, un empêcheur de tourner en rond. Encore là, je ne me suis pas fait beaucoup d'amis parmi ces fonctionnaires.

Oui, c'est vrai qu'en exigeant des gouvernements de respecter la cause autochtone et de reconnaître nos droits de Premières Nations, je suis devenu pour plusieurs l'homme à abattre. Comme il est difficile pour eux de s'en prendre publiquement à moi, ils risquent de travailler bravement dans les coulisses à mettre du bois dans les roues de mon entreprise. C'est la meilleure façon de m'atteindre, ils le savent très bien, et plusieurs ne se gênent pas pour le faire.

Je trouve ça quand même triste de voir qu'en public ces gouvernements se targuent de vouloir aider la cause autochtone tandis qu'en privé, ils font souvent tout pour détruire les leaders comme moi. Ils disent par surcroît souhaiter que les Autochtones développent des entreprises. Et, quand ils le font, ils doivent plier l'échine et oublier leurs principes sinon ils sont condamnés, pour plusieurs, à l'échec.

Ils ne semblent pas comprendre que je prenne cette cause à coeur et que je travaille à la défendre. Évidemment, je dois écorcher en passant certains fonctionnaires, mais j'essaie toujours de le faire en attaquant ce qu'ils représentent comme employé de l'État et non pas la personne elle-même.

Oui, c'est vrai qu'en dénonçant des individus, des regroupements, ou des nations autochtones, pour certains gestes posés, je brisais ce fameux mur de silence. Je ne peux pas accepter ce principe inacceptable qui veut que l'on ne dénonce jamais un autre Indien. Voyons, ça n'a aucun sens. Admettre cette vision signifie que les criminels, les insignifiants, les destructeurs de nos sociétés, les batteurs et les violeurs de femmes, les tricheurs, les vendeurs de drogue et les voleurs puissent continuer à détruire nos enfants et nos petits enfants sans que nous puissions dire un mot.

Non, j'aime trop mes petits enfants et ceux des autres pour cela... Il ne sera jamais question que je ferme les yeux devant l'insignifiance et la destruction de notre avenir, nos enfants, qu'elles viennent de chez-nous ou d'ailleurs.

Il est primordial qu'existe chez nous une saine critique. Nous devons nous donner les moyens pour que nos débats de société se fassent démocratiquement. Il faut que cessent les critiques destructrices par le moyen de la désinformation, comme le font certains adeptes de la destruction à tout prix, et faire une place importante à l'opposition, organisée et civilisée.

Expliquez-moi donc pourquoi nous voudrions de plus d'autonomie gouvernementale alors que nous refuserions de nous donner les moyens pour qu'elle se mette en place sainement par des débats de société honnêtes. C'est d'ailleurs pour cette raison que plusieurs membres de nos communautés, principalement les anciens et les femmes, hésitent à donner plus de pouvoirs à leurs représentants politiques. D'instinct, ils savent très bien que ça peut les conduire à de véritables régimes de bananes

Nous devons tout faire pour que revienne dans nos communautés, comme le souhaite la *Commission royale sur les peuples autochtones du Canada*, la fierté. Nous avons toujours été des peuples fiers. Pour y arriver, il faut purifier nos communautés de tous les éléments destructeurs.

La guérison est la solution préconisée par la *Commission royale...*, d'accord, mais cette guérison ne pourra jamais être entière. Malheureusement, pour plusieurs, les maladies sont incurables. Il faudra donc prendre d'autres moyens pour protéger ceux qui auront fait les efforts de guérison et y seront parvenus. Nous devrons le faire pour nos enfants et pour nos petites enfants en les protégeant totalement contre ces maux.

Ce moyen unique est la justice sous toutes ses formes. Et cette justice, pour les femmes autochtones, elle commence par la tolérance zéro dans nos réserves sur tout ce qui est lié de près ou de loin à la violence. Voilà donc le premier chemin que nous devons emprunter.

Mes prises de position, vous le savez très bien, ont cependant toujours été faites sans aucune arrière pensée limitative. Je ne dois politiquement rien à qui que ce soit et surtout pas à aucun parti politique, qu'il soit fédéral ou provincial. Ce que j'ai obtenu des uns et des autres l'a toujours été sans aucun engagement de ma part et sans compromission sur les principes fondamentaux. C'est avec les gouvernements que je travaille et non pas avec les partis politiques. Qu'ils soient bleu, blanc ou rouge, je m'en fout éperdument et je n'ai que faire des guerres de drapeaux.

D'ailleurs, mes meilleurs amis sont dans l'un et dans l'autre de ces partis politiques. Nos débats politiques toujours amicaux sont bien au-dessus de ces étiquettes *rapetissantes...* Mon amitié n'est pas liée à aucune carte de membre d'un parti politique quelconque. Elle s'ouvre seulement par le mot de passe: LIBERTÉ, sous toutes ses formes. Il est tellement plus réjouissant de voler, comme l'aigle, à la cime, et non pas de ramper à ras de terre, comme des couleuvres, où l'on risque souvent de rencontrer les pires rampants, c'est-à-dire les plus bassement soumis de ce monde.

J'ai toujours affirmé haut et court que, tant et aussi longtemps que je défendrai, sur la place publique, la cause autochtone, je le ferai sans aucune ligne dictée par les autres. Personne ne pourra jamais m'imposer sa propre vision de l'avenir autochtone.

Oui, je suis prêt à collaborer avec tous les partis politiques sans aucune exception. Je le fais régulièrement d'ailleurs parce que je crois sincèrement que défendre la cause autochtone est déjà assez difficile sans s'encombrer d'une ligne de parti. Comme les adhérents et les défenseurs *blancs* de cette cause sont relativement peu nombreux, nous ne pouvons pas nous permettre de rejeter qui que ce soit. C'est pour cette raison que nous devons travailler avec tous les Canadiens, sans exception, qu'ils soient dans un parti politique ou dans l'autre.

Je ne suis pas le porte-voix de qui que ce soit et je ne le serai jamais. À mon âge vénérable, on change très peu. D'ailleurs, ce principe de base est indélébile et imprégné profondément dans ma personnalité. Il fait partie de ma vie active et sociale depuis toujours. Que ça dérange ou non certaines susceptibilités fragiles, j'en ai rien à foutre. Que certains eunuques en soient choqués, qu'est-ce que vous voulez que j'y fasse.

POUR ÉLIMINER UN SERPENT VÉNIMEUX, IL FAUT LUI ÉCRASER LA TÊTE

La nouvelle tactique des fossoyeurs publics de notre collectivité, les pôtineurs des lignes ouvertes de la radio, est de s'attaquer sauvagement aux personnalités qui osent défendre toute cause quelconque des défavorisés. Il en est ainsi envers certains (es) Québécois (ses) qui, par simple magnanimité, appuient les plus faibles parmi nous dans leur combat légitime.

C'est le cas pour une des plus illustre défenderesse des personnes désavantagées au Québec, madame Lise Thibault, lieutenant-gouverneur du Québec.

À cause de son poste public de lieutenant-gouverneur du Québec, elle a dû subir, sans dire un mot, les attaques méprisantes et basses d'un être sans scrupule qui s'abreuve à satiété et malhonnêtement au droit du public à une information honnête et objective. Il l'a fait malicieusement sous des yeux protecteurs des défenseurs des ondes publiques et de la profession journalistique,

En plus de traiter l'information d'une manière biaisée et *tout croche* en faussant les faits, ou en cachant les événements positifs sur les Premiers peuples, les vils utilisateurs de nos médias électroniques privées, surtout la radio, nos *potineurs* éhontés des ondes publiques, abusent impunément de notre société permissive et de ses instruments inconséquents, faiblards, quasi inutiles et coûteux, comme le *Conseil de la radiodiffusion et des télécommunications canadiennes* (C.R.T.C.).

Dans quelle sorte de société vivons-nous donc pour tolérer sans dire un mot qu'un *potineur* impudent et grossier de la radio locale québécoise, André Arthur, ait pu attaquer, sans aucune retenue, une des personnalités des plus crédible et des plus humaine du Québec contemporain, madame Lise Thibault, lieutenant-gouverneur du Québec.

À part ce triste sire, je ne connais pas une seule personne ayant rencontré cette grande dame qui n'ait pas été attirée et emballée par sa personnalité attachante. Elle est sûrement la meilleure ambassadrice qui puisse exister. Elle humanise et rend utile son rôle politique auprès des Québécois. Elle rapproche, comme un aimant, les diversités culturelles.

André Arthur l'a assaillie d'une manière tellement sauvage, violente, vulgaire et impolie, au cours d'une émission de la station FM-93, le vendredi 15 mai 2000, qu'il mériterait d'être banni à tout jamais des ondes de la radio publique. Il ne fait aucun doute que cette station de radio inconséquente et irresponsable est indigne d'utiliser à son profit les ondes publiques.

Ça prend un être tordu et foncièrement malhonnête pour accuser madame Thibault sans même prendre la peine d'aller au fond des choses pour connaître la vérité et, comme c'est son habitude, pour charrier des insignifiances, des sous-entendus et des insultes de taverne plutôt que d'informer objectivement ses auditeurs.

Un tel personnage insolent déshonore impunément la société québécoise et la profession journalistique. Il faut, une fois pour toutes, qu'il débarrasse les ondes car il a dépassé, depuis belle lurette, les bornes de l'acceptable. Qu'attendons-nous donc pour prendre les moyens de le faire et pour écraser la tête de ce serpent vénimeux qui empoisonne les personnalités qui essaient souvent de travailler pour l'avancement de notre société...

Tout le monde sait qu'il est demeuré en place grâce à la protection des parties politiques - il s'est affiché même publiquement comme organisateur libéral - qui ont peur de s'attaquer à ce malappris personnage. Il détruit les réputations pour plaire à un public en mal de sensations morbides, toujours le même depuis plus de 25 ans qu'il soit à CHRC ou à FM-93.

Par contre, les gens sensés refusent, pour leur part, de succomber à la facilité de ce genre de *freak show* destructeur et inacceptable dans le domaine de l'information. Pourquoi tolèrent-ils cependant qu'André Arthur pollue les ondes publiques de la radio sans agir ? Ils vont pourtant exiger, avec raison d'ailleurs, que leurs gouvernements légifèrent pour les protéger de la pollution sous toutes ses formes, mais ils oublient la pollution radiophonique de l'esprit souvent beaucoup plus nuisible et destructrice.

Ce faisant, ils acceptent que l'on détruise, jour après jour, ceux qui, la majorité du temps de bonne foi, veulent faire avancer la vie sociale, politique et économique de la région métropolitaine de Québec.

Pour parodier le texte de Jordi Bonnet sur la muraille du grand théâtre de Québec : Vous n'êtes pas *tannés* de faire détruire votre avenir et celui de vos enfants et petits enfants par ce *potineur* insipide qui, lui, s'enrichit à vos dépens. Faites donc comme les Montréalais qui l'ont vomi, pour la deuxième fois, comme animateur de radio, en le renvoyant à sa radio de quartier passée date de Québec qui ne cherche qu'à utiliser, à son profit, certains auditeurs masochistes qui aiment à se faire insulter, personnellement et comme société, par des déviants comme André Arthur.

D'ailleurs, il déshonore ainsi la mémoire de son père, feu René Arthur, ce grand animateur de la radio de l'État que les plus vieux Québécois ont toujours positivement en mémoire. Voyant qu'il ne pouvait pas atteindre la réputation méritée de son père dans le secteur des communications de masse, ce fils indigne a voulu se distinguer par le pire...

Le *Conseil de la radiodiffusion et des télécommunications canadiennes* (C.R.T.C.), le *Conseil de presse du Québec* et la *Fédération professionnelle des journalistes du Québec* doivent protéger les Québécois contre de tels individus.

S'ils ne le font pas, c'est qu'ils ne jouent pas le rôle véritable pour lequel ils ont été créés. Ils sont donc des membres inutiles, coûteux et nuisibles de notre société.

Présentement, ils protègent ce genre de *minus habens* dont l'objectif inavoué de terroristes est de détruire notre société en devenir. Ils sont les paravents qui permettent de camoufler leurs actions condamnables et d'agir envers et contre tous. Ces animateurs de radio sont les virus, ou les bactéries, qui vont anéantir notre société. Et, actuellement, nos supposés protecteurs ne font rien pour protéger cette collectivité contre les abus du métier le plus destructeur possible s'il est utilisé malhonnêtement: le journalisme.

Ces terroristes des ondes profitent d'une manière éhontée d'une protection aussi noble que le droit du public à l'information pour anéantir cyniquement des réputations et, ce, dans le seul but de s'enrichir. Il en va du devoir du C.R.T.C. relié à son existence même et à sa mission envers cette société québécoise abusée. Il a le mandat de retirer la licence de telles stations radiophoniques qui faussent leurs promesses de réalisation. Il n'a qu'à le faire et à menacer toute autre station qui embaucherait un tel énergumène...

Comme le font les escrocs et les *pègrards* de tout acabit qui utilisent les chartes des droits de la personne pour éviter de payer socialement pour leurs crimes, ces faux journalistes, usurpateurs, tels que les *potineurs* des lignes ouvertes, utilisent le droit du public à l'information, une des protections des plus importante dans notre société, pour *couvrir* leurs gestes malhonnêtes et destructeurs. Et nous, les bonasses, nous acceptons une aussi fausse excuse qui nous démolit profondément...

Et, plus tard, quand ils auront détruit de fond en comble notre société, nous pleurerons sur notre sort. Nos gouvernements faiblards tenteront alors d'agir, mais ils seront impuissants comme ils le sont actuellement pour le terrorisme politique international.

Quand, le C.R.T.C. va-t-il cesser de se limiter bêtement à comptabiliser le nombre de disques français ou anglais qui passent sur les ondes, des niaiseries insignifiantes ? Il doit immédiatement dépolluer ces mêmes ondes des insultes, des libelles et des campagnes verbales de destruction des réputations. Il doit enfin élimer, à tout jamais, ces fossoyeurs de nos sociétés qui pullulent présentement dans les stations de radio privées. S'il n'est pas capable de le faire que le gouvernement fédéral mette la clé dans la porte...

Au lieu de vouloir couper le budget de Radio-Canada, le gouvernement fédéral serait beaucoup plus avisé et sage de le faire pour le C.R.T.C.. C'est une structure extrêmement coûteuse et totalement inutile pour la protection des ondes. Elle ne sert uniquement qu'à protéger certains chevaliers d'industrie qui sont prêts à tout faire pour s'enrichir en utilisant, comme animateurs de radio, certains goujats sans éducation. Il serait beaucoup plus responsable de la part du gouvernement fédéral, véritable protecteur des ondes, de créer un poste d'ombudsman qui enquêterait sur les plaintes des Canadiens et qui aurait le pouvoir de sévir.

Il y a quelques années, alors que j'étais professeur de journalisme à plein temps à l'université *Laval*, j'ai réalisé, en collaboration avec Roger Delagarde, professeur de journalisme, une étude sur la presse électronique au Québec pour la *Commission Caplan-Sauvageau*, mise en place par le gouvernement du Canada. Une des principales recommandations était que le C.R.T.C. devrait « mettre ses culottes » et débarrasser nos ondes publiques des André Arthur de tout acabit.

Loin de le faire, il a laissé toute une génération de potineurs tous aussi malotrus occuper les ondes des radios locales, privées, du Québec en détruisant tout ce qui bouge. Dans presque toutes les régions du Québec où il y a ce genre d'énergumènes, et elles sont nombreuses, des projets intéressants ne voient pas le jour et des réputations sont anéanties. On pourrait même ajouter que ce genre de journalisme tout croche est devenu la norme pour certaines émission du matin. C'est la course aux codes d'écoutes qui semble justifier une telle attitude.

Comment voulez-vous que les gens bien-pensants puissent oser s'élever pour ressortir de la masse alors qu'ils savent très bien qu'un bourreau va leur trancher immédiatement la tête ?

Pour toute faute, comme plusieurs autres, tels MM. Ghislain Picard, vice-chef de *l'Assemblée des Premières Nations du Québec et du Labrador*, co-président autochtone de KÉBEC 2000, Wellie Picard, grand-chef de la Nation Huronne/Wendat, représentant de la nation autochtone hôte, Mmes Karen McDonald, co-présidente anglophone, Hélène Wavroch, co-présidente allophone de KÉBEC 2000, et Louise Lapointe, présidente de la *Fondation Rêves d'Aînés (es)*, cette grande dame, madame Lise Thibault, lieutenant-gouverneur du Québec, a cru en un projet de rassemblement entre les Québécois, les Autochtones, les Anglophones et les Allophones. Elle a accepté tout simplement, tel que le commande son rôle social d'ailleurs, de présider un tel rassemblement. C'est pour les mêmes raisons d'ailleurs que, de bonne foi, *La piste amérindienne* s'est associée à cet événement et l'a mené à bon port.

Malgré certaines difficultés et embûches d'une première année d'existence, incontrôlables par les organisateurs et les tricheries d'un organisateurs de l'événement qui a caché à tous ses déboires avec la justice, ce « beau rêve » méritait de voir le jour et j'espère qu'il aura des suites.

KÉBEC 2000 aura donc atteint son objectif d'amorcer un mouvement d'échange, de compréhension mutuelle, d'entraide et de fraternité entre les communautés autochtones, francophones, anglophones et allochtones du Québec.

Il aura fallu une chicane entre deux animateurs-vedettes du FM-93, à Québec, Robert Gilet et André Arthur, pour que les propriétaires de cette station radiophonique décident de mettre ce dernier à la porte. Ils ne l'ont pas fait pour la qualité des ondes, mais bel et bien parce qu'André Arthur était devenu insupportable et attaquait impunément la main qui lui donnait à manger.

Même si les raisons de son départ ne sont pas des plus nobles, il n'en demeure pas moins qu'il a débarrassé, depuis quelques mois, la place et qu'aucune autre station radiophonique importante lui a offert de poste d'animateur. Il tente en vain de reprendre du galon en s'amusant avec une station communautaire sans importance. Il faut espérer que le C.R.T.C. va continuer à lui fermer la porte des ondes commerciales et communautaires.

XV

FONDEMENTS DE L'AVENIR

ILS ONT VOULU ENTENDRE ET ILS ONT ENTENDUS

Pendant plusieurs années, avec une patience de moines et un grand désir de Justice, les co-présidents de la *Commission royale sur les peuples autochtones du Canada*, MM. René Dussault, juge québécois, et George Erasmus, avocat-politicien autochtone, accompagnés de leurs commissaires, MM. Paul L.A.H. Chartrand et J. Peter Meekison, Mmes Viola Robinson, Mary Sillett et Bertha Wilson ont parcouru, sans répit, le vaste Canada d'un océan à l'autre. Le travail de qualité effectué par ces derniers aura un effet certain, quoiqu'il en paraisse aujourd'hui, sur l'avenir des Canadiens et surtout sur celui des membres des Premières Nations.

Pour leur travail honnête, compétent et positivement acharné, comme Innu (Montagnais) de Mashteuiatsh, Québécois et Canadien, je leur dis personnellement merci. Ils ont su observer avec patience et ils ont compris. Ils auront donc réécrit l'histoire du Canada comme aucun historien canadien a su le faire. Ils ont aidé à retracer la contribution réelle des peuples autochtones. Ils ont favorisé l'émergence d'une nouvelle société, guérie et constructive, comme l'ont fait aussi messieurs Brian Dickson, décédé, et Antonio Lamer, tous les deux anciens juges en chef de la *Cour suprême du Canada*.

Ils ont voulu entendre et ils ont entendu. Ils ont voulu voir et ils ont vu. Ils ont voulu savoir et ils ont su...

Ils ont constaté ce que plusieurs connaissaient - au moins les Autochtones eux-mêmes - depuis longtemps. Les Amérindiens du Canada sont les plus défavorisés des citoyens de cette terre d'Amérique du Nord. Les affres de l'occupation pacifique et de la dépossession territoriale en ont fait des assistés sociaux cantonnés dans des réserves, des ghettos. Ils sont ensuite devenus des proies faciles aux marasmes sociaux de toutes sortes.

Le rapport de cette commission royale d'enquête est d'autant plus important que cette recherche objective a fait entièrement le tour de la question. Elle a de plus coûté une petite fortune en deniers publics. Il serait bien malheureux qu'il ne serve que de documents d'archives pour les chercheurs des autres peuples de la terre.

Le rapport final comprend cinq volumes aux titre suivants:
1. Un passé, un avenir
2. Une relation à redéfinir
3. Vers un ressourcement
4. Perspectives et réalité
5. Vingt ans d'action soutenue pour le renouveau.

Les commissaires ont résumé ainsi leurs constatations après quelque cinq ans d'observations: « Le Canada est le terrain d'essai d'une noble idée - l'idée selon laquelle des peuples différents peuvent partager des terres, des ressources, des pouvoirs et des rêves tout en respectant leurs différences ». Ils ont ajouté que l'histoire du Canada est celle de beaucoup de ces peuples qui, après bien des tentatives et des échecs, s'efforcent encore de vivre côte à côte dans la paix et l'harmonie.

Pour les commissaires, tels qu'ils l'ont souligné à maintes reprises, sans justice, il ne peut y avoir ni paix, ni harmonie. Ces derniers ont donc recherché, en toute justice, quels sont les fondements réels d'une relation équitable et honorable entre les habitants du Canada. Ils ont d'ailleurs résumé, en quelques mots, leur conclusion essentielle: « [...] c'est une mauvaise ligne de conduite qui a été suivie pendant plus de 150 ans par les gouvernements coloniaux et par les gouvernements canadiens ultérieurs ».

Le gouvernement du Canada en est peu fier, soulignera plus tard, comme nous le verrons plus loin, la ministre des *Affaires indiennes et du Nord du Canada*, madame Jane Stewart, dans une *Déclaration de réconciliation*. Elle ajoutera alors, comme l'ont prétendu les commissaires de la *Commission royale...*, que les politiques d'assimilation des Autochtones n'étaient pas une très bonne idée. Plus encore, tel que le mentionne le rapport, ces « politiques ont miné et presque anéanti les cultures et les identités autochtones ».

Les commissaires préciseront que ces politiques d'assimilation ont échoué parce que les Autochtones ont le secret de la survie culturelle. « Ils sont conscients de former des peuples possédant un patrimoine unique et ayant le droit à la continuité culturelle ».

Ils souligneront que, même si les politiques d'assimilation ont eu un effet destructeur sur les Autochtones, le mal n'est pas irréparable. « Le secret consiste à prendre le contre-pied des principes d'assimilation qui déterminent et restreignent encore les chances de réussite des Autochtones ».

Enfin, les commissaires espèrent que leur rapport montrera, aux Autochtones et aux autres Canadiens, les nombreux chemins qui s'offrent à eux dès maintenant. Cette voie leur permettra de réparer cette relation et d'aborder l'actuel millénaire sur la reconnaissance, le respect, le partage et la responsabilité.

Pourtant, par une vision tordue et malhonnête parce qu'elle est surtout fausse, les tout-puissants *faiseurs d'images*, influents auprès des journalistes, ont réussi à mettre en tête des Canadiens, plus particulièrement des Québécois, que les Amérindiens étaient des citoyens choyés. Ces derniers, prétendent certains détracteurs, profitent allègrement du système actuel qui les privilégie au détriment des payeurs de taxes.

Cependant, la *Commission royale...* a livré comme message qu'il s'agissait d'une toute autre histoire. Elle a dégagé, au cours de ses audiences, une vision totalement différente. La guérison sociale des peuples aborigènes canadiens passe surtout et vraiment par la *recouvrance* de leur fierté perdue. Elle doit favoriser le respect de leurs droits ancestraux de Premières Nations et le développement de leur autonomie personnelle et politique, un droit nécessairement inhérent. Enfin, en toute justice, la rétrocession d'une partie importante de leurs terres ancestrales, leurs droits territoriaux, doit fermer la boucle. Ce que prône aussi, implicitement, la *Cour suprême du Canada* dans ses récents jugements.

D'ailleurs, par la sortie en rafale des jugements *Adams* et *Côté-Déconti* et de ceux des pourvois de la trilogie *Van de Peet, Gladstone* et *Smokehouse*, la *Cour suprême du Canada* a ainsi préparé soigneusement la terre pour recevoir la semence. Elle a choisi le moment propice en le faisant à quelques jours avant le dévoilement des recommandations du rapport de la commission royale. Loin de *découdre*, les affirmations des jugements *Calder, Guérin, Simon, Sparrow* et *Sioui*, elle a relancé, avec force, le débat sur la reconnaissance des droits ancestraux. La *Cour suprême du Canada* oubliait ainsi l'effet pervers du pendule tant souhaité par plusieurs juristes des gouvernements du Canada et du Québec. Elle a donc nécessairement ouvert la porte à la publication attendue, avec espoir ou crainte, selon le côté de la barrière où on se place, des recommandations de la *Commission royale...*

Malheureusement, ce fut peine perdue puisque la population canadienne n'a pas compris l'importance de ce rapport. Elle s'est contentée de le recevoir sans beaucoup d'enthousiasme.

Il faut se rappeler qu'au lendemain des événements d'Oka, en 1990, le premier ministre conservateur du Canada d'alors, Brian Mulroney, avait demandé à l'ex-juge en chef de la *Cour suprême du Canada*, monsieur Brian Dickson, de définir le mandat de la *Commission royale...* C'est d'ailleurs sous la gouverne de ce dernier que la *Cour suprême du Canada* a commencé à reconnaître clairement les droits ancestraux des Amérindiens. Il a donc été, sans l'ombre d'un doute, le précurseur de cette définition « libérale et généreuse ».

S'armant contre l'indifférence générale des Canadien, les co-présidents et les commissaires de la *Commission royale...* ont lutté pour aller au fond des choses sans arrière-pensée. Ce détachement inexplicable et cette froideur machiavélique de certains Canadiens, alimentés par des politiciens plus assoiffés de popularité que de justice sociale, influencent l'absence réelle de prises de décisions. Le dossier autochtone, à ne pas en douter, les emmerde royalement parce qu'il leur fait perdre des votes.

Le gouvernement libéral actuel du Canada, dirigé par un ancien ministre des *Affaires indiennes et du Nord canadien*, M. Jean Chrétien, croyait à l'attachement indéfectible des leaders autochtones du début des années '60. Parce qu'il avait su pratiquer avec succès la politique de la tape dans le dos et de la poignée de main trompeuse, Jean Chrétien était convaincu d'avoir l'appui des Indiens pour l'éternité. Comptant sur la reconnaissance de certains leaders autochtones *passés date* qu'il avait soudoyés par toutes sortes de faveurs et de récompenses, il a donc cru savoir ce qui était bon pour les Autochtones.

Il a tout fait pour court-circuiter le travail de cette commission mise en place par le gouvernement conservateur précédent de Brian Mulroney en définissant sa propre politique autochtone. Plus encore, il lui a opposé un ministre, Ron Erwin, sans vision et politicailleur anti-québécois, qui cherchait beaucoup plus à détruire la cause du Québec qu'à défendre celle des Autochtones.

Malheureusement pour ce gouvernement et heureusement pour nous, la *Commission royale...* est vraiment incontournable. Elle l'est encore plus depuis la sortie en rafale des derniers jugements de la *Cour suprême du Canada*. Ces décisions forcent le gouvernement fédéral et ceux des provinces à changer complètement leur approche négative vis-à-vis des droits ancestraux des

Autochtones. D'autant plus que la *Constitution du Canada*, la loi fondamentale de ce pays, reconnaît clairement ces droits de premiers occupants à l'article 35(1). Ces droits se définissent lentement, mais sûrement, dans les jugements de la *Cour suprême du Canada*.

Le gouvernement du Canada serait d'une inconséquence et d'une irresponsabilité immensurables s'il n'utilisait pas les recommandations de la *Commission royale...*, éclairée et indépendante. Cette dernière a rendu ses recommandations publiques, il y a plus de six ans, dans l'indifférence totale des Canadiens.

C'est à partir des résultats de cette *Commission royale...*, un fondement sérieux et solide, que le gouvernement fédéral doit bâtir l'avenir des peuples autochtones du Canada. Les solutions sont toutes là, à portée de main. Il doit faire en sorte de donner, à la *Commission royale...*, un prolongement sous forme d'une commission indépendante du genre *Tribunal du Waitangi* de la Nouvelle Zélande pour le suivi de ses recommandations. Pourquoi ne profiterait-on pas de toute la connaissance acquise par une équipe de personnes compétentes qui a étudié toutes les facettes du dossier autochtone pour construire ce nouvel édifice?

Même si, à prime abord, le prix social peut paraître élevé, le gouvernement responsable des Canadiens doit, en toute justice, corriger l'erreur historique de l'occupation pacifique. Ce n'est surtout pas parce que la faute a été si grande qu'il doit s'en abstenir. Au contraire, la justice distributive commande une action réparatrice équivalente au tort causé; ce qui est le fondement d'une société de droit dont le mot Justice s'écrit avec un « J » majuscule, tel qu'on le prétend au Canada. C'est librement que les Canadiens ont choisi une société de droit et en ont fait la pierre angulaire de leur devenir. Ils doivent donc maintenant en subir les conséquences, positives et négatives.

Cette réparation commence par la reconnaissance de la faute. Elle doit permettre de rattraper toutes ces belles années perdues et surtout de bâtir l'avenir des peuples autochtones. C'est dans le rapport de la *Commission royale...* et les jugements de la *Cour suprême du Canada* que se trouvent les solutions. Ce n'est certes pas dans les programmes politiques électoralistes qui cherchent coûte que coûte à plaire à un plus grand nombre d'électeurs possibles pour conserver le pouvoir politique.

L'inconséquent ministre des *Affaires indiennes et du Nord canadien* d'alors, Ron Irwin, a sorti son bazooca - les fonds publics - pour abattre les messagers et leur programme responsable d'espoir pour les 20 prochaines années. Sans vision d'avenir et sans aucun argument sérieux, il a brandi l'épouvantail toujours efficace du manque de fonds publics pour détruire la base même du rapport de la *Commission royale...* Cette étourderie indigne du prétendu fiduciaire et tuteur des Indiens a donné les résultats escomptés. Il a sapé à la racine ce bouquet de fleurs odoriférantes.

Et, comme un éléphant dans un tas de roses, il a piétiné grossièrement l'oeuvre des commissaires. Il a ainsi détruit la bouée de sauvetage lancée qui aurait permis aux Amérindiens une guérison rapide. Cette santé retrouvée par la fierté, liée à une plus grande indépendance face à l'assistance sociale sous toutes ses formes, aurait eu l'effet d'un baume miraculeux.

Et les leaders politiques du Québec, tel que des moutons de Panurge, ont suivi leur ennemi juré, Ron Irwin, dans son geste irrresponsable de condamnation. L'occasion était trop belle pour certains détracteurs d'une réparation juste et équitable envers les Premiers peuples. Il fallait détruire à la racine la crédibilité du rapport de la *Commission royale sur les peuples autochtones du Canada*. Quelle insignifiance sociale et politique...

Pour sa part, le ministre responsable du *Secrétariat des Affaires autochtones du Québec*, Guy Chevrette, a lui aussi réagi d'une manière mesquine face aux recommandations de la *Commission royale*... Il n'a pas su voir, dans ce rapport de grande qualité, une base sérieuse pour établir un nouveau contrat social entre les Québécois et les Autochtones. Il a lui aussi préféré *chiquer la guenille* en critiquant des éléments anodins de ce rapport plutôt que d'admettre son utilité pour le futur.

Il a sans aucun doute suivi les réactions biaisées des juristes de l'État du Québec beaucoup plus soucieux de défendre leur position indéfendable de toujours qui veut que les Indiens n'aient aucun droit. Il a simplement ignoré les résultats de cette commission pour en atténuer son impact. Une telle stratégie est indigne d'une personne qui a travaillé à aider les Premières Nations.

Un premier chapitre bien documenté du rapport démontrait pourtant, par une analyse sans faille, qu'un effort budgétaire supplémentaire de quelques milliards de dollars pendant quelques années sortirait les Autochtones des marasmes sociaux qui les écrasent. Ces conditions sociales en font actuellement des éléments négatifs à charge pour la société canadienne.

Cette guérison les amènerait rapidement par la suite à pourvoir à leurs besoins élémentaires en travaillant. Ainsi, tel que fortement souhaité par la très grande majorité des Canadiens et par les principaux intéressés, les Amérindiens gagneraient fièrement leur vie comme une très grande partie des autres citoyens de ce pays. Ils deviendraient alors un actif pour la société de demain en participant activement à l'enrichissement collectif des Canadiens et en payant leur quote-part des dépenses de leurs propres gouvernements autonomes.

L'investissement du départ se rentabiliserait alors rapidement. Cette mise de fonds ponctuelle éliminerait ainsi, d'une façon définitive, prétendait-on dans le rapport, les habituelles augmentations de budgets pour soutenir l'assistance sociale sous toutes ses formes nécessaires pour les Indiens.

Aucun analyste financier sérieux du gouvernement du Canada, ou d'ailleurs, à ma connaissance, a contredit les fondements de cet édifice d'avenir. C'est vraiment l'indifférence des Autochtones eux-mêmes, des Canadiens, des Québécois, des gouvernements, des *leaders* sociaux et de la presse qui aura donné le *coup de jarnac* à cette occasion unique de bâtir sur des bases solides.

Personnellement, je m'étais dit alors que l'occasion serait trop belle pour les gouvernements de prendre quelques jours de recul pour détruire l'analyse financière de la *Commission royale*... En gens sérieux, ils mettraient de la viande sur le maigre os de leurs réactions premières et liminaires. J'ai cru bien naïvement, il faut l'admettre, que leurs nombreux analystes financiers s'attaqueraient à cette partie fondamentale du rapport pour détruire les colonnes du temple. Plus encore, le journaliste en moi d'une autre vie me soufflait à l'oreille que des professionnels sérieux de l'information feraient le *follow-up* nécessaire. Que ces derniers insisteraient auprès de spécialistes financiers pour en connaître les aboutissants, positifs ou négatifs.

Non, ce fut peine perdue...

Les journalistes avaient bel et bien pris la dictée. Nos médias ont tout bonnement continué à appliquer leur politique d'information irresponsable. Cette dernière veut que le sort des Hells Angels, des Rock-Machines et des Bandidos, dont on parle à pleines pages à tous les jours dans les médias écrits et en manchettes des bulletins de nouvelles des médias électroniques, soit nettement plus important que celui des Autochtones dans leur échelle des valeurs et, par conséquence, dans celle du traitement journalistique.

Les journalistes, qui ont écrit et parlé du rapport de la *Commission royale...*, n'ont pas tenu compte des contenus sérieux. Ils ont préféré dénoncer ce qu'ils ont cru être l'irréalisme des recommandations. La facilité l'avait encore une fois emporté sur la recherche sérieuse.

Plus de six ans plus tard, c'est donc encore le mutisme le plus total sur cette question...

Nous devons donc en déduire tout bonnement qu'ils n'ont rien trouvé de répréhensible, que la *Commission royale...* avait raison de faire une telle suggestion et qu'ils avaient tort de la dénoncer. Les politiciens n'ont donc pas réagi en administrateurs de fonds publics sérieux qui pensent à l'avenir, mais en gens soucieux de leur image politique passagère au détriment d'une saine gestion.

Même le *Bloc Québécois*, qui a endossé plus tard les recommandations de la *Commission royale...*, a été pris par le vent de folie populaire lors de la sortie du rapport. Pour plaire à une partie de ses électeurs, son porte-parole s'est attaqué lui aussi au financement proposé. Sans aucune originalité, il a voulu d'abord satisfaire son électorat québécois en s'en prenant aux Autochtones.

D'ailleurs, s'il voulait vraiment racheter son erreur première, le *Bloc québécois* essayerait de connaître les résultats des études faites par les fonctionnaires fédéraux sur cette question précise. Il interrogerait le ministre des *Affaires indiennes et du Nord Canada* sur la partie du financement proposée par la *Commission royale...* Comme des centaines de fonctionnaires fédéraux ont étudié la très grande majorité des recommandation de cette commission, il est évident qu'ils en ont fait de même pour le financement. Les Canadiens ont le droit de savoir le contenu de leurs analyses.

Ce manque de transparence du gouvernement fédéral confirme d'ailleurs ma première réaction comme analyste à l'émission spéciale du réseau d'information RDI de la *Société Radio-Canada* le jour de la sortie du rapport: Certains politiciens disent n'importe quoi pourvu que cela puisse détruire l'impact du rapport et plaire aux journalistes plus intéressés par le sensationnalisme que par le droit du public à une information objective et honnête. Ce sont d'ailleurs ces politiciens qui ont fait les manchettes...

« NOUS SOMMES HANTÉS PAR NOS ACTIONS PASSÉES »

Ce n'est qu'un an plus tard, à l'anniversaire de la publication du rapport de la *Commission royale...*, que la population canadienne a eu droit à une légère bouffée d'air frais.

La nouvelle ministre des *Affaires indiennes et du Nord Canada*, madame Jane Stewart, a reconnu officiellement, dans une *Déclaration de réconciliation*, « les effets néfastes des traitements subis par les Autochtones du Canada par le passé». Elle l'a fait au nom du gouvernement canadien. « Plus précisément, le gouvernement du Canada exprime ses profonds regrets aux victimes de sévices physiques et sexuels exercés dans les pensionnats ».

Ce n'est vraiment pas tous les jours qu'un gouvernement parmi les plus importants de cette planète admette clairement qu'il a traité d'une façon incorrecte ses Autochtones et surtout s'en excuse. Il l'a fait sans ambiguïté en soulignant que son histoire, en ce qui les concerne, est bien loin de lui inspirer de la fierté. Le gouvernement du Canada, a alors déclaré madame Stewart, adresse aujourd'hui officiellement ses plus profonds regrets à tous les peuples autochtones du Canada à propos des gestes passés du gouvernement fédéral. Ces derniers ont contribué aux difficiles passages de l'histoire de nos relations.

« En tant que pays, nous sommes hantés par nos actions passées qui ont mené à l'affaiblissement de l'identité des peuples autochtones, à la disparition de leurs langues et de leurs cultures et à l'interdiction de leurs pratiques spirituelles. Nous devons reconnaître les conséquences de ces actes sur les nations qui ont été fragmentées, perturbées, limitées ou mêmes anéanties par la dépossession de leurs territoires traditionnels, par la relocalisation des peuples autochtones et par certaines dispositions de la *Loi sur les Indiens*. Nous devons reconnaître que ces actions ont eu pour effet d'éroder les régimes politiques, économiques et sociaux des peuples et des nations autochtones. »

Contrairement à tout ce que leurs négociateurs ont affirmé aux tables de négociations depuis des dizaines d'années, le gouvernement du Canada reconnaît aujourd'hui clairement que, pendant des millénaires, « ces peuples possédaient leurs propres formes de gouvernements ». Il mandate donc alors ses négociateurs de discuter sur la base de la reconnaissance de droit et non pas sur celle de l'extinction, comme ils le faisaient habituellement.

Force nous est de constater que, malheureusement, entre les beaux mots de la ministre et les gestes concrets posés aux tables de négociation, il y a toute une marge. Le ministère de la *Justice du Canada* se fout royalement des déclarations politiques du gouvernement actuel et continue, comme si de rien n'était, de nier tout droit ancestral aux Autochtones. Il n'est même pas prêt à reconnaître réellement le droit inhérent à l'autonomie gouvernementale, même s'il existe une politique ministérielle en ce sens.

Une telle attitude démontre qui mène réellement dans ce gouvernement... Les représentants de ce ministère peuvent bien prétendre, comme l'a échappé une avocate, que les négociateurs ont beau palabré, c'est le ministère de la *Justice du Canada* qui va décider en dernier ressort, comme vous l'avez constaté dans le chapitre six de cet ouvrage: INFLUENCE OBSCURE DES PLUS DESTRUCTRICE.

Plus encore, selon certaines informations de gens sérieux, le gouvernement fédéral, fiduciaire des Indiens, celui-là même qui a avoué publiquement ses erreurs passées, s'oppose hypocritement à toute reconnaissance de droits ancestraux des Autochtones aux tables de négociation. À la table des Innus de Mamuitun, le gouvernement du Québec a ouvert sur cette question alors que le gouvernement fédéral a fermé hermétiquement la porte.

Le chat est donc sorti du sac. Il n'est pas question, pour le ministère de la *Justice du Canada*, de reconnaître les droits ancestraux des Autochtones. Il ne le fera pas même si la *Constitution du Canada* à l'article 35(1), la *Cour suprême du Canada* et la *Commission royale sur les peuples autochtones du Canada*, et la *Déclaration de réconciliation* le font. Le ministère de la *Justice du Canada* est le seul à avoir le pas et se permet de s'opposer à ses instances politiques supérieures.

Mais, comme un nuage, faut-il l'espérer, cette position peut s'estomper...

Partant de l'aveu sincère que les politiques, qui cherchent à assimiler les Autochtones, tant les femmes que les hommes, n'étaient pas la meilleure façon de bâtir un pays fort, le gouvernement du Canada affirme: « Nous devons plutôt continuer à trouver des solutions qui permettront aux Peuples autochtones de participer pleinement à la vie économique, politique, culturelle et sociale du Canada tout en préservant, en améliorant les identités des collectivités autochtones et en assurant leur évolution et leurs épanouissements futurs. C'est en travaillant ensemble à atteindre des buts communs que nous réalisons des bénéfices pour tous les Canadiens tant Autochtones que non-Autochtones ».

Il exprime donc clairement que le nouveau contrat social doit prendre en compte le fait que: « L'apport de tous les peuples autochtones au développement du Canada ainsi que les contributions qu'ils continueront d'apporter à notre société contemporaine n'ont pas été reconnus suffisamment. Au nom de tous les Canadiens, le gouvernement du Canada veut aujourd'hui rendre hommage à ces contributions ».

Avec le passé comme toile de fond, précise la *Déclaration de réconciliation*, on ne peut que rendre hommage à la force et à l'endurance remarquable des Peuples autochtones qui ont préservé leur diversité et leur identité historique.

Il était pour plusieurs d'entre-nous indispensable, dans notre imaginaire, que les gouvernements actuels conviennent que les gestes du passé sont des erreurs actuellement inacceptables. Il était aussi important que ces derniers admettent que les conséquences ont été, et sont encore aujourd'hui, extrêmement lourdes pour les Peuples autochtones, tant collectivement qu'individuellement. Ces excuses du gouvernement du Canada, responsable selon la *Constitution du Canada*, « des Indiens et des terres réservées aux Indiens », étaient nécessaires. Elles étaient même primordiales pour que les Amérindiens arrivent à créer, avec ce dernier, une nouvelle relation où la confiance pourrait enfin être établie.

Oui, il est évident que le geste du gouvernement du Canada, qui consiste à reconnaître ses torts et à s'excuser, est important pour les Indiens.

Très jeunes, nous avons subi l'humiliation dans notre quotidien à maintes et maintes reprises. Dès qu'on apprenait que l'on faisait partie des Premières Nations, on nous traitait de *p'tits maudits sauvages*. Nous avons douté très souvent de notre avenir et avons, jusqu'ici, été régulièrement tentés de renier notre passé pas l'émancipation habilement présentée. Nous avons, à certaines occasions, mis notre identité autochtone en veilleuse. Nous ne voulions simplement pas que des préjugés inacceptables mettent en péril notre réussite professionnelle.

Personnellement, ce n'est que plus tard, lorsque ma crédibilité professionnelle fut assise sur du solide, que j'ai recommencé à m'affirmer comme Innu. Je l'ai fait d'abord prudemment pour ne pas détruire ce que j'avais bâti professionnellement de peine et de misère. Puis, petit à petit, j'ai pris de plus en plus confiance. J'ai par la suite senti que la cause autochtone prenait de plus en plus de place et que les Québécois comprenaient de mieux en mieux leurs responsabilités face aux gestes posés par leurs ancêtres dans l'histoire. Ils étaient prêts, pour certains, à corriger généreusement les bêtises commises et à redonner la place qui revient aux Premières Nations. Ils reconnaissaient maintenant les pactes conclus par les premiers Européens, leurs ancêtres.

Pour des gens qui, comme moi, depuis quelque 40 ans, débattent, sur la place publique, contre vent et marée, la reconnaissance des droits des Autochtones, cela fait un certain *p'tit velours* de constater que tu avais raison de le faire. Cela fait aussi un *p'tit velours* de t'apercevoir que tu as peut-être influencé, par ton acharnement, une telle prise de position. Donc, que plusieurs années actives de ta vie ont servi à défendre la cause de tes ancêtres et qu'à quelque part, ces derniers sourient et sont heureux que l'on reconnaisse enfin leur apport à la société d'hier.

Pour ma part, je suis moralement convaincu d'avoir accompli la mission que m'avait confiée mon père. Je vous invite à lire ou à relire le premier chapitre de l'ouvrage, *L'enfant de 7 000 ans*, le long et difficile portage vers la délivrance, publié en 1990 par la maison d'édition *Septentrion*. Parce que j'avais eu la chance de me faire instruire, il souhaitait que je travaille à défendre la cause autochtone. Il était convaincu que notre génération, à cause de notre meilleure préparation académique, pourrait aider à récupérer le temps perdu.

Par contre, il ne faudrait pas que le gouvernement du Canada, fiduciaire et tuteurs des Indiens, soit comme ces alcooliques, ces droguées, ces batteurs de femmes, qui admettent n'importe quoi quand ils sont pris en défaut. Mais, ils ne passent jamais au véritable repentir et ils ne posent jamais des gestes sincères et définitifs qui corrigent la situation...

Il faudra bientôt que le gouvernement fédéral fasse un maître entre lui et le ministère de la *Justice du Canada*. Il en va, à ne pas en douter, de sa crédibilité dans ce pays et sur la planète. Comment peut-il, en même temps, faire une déclaration sincère de réconciliation, inscrire dans la Loi fondamentale du pays, la *Constitution du Canada*, la reconnaissance des droits ancestraux des Autochtones, mettre en place une commission royale sur l'avenir des Autochtones et tolérer que son ministère de la *Justice* refuse de reconnaître, dans des ententes ou des traités, les droits des Premières Nations ?

Qu'on m'explique alors, ainsi qu'à la population canadienne, cette position complètement folle, même démente...

XVI

LES MANIFESTATIONS D'UN RAPPROCHEMENT

LA BASE D'UNE RELATION HONORABLE

Après avoir visité 96 collectivités des Premiers peuples et tenu 178 jours d'audiences, au moment de la publication de cette oeuvre colossale de quelque 2,000 pages, les commissaires de la *Commission royale sur les peuples autochtones du Canada* admettent qu'ils avaient un but avoué: **Favoriser et soutenir un changement plus radical**.

Pour les commissaires, il s'agissait de tracer les grandes lignes d'un programme complet d'actions au gouvernement du Canada, fiduciaire des Indiens. Ce plan ambitieux s'échelonne sur une période de 20 ans, soit presque une génération.

Le projet de société proposé vise à modifier des vies. « Il a pour objectif de veiller à ce que les enfants autochtones grandissent avec la certitude qu'ils sont importants, que leur vie est précieuse et qu'ils méritent l'amour et le respect. Il doit aussi les convaincre qu'ils possèdent les clés d'un avenir prometteur en tant qu'égaux au sein de la société ».

Pour les commissaires, le point de départ est la reconnaissance évidente du fait que les Autochtones ne sont pas, comme certains Canadiens semblent le croire, un groupe minoritaire sans importance dont il faut régler les problèmes. Les Canadiens doivent comprendre que la *Commission royale...* n'avait pas comme mandat de moderniser les attitudes désuètes des Amérindiens. « Ils forment des entités politiques distinctes et occupent, au sein du Canada, une place unique, différente de celle des autres ».

Parce que les Autochtones sont les premiers occupants du pays, prétendent les commissaires, que les traités historiques ont reconnu leurs droits, que la

Constitution du Canada confirme ces droits à l'article 35(1) et qu'ils forment des peuples qui ont conservé intacte leur identité, les Autochtones constituent des nations au sein du Canada. Ils font partie de collectivités qui ont leur caractère et leurs traditions propres. Elles ont un droit inhérent à l'autonomie gouvernementale. Elles doivent occuper une place spéciale dans le fédéralisme qui définit le Canada.

« Notre tâche consistait essentiellement à définir un meilleur équilibre des pouvoirs politiques et économiques entre les gouvernements autochtones et les autres gouvernements canadiens. Les progrès sur les autres plans, s'ils ne s'accompagnent pas de cette transformation, ne feront qu'entretenir un statu quo insatisfaisant. »

Tout au long de notre rapport, ont ajouté les commissaires, nous insistons sur l'importance d'une bonne compréhension de l'histoire. Nous ne pouvons pas repartir sur des bases nouvelles si nous n'acceptons pas de tenir compte du passé. « Nous ne proposons pas de nous appesantir sur ce passé. Ni les Autochtones, ni les non-Autochtones ne le souhaitent. Il faut toutefois que tout le monde reconnaisse que les Autochtones ont subi des torts immenses ».

Les commissaires ont tenu à souligner qu'ils ne constataient guère, aujourd'hui, une manifestation d'une telle reconnaissance. Au contraire, soulignent-ils, alors que la renaissance des nations et des cultures autochtones semble offrir un nouvel espoir de mieux être, une résistance se prépare. Cette réaction est caractérisée par certains slogans tels que: « Tous les Canadiens sont égaux » et « personne ne doit avoir de statut particulier ». Cette réplique, prétendent-ils, repose sur des bases complètement erronées.

« On ne peut soutenir que tous doivent être traités également, quelle que soit l'inégalité des situations. On ne peut fermer les yeux devant le dénuement et le racisme qui façonnent les conditions de vie des Autochtones et bouchent leurs perspectives. On ne peut ignorer les droits historiques dont jouissent encore les Autochtones en tant qu'entités politiques autonomes, des droits que le Canada s'est engagé à protéger à l'époque où notre nation était encore en gestation. »

Les commissaires de la *Commission royale...* dénoncent, par la même occasion, les tenants de cette approche prétendument égalitaire qui affirment que le renouveau et la réorganisation tels que « nous les proposons établiront un régime d' «apartheid» au Canada. Au nom de l'égalité, ils sont prêts à refuser, aux Autochtones, la chance de protéger leurs cultures et d'évoluer en tant que sociétés conformément à leurs valeurs ».

« Cette façon de penser est l'équivalent contemporain de l'attitude qui nous a donné la *Loi sur les Indiens*, les pensionnats, les réinstallations forcées et les autres instruments d'assimilation du XlX ième siècle. Nous demandons à ces personnes de revoir leur position. Ses conséquences sont à l'opposé de l'égalité; elles consacrent le déséquilibre des pouvoirs et l'écart actuel entre les Autochtones et les non-Autochtones. »

Pour la *Commission royale sur les peuples autochtones du Canada*, le moment est venu de rebâtir les fondements d'une coexistence plus juste. Cette période est tout indiquée pour établir une relation durable entre les peuples autochtones et le peuple canadien. Ce programme ambitieux s'étale sur une longue période afin de permettre aux uns comme aux autres d'ingurgiter, à doses normales, ces changements majeurs de notre société.

Les commissaires fondent ce jugement sur quatre raisons majeures:
- Le Canada prétend être une société juste et éclairée. Il doit donc agir en conséquence;
- la qualité de vie des Autochtones est déplorable et doit être améliorée;

- les négociations menées selon les règles actuelles - comme en font la preuve plusieurs chapitres de cet ouvrage - n'ont rien donné de probant et elles conduisent nulle part;
- tous ces échecs répétés risquent de déboucher sur la violence.

VINGT ANS DE TRAVAIL SOUTENU, VOILÀ TOUT UN PROGRAMME

Plus qu'une question de structures gouvernementales pour l'exercice des droits ancestraux, plus que la correction d'une erreur historique, plus que l'élaboration de nouvelles stratégies sur le développement économique, plus que l'ajout de programmes mieux adaptés, le but avoué des commissaires était nettement de favoriser et surtout de soutenir un changement radical.

Plus encore, il était de planifier un projet de société emballant faisant l'objet d'un nouveau contrat social entre les Premières Nations, les Inuits et les Métis et les gouvernements, fédéral et provinciaux.

Ce programme de changement, même s'il a une portée considérable, prétendent les commissaires, ne devrait pas nécessité de modifications constitutionnelles. « Les nations autochtones sont libres d'appliquer dès maintenant certaines de nos propositions. En règle générale, la meilleure façon de concrétiser la nouvelle relation est par la voie de négociations entre gouvernements, à l'intérieur du cadre constitutionnel existant ».

Cependant, le rapport de la *Commission royale...* mentionne que, lors de nouvelles rondes constitutionnelles, les questions autochtones suivantes devront être abordées:

- La reconnaissance du fait que l'article 35 de la *Loi constitutionnelle de 1982* confirme que le droit inhérent à l'autonomie gouvernementale est un droit ancestral;
- le processus permettant de respecter et de concrétiser les obligations découlant des traités;
- le droit de veto des peuples autochtones sur la modification des articles de la *Constitution du Canada* qui touchent directement leurs droits; c'est-à-dire le paragraphe 91(24) de la *Loi constitutionnelle de 1867* et les articles 25, 35 et 35(1) de la *Loi constitutionnelle de 1982*;
- la reconnaissance des Métis dans le paragraphe 91(24), au même titre que les Premières Nations et les Inuits;
- la protection constitutionnelle accordée à la *Métis Settlements Act* de l'Alberta;
- la modification du paragraphe 91(24) pour tenir compte de la vaste compétence que les nations autochtones peuvent exercer en vertu de leurs droits inhérents et la réduction des pouvoirs fédéraux en conséquence.

Au sujet de la *Constitution du Canada*, les commissaires de la *Commission royale...* concluent que la déclaration relative à l'identité nationale du Canada ne sera jamais complète tant que la relation de respect et d'égalité préconisée n'y figurera pas.

Comme point de départ, les commissaires de la *Commission royale...* suggèrent que le Canada s'engage sans équivoque à renouveler la relation entre les Autochtones et les non-Autochtones. Il doit adhérer aux grands principes de la reconnaissance, du partage et de la responsabilité. Selon eux, il faut poser un geste officiel manifestant une intention nationale - une déclaration d'intention symbolique, mais substantielle, accompagnée des lois nécessaires.

La meilleure façon d'y parvenir, prétend le rapport de la *Commission royale...*, c'est d'adopter une nouvelle *Proclamation royale*, signée par la Reine, chef du Canada et gardienne historique des droits des peuples autochtones. Il faudrait en outre qu'elle soit présentée à la population du Canada à l'occasion d'une assemblée spéciale convoquée à cette fin.

Selon les commissaires, cette *Proclamation royale* établirait les principes régissant la nouvelle relation. Elle préciserait les lois et les institutions nécessaires pour traduire ces principes dans la réalité. « Elle ne remplacerait pas la *Proclamation royale de 1763*, qu'on a qualifiée de *Magna Carta* des peuples autochtones, mais elle l'appuierait et la moderniserait ».

Les commissaires de la *Commission royale...* affirment que ce ne sont pas les structures qui font les changement, mais bel et bien les gens. Or, pour y arriver, croient-ils, les Autochtones doivent retrouver l'espoir que leurs droits seront reconnus et que leur dénuement sera un jour chose du passé. « C'est à cette condition qu'ils pourront libérer leurs énergies, apporter des milliers de solutions individuelles et concrétiser le changement ».

À cette fin, prétendent-ils, il faut agir sans retard dans quatre secteurs: La guérison, le développement économique, le perfectionnement des ressources humaines et la création d'institutions autochtones.

- La guérison

La guérison est celle des personnes, des familles, des collectivités et des nations, mentionnent les commissaires de la *Commission royale...* La guérison vise à restaurer la santé physique, mentale, affective et spirituelle. Elle sous-entend le rétablissement des personnes et des collectivités affaiblies par la perte de leurs cultures, par les traitements paternalistes et parfois racistes et par les politiques officielles de domination et d'assimilation.

La guérison, ajoutent-ils, doit reposer sur les traditions autochtones d'entraide et de responsabilité communautaire. Elle doit englober les dirigeants des collectivités et les dirigeants nationaux dont les approches en matière de décision ont parfois été déformées par la façon que le gouvernement a appliqué la *Loi sur les Indiens*. Le rétablissement des collectivités et des nations, le retour à l'unité et à l'harmonie constituent un prolongement de la guérison au niveau personnel. Une telle résurrection, prétendent les commissaires, est un corollaire essentiel de l'autonomie gouvernementale.

- Le développement économique

Les Autochtones doivent disposer des outils nécessaires pour échapper à la pauvreté qui handicape les individus et les nations. Selon les commissaires de la *Commission royale...*, la redistribution des terres et des ressources améliorera beaucoup les perspectives d'emploi et de revenus. Il faudra cependant, ajoutent-ils, trouver des capitaux à investir dans les entreprises et les industries et développer, en gestion, des aptitudes techniques et professionnelles afin de pouvoir saisir les nouvelles occasion qui se présenteront.

L'amélioration des conditions économiques doit absolument s'accompagner d'une transformation des conditions de vie, croient les commissaires. « Nous proposons une vaste initiative touchant le logement, l'approvisionnement en eau et en services sanitaires afin de réduire les menaces pour la santé et promouvoir le respect de soi et l'initiative. »

- **Le perfectionnement accéléré**

Les activités des gouvernements autonomes, le processus de guérison, la mise en place d'infrastructures communautaires et les entreprises commerciales nécessiteront bien plus de personnes formées que ce dont disposent maintenant les Autochtones. Des changements au système d'éducation peuvent améliorer les taux de persévérance des Autochtones à l'école secondaire, soutiennent les commissaires.

« Nous proposons aussi une initiative sur 10 ans pour combler les lacunes en matière d'éducation et de formation. Il faudra alors faire appel aux entreprises privées, aux établissements de formation et aux gouvernements pour réaliser des programmes. Ces derniers viseront à encourager les Autochtones à acquérir des connaissances dans un large éventail de domaines techniques, commerciaux et professionnels ».

- **La création d'institutions**

Selon les commissaires de la *Commission royale...*, la plupart des institutions régissant la vie autochtone d'aujourd'hui se trouvent à l'extérieur des collectivités autochtones. Dans la plupart des cas, ajoutent-ils, elles fonctionnent suivant des règles qui ne tiennent pas compte des valeurs et des préférences autochtones. « Il faut faire place aux institutions autochtones dans tous les secteurs de la vie publique. Nombre des institutions nécessaires devraient être créées avant que les nations autochtones ne voient le jour, mais elles devraient être conçues pour compléter les structures des nations et non pas les concurrencer ».

LES COUTS ÉLEVÉS DU STATU QUO

La nécessité de conclure un nouveau contrat social avec les peuples autochtones, selon les commissaires, est indiscutablement liée à la justice réparatrice et à la reconnaissance des droits historiques des Autochtones. « Elle repose aussi sur de solides motifs économiques: Le Canada ne peut plus se permettre de maintenir le statu quo ».

Éliminer les coûts supplémentaires que doivent supporter les Canadiens pour les politiques du passé, prétendent les commissaires, est un puissant argument en faveur de la mise en oeuvre du programme de changement suggéré par la *Commission royale...*

- Coût très élevé de l'incapacité des peuples autochtones à trouver des emplois rémunérateurs et à toucher des revenus raisonnables. Ce coût, disent-ils, prend la forme de gains que les Autochtones ne reçoivent jamais, de biens et de services qu'ils ne peuvent pas injecter dans l'économie et d'impôts qu'ils ne peuvent pas payer.

- Coût moindre, mais quand même appréciable, ajoutent-ils, que les contribuables doivent supporter parce que les Autochtones ont besoin de services supplémentaires en raison des effets négatifs d'un passé marqué par la domination: Les Autochtones sont, plus que la moyenne, tributaires de l'aide sociale, des subventions au logement, des services de santé et de justice.

Selon le rapport de la *Commission royale*..., plus des deux tiers du coût du statu quo sont imputables au fait que les Autochtones sont plus sujets que les autres Canadiens d'être victimes du chômage et, lorsqu'ils ont des emplois, de toucher une rémunération inférieure.

« En tant que groupe, les Autochtones vivent en marge de l'économie canadienne. Ils produisent moins et, par conséquent, ils apportent une contribution de moindre importance que la moyenne des Canadiens à la richesse nationale. Parce qu'ils gagnent moins, ils ont un niveau de vie considérablement inférieur à celui de la moyenne nationale ».

-        En 1990, seulement 43% des Autochtones de plus de 15 ans occupaient un emploi, par comparaison à 61% pour l'ensemble des Canadiens.

-        En 1991, les Autochtones qui avaient un emploi touchaient en moyenne 21 270 $, soit 76% du revenu moyen au Canada, qui s'établissait à 27 800 $.

Si ces écarts disparaissaient, soulignent les commissaires de la *Commission royale*..., les Autochtones viendraient augmenter 5,8 milliards de dollars de biens et services à l'économie canadienne en 1996. Il ne s'agit pas d'un phénomène provisoire. Ils ajoutent que des pertes considérables sont encourues depuis longtemps et, de 1981 à 1991, ces pertes ont en fait augmenté.

« Le taux de chômage des Autochtones a augmenté de façon exponentielle au cours des 10 dernières années - beaucoup plus rapidement que celui de l'ensemble des Canadiens - et leur revenu moyen a diminué. Cette évolution s'est produite malgré une diminution de l'écart entre le niveau de scolarité des Autochtones et celui des Canadiens non autochtones. La tendance s'est fort probablement maintenue au cours des années 90, car les jeunes arrivent sur le marché du travail et les emplois demeurent rares. »

Pour les commissaires, il est évident que cette situation est un handicap majeur pour les Autochtones et les collectivités. Elle accroît sensiblement la dette publique. Plus de 150,000 Autochtones adultes n'ont pas la satisfaction de toucher un revenu décent, ni d'être indépendant sur le plan économique.

LE PRIX DE L'AIDE GOUVERNEMENTALE

En 1992-1993, dernière année pour laquelle l'information de tous les gouvernements a été publiée avant la parution du rapport, soulignent les commissaires, le gouvernement fédéral a consacré six milliards de dollars aux Autochtones. Ils l'ont fait essentiellement en vertu des programmes destinés aux Indiens inscrits et aux Inuits. Les autres gouvernements (surtout les provinces) ont consacré 5,6 milliards de dollars - soit un total de 11,6 milliards de dollars.

« Les gouvernements dépensent de l'argent pour tous les citoyens, surtout à titre de programmes de santé et d'éducation, pour stimuler l'économie, pour faciliter les transports, etc. La somme consacrée aux Autochtones, par personne, est de 57% supérieure à celle dépensée pour chacun des Canadiens pris dans leur ensemble. » Il ne faut pas oublier cependant, comme on l'explique un peu plus loin, que les services donnés aux Indiens coûtent plus chers à cause de l'éloignement. Il aurait donc été intéressant que la *Commission royale*... compare ces coûts avec ceux des services des Canadiens éloignés et évalue ainsi les coûts supplémentaires. Les commissaires seraient arrivés à un chiffre réel sûrement beaucoup plus bas que 57%.

Certaines dépenses du gouvernement fédéral, selon les commissaires, sont occasionnées par des programmes spéciaux, notamment les services de santé non assurés et l'éducation post secondaire, fournis en vertu des traités, ou de la *Loi sur les Indiens*. Des facteurs géographiques et démographiques, aux dires des commissaires, interviennent en outre:

- Le coût des prestations de services dans les régions éloignées, où vivent de nombreux Autochtones, est élevé. Par exemple, le coût des services fournis par le gouvernement des *Territoires du Nord-Ouest* est le double du niveau national.

- La croissance rapide de la population autochtone explique que certaines dépenses soient plus élevées. Par exemple, la composition démographique de la population autochtone entraîne, au titre de l'éducation, des dépenses deux fois plus élevées que pour l'ensemble des Canadiens.

Pour les commissaires de la *Commission royale...*, d'autres facteurs liés à la situation sociale et économique des Autochtones rendent nécessaires certains programmes et services:

- Les Autochtones sont représentés d'une manière trop évidente dans la clientèle des services correctifs, notamment les soins de santé, les services sociaux et le système de sécurité publique (maintien de l'ordre, tribunaux et établissements correctionnels);

- les taux de pauvreté et de chômage élevés et croissants accentuent la nécessité de l'aide sociale, des subventions au logement et d'autres paiements à des particuliers.

« Les coûts liés aux facteurs géographiques et à la croissance démographique sont inévitables. Une grande partie du coût de l'aide financière individuelle et des programmes correctifs en matière de santé et de services sociaux pourraient cependant être éliminés si l'on adoptait des solutions stratégiques judicieuses. »

La différence entre ce que l'on dépense pour les Autochtones et ce que l'on paye pour un nombre équivalent d'autres Canadiens, selon les commissaires, était estimée à 2,5 milliards de dollars en 1996 - ce chiffre comprend 0,8 milliard de dollars au titre de l'aide financière et 1,7 milliard de dollars au titre des programmes correctifs.

La perte de recettes fiscales attribuable au chômage et aux emplois mal rémunérés, selon le rapport de la *Commission royale...*, était estimée à 2,1 milliards de dollars en 1996. Si on y ajoute le 2,5 milliards de dollars, du calcul précédent, on obtient un total de 4,6 milliards de dollars. « C'est ce qu'il en coûte aux gouvernements canadiens de continuer à appliquer aux Autochtones une politique qui ne donne pas les résultats escomptés. C'est à peu près la somme que le gouvernement du Nouveau-Brunswick dépense chaque année pour administrer l'ensemble de la province ».

On peut aller plus loin, prétendent les commissaires. Selon eux, on estimait à 2,9 milliards de dollars les revenus potentiels perdus par les Autochtones en 1996 à cause de la situation de l'emploi et de la rémunération. Cette somme s'ajoute aux 4,6 milliards déjà perdus, ce qui donne un total de 7,5 milliards de dollars - le coût total que le Canada doit supporter pour laisser les Autochtones dans leur situation sociale et économique actuelle.

« Si le Canada n'apporte pas de changements fondamentaux, ces chiffres augmenteront sensiblement. Si les tendances actuelles se maintiennent, l'économie du Canada perdra annuellement n'ont plus 7,5 milliards de dollars, mais bien 11 milliards de dollars (en dollars de 1996) d'ici quelques années, seulement en raison de l'augmentation démographique. »

UN BON INVESTISSEMENT

Le programme de changement proposé par la *Commission royale*..., selon les commissaires, peut réduire sensiblement les coûts de la marginalisation, du mauvais état de santé et de la misère sociale des Autochtones. Des changements d'une telle ampleur, soutiennent-ils, ne se concrétisent toutefois pas facilement. « Lorsque les problèmes sont à ce point profonds, il faut que les solutions s'attaquent à leur racine même. Une fois définies et mises en oeuvre, ces solutions sont longues à porter fruit. »

Selon la *Commission royale*..., le Canada a tout à gagner de mettre en application les propositions des commissaires. Pour leur part, les Autochtones s'en trouveront mieux parce qu'ils auront une plus grande productivité et des revenus plus élevés. « Les autres Canadiens bénéficieront des économies et des recettes réalisées par les gouvernements. Le renouveau politique, économique et social peut aider le Canada à équilibrer son budget ».

Mêmes si leurs propositions nécessitent une mise de fonds, les commissaires prétendent qu'elles entraîneront aussi des économies substantielles. « Les économies et les nouvelles recettes fiscales finiront par égaler, puis par dépasser, le coût de la stratégie proposée. Nous estimons qu'il faudra entre quinze et vingt ans pour en arriver à ce point. »

Par conséquent, soulignent les commissaires, nous recommandons fortement que les gouvernements augmentent leurs dépenses annuelles. Ainsi, cinq ans après le début de la stratégie proposée, les dépenses seront plus élevées qu'aujourd'hui dans une proportion de 1,5 milliard à 2 milliards de dollars et qu'ils maintiennent ce niveau de financement pendant une quinzaine d'années. Nous demandons aux Canadiens, ajoutent les commissaires, d'examiner les dépenses supplémentaires en gardant quatre facteurs à l'esprit:

- Le programme de changement coûtera beaucoup moins au Canada que le maintien du statu quo, modifié çà et là de façon marginale. Selon les commissaires, le coût de la productivité perdue et des mesures correctrices, rendues nécessaires par la pauvreté et d'autres formes de handicap, est de quatre à cinq fois supérieur au coût des mesures proposées par la *Commission royale*...;

- les commissaires ajoutent que leurs recommandations constituent une stratégie interactive. Pour qu'elles donnent des résultats, elles doivent se renforcer les unes sur les autres. L'autonomie gouvernementale et l'acquisition d'une assise territoriale élargie insuffleront un puissant élan à l'autonomie économique. « Le mieux être économique s'accompagne généralement d'un meilleur état de santé. Parallèlement, les progrès de la guérison et de l'éducation donneront des individus plus forts, plus confiants et dotés des talents et des aptitudes que requièrent la gestion d'entreprises et celle de gouvernements »;

- des changements devront être négociés avec les Autochtones, selon le rapport, et mis en oeuvre, par les Autochtones, de la façon qu'ils auront décidée. Cela signifie que le rythme du changement sera déterminé par la capacité des nations et des collectivités autochtones à mettre en application leurs priorités, une capacité qui est encore en gestation;

- les gouvernements réévaluent leur rôle dans la société et réduisent les dépenses publiques. Ce ne serait toutefois qu'un simulacre de justice si les efforts concertés et efficaces visant à corriger les conséquences d'une longue dépossession étaient abandonnés pour des contraintes financières. Une dette est demeurée impayée, concluent les commissaires, et les Canadiens ne peuvent pas, en toute conscience, se dérober.

Le rapport de la *Commission royale...* estime que la moitié des gains, à escompter de meilleures conditions sociales et économiques, pourrait se concrétiser au cours d'une période d'investissement de 20 ans. « Au-delà de cette échéance, le rétablissement social et économique se poursuivra sans apport extérieur. Durant ces 20 ans, le flux des investissements devrait évoluer en trois étapes:

- Au cours des cinq premières années, soutient le rapport, il faudrait immédiatement affecter des ressources considérables à tous les aspects de la guérison, de la stimulation économique, de la modernisation de l'infrastructure communautaire, de la création de nouvelles institutions et du perfectionnement des ressources humaines. Par contre, selon les commissaires, même si la réforme structurelle commence, elle aussi, dès les premières années (édification des nations, reconnaissance de l'autonomie gouvernementale et processus touchant les terres et les traités), cette activité ne monopolisera que des fonds limités;

- à la fin de cette période de cinq ans, à mesure qu'un plus grand nombre de nations autochtones auront mené à bien les négociations relatives aux terres et à l'autonomie gouvernementale, prétendent les commissaires, il faudra faire face à des importantes dépenses pour régler les revendications territoriales et mettre en place les gouvernements autochtones. « Nous nous attendons à ce que la plupart des revendications soient réglées au cours des vingt prochaines années, mais le coût des règlements relatifs aux revendications territoriales s'établira sur une plus longue période »;

- au bout d'une dizaine d'années, souligne le rapport de la *Commission royale...*, les Autochtones et les nations autochtones commenceront à rattraper leur retard en matière d'autonomie économique et contribueront plus largement au financement des gouvernements. La nécessité de programmes correctifs diminuera. « Les avantages financiers de notre stratégie commenceront à dépasser ces coûts dans les 20 ans suivant le début de la mise en oeuvre de la stratégie ».

Pour les commissaires, il est évident que les gouvernements, fédéral, provinciaux, territoriaux et autochtones devront assumer une part du coût supplémentaire que représente le programme de changement. « Les coûts que nous décrivons seront supportés en partie par les gouvernements autochtones et financés grâce à leurs efforts dans le domaine fiscal ».

À long terme, soulignent les commissaires, les gouvernements fédéral, provinciaux et territoriaux profiteront largement des effets suivants:

- Dépenses réduites lorsque le programme de changement commencera à atténuer les aspects débilants et onéreux de la vie autochtone;

- augmentation des recettes fiscales lorsqu'un plus grand nombre d'Autochtones vivant à l'extérieur des territoires des nations autochtones occupera des emplois, touchera à un revenu acceptable et paiera des impôts.

Dans leur rapport, les commissaires demandent instamment à leurs concitoyens du Canada d'affecter les ressources nécessaires aux mesures décrites afin de réduire de 50% l'écart économique entre Autochtones et non-Autochtones. Ils disent aussi d'aménager les conditions sociales au cours des 20 prochaines années.

« Il faudra peut-être plus longtemps. Toutefois, au cours de cette période de 20 ans, un énorme élan peut être donné. En 2016, les Autochtones devraient se trouver dans une bien meilleure situation qu'aujourd'hui et continuer à progresser. »

Cela aura d'énormes retombées humaines, prétendent les commissaires, et, à plus long terme, des avantages financiers encore plus importants pour tous les Canadiens.

UNE GRILLE D'ANALYSE SANS FAILLE

Au cours de leur périple qui a duré un peu plus de cinq ans, les commissaires se sont forgé un prisme d'une grande valeur. Les consultations auprès de centaines de spécialistes de toutes sortes, la lecture d'un nombre imposant d'études commandées sur des questions précises et l'examen des conclusions de plusieurs enquêtes et rapports sur le dossier autochtone ont complété leur formation. Cette connaissance acquise constitue une grande expertise. Ils sont ainsi devenus des experts de la connaissance et du vécu, présent et passé, des Premiers peuples.

Cette précieuse grille leur a permis d'analyser les mémoires déposés aux audiences. Elle leur a aussi servi de tamis leur permettant ainsi de conclure que les conditions sociales des Autochtones sont inacceptables. Elles le sont encore plus dans un pays considéré par les *Nations Unies* comme le meilleur au monde. Ces conditions s'expriment pour eux de la façon suivante:

- L'espérance de vie des Autochtones est moindre;
- les maladies sont plus répandues;
- les problèmes humains, depuis la violence familiale jusqu'à l'alcoolisme, sont également plus fréquents;
- moins de jeunes achève leurs études secondaires;
- une minorité d'entre eux entre au collège et à l'université;
- un nombre restreint d'Autochtones a un emploi;
- un plus grand nombre d'entre eux se retrouve en prison;
- les logements des Autochtones sont plus souvent mal construits, insalubres et surpeuplés;
- les systèmes d'adduction d'eau et d'égouts des collectivités autochtones laissent plus souvent à désirer.

Les commissaires ont compris qu'une relation aussi complexe que celle qui existe entre les Autochtones et les Canadiens implique nécessairement des négociations. Il faut que ces négociations se fassent d'égal à égal, à partir d'un modèle plus contemporain, en redonnant aux nations autochtones le pouvoir de négociation nécessaire pour qu'elles obtiennent ainsi des résultats plus satisfaisants.

Ce pouvoir de négociation, les Indiens l'ont eu quand ils étaient plus nombreux au début de la *Colonie française* et à la période de la fin des alliances franco-indiennes. C'est uniquement au cours de cette courte période qu'ils ont pu négocier des traités de paix et d'amitié d'égal à égal. Comme on le verra plus loin, ces traités ont plus tard été bafoués et la parole donnée n'avait plus de valeur.

J'ai constaté, comme les commissaires l'ont fait d'ailleurs, que, plus tard, lorsque les Indiens étaient moins nombreux, les traités avaient comme objectifs d'éteindre les droits des Premiers peuples et de s'approprier de leurs terres. Ils visaient, selon moi, la forme de génocide la plus sauvage, la plus cruelle: L'extinction pure et féroce des Premiers peuples.

Pour leur part, souligne le rapport final, les négociateurs autochtones cherchent des ressources et des pouvoirs pour reconstruire leur société et exercer leur autonomie gouvernementale. À titre de négociateur autochtone, j'ai eu l'occasion de témoigner aux audiences de la *Commission royale...* de mes expériences. J'ai tenté de démontrer aux commissaires à quel point les forces en présence étaient inégales. J'ai surtout insisté sur le manque de volonté politique des trois parties en négociations: Les Premières Nations, le gouvernement fédéral et ceux des provinces.

Plus encore, je leur ai prouvé que ces négociations étaient empreintes d'un paternalisme de mauvais aloi - comme le fait le présent ouvrage - qui laissait pointer la tutelle écrasante du ministère des *Affaires indiennes et du Nord Canada*.

Pour le ministère de la *Justice du Canada*, les Indiens n'ont aucun droit. Pour celui des *Affaires indiennes et du Nord Canada*, ils sont des éternels incapables. Avec de telles opinions négatives sur les Amérindiens du fiduciaire des Indiens, comment voulez-vous qu'un futur contrat social reflète une ouverture. Et je crois surtout que ce nouveau partenariat sera toujours le plus près possible du plus bas dénominateur commun.

À l'inverse, leurs opposants aux tables de négociation s'efforcent de protéger les pouvoirs et les ressources des gouvernements, souligne le rapport. « Les négociateurs gouvernementaux traitent leurs transferts aux collectivités autochtones comme une largesse de la part de ces gouvernements. Ils perpétuent ainsi ce qui a caractérisé l'histoire de ce coin de terre d'Amérique depuis l'arrivée des colonisateurs européens ». Madame Jane Stewart, ministre responsable de la mission de fiduciaire du Canada envers les Indiens, a dénoncé avec force, il y a quelques années, cette façon de faire en soulignant « que le Canada en était peu fier ».

Une telle dénonciation a eu ses effets auprès de la foule. Malheureusement, elle n'aura aucune influence réelle si le pouvoir politique fédéral n'impose pas sa vision aux fonctionnaires de l'État qui sont aux tables de négociations avec les Autochtones. Il s'ensuit, pour l'instant, que la vision des négociateurs aux tables n'a pas changé d'un iota.

Si les parties veulent retrouver l'essence de la relation originelle entre les nations autochtones et les sociétés colonisatrices, soulignent les commissaires, il faut mettre en place les éléments d'un partenariat moderne. « Le point de départ de cette transformation est la reconnaissance des nations autochtones ».

J'ajouterais que cette reconnaissance politique doit obligatoirement s'accompagner de la reconnaissance de nos droits ancestraux, comme le fait la *Constitution du Canada* à l'article 35(1). **La base de toute négociation doit donc être la reconnaissance des droits ancestraux au lieu de l'extinction de ces droits**. Enfin, pour moi, reconnaître ces droits et travailler à définir leur application dans des traités constituent les prémices nécessaires à des résultats satisfaisants pour les peuples autochtones.

Il est impensable et surtout inconcevable qu'au début de ce nouveau millénaire, après autant de démonstrations juridiques de la part de la *Cour suprême du Canada* et de la *Commission royale...*, le fiduciaire des Indiens continue à nier ces droits. Il fait fi de sa propre Constitution qui reconnaît ces droits. Le gouvernement du Canada nage donc dans l'illégalité et agit à l'encontre de sa propre Constitution.

Est-ce que c'est assez fort...

Constitués en nations, les Autochtones ont contracté des alliances militaires et commerciales avec les Européens. C'est à ce titre de nations, prétendent les commissaires, qu'ils ont signé des traités pour partager leurs terres et leurs ressources. « Ils forment encore aujourd'hui des nations - par leur cohésion, par leur caractère distinct et par leur compréhension d'eux-mêmes ».

La reconnaissance des nations autochtones, soutiennent-ils, ne menace en rien le Canada, ni son intégrité politique et territoriale. « Les nations autochtones ont presque toujours recherché la coexistence, la collaboration et l'harmonie dans leurs relations avec les autres peuples. Aujourd'hui, elles demandent au Canada d'occuper la place légitime qui leur revient en tant que partenaires au sein de la fédération canadienne ».

Comme on le sait, soutient le rapport de la *Commission royale...*, les Amérindiens et leurs régimes de gouvernement existent depuis des temps immémoriaux. Cette position a trouvé écho devant la *Cour suprême du Canada* dans ses jugements récents.

« C'est du Créateur lui-même que les Autochtones considèrent avoir reçu le droit à l'autonomie gouvernementale. Le Créateur a donné un territoire à chaque nation et lui a confié la responsabilité de prendre soin de ces terres - et les uns des autres - jusqu'à la fin des temps. »

Dans le cas des Autochtones, la *Commission royale...* soutient que le droit l'autonomie gouvernementale, auquel ils n'ont jamais renoncé et qu'ils veulent exercer de nouveau, est conforté par trois autres sources:

- Le droit international, auquel le Canada souscrit, reconnaît à tous les peuples le droit à l'autodétermination;
- l'histoire du Canada montre que les puissances coloniales ne peuvent revendiquer aucun « droit de conquête » parce qu'il n'y a pas eu de conquête;
- la *Constitution du Canada*, à l'article 35(1), reconnaît et protège le droit des peuples autochtones à l'autonomie gouvernementale au sein du ˙ Canada. Elle reconnaît aussi que les droits ancestraux sont plus anciens que le Canada lui-même.

Ce qui est curieux, c'est que la *Commission royale...* reconnaît que les peuples autochtones aient le droit à l'autodétermination et fonde ce jugement sur le droit international. Or, le droit international, dans le cas du droit à l'autodétermination, va jusqu'à la sécession alors que la *Commission royale...* lui donne une portée limitée au Canada.

C'est sur cette portée limitée que, quant à moi, le bât blesse. Je ne comprends vraiment pas pourquoi ce droit à l'autodétermination est limité pour les peuples autochtones du Canada tandis qu'il ne l'est pas pour les autres peuples de la terre. Cette attitude discriminatoire de la part de la *Commission royale...* ne m'apparaît pas de bonne nature.

Pour ceux qui lisent entre les lignes, cette attitude ne pourrait-elle pas constituer un encouragement pour les Indiens du Québec à être partitionnistes ? Or, un tel conseil, même voilé, si c'était le cas, se révélerait une erreur politique monumentale pour la *Commission royale...* Il s'agirait d'un encouragement néfaste pour les peuples autochtones du Québec qui auront à vivre encore longtemps avec les Québécois, quelque soit l'avenir politique de ce coin de terre.

Je souhaite sincèrement me tromper sur ces conclusions appréhendées.

La *Commission royale...* définit les nations autochtones comme étant un groupe important d'Amérindiens qui éprouve un sentiment commun d'identité nationale. Ce groupe forme la population majoritaire d'un territoire donné ou d'un ensemble de territoires.

« Sont par conséquent des nations les Micmacs, les Innus, les Anishnabés, les Bloods, les Haidas, les Inuvialuit, les membres des nations métisses de l'Ouest et d'autres peuples dont les liens demeurent en partie intacts malgré les ingérences gouvernementales. Il existe environ 1,000 réserves et collectivités autochtones au Canada, mais il y a 60 ou 80 nations autochtones. »

La *Commission royale...* a proposé au gouvernement du Canada d'édicter « une nouvelle proclamation royale », un départ audacieux. Elle suggère aussi de favoriser *la guérison*, un processus social et spirituel déjà entamé dans de nombreuses collectivités autochtones.

Cet édit gouvernemental appuierait:

1) La réédification autochtone:

- Reconstituer des communautés divisées;
- élaborer des constitutions;
- concevoir des structures;
- former des responsables pour promulguer des lois et administrer les décisions;
- négocier de nouveaux rapports avec les deux ordres de gouvernement.

2) l'ouverture sur une nouvelle ère pour les Autochtones:

- Affirmation du respect du Canada à l'égard des peuples autochtones en tant que nations distinctes;
- reconnaissance des gestes préjudiciables posés par les gouvernements antérieurs;
- déclaration établissant la relation sur la base du respect, de la reconnaissance, du partage et de la responsabilité mutuelle;
- affirmation du droit des Autochtones de diriger leur propre destiné et de contrôler leurs propres gouvernements et leurs propres terres;
- reconnaissance du fait que la justice et le *fair play* sont essentiels à réconciliation des Autochtones et des non-Autochtones.

Après cette *Proclamation royale*, souligne le rapport de la *Commission royale...*, le gouvernement du Canada devrait adopter les lois. Il devrait mettre en place les institutions nécessaires à la mise en oeuvre d'une relation ainsi renouvelée.

Sur un autre ordre d'idée, la *Commission royale...* affirme que les gouvernements autochtones sont assujettis aux dispositions de la *Charte canadienne des droits et libertés*. Comme la *Constitution du Canada* permet aux gouvernements, fédéral et provinciaux, d'utiliser une clause de dérogation pour se soustraire à l'application de la Charte dans certaines circonstances, mentionne le rapport, les gouvernements autochtones reconnus devraient aussi pouvoir exercer ce choix. « La Constitution ne permet pas aux gouvernements autochtones de nier le droit des femmes à l'égalité. Ce droit est garanti à toutes les femmes, sans exception ».

Les conceptions autochtones de l'autonomie gouvernementale, prétend le rapport de la *Commission royale...*, sont aussi variées que les traditions, les circonstances et les aspirations de chaque peuple.

Cette dernière a défini trois modèles de base qui comportent chacun de nombreuses variantes:
- Les Autochtones, qui éprouvent un fort sentiment d'identité partagée et qui ont une assise territoriale exclusive, choisiront probablement le modèle du **gouvernement fondé sur la nation**;

- dans certaines régions qu'ils partagent avec des non-Autochtones, les Autochtones forment la majorité de la population. Dans cette situation, les Autochtones pencheront probablement pour le modèle de **gouvernement autonome populaire**;
- dans les centres urbains, les Autochtones de diverses nations constituent une minorité. Ils ne forment pas une nation au sens ou on l'entend généralement. Ils veulent quand même bénéficier d'un certain degré d'autonomie gouvernementale surtout en ce qui concerne l'éducation, les services de santé, le développement économique et la protection de leur culture. On pourrait parler de **gouvernement fondé sur la communauté d'intérêt**.

Le financement de ces gouvernements autonomes commande de nouvelles approches qui interpellent autant la partie autochtone que gouvernementale. Ces formules doivent stimuler les Autochtones à financer leurs structures gouvernementales pour les sortir du champ destructeur qui les classe dans la catégorie des *éternels* assistés de l'État.

La solution réside dans la redistribution des terres et des ressources naturelles telle que le demandent les Autochtones depuis longtemps dans leurs négociations. Le rapport de la *Commission royale...* recommande, de plus, l'accès à « des recettes autonomes ». Ces « recettes autonomes » sont celles utilisées par tous les gouvernements autonomes du monde pour s'autofinancer: « L'impôt sur les revenus, l'investissement, l'emprunt, la perception de droits commerciaux et de redevances ».

Je sais que plusieurs Autochtones affirment haut et fort qu'ils ne doivent pas payer d'impôts, ni de taxes. Ils prétendent que les Indiens ont toujours été exemptés de s'en acquitter et doivent toujours l'être. Ces derniers affirment que leurs ancêtres ne pratiquaient pas ce genre de formules qui consistent à redonner, à leur gouvernement, une partie de leurs biens. Ainsi, ils se préoccupent peu de l'amélioration de la situation de l'ensemble des Autochtones, une situation où il y a beaucoup de place à la distribution de la richesse.

Une telle vision des choses, surtout pour certains Canadiens, est difficile à comprendre aujourd'hui et à défendre sur la place publique. J'ajouterais qu'elle laisse un goût amer de personnes qui veulent conserver à tout prix des avantages personnels.

Je crois pourtant qu'au contraire, la notion d'entraide et de partage a toujours été bien présente chez les Indiens. Le chef d'une famille amérindienne du passé n'envoyait-il pas d'autres Indiens chasser et ramasser du bois pour la famille d'un homme blessé ou malade...

Le chef plus fortuné que les autres ne distribuait-il pas ses biens au cours d'une cérémonie publique, appelée potlatch... Aprés avoir été mis au banc des accusés, cette cérémonie été condamnée et bannie par le gouvernement du Canada. Les résultats ont fait que cette coutume a été abandonnée. Il s'agissait pourtant d'un geste - peut être exagéré dû au fait qu'il s'agissait surtout de biens collectifs; ce qui appauvrissait malheureusement toute la nation autochtone concernée - de redistribution de la richesse.

Par exemple, chez le peuple algonquin, la traduction littéraire du mot samedi, la journée, est: *matenekijikan*, mot composé de *madenige*, pour distribution et partage, et *kijigan*, pour jour. Donc, le samedi était chez eux la journée du partage. Les Algonquins plus favorisés distribuaient leurs surplus aux moins nantis de leur tribu.

Je crois que les gouvernements autochtones devraient mettre en place une nouvelle formule de redistribution de la richesse. Celle-ci se fonderait sur le concept ancestral de partage. Donc, au lieu de parler de taxation, un terme qui a été galvaudé au cours des dernières générations par les gouvernements *blancs*, les gouvernements autochtones devraient utiliser d'autres principes de base pour redistribuer cette richesse.

Cette formule fraîche et inédite se collerait à celles et à ceux qui en ont le plus besoin, parmi les Indiens, selon les traditions d'entraide et de partage. Les fruits de ce modèle enrichiraient les programmes concernant les membres des peuples autochtones plus fragiles et moins fortunés.

Nous ne pouvons plus défendre, pour certains Amérindiens plus fortunés, ces formes de compensations monétaires individuelles alors que les Canadiens paient, pour leur part, des impôts d'une façon exagérée. Ils ont tôt fait de dénoncer ces iniquités en prétendant faussement d'ailleurs que nous sommes privilégiés. Ce qui a des effets extrêmement négatifs sur tout ce que nous faisons qui est justifié. Nous sommes placés inutilement sur la défensive.

Par contre, il faut que les Canadiens comprennent bien qu'il s'agisse là d'acquis justifiés par le fait que les gouvernements, ou les entreprises de toutes sortes, compagnies forestières, minières ou hydroélectriques, se sont accaparés des richesses naturelles des peuples autochtones. Plus encore, ces gouvernements reçoivent des redevances sur les mines, le bois de nos forêts et les ressources hydrauliques.

Partager ces redevances avec les véritables propriétaires, selon la *Cour suprême du Canada* et la *Commission royale sur les peuples autochtones du Canada*, ne constitue pas un privilège. Il s'agit, pour les gouvernements, de payer leurs dettes comme le fait n'importe qui dans cette société.

Si les gouvernements veulent reconsidérer ces questions, il faut qu'ils comprennent bien que ce peu, que nous possédons, doit être remplacé par autre chose d'acceptable. Il ne peut pas être question d'abandonner ces avantages sans avoir des formules compensatoires en retour de plus avantageux. C'est la principale raison de nos négociations avec les gouvernements.

Aucun syndicat digne de ce nom serait prêt à mettre de côté des acquis importants pour satisfaire la partie patronale. Les acquis durement obtenus sont pour eux sacrés. Il ne pourrait donc pas être question pour ces derniers de les abandonner. C'est la même chose pour les associations qui se consacrent à la défense des droits de toutes sortes des citoyens, des femmes, des assistés sociaux, des chômeurs, etc.

Pourquoi cela serait-il différent pour les Autochtones ?

Il ne faut pas que cet argent retourne aux gouvernements, fédéral ou provinciaux. Ils en doivent déjà beaucoup parce qu'ils n'ont pas respecté leurs engagements envers les nations autochtones. Accepter de payer de l'impôt sur le revenu et des taxes, comme le préconise le gouvernement fédéral dans ses récentes ententes, pour satisfaire les personnes anti-autochtones, nous est totalement inacceptable.

Cela n'empêche pas cependant de redistribuer, parmi nous, nos minimes richesses et ainsi favoriser ceux qui, toujours parmi nous, sont les plus défavorisés. Accepter de le faire pour notre propre gouvernement autonome est une toute autre approche. Je crois qu'il faut se tourner vers une telle formule davantage prometteuse pour le développement de nos sociétés.

Ces fonds permettront les rattrapages nécessaires. D'ailleurs, l'argent ainsi distribué parmi nous diminuera les montants versés en programmes de toutes sortes par l'ensemble des Canadiens. Avec le temps, comme le prétend avec justesse la *Commission royale...*, notre situation financière individuelle nous permettra de participer d'une façon substantielle au financement de nos gouvernements autonomes.

D'une manière ou l'autre, cet avantage temporaire disparaîtra d'ici une dizaine d'années, comme le préconise lâchement, dans les ententes récentes, pour satisfaire la société dominante, le gouvernement du Canada.

Le gouvernement du Québec, dans sa politique récente sur les Autochtones, a reconnu une formule que j'avais négociée pour la nation wendat (huronne) qui consistait à retourner totalement la taxation que payaient les Wendats. Il appartenait au gouvernement autonome des Wendats de conserver en tout ou en partie cet argent. Il avait ainsi le pouvoir de taxer,donc celui de ne pas taxer.

Malheureusement, aveuglés par l'appat du gain actuel, mais temporaire, certains leaders plus fortunés manquant de sagesse n'ont pas compris que cet avantage éphémère serait tôt ou tard éliminé; c'est ce qui a commmencé à se passer présentement dans les récentes ententes signées par le gouvernement du Canada.

Entre parenthèses, le gouvernement fédéral semble avoir réussi à faire fléchir le gouvernement du Québec sur cette question importante. Ce dernier se rapproche de l'approche fédérale qui consiste à satisfaire les opposants des Autochtones sur les questions de la taxation qui consiste à éliminer toute disparité.

À toutes les époques et, ce, dans le monde entier, le contrôle collectif des terres et des ressources a été la clé de la prospérité, prétendent les commissaires de la *Commission royale...* Ils ajoutent que cette clé est aussi la base de la puissante notion de « terre natale » d'où un peuple tire son identité. « La plupart des Autochtones ont encore un lien intensément spirituel avec la terre de leurs ancêtres - un lien qui fait intervenir à la fois la continuité et la responsabilité ».

On ne saurait donc pas s'étonner, concluent les membres de la *Commission royale...*, que les conflits les plus intenses entre Autochtones et non-Autochtones portent sur l'utilisation et le contrôle de la terre. C'est d'ailleurs ce contrôle de la terre usurpée qui est au centre des revendications des peuples autochtones. Ces derniers veulent se faire rétrocéder une partie de ces terres ancestrales pour se développer à même leurs propres ressources.

Le rapport de la *Commission royale...* souligne que plusieurs autres questions se sont envenimées au cours des ans:
-   Les gouvernements n'ont alloué aucune terre à certaines nations autochtones;
-   les gouvernements ont refusé (à quelques exceptions près) d'accroître le territoire et les ressources naturelles alloués aux Premières Nations dont la population et les besoins économiques augmentaient;
-   les grands projets de mise en valeur des ressources ont eu un effet destructeur sur les terres et les collectivités autochtones;
-   les droits de récolte que les Autochtones détenaient par traité sur les terres traditionnelles ont été contestés et niés par les non-Autochtones et les gouvernements.

« Au début de la relation, les gouvernements coloniaux respectaient les droits et les titres fonciers ancestraux. Mais avec le temps, des conflits sont apparus. Aux yeux des non-Autochtones et des gouvernements, les millions d'hectares de terres non cultivées et non exploitées du Canada formaient les «terres de la Couronne», des terres publiques - leurs terres. Pour les Autochtones, la terre n'appartenait qu'au Créateur mais, parce qu'ils en étaient les gardiens, il leur revenait d'en prendre soin, de l'utiliser et d'en partager selon leur bon vouloir ».

Les commissaires ont mentionné que les traités n'ont pas mis fin aux conflits. En fait, prétendent-ils, les choses se sont détériorées à mesure que les colons s'installaient dans le voisinage des Autochtones. Ces derniers n'avaient pas prévu à quel point les moeurs des colons s'opposeraient aux leurs. « Ils croyaient que les promesses scellées dans les traités conclus avec la Couronne suffiraient à garantir leur survie et leur indépendance. Ils se trompaient ».

L'occupation pacifique des colons, avec la bénédiction et l'aide financière des gouvernements locaux de la *Colonie britannique*, a enlevé aux Indiens, d'une façon définitive, toute jouissance réelle de ces terres ancestrales.

Les Indiens perdaient ainsi leurs territoires ancestraux, réservés par les traités signés avec la *Couronne britannique*, pour la pratique de leurs activités traditionnelles de chasse, de pêche et de piégeage. Les territoires de leurs ancêtres étaient leurs seuls moyens d'assurer leur subsistance. Il faut souligner ici que ces terres ancestrales n'avaient jamais été conquises, cédées, ou vendues, par les peuples autochtones.

Pourtant, la *Proclamation royale de 1763* obligeait les gouvernements locaux de la *Couronne britannique* en Amérique à signer des traités avant d'entreprendre le développement des terres réservées aux Indiens.

Le rapport de la *Commission royale...* mentionne que quelques nations autochtones se sont tournées vers les tribunaux pour forcer les gouvernements à reconnaître leurs droits sur la terre et les ressources. Certaines ont vu leurs efforts couronnés de succès. « Des décisions judiciaires ont confirmé que les revendications des peuples autochtones au sujet des terres et des ressources ne reposaient pas uniquement sur un fondement moral, mais aussi sur des droits reconnus par la loi ».

En ce qui concerne le titre ancestral, les commissaires prétendent que le droit établit trois éléments:

- Les Autochtones possèdent des droits d'occupation et d'utilisation qui s'appliquent à un territoire beaucoup plus vaste que celui qu'ils occupent actuellement au Canada. Ces droits découlent du fait qu'ils ont vécu sur ces terres et qu'ils les ont exploitées depuis des temps immémoriaux;
- il faut que la Couronne et les nations autochtones s'entendent (notamment par traités) avant que les non-Autochtones puissent occuper ou utiliser des terres traditionnelles appartenant à ces nations;
- la *Couronne du Canada* est la gardienne du titre ancestral des terres autochtones et elle est tenue de protéger les intérêts des Autochtones dans ces terres.

Pour la *Commission royale...*, les terres et les ressources sont un dû pour les peuples autochtones. Ils le sont autant pour des raisons historiques que contemporaines.

« Les terres et les ressources forment l'infrastructure indispensable au développement politique, économique et social ».

Pour réédifier leurs nations, avancent les commissaires, les Autochtones ont besoin de:

- Suffisamment de terres pour avoir l'impression qu'un coin de terre leur appartient, non seulement un espace physique, mais aussi un lieu revêtant une signification culturelle et spirituelle;
- suffisamment de terres pour pouvoir se livrer à leurs activités traditionnelles, dont la chasse et le piégeage;
- suffisamment de terres et de ressources pour subvenir à leurs besoins;
- suffisamment de terres et de ressources pour apporter une contribution valable au financement des gouvernements autonomes.

Il est évident, croient les commissaires, que les Autochtones veulent avoir une existence convenable, ne plus être dépendants et cesser d'être stigmatisés. Ils ne veulent plus éprouver le sentiment d'échec qui accompagne la dépendance, ni souffrir des effets débilitants de la pauvreté.

« L'autonomie économique permettra aux nations autochtones et à leurs membres de s'épanouir et d'assurer le succès de leurs nouveaux gouvernements».

Les commissaires conviennent qu'il ne sera pas facile de transformer les économies autochtones pour qu'elles passent de la dépendance à l'autosuffisance. « Pour la plupart des nations, l'élan viendra principalement de l'accès à une juste part des terres et des ressources ».

Dans le domaine de l'entrepreneurship autochtone, le rapport recommande que les gouvernements autochtones et non autochtones travaillent pour mettre sur pied:

- Des services améliorés aux entreprises;
- un accès amélioré aux prêts et aux fonds d'immobilisation, notamment grâce à une banque nationale de développement autochtone;
- un accès amélioré aux marchés.

Pour ce qui est de l'emploi, il souligne que le problème est immense. Il faudrait créer maintenant 80,000 emplois, simplement pour porter le taux d'emploi des Autochtones au même niveau que le taux global de l'emploi au Canada.

« La population autochtone est jeune: 56% des Autochtones ont moins de 24 ans, contre 34% de la population canadienne. Il faudra trouver 225,000 emplois supplémentaires pour ces jeunes au cours des 20 prochaines années ».

L'investissement public dans le domaine de l'éducation et de la formation, soutiennent les commissaires, est essentiel à l'amélioration des perspectives d'emploi des Autochtones dans le marché actuel de l'emploi.

XVII

LES TRAITÉS, SOURCES DE CHANGEMENT

« LES PROMESSES N'ONT PAS ÉTÉ HONORÉES »

L'étude attentive et objective de l'histoire du Canada a mené les commissaires de la *Commission royale sur les peuples autochtones du Canada* à conclure que ce « nouveau monde » s'est construit à partir de traités non respectés entre les Premières Nations et les premiers arrivants d'Europe.

Ces traités d'alliance et d'amitié sur le partage des terres ont rapidement été remplacés par des politiques gouvernementales fort discutables des colonisateurs. « Ces dernières étaient destinées [...] à chasser les Autochtones de leurs terres ancestrales, [...] à anéantir leurs nations, [...] à miner leurs cultures et [...] à étouffer leur identité ».

Le gouvernement du Canada l'a reconnu dans sa *Déclaration de réconciliation* historique de 1997. La ministre des *Affaires indiennes et du Nord du Canada*, madame Jane Stewart, répondait aux conclusions du rapport de la *Commission royale...*, dévoilées un an plus tôt dans l'indifférence la plus totale. Elle donnait ainsi raison à une partie des conclusions les plus percutantes de la *Commission royale...* qui devraient inviter les gouvernements à agir le plus rapidement possible.

Ses réponses se retrouvaient dans le *Plan d'action du Canada* pour les questions autochtones s'échelonnant sur plusieurs années, sous le titre **Rassembler nos forces**. Outre la *Déclaration de réconciliation*, l'on retrouvait, entre autres, la *Déclaration sur le renouveau* et la création d'un fonds finançant les initiatives des Bandes sur la *guérison*.

Selon les commissaires de la *Commission royale...*, le renouvellement de la relation entre les Autochtones et les Canadiens se fonde donc sur quatre grands principes majeurs:

- Premièrement: « Le principe de la **reconnaissance** mutuelle implique que les non-Autochtones reconnaissent que les Autochtones sont les premiers habitants et gardiens des terres du Canada et que cela leur confère des responsabilités et des droits particuliers ».

Pour les commissaires, il implique aussi que les Autochtones reconnaissent, pour leur part, que les non-Autochtones appartiennent également à ce territoire, de naissance ou par adoption, et qu'ils lui sont attachés par des liens solides d'amour et de loyauté.

Enfin, il importe, selon eux, que les deux parties se reconnaissent comme partenaires et se traitent en tant que tels en respectant leurs lois et leurs institutions respectives et en coopérant dans leur intérêt mutuel.

- Deuxièmement: « Le principe du **respect** exige de tous les Canadiens qu'ils créent un climat de respect mutuel entre les peuples au sein de ceux-ci ».

Le respect est une protection contre les tentatives de domination et de contrôle d'un partenaire sur un autre, prétendent-ils.

Enfin, selon ces derniers, le respect du statut et des droits particuliers des Premières Nations ainsi que de la culture et du patrimoine précieux, dont est dépositaire tout Autochtone, devra devenir partie intégrante du caractère national du Canada.

- Troisièmement: « Le principe du **partage** exige l'équité des avantages reçus et accordés ».

C'est sur cette base, soulignent-ils, que le Canada a été fondé. Ils ajoutent que, si les peuples autochtones avaient refusé de partager leurs ressources et leur connaissance du pays, plusieurs des nouveaux arrivants n'auraient pas survécu, ni même prospéré.

Ce principe du partage, prétendent les commissaires, est un élément essentiel des traités et un facteur déterminant de l'égalité réelle qui pourrait exister un jour entre les peuples du Canada.

- Quatrièmement: « La **responsabilité** est la caractéristique d'une relation parvenue à sa maturité ».

Ils ajoutent que les parties à cette relation doivent assumer les promesses qu'elles ont faites. Elles doivent avoir un comportement honorable et tenir compte de l'effet de leurs actes sur leur bien-être mutuel.

Nous partageons la terre et le ferons toujours, concluent-ils; il est donc dans l'intérêt des Autochtones et des non-Autochtones de se conformer aux normes les plus rigoureuses de responsabilité, d'honnêteté et de bonne foi des uns à l'égard des autres.

Le rapport de la *Commission royale...* conclut, pour mettre ces principes en pratique, d'utiliser le mécanisme des traités.

« Pendant plusieurs centaines d'années, les traités ont servi à maintenir la paix et à partager la richesse du Canada. Les traités qui existent entre les Autochtones et les non-Autochtones, si poussiéreux soient-ils, contiennent des dispositions précises qui, même aujourd'hui, aident à définir les droits et les responsabilités des signataires ».

Les commissaires sont convaincus qu'il est possible d'utiliser des traités nouveaux et renouvelés pour concrétiser les quatre principes d'une relation fondée sur la justice.

La *Commission royale...* propose un vaste programme de changement qui sera axé sur deux objectifs bien précis:

- La réédification des nations autochtones, ce qui semble la façon la plus appropriée de permettre aux Autochtones de protéger leur patrimoine et leur

identité. La façon aussi de ramener la santé et la prospérité dans leurs collectivités et de redéfinir leur relation avec le Canada;
- la restauration de rapports marquée par le respect mutuel et l'équité entre les Autochtones et les non-Autochtones.

Même si le projet semble complexe, il est réalisable, prétendent les commissaires, et le mécanisme central du changement est le traité.

Les traités restent une façon à privilégier, même si ces pactes conclus entre le Canada et les nations autochtones ont été ignorés et violés au cours des ans, ajoutent les commissaires. « Cette formule des traités demeure un outil puissant pour définir les conditions d'une relation ».

Pour voir comment les traités peuvent être employés dans le contexte contemporain, croient les commissaires, les Canadiens doivent mieux les comprendre. Il s'agit d'une clé importante, comme on l'a vu dans un autre chapitre de cet ouvrage, pour mieux saisir la portée de l'ensemble du dossier autochtone.

En gros, prétend le rapport de la *Commission royale...*, les traités sont:

- **Des promesses échangées entre la France, la Grande-Bretagne ou le Canada, d'une part, et les peuples autochtones, d'autre part.**

« Pour assurer la paix ou conclure des alliances avec les nations autochtones, pour avoir des droits d'occupation et de mise en valeur des terres autochtones, la *Couronne de France*, [celle] de Grande-Bretagne et, par la suite, [celle] du Canada ont promis aux peuples autochtones la protection, des avantages et une part des richesses, à perpétuité. Il incombe maintenant aux gouvernements canadiens de tenir ces promesses ».

- **Des accords de nation à nation.**

Les traités ne consacrent pas une défaite ou l'assujettissement, soulignent les commissaires.

« Les signataires ne renoncent pas à leur identité nationale, ni à leur façon de vivre, de travailler et de se gouverner. Ils reconnaissent plutôt leur désir commun de vivre dans la paix et l'harmonie, conviennent de règles de coexistence, puis s'efforcent de remplir leurs engagements les uns envers les autres ».

- **Des engagements sacrés et permanents.**

Les traités n'étaient pas pris à la légère par les parties signataires, conclut le rapport de la *Commission royale...*
« Leur but était de créer une relation permanente de paix et d'amitié. Sans eux, les signataires s'exposaient à perdre des occasions commerciales et auraient peut-être connu la guerre et des effusions de sang. Les traités étaient scellés par des serments sacrés, annoncés en grande pompe et considérés comme des documents officiels et exécutoires. Les multiples violations dont ils font l'objet n'enlèvent rien à leur légitimité sous-jacente. »

Pour les commissaires de la *Commission royale...*, il ne fait pas de doute que les traités sont, depuis longtemps, une façon honorable de régler les conflits entre les peuples, les nations et les gouvernements.

- **Un élément de la Constitution du Canada.**

Les traités définissent de vastes contrats sociaux entre peuples indépendants, mentionnent les commissaires, tout comme les conditions de l'union par laquelle les anciennes colonies britanniques sont devenues des provinces au sein de la *Confédération du Canada*.

Ce sont des documents constitutionnels, reconnus et confirmés par l'article 35 de la *Loi constitutionnelle de 1982*. À ce titre, ils font partie du droit du pays.

- **Essentiel à l'honneur du Canada.**

Les traités sont l'une des grandes réalisations des sociétés humaines. Selon le rapport de la *Commission royale...*, ils permettent de régler les pires conflits en faveur de la coexistence et du respect. « Ils expriment le choix de vivre en harmonie avec les autres plutôt que de faire couler le sang ou exercer un pouvoir en employant les formes les plus subtiles de la violence. La signature d'un traité a toujours marqué un engagement profond entre peuples. Une nation qui enfreint un traité le fait au prix de sa réputation ».

Les commissaires soutiennent que la relation établie par un traité doit être restaurée et utilisée, à compter de maintenant, comme base du partenariat entre Autochtones et non-Autochtones au Canada. À cette fin, ajoutent-ils, il faudra respecter et renouveler les traités existants et conclure de nouveaux traités avec les peuples autochtones qui n'en ont pas.

- **Respect et renouvellement des traités.**

Les compte-rendus des négociations qui ont mené à la conclusion des traités historiques, prétendent les commissaires, sont truffés de malentendus et de contradictions. On ne saurait s'en étonner. Les négociateurs ne parlaient pas la même langue et ils vivaient dans des univers différents. « Malgré leurs cultures différentes et leurs visions du monde profondément différents, ils tentaient de définir des façons de partager un domaine ».

La mise en oeuvre des conditions et des promesses des traités a fait problème dès le départ, soulignent les commissaires. Ils ajoutent qu'à mesure que le temps passait et que l'équilibre des pouvoirs entre Autochtones et non-Autochtones se modifiait, les gouvernements ont pu ignorer les conditions et les promesses qui ne leur convenaient plus.

Ainsi, témoigne le rapport, on avait promis, entre autres, aux Anishnabés (Ojibwes) des lacs Huron et Supérieur que la rente qu'ils recevraient en échange de l'exploitation de leurs terres traditionnelles augmenteraient si les revenus tirés de leurs ressources augmentaient. On avait aussi promis aux Autochtones de la vallée de l'Okanagan, en Colombie-Britannique, que s'ils ouvraient leur vallée aux colons, ils pourraient avoir des terres de réserves de leurs choix. Enfin, on avait aussi promis, aux chefs du nord-ouest de l'Ontario, qu'ils auraient le droit inaliénable de chasser et de pêcher sur les terres de la Couronne s'ils signaient le traité.

« Ces promesses n'ont pas été honorées. Les Canadiens considèrent que l'équité et le respect des traités sont encore aujourd'hui un devoir du Canada. Le renouvellement des traités permet de régler les désaccords fondamentaux entre les autorités autochtones et non autochtones au sujet de la teneur et du but véritable des traités. »

De nombreux Autochtones ont affirmé aux commissaires, au cours des audiences, que la version écrite des traités ne reflète pas, avec exactitude, les engagements essentiels pris verbalement par les négociateurs. Ils soutiennent de plus que les traités ne sont pas simplement la consignation d'un accord, mais qu'ils constituent une tentative d'influer sur l'entreprise infiniment complexe que représente le partage d'un pays. Il s'agit d'ententes qui portent sur la vie en commun, de documents vivants qui doivent être révisés et réinterprétés de façon régulière en fonction de leur objectif.

Les gouvernements non autochtones, interprètent les commissaires, y voient des documents de portée beaucoup plus restreinte. Ces autorités gouvernementales soutiennent que le traité écrit est le pacte complet et qu'il faut l'interpréter de façon littérale.

« Les preuves historiques sont indéniables quant au premier point en litige: Les textes des traités ne sont pas la reproduction complète et fidèle des ententes conclues ». Au sujet du deuxième point, la commission a déterminé que « les traités devaient être mis en oeuvre pour refléter leur objectif - non pas seulement les mots, prononcés ou écrits. Le libellé des traités d'autrefois reflète les valeurs d'autrefois ».

Je vous livre ici un commentaire personnel qui me paraît éclairant. Je comprends ces témoignages d'Autochtones qui parlent pourtant d'un temps passé. Encore aujourd'hui, les avocats du ministère de la *Justice du Canada* agissent de la même façon. Ce n'est pas, pour eux, ce que les négociateurs ont négocié qui est important, mais la protection mur à mur de la couronne. L'écriture de l'entente demeure donc tributaire de cet objectif primordial et principal.

C'est donc dire à quel point les principes négociés et conclus entre négociateurs ont peu d'importance. D'ailleurs, ces négociateurs fédéraux et québécois doivent avoir l'*imprimatur* du ministère de la *Justice du Canada* et de celui du Québec avant de parapher quoique ce soit entre négociateurs aux tables de négociation.

L'imagination des négociateurs gouvernementaux est donc limitée aux interprétations conservatrices et bornées des juristes de l'État. Comme je l'ai souligné préalablement, ces derniers ont comme objectif premier de protéger à outrance la *Couronne du Canada*.

Or, cette protection commence par la négation de tous les droits ancestraux des Premiers peuples et par leur extinction au cas où ils auraient une portée juridique réelle que la *Cour suprême du Canada* reconnaîtrait un jour. Ils vont même jusqu'à nier ce que la *Constitution du Canada*, à l'article 35(1), et les jugements de la *Cour suprême du Canada* reconnaissent présentement.

Il ne faut pas oublier que cette vision vient directement de la politique fédérale des négociations territoriales globales du gouvernement du Canada. Cette dernière, qui a été préparée par les fonctionnaires du ministère de la *Justice du Canada*, juges et parties, devrait pourtant, en toute logique, découler des engagements politiques du gouvernement du Canada. Ces promesses sont faites, entre autres, dans sa Constitution et dans ses traités signés au cours des siècles.

Cette usurpation de pouvoir politique et la récupération malhonnête qui en découle sont inacceptables. Elles doivent être dénoncées une fois pour toutes. Plus encore, les fauteurs de troubles doivent être mis au rancart pour les empêcher de nuire.

Par la suite, notre société de droit s'en tiendra à l'interprétation des textes rédigés par des professionnels qui ont, comme métier, celui de ne rien dire ou de ne rien écrire de compromettant.

Comment peut-on croire, tel que le demande la *Cour suprême du Canada*, que l'on va interpréter, ou négocier, des traités d'une « façon libérale et généreuse» favorisant les Premiers peuples. Au contraire, les textes juridiques des ententes proposées par les gouvernements sont toujours restrictifs, hermétiques et écrits de façon à ce qu'aucune bouffée d'air frais puisse circuler. Ces ententes n'ont aucun aspect libéral capable de favoriser la liberté de penser des individus.

Plus encore, pour que les jugements de la *Cour suprême du Canada* soient appliqués comme devrait le faire un ministère de la Justice juste, je suis convaincu que presque tous ceux qui travaillent au domaine du droit autochtone doivent être réorientés ailleurs. La raison est bien simple: Ce sont eux qui ont perdu toutes ces causes en Cour de justice. Plus est, ils sont convaincus que la *Cour suprême du Canada* a erré et qu'elle doit se reprendre pour atténuer la portée de ces jugements. Ils rêvent encore à ce que l'effet du pendule puisse corriger ces égarements passagers.

À cause du manque de crédibilité du ministère de la *Justice du Canada*, la partie autochtone n'est pas convaincue qu'elle peut négocier, avec les gouvernements, un nouveau contrat social satisfaisant. Comme négociateurs autochtones, nous avons toujours l'arrière-goût désagréable qu'on cherche à nous tromper et à nous berner royalement une fois de plus.

Au pire pour nous, il faudrait que les avocats du ministère des *Affaires indiennes et du Nord Canada*, le fiduciaire des Indiens du Canada, soient indépendants du ministère de la Justice du Canada. Il est inconcevable et surtout inacceptable que ces avocats défendent, en même temps, le rôle de fiduciaire des Indiens du gouvernement canadien et celui des intérêts mêmes de la *Couronne*. En portant les deux chapeaux en même temps, une des parties en souffre et ce n'est pas le Canada...

Expliquez-moi maintenant pourquoi le ministère de la *Justice du Canada* accepte de patauger dans un tel bourbier ? Cette situation inextricable me démontre que les conflits d'intérêt n'embarrassent pas du tout nos juristes de l'État. Au contraire, ils semblent plutôt s'y complaire puisqu'ils n'ont pas eu encore l'idée, ou plutôt la décence, d'y changer quoi que ce soit. À ce moment-là, peut-on essayer de nous faire croire qu'il y a apparence de justice envers les Autochtones! C'est pourtant un minimum décent, prétend-on dans les cercles fermés du monde de la Justice...

Ce comportement injustifiable du ministère de la *Justice du Canada* est à la base même du non respect des droits ancestraux des peuples autochtones. Il l'est aussi pour l'extinction au lieu de la reconnaissance des droits ancestraux dans les traités modernes comme fondement des négociations. Cette situation favorise le non-respect des traités et de leur esprit. Elle fait en sorte que jamais le gouvernement du Canada, comme le suggère la *Commission royale...*, ne va favoriser la base de traités pour rétablir la situation et encore moins que le gouvernement du Canada édicte une « nouvelle Proclamation royale ».

La *Proclamation royale de 1763* a causé beaucoup trop de problèmes à la *Couronne du Canada*, selon les juristes de l'État, pour le gouvernement fédéral actuel s'embarrasse d'une autre beaucoup plus explicite.

Entre parenthèses, permettez-moi de vous souligner que je trouve curieux et même inacceptable que la *Commission royale sur les peuples autochtones du Canada* n'ait pas dénoncé avec force cette ineptie actuelle. Il n'est quand même pas possible, ou très naïfs, pour les commissaires, de croire que le ministère de la Justice du Canada va accepter d'emblée toutes les critiques faites par la *Commission royale...* dans le rapport.

Plus encore, comment espérer que, comme principal conseiller du gouvernement du Canada, le ministère de la *Justice du Canada* puisse recommander d'en réaliser les principales recommandations. D'autant plus que la majorité d'entre-elles contredise leur vision sur les droits des peuples autochtones. Au contraire, il risque plutôt de mettre des freins, comme ils le font actuellement, à sa réalisation.

Je ne crois pas que le fait de souligner que le ministère des *Affaires indiennes et du Nord Canada* soit juge et partie et de recommander qu'une commission indépendante voit le jour soient suffisants. Il aurait dû, quant à moi, dénoncer vertement cette erreur de jugement inacceptable et exiger tout au moins, dès le départ, que leurs avocats soient indépendants du ministère de la *Justice du Canada*.

C'est donc dire qu'en ménageant certaines susceptibilités du ministère de la *Justice du Canada*, la *Commission royale sur les peuples autochtones du Canada* risque de devenir l'**arroseur arrosé**. Si c'était le cas, ce sont encore une fois les Indiens qui en subiraient les contrecoups et en feraient les frais. Comme on peut douter que cet oubli soit involontaire, il faut que les décideurs politiques tiennent compte de ces remarques et surtout en corrigent la situation et les effets s'y attachant.

Les commissaires de la *Commission royale...* croient que le gouvernement fédéral doit aller au-delà d'une interprétation littérale des traités. Ils doivent être mis en oeuvre, selon eux, pour refléter leurs objectifs, non seulement les mots prononcés ou écrits.

« Par exemple, la rente annuelle de $5 (ou de $4 pour la Bande de Pikogan dans le Traité 9) que prévoyait le traité - un don commémorant l'accord aux yeux des Autochtones, une forme de rente, en contrepartie de l'utilisation de la terre aux yeux des Européens - était une somme importante à l'époque. Parallèlement, la promesse d'un «buffet à médicaments» constituait pour ceux qui signaient le Traité 6 un engagement à fournir les meilleurs soins de santé possible à cette époque. »

Pour que soient respectés et renouvelés les traités historiques, la *Commission royale...* recommande, entre autres, que les gouvernements canadiens:

-    Respectent les dispositions écrites des traités existants, complétés par les éléments de preuve orale;
-    se fassent les protecteurs (et non pas les adversaires) des intérêts autochtones, comme le veut le rôle de fiduciaire, et concilient les intérêts de la société dans son ensemble avec les dispositions des traités;
-    reconnaissent que les Premières Nations n'ont pas renoncé à leur titre ancestral, ni consenti à l'extinction de tous les droits sur leurs terres lorsqu'elles ont signé les traités. Il est plus raisonnable, pour ce qui est l'interprétation, de supposer qu'elles ont consenti à partager et à cogérer les terres et les ressources;
-    reconnaissent aujourd'hui qu'en signant ces traités avec les peuples autochtones, la *Couronne du Canada* avait reconnu implicitement le droit inhérent de ces peuples à l'autonomie gouvernementale. Elle leur a donc reconnu le droit d'administrer leurs propres affaires et leur droit de conclure des ententes avec les gouvernements d'autres nations;
-    établissent un processus permettant de respecter et de renouveler les traités existants, en fonction de ces principes.

Rappelons ici que la *Commission des revendications des Indiens* a déclaré, le 27 avril 2001, dans son rapport annuel remis au gouvernement du Canada, que le régime des revendications particulières du fédéral demeure empêtré en raison des arriérés de travail énormes accumulés partout au pays - 480 revendications répertoriées ne sont pas réglées - malgré ses avertissements répétés qu'une réforme en profondeur du régime s'impose.

Le ton du rapport annuel 2000-2001 de la Commission, qui est des plus pessimiste, fait ressortir l'absence de progrès dans le dossier d'un organisme indépendant des revendications dont elle réclame la création depuis fort longtemps. Tout en admettant que des négociations entre le gouvernement du Canada et certaines Premières Nations se poursuivent, la Commission affirme qu'aucun progrès concret n'a été accompli au cours de l'année écoulée. Elle ajoute que « le régime des revendications particulières demeure dans l'impasse ».

Les commissaires ne veulent plus répéter des idées déjà soumises au gouvernement du Canada dans le passé en soulignant du même souffle que les recommandations déjà formulées au fil des ans « demeurent aussi valables aujourd'hui qu'hier et que, pour l'essentiel, il n'y a pas donné suite ». Ils maintiennent que, comme c'est le gouvernement fédéral qui accepte, ou rejette, les revendications, ce dernier est en conflit d'intérêt continuel, situation à laquelle remédierait un organisme d'examen des revendications permanent et indépendant.

Il faut souligner que l'actuel ministre des *Affaires indiennes et du Nord Canada*, Robert Nault, est revenu à la case départ en répondant, il y a quelques mois (en 2001), à la *Commission des revendications des Indiens*. Contre toute attente, il a déclaré qu'il ne pouvait pas être question, pour le Canada, de mettre en place une commission indépendante. La partie, juge et partie, venait de trancher en sa faveur. Elle rejetait les conclusions des commissaires de sa propre *Commission des revendications des Indiens* et celles des commissaires de la *Commission royale sur les peuples autochtones du Canada*. Comme on le sait, une des parties du mandat de cette commission consistait à étudier cette question. Pourtant, les déclarations précédentes des ministres des *Affaires indiennes et du Nord Canada* ne présageaient pas une telle volte-face.

Par contre, contrairement à ce qu'il avait déclaré, le ministre Nault a annoncé, en 2002, qu'il mettrait en place cette commission indépendante à la suite de son projet de *Loi sur la gouvernance des Premières Nations*. Il reste maintenant à voir jusqu'où ira réellement « cette indépendance » et quels seront les pouvoirs réels d'une telle commission. Je vous avouerai sincèrement que je doute de son « indépendance » d'autant plus que le ministère de la *Justice du Canada* a toujours été contre une telle « indépendance ».

Ce lourd constat de la *Commission des revendications des Indiens* nous ramène six ans en arrière, soit en 1996, année où la *Commission royale sur les peuples autochtones du Canada* a rendu public son volumineux rapport.

Ce dossier met aussi en évidence le cas des Algonquins de la *Bande Abitibiwinni* (Pikogan, Québec) qui ne cessent, depuis plusieurs années, de demander au gouvernement du Canada de réactualiser le Traité 9. Il ne faut pas oublier que les Algonquins de la *Bande Abitibiwinni* possèdent des droits ancestraux, issus du Traité 9, qui sont actuellement reconnus par la *Constitution du Canada*. à l'article 35(1).

C'est un avantage extrêmement important sur les autres Bandes indiennes, autant chez les Algonquins que chez les autres Premières Nations du Québec.

Ce n'est pas pour rien que tous les groupes autochtones à travers le Canada, qui ont signé des traités avec le gouvernement du Canada, en sont aussi fiers. Ils sont, ou devraient être, à la suite de la signature de leur traité - même si les contenus sont souvent insignifiants -, reconnus d'égal à égal par le « grand gouvernement » du Canada.

Le fait de prendre la voie de la réactualisation du traité, avec les possibilités énormes sur le contenu du Traité 9, dans le sens proposé par la *Commission royale sur les peuples autochtones du Canada*, apparaît être beaucoup plus prometteur d'avenir. D'autant plus que la réactualisation de ce traité permettra d'aller beaucoup plus loin dans l'esprit d'un projet de société à la limite des espoirs de la génération montante.

Cette réactualisation par une négociation tripartite, Algonquins, Canada et Québec, pourra nécessairement englober des compensations monétaires pour la perte d'usage, ou le manquement à son rôle de fiduciaire du gouvernement du Canada envers eux. Pour cette partie de la nouvelle entente avec les gouvernements, le *Conseil de Bande Abitibiwinni* (Pikogan) pourrait utiliser le processus des revendications particulières.

Elle apparaît donc être, pour la communauté algonquine de Pikogan, une occasion unique de se distinguer comme étant la seule première nation du Québec à jouir d'un traité ancien. Comme Québec n'a jamais voulu le reconnaître, il donne au *Conseil de Bande Abitibiwinni* (Pikogan, Québec) une occasion en or de faire une bataille publique. Cette lutte obligera ce gouvernement à reconnaître ce traité ancien, mais surtout à le réactualiser parce que le Bande a souffert d'une telle attitude.

Un traité réactualisé placerait les Algonquins de Pikogan dans une situation qui leur permettrait de tirer profit, au maximum, de la conjoncture politique actuelle pour les Premiers peuples.

Dans le fond, ce que disent les commissaires de la *Commission royale sur les peuples autochtones du Canada*, c'est que le gouvernement fédéral doit jouer son rôle de fiduciaire et de tuteur des Indiens comme il s'est engagé à le faire.

Or, puisque le gouvernement fédéral semble incapable d'y arriver dans les conditions actuelles, il ne peut plus continuer à être juge et partie. Il doit donc se donner les moyens nécessaires pour atteindre cet objectif. Le seul moyen d'y arriver, pour les commissaires, est de conférer, à une forme de tribunal des traités, les pouvoirs réels qui pourraient forcer le gouvernement du Canada à remplir cette obligation.

Ce Tribunal des traités pourrait:
- Appliquer les recommandations du rapport au sujet des traités;
- faire en sorte de réactualiser les traités anciens;
- établir l'entière compétence des nations autochtones comme élément constitutif d'un ordre autochtone de gouvernement;
- accroître l'assise territoriale et les ressources placées sous contrôle autochtone.

La *Commission royale...* propose, pour débuter, que le Parlement canadien manifeste son appui à une nouvelle relation scellée par traités sous la forme d'une nouvelle *Proclamation royale*. « Cette nouvelle *Proclamation royale* serait accompagnée d'une législation établissant les principes directeurs des processus relatifs aux traités et créant de nouveaux organes décisionnels indépendants du gouvernement pour mener les négociations ».

Dans cette législation complémentaire, il faudrait, selon les commissaires, inclure, en priorité, une loi d'exécution des traités avec les Autochtones, aux fins suivantes:
- Établir un processus pour que les nations autochtones reconnues puissent renouveler les traités actuels ou en négocier de nouveaux;
- définir les processus et les principes directeurs des négociations;
- ces principes directeurs comprendraient un engagement concernant la mise en oeuvre des traités existants et la renégociation des dispositions

des traités si les intentions des signataires ne concordaient pas;
- établir des commissions régionales pour lancer et gérer le processus de négociation, lesquelles bénéficieraient des conseils du Tribunal des traités.

Les commissaires de la *Commission royale...* ont esquissé les grandes étapes nécessaires à la transformation de la relation entre les Autochtones et les autres Canadiens. Les grandes étapes seraient les suivantes:
- Le Parlement devrait adopter une législation complémentaire pour donner forme et subsistance à ses intentions de créer le cadre législatif nécessaire à leur mise en oeuvre;
- le gouvernement fédéral devrait instituer un organe de négociation de l'accord-cadre, pour l'ensemble des Indiens du Canada, qui précisera les règles fondamentales des processus visant à établir une nouvelle relation;
- les nations autochtones devraient s'engager dans un processus de réédification;
- tous les gouvernements devraient se préparer à participer au nouveau processus d'établissement de traités;
- les gouvernements devraient prendre des mesures intérimaires pour redistribuer les terres et les ressources;
- les gouvernements autochtones et non autochtones devraient collaborer pour stimuler le développement économique.

VERS UN RESSOURCEMENT

Les commissaires de la *Commission royale...* ont dégagé un diagnostic sévère sur la situation sociale des Indiens du Canada.

« Santé déficiente, conditions d'habitation lamentables, eau malsaine, scolarité insuffisante, pauvreté, familles éclatées: Voilà des conditions qu'on s'attendrait à retrouver dans le Tiers monde, mais qui sont aussi celles d'un grand nombre d'Autochtones du Canada. Foncièrement injuste, c'est là une situation qui met en péril l'avenir de toute une tranche de population. »

Suite à de nombreuses suggestions, les commissaires ont décidé d'aborder les problèmes auxquels font face les Autochtones d'aujourd'hui, par suite des effets négatifs des politiques de domination et d'assimilation du passé, de façon holistique. Cette approche, qui veut que les problèmes soient traités comme tributaires de l'ensemble, a permis aux commissaires d'identifier les principaux éléments de solutions efficaces.
- D'abord, la pauvreté, la mauvaise santé, l'échec scolaire, la violence familiale et les autres problèmes se renforcent mutuellement. Il faut donc que tous ces éléments soient attaqués de front et non pas un par un, croient les commissaires;
- puis, les assauts répétés, qui ont été lancés contre la culture et l'identité collective des Autochtones, ont sapé les bases de la société autochtone. Ils ont de plus contribué au sentiment d'aliénation qui est souvent l'origine des comportements autodestructeurs et antisociaux, ajoutent-ils;
- enfin, ils ont aussi constaté que les problèmes sociaux, s'expliquant en particulier par l'expérience collective et les solutions qui permettront de les résoudre, devront également trouver des solutions d'ensemble.

La totalité des mesures proposées par la *Commission royale...* pour introduire des changements fondamentaux - autonomie gouvernementale, indépendance économique, partenariat avec le Canada dans le respect mutuel, guérison au sens large - forme un cercle de bien-être qui est tributaire des facteurs suivants:
- L'autonomie gouvernementale réussira que si elle peut s'appuyer sur une économie dynamique et une population hautement spécialisée;
- les Autochtones ne pourront pas retrouver ce dont ils ont besoin pour rebâtir leurs économies et leurs collectivités sans l'autonomie gouvernementale;
- une fois autonomes sur les plans politique et économique et une fois leurs corps et leurs esprits guéris, les Autochtones seront en mesure de se prendre en main. Ils pourront jouer le rôle qui leur revient dans un partenariat avec le Canada. Le cercle du bien-être sera bouclé.

Au cours des audiences publiques, soulignent les commissaires, de nombreux intervenants ont déclaré que l'effondrement des structures et des fonctions de la famille autochtone traditionnelle était l'une des principales causes des problèmes sociaux qu'ils connaissent actuellement. Selon eux, la guérison individuelle passe par la restauration de la famille autochtone.

La *Commission royale...* a constaté que la famille a toujours été et demeure l'institution centrale des sociétés autochtones. « Il ne s'est écoulé qu'une génération, ou deux, depuis le commencement de sa destruction; cela depuis l'époque où le réseau de la famille étendue, qui comprenait les parents, les grands-parents et les membres du clan, composait pratiquement à lui seul tout l'univers social autochtone. La famille fournissait le cadre des activités économiques essentielles. Au sein de ce réseau, les normes du partage et de l'entraide devenaient un filet de sécurité sociale dont bénéficiaient tous les membres de la famille ».

Les mesures prises par les gouvernements coloniaux et canadiens, selon les commissaires, ont gravement nui à la cohésion des familles autochtones ainsi qu'à la transmission de leur culture et de leur identité aux générations montantes. Les stratégies officielles destinées à contrôler et à assimiler les Autochtones ont visé très souvent et surtout les enfants.

Les grandes causes, selon la *Commission royale...*, sont les suivantes:

- **Les pensionnats sont les grands coupables.**

On retirait de leur famille, pendant dix mois sur douze, ou même davantage, mentionnent les commissaires dans leur rapport, des enfants qui avaient à peine six ans. On leur interdisait de parler la seule langue qu'ils connaissaient et on leur enseignait à mépriser leur famille, leur héritage et, par extension, leur propre identité. La plupart de ces enfants ont été privés de soins, d'autres ont été maltraités. La majorité a parlé de cicatrices profondes qui les avaient marqués et qui avaient détruit en eux la capacité d'aimer et d'être aimés.

- **Le retrait des enfants autochtones de leur collectivité.**

On le faisait pour les placer ou les faire adopter dans des foyers d'accueil d'une autre culture. Ce retrait est une des grandes causes des bouleversements qu'a connus la famille, prétend le rapport de la *Commission royale...* En retirant ces enfants de leur famille, soulignent les commissaires, on les a coupés de leurs racines et ils ont grandi sans savoir ce que ça voulait dire d'être Inuit, Métis ou membre d'une Première Nation.

- **La migration dans les villes perturbe aussi les familles.**

Les Autochtones quittent leur famille pour poursuivre leurs études, pour chercher du travail ou pour échapper à la violence familiale. Une fois en ville, ils perdent leur soutien familial dont ils dépendaient chez eux.

Il ne faut surtout pas oublier que les enfants occupent une place particulière dans toutes les cultures autochtones, ont souligné avec emphase les participantes autochtones aux audiences publiques. Elles les considèrent comme des dons des esprits qu'il faut traiter avec soin « si l'on ne veut pas qu'ils partent au royaume des esprits ».

Ces participantes reconnaissent en outre que le fait de ne pas réussir à protéger ses enfants est peut-être la plus grande honte que peut vivre une famille autochtone, surtout la mère. C'est pourtant ce qui se produit depuis plusieurs générations et encore de nos jours.

Les mauvais traitements et la violence familiale en sont les aspects les plus dramatiques, croient les commissaires. Pourtant, ces aspects ne représentent que la pointe de l'iceberg. Cette tare a commencé a se former à l'époque où les collectivités autochtones ont perdu leurs pouvoirs et leur indépendance, prétendent les commissaires. C'était la période où les familles autochtones se sont vu retirer toute responsabilité et toute influence sur leurs enfants.

Selon le rapport de la *Commission royale...*, la violence familiale chez les Autochtones a sa propre dynamique et la politique gouvernementale doit en tenir compte. Pour les commissaires, cette dynamique s'exprime de la façon suivante:

- Il ne faut pas laisser entendre que tous les Autochtones sont violents. Il faut veiller à ce que les interventions soient ciblées sur les personnes à risque;
- les différences culturelles ne peuvent servir d'excuses à la violence. Les agresseurs doivent répondre de leurs actes et les personnes vulnérables être protégées;
- la violence n'est pas un problème isolé. Il faut déraciner les injustices sociales et politiques, la pauvreté et le racisme qui encouragent la violence sur toutes ses formes;
- cette violence s'inscrit souvent dans un contexte de relations perturbées, de sentiments émoussés et de règles culturelles affaiblies en matière de comportement;
- dans certains cas, une culture de violence s'est imposée dans les collectivités, ont constaté les commissaires;
- ils concluent que la violence dans les collectivités autochtones est encouragée et alimentée par les attitudes racistes qui perpétuent les stéréotypes, en particulier en ce qui concernent les femmes autochtones.

On peut ajouter que là où elle se produit, la violence familiale est cachée. Les principales concernées en ont honte, en ont peur, ont souligné les commissaires. Elles hésitent à exposer la vérité par crainte d'une escalade encore plus importante de violence. Il ne faut pas passer sous silence, mentionnent les commissaires, qu'elles craignent la vengeance des dirigeants locaux, surtout les hommes. Les femmes ont aussi peur de révéler leur propre situation parce qu'elles ne veulent pas exposer leur famille et leur collectivité au mépris à cause d'interventions externes.

Je me souviens de cet appel téléphonique d'un agent de négociation dans une réserve, lorsque je travaillais comme négociateur en chef pour le *Conseil des Atikamekw et des Montagnais*, qui me demandait comment agir face à certains événements tragiques. Il m'a raconté que son voisin était un alcoolique invétéré depuis plusieurs années. Au cours de la nuit dernière, me disait-il, sa femme, sa fille et ses petits enfants se sont évadés de la maison familiale pour venir coucher chez lui. Comme il le fait depuis plusieurs années, cet Indien avait violenté sa femme et violé sa fille. Et, pour la première fois, il s'était attaqué à sa petite fille.

Je lui ai répondu: « Mais qu'est-ce que tu attends pour dénoncer ce criminel à la police amérindienne... ».

— Je ne peux pas le faire, me dit-il, car ce sont les membres de ma propre famille qui vont subir les contrecoups de cette dénonciation. La violence est érigée en système dans notre communauté...

Évidemment, je l'ai fait moi-même. La *police amérindienne* n'a pas pu poursuivre ce criminel car personne dans la communauté ne voulait témoigner contre lui. Il a sûrement continué à commettre ces gestes criminels sans jamais être puni...

Je me souviens aussi qu'une jeune innue, après avoir été violée, a dû quitter sa réserve natale sur l'insistance des membres de sa propre famille. Elle était coupable d'avoir dénoncé son violeur à une une instance *blanche* qui avait comme rôle de protéger les personnes comme elle. Elle l'a fait pour la bonne et simple raison qu'aucune institution dans la communauté ne pouvait le faire.

L'impénitent avait pourtant été dénoncé avec courage par la victime aux autorités politiques. Cette jeune femme, rejetée par les membres de sa propre famille et ceux de sa communauté, a dû s'exiler dans une grande ville québécoise et vivre les pires tourments. Ce n'est que plusieurs années plus tard, après avoir été au fond du *tonneau*, qu'elle a retrouvé la paix et pu vivre une vie enrichissante.

Des cas semblables, je pourrais vous en citer des dizaines. D'ailleurs, la *Commission royales sur les peuples autochtones du Canada* a rencontré plusieurs groupes de femmes qui ont raconté aux commissaires, à huis-clos, pour ne pas être pointées du doigt, leurs mésaventures concernant la violence sous toutes ces formes. Elle est donc des plus documentée sur cette question importante.

Les commissaires de la *Commission royale...* suggèrent certaines mesures à prendre pour apporter un changement perceptible:

- Les dirigeants autochtones devraient dénoncer publiquement la violence. Plus encore, ils devraient faire adopter, chez eux, une politique de non-tolérance absolue sur ce sujet;
- les gouvernements et les organismes autochtones devraient veiller à ce que les femmes soient pleinement et équitablement représentées dans les processus décisionnels;
- les gouvernements autochtones devraient soutenir les femmes autochtones qui cherchent à résoudre les problèmes sociaux et reconnaître leur expertise en matière de violence familiale.

« Certains Autochtones hésitent à permettre à leurs propres gouvernements de se mêler de la vie familiale, comme les gouvernements canadiens l'ont fait par le passé. Il n'en demeure pas moins qu'il faut protéger les personnes vulnérables. C'est une question d'équilibre. »

SANTÉ ET GUÉRISON VONT DE PAIR

Les commissaires de la *Commission royale...* ont constaté que la santé actuelle des Autochtones est déplorable et que, plus encore, la situation frise l'état de crise. Les Autochtones sont plus susceptibles de souffrir d'à peu près tous les types de maladie.

- Les Indiens meurent de sept à huit ans plus tôt que les autres Canadiens;
- les maladies infectieuses de tous les types affectent plus souvent les Autochtones que les autres Canadiens;
- les maladies chroniques et dégénératives, comme les cancers et les maladies de coeur, frappent plus d'Autochtones qu'autrefois. Le diabète est un problème particulièrement grave à certains endroits;
- les taux de violence et de comportement autodestructeur, y compris la toxicomanie et le suicide, sont élevés;
- les forts taux d'échecs scolaires, de chômage, de dépendance à l'égard de l'aide sociale, de démêlés avec la justice et d'emprisonnement sont des signes d'un profond déséquilibre dans l'expérience de la vie et le bien-être des Autochtones.

Pour les Autochtones, selon le rapport de la *Commission royale...*, les concepts de santé et de guérison découlent de la conviction que tous les aspects de vie sont interdépendants. Par conséquent, le mieux-être résulte d'un équilibre et d'une harmonie entre tous les aspects de la vie personnelle et collective.

Même si les Autochtones se sont considérablement éloignés du mode de vie de leurs ancêtres, prétendent les commissaires, ils accordent encore beaucoup de valeur aux traditions et aux pratiques qui leur donnent leur caractère propre. Ils incluent, à ces pratiques, les traditions médicales allant de l'utilisation des herbes médicinales à diverses formes de psychothérapie.

Selon les commissaires, plusieurs théoriciens les plus progressistes en sont arrivés à certaines grandes conclusions au sujet de ce qui favorise la santé. Plusieurs de leurs idées concordent avec la philosophie autochtone:

- La santé découle des rapports complexes entre le corps, l'esprit, la raison et les émotions - et non pas leurs dynamiques distinctes;
- les facteurs économiques (situation d'emploi, situation personnelle et pauvreté de la collectivité) comptent parmi les principaux déterminants de la santé;
- la responsabilité personnelle en matière de santé et de mieux-être est aussi importante que les soins professionnels ou les interventions externes;
- la salubrité de l'environnement influe sur la santé humaine;
- l'état de santé de l'adulte se prépare dès la petite enfance.

« Toutes ces notions favorisent un système qui accorde moins d'importance aux traitements médicaux et plus de poids aux facteurs sociaux, économiques et politiques influant sur la santé. La politique en matière de santé doit contribuer à éliminer les séquelles de la pauvreté, de l'impuissance et du désespoir dans les collectivités autochtones. »

Pour les commissaires de la *Commission royale...*, il est évident que la santé totale découle d'une prospérité commune, d'un environnement propre et sain et d'un sentiment de contrôle sur l'existence. « La santé des Autochtones s'améliorera grâce aux changements structuraux à long terme proposés par le rapport ».

Pour commencer la réforme, selon les commissaires, les gouvernements fédéral, provinciaux, territoriaux et autochtones doivent s'engager à mettre en place des systèmes de santé et de guérison qui:

- Confient les leviers de commande aux Autochtones;
- adoptent une approche holistique en matière de santé personnelle et sociale;

- fournissent un éventail de services adaptés aux cultures et aux priorités des Autochtones et aux conditions particulières expliquant leur mauvais état de santé;
- mettent les Autochtones au même niveau que les autres Canadiens en matière de santé.

La *Commission royale...* a proposé de mettre en place des centres de santé et de guérison en regroupant sous un même toit les ressources existantes en soins de santé et de services sociaux. Pour compléter le travail des centres de guérison communautaires, les commissaires proposent d'établir un réseau de pavillons de ressourcement.

Ces pavillons peuvent combler l'immense besoin de traitement pour les personnes dépassées par leurs problèmes sociaux, affectifs et spirituels, croient les commissaires. « Ils peuvent s'attaquer aux problèmes psychosociaux qui paralysent la vie de certains Autochtones ». Il pourraient par exemple:

- Aider les victimes de la violence familiale qui ont besoin d'un lieu sûr et d'un répit pour reprendre leur vie en main;
- aider les adultes violents à découvrir de nouvelles façons de composer avec leurs frustrations et leur colère;
- aider la jeunesse marginalisée qui a besoin de rétablir des liens avec la communauté et de retrouver son identité.

BESOINS URGENTS : LOGEMENTS ET CONDITIONS DE VIE

Le logement, l'approvisionnement en eau et les services sanitaires sont bien en deçà des normes canadiennes dans de nombreuses collectivités autochtones.

« Les maisons surpeuplées et délabrées, l'eau polluée et en quantité limitée, les problèmes des ordures - toutes ces conditions menacent de façon inacceptable la santé des Autochtones et renforcent le sentiment de marginalité et de désespoir. »

- Les maisons qu'occupent les Autochtones sont deux fois plus susceptibles de nécessiter de réparations importantes que celles des autres Canadiens. Dans les réserves du Canada, 13,400 logements ont besoin de telles réparations et 6,000 autres doivent être carrément remplacés:
- les logements sont plus petits que ceux des autres Canadiens, mais abritent un plus grand nombre de personnes;
- les Autochtones sont 90 fois plus susceptibles d'être sans eau courante. Dans les réserves, plus de 10,000 foyers n'ont pas de plomberie intérieure;
- les systèmes d'adduction d'eau et d'égout ne répondent pas aux normes dans environ une réserve sur quatre;
- dans le Nord, les décharges de déchets solides et les eaux d'égout non traitées contaminent le sol, le poisson et la faune.

Le rapport de la *Commission royale...* propose que les gouvernements canadiens et autochtones et que les Autochtones, à titre individuel, consacrent suffisamment de ressources pour combler entièrement les besoins en matière de logement d'ici 10 ans. Les obstacles qui entravent depuis longtemps le progrès, selon les commissaires, peuvent être aplanis de la façon suivante:

-   Les Autochtones et les collectivités autochtones doivent assumer une partie des coûts de logement. Les commissaires suggèrent que les gouvernements fédéral et provinciaux (territoriaux) assument environ deux tiers des coûts des logements et que les Autochtones, lorsqu'ils auront atteint un certain niveau de revenus, en supportent environ le tiers;
-   des institutions autochtones régionales peuvent être créées pour gérer le financement, la construction et l'entretien des logements et de l'infrastructure publique;
-   la question de savoir si le logement est un droit issu de traité peut être réglée dans le cadre du nouveau processus de l'établissement de traités préconisé;
-   la question de la propriété dans les réserves devrait relever de la compétence des nouveaux gouvernements autochtones et être réglée d'une façon qui incite les résidents à entretenir et à améliorer leur logement.

LE CONTRÔLE DE L'ÉDUCATION, TOUT RESTE À FAIRE

Bien qu'ils réclament plus de contrôle sur l'éducation depuis une trentaine d'années, ce levier important pour l'avenir de leurs enfants leur échappe encore, soulignent les commissaires; « comme c'était le cas d'ailleurs quand les gouvernements et les Églises se servaient de l'éducation pour les contrôler et les assimiler à l'époque des pensionnats. Ils continuent d'ailleurs à le faire plus subtilement de nos jours ».

Pourtant, les Indiens sont bien conscients de l'importance de l'éducation. D'ailleurs, en cela, ils ne demandent pas davantage que ce qu'ont déjà les autres communautés: La chance de déterminer le genre d'hommes et de femmes que deviendront demain les enfants d'aujourd'hui, prétend le rapport de la *Commission royale...*

Dans l'ensemble, soutiennent les commissaires, les Autochtones souhaitent que l'éducation accomplisse deux choses:
-   Ils veulent que les écoles transmettent aux enfants, aux adolescents et aux adultes, les connaissances et les capacités dont ils ont besoin pour bien participer à l'activité économique;
-   ils veulent que les écoles fassent de leurs enfants des citoyens des nations autochtones en leur transmettant la langue et les traditions nécessaires pour assurer la continuité culturelle.

« Dans le système actuel, ces deux objectifs ne sont pas atteints. La majorité des jeunes Autochtones ne terminent pas leurs études secondaires. Ils quittent l'école sans avoir obtenu les diplômes qui leur permettraient de trouver du travail dans l'économie de la société majoritaire. Ils ne connaissent pas vraiment leur langue et leur culture. Ils ont le plus souvent été victimes de l'ignorance et de la haine qu'engendre le racisme et cette expérience les laissent complètement abattus ou révoltés ».

Parce que les commissaires de la *Commission royale...* considèrent que, dans le domaine de l'éducation comme dans celui de la santé, la petite enfance est une étape cruciale, ils recommandent, pour les écoles primaires, que:

- Toutes les écoles, qu'elles soient ou non principalement fréquentées par les élèves autochtones, adoptent des programmes qui intègrent les réalités culturelles autochtones;
- les gouvernements allouent des fonds permettant d'accorder une grande priorité à l'enseignement des langues autochtones lorsque le nombre le justifie;
- les écoles provinciales et territoriales fassent plus d'efforts pour favoriser la participation des parents autochtones aux décisions.

Au cours des audiences, les commissaires de la *Commission royale...* ont constaté que les adolescents autochtones vivent dans deux mondes: L'un où règnent les valeurs et les croyances autochtones et l'autre où la télévision, la culture populaire de la majorité et l'entourage imposent des valeurs et des choix différents.

Les jeunes Autochtones ont admis devant la *Commission royale...* qu'ils se sentaient marginalisés; que ce soit à l'école ou dans leurs collectivités d'origine, personne ne les écoute. Ils sont bel et bien assis entre deux chaises. Ils ne demandent cependant qu'à être responsabilisés.

Les jeunes Autochtones, qui abandonnent l'école avant d'obtenir leur diplôme, ont besoin d'encouragement pour revenir aux études, prétendent les commissaires. « Un tel soutien est particulièrement important pour les adolescentes qui quittent l'école parce qu'elles sont enceintes ».

Cependant, avant de reprendre les études, les jeunes adultes se heurtent à des obstacles particuliers:

- Vivant dans des collectivités bien souvent isolées, ils n'ont accès qu'à un nombre limité de programmes;
- les cours offerts ne sont pas ancrés dans leur mode de vie et dans leur situation;
- les conditions d'entrée ne tiennent pas compte de leurs antécédents et de leur culture;
- les programmes leur offrent rarement l'appui individuel sur les plans de service de garderie pour les étudiantes adultes.

L'avènement des gouvernements autonomes chez les peuples autochtones, au cours des prochaines années, oblige les systèmes d'éducation à préparer, sur mesure, les jeunes Autochtones. Cette préparation les amènera à bénéficier pleinement de ces emplois dans leurs conseils de Bande ou leurs conseils tribaux.

« Le besoin le plus urgent est la formation. Il varie selon la nation autochtone concernée, mais il faudra, à toutes les nations, des administrateurs et des employés compétents pour occuper les divers postes de la fonction publique: Des postes dans le développement économique, les services sociaux et les soins de santé, les travaux publics, l'éducation, les sports et les loisirs, etc. ».

La protection du patrimoine et des arts autochtones, selon les commissaires de la *Commission royale...*, est un élément important à prendre en considération au cours des prochaines années.

« Les cultures autochtones sont en danger de disparaître à cause des anciennes politiques qui ne tenaient aucun compte des langues, des cérémonies et des traditions autochtones ou qui, parfois même, visaient à les supprimer. Il faudra prendre des mesures pour aider ceux qui cherchent à exprimer, à conserver, à rétablir et à approfondir leur culture, dans toute sa richesse et sa diversité ».

Selon les commissaires, les Autochtones ont toutefois été chassés de la plupart de leurs lieux sacrés. Ils ont vu des gens de l'extérieur s'emparer d'objets sacrés pour les exposer dans de lointains musées, bien souvent hors contexte et sans respecter l'âme de ces objets. Pour la *Commission royale*..., les Autochtones ont des exigences justifiables:

- Protéger les lieux historiques et sacrés;
- recouvrer les restes humains pour les réinhumer convenablement;
- rapatrier les objets d'importance particulière;
- empêcher les non-Autochtones de s'approprier les chants, les légendes et les autres oeuvres intellectuelles des Autochtones.

Pour les commissaires, la langue est l'un des principaux instruments qui permet de transmettre la culture d'une génération à l'autre et d'interpréter l'expérience collective.

Au Canada, souligne le rapport de la *Commission royale*..., on trouve 11 grandes familles linguistiques autochtones et plus de 50 langues différentes. Le nombre des personnes parlant une langue autochtone ne représente qu'une fraction de la population autochtone: Une personne sur trois chez les cinq ans et plus et la plupart sont des adultes et des personnes âgées. Même les langues les plus parlées comme le micmac, l'innu (montagnais), le cri, l'ojibwa, l'inuktitut, certaines langues dénées, sont menacées d'extinction parce que les jeunes les parlent de moins en moins.

La disparition de ces langues entraînerait celle de la conception du monde, particulière aux Autochtones, de leur sagesse ancestrale et de leur façon de vivre. Si l'on veut protéger ces langues, selon le rapport de la *Commission royale*..., il faut:

- Préserver ou augmenter le nombre des locuteurs;
- les utiliser dans les communication quotidiennes, en particulier au sein des familles.

Pour les Autochtones comme pour les autres peuples de la terre, les arts sont le reflet et le prolongement de leur histoire, de leur mythologie et de leur spiritualité. « Ils sont à la fois un miroir qui permet aux Autochtones de mieux se connaître et une fenêtre qu'ils ouvrent pour que les autres puissent les voir ›.

Compte tenu de l'importance des arts et des artistes autochtones, prétendent les commissaires, on s'étonnera peut-être du peu d'appui qu'ils reçoivent des secteurs, public et privé.

- La grande majorité des livres sur les Autochtones qui sont publiés chaque année par les grandes maisons d'édition canadiennes sont écrits par des non-Autochtones;
- les éditeurs autochtones éprouvent beaucoup de difficultés à obtenir l'appui des organismes gouvernementaux chargés de favoriser l'édition;
- les objets d'art autochtone, qui étaient autrefois utilisés dans la vie quotidienne et pour les cérémonies, se retrouvent plus souvent dans les musées d'anthropologie que dans les musées d'art;
- le ministère des *Affaires indiennes et du Nord Canada* a beaucoup fait pour créer un marché pour les arts et l'artisanat inuit. Il a généralement appuyé la formation dans le domaine des arts plastiques et des arts du spectacle. Il se préoccupe toutefois fort peu de la production de spectacles, un aspect essentiel de la formation;
- les organismes de financement des arts ne font que commencer à chercher des façons d'apprécier les formes d'art et les oeuvres des Autochtones en fonction de critères culturellement pertinent.

XVIII

LES RÉALITÉS ET
LEURS PERSPECTIVES

SENSIBILISATION ET INFORMATION,
DES PISTES VERS LA BONNE ENTENTE

Les Premières Nations amérindiennes et les Inuits constituent les Premiers peuples de ce coin de terre d'Amérique du Nord. Ils sont donc historiquement les véritables peuples fondateurs de ce pays. Plus tard, après l'arrivée des Européens, les Métis compléteront ces Premiers peuples du Canada.

Au temps où le ministère des *Affaires indiennes et du Nord Canada* préférait discuter avec chacune des Bandes indiennes, elles étaient toutes des Premières Nations. Cette division infinitésimale avait comme objectif de diminuer, au maximum, l'importance des Premiers peuples. Leur rapetissement au niveau de Bandes indiennes, ou même de clans, favorisait le gouvernement fédéral.

Ce dernier refusait que les communautés se regroupent en conseils tribaux. Il prêchait que tous les pouvoirs devaient appartenir à la Bande indienne. Il a d'ailleurs concrétisé cette vision de la société autochtone dans sa *Loi sur les Sauvages*.

À cette période du plus bas dénominateur commun, pour mieux les dominer, on faisait croire aux Indiens que tous les pouvoirs devaient rester à la minuscule Bande. En les tenant ainsi sous leur joug, on les neutralisait. En mettant plus tard en place des conseils de Bandes dirigés par un chef élu, on tentait de placer dans les mains d'une seule personne tous les pouvoirs. Il était ainsi beaucoup plus facile pour eux de contrôler et d'influencer ce chef inexpérimenté. C'était, à coup sûr pour eux, la formule la plus efficace de diviser pour mieux régner.

On a dû découvrir par nous-mêmes, à partir de certaines expériences négatives, que moins on était nombreux, donc avec peu de ressources humaines, plus on étiolait notre pouvoir politique. Il aurait fallu se regrouper avec les autres conseils de Bande pour se renforcer, mais notre tuteur nous le défendait.

Notre fiduciaire nous imposait tout ce que la *Commission royale sur les peuples autochtones du Canada* a dénoncé. Le gouvernement du Canada n'est pas fier aujourd'hui, selon l'ex-ministre des *Affaires indiennes et du Nord Canada*, madame Jane Stewart, des geste posés envers les Autochtones.

Les véritables Premières Nations, selon le rapport de la *Commission royale...*, sont au moins une cinquantaine et elles ont évidemment plusieurs de points en commun. Cependant, il est évident qu'elles diffèrent les unes des autres... Et, les Premières Nations sont tout à fait différentes des Inuits dont la culture, par la force des choses, a été modelée par les rigueurs climatiques du Nord. En ayant combiné les traditions autochtones à celles de leurs ancêtres européens, les Métis sont aussi différents.

C'est donc dire, selon les commissaires de la *Commission royale...*, que ce sont des peuples nombreux aux voix diverses. « Certains groupes ont des préoccupations qui transcendent les frontières culturelles et nationales. Les femmes, les jeunes, les anciens, les citadins et les habitants du Nord avaient des préoccupations et des propositions spécifiques à exposer à la Commission ».

Les commissaires de la *Commission royale...* ajoutent que cela ne signifie aucunement que, par ce regroupement, ils pensent que toutes les femmes, ou que tous les Métis, ou encore que tous les gens du Nord ont les mêmes problèmes et préconisent les mêmes solutions. « Il en est rien. Mais au cours de nos entretiens avec eux, certains thèmes dominants se sont dégagés ».

LES FEMMES INDIENNES ET INUITES

Les femmes ont toujours joué un rôle dominant dans la vie politique et culturelle de nombreuses sociétés autochtones, ont souligné les commissaires. En étant identifiées comme la source de la vie, elles étaient honorées et vénérées. « Leur capacité de porter des enfants, de les élever et de former ainsi une nouvelle génération était considérée comme un don spécial du Créateur, la source d'un pouvoir extraordinaire et d'une responsabilité égale à celle des hommes ».

D'après le rapport de la *Commission royale...*, le leadership des femmes variait selon les nations. Les femmes mohawk, y souligne-t-on, prenaient une part active à la vie politique du clan, du village, de la nation et de la confédération.

Les femmes inuites s'effaçaient devant les chefs masculins lorsqu'ils s'agissaient des décisions publiques, mais exerçaient une influence considérable dans les relations sociales et dans la vie familiale, en particulier lorsqu'elles étaient plus âgées.

« Dans certaines sociétés autochtones, les femmes avaient un rang subalterne; mais même alors, grâce à leurs talents et à leur savoir, elles jouaient un rôle essentiel au sein de la collectivité ».

À titre de témoignage, j'ajouterais que le rôle social et politique de la femme est de plus en plus perceptible chez les Inuits, les Innus (Montagnais), les Atikamekw, les Algonquins, les Micmacs, les Abénaquis et la très grande partie des autres nations.

Plus encore, à cause du sérieux de certaines femmes, de leur sensibilité, de leur sens des responsabilité et de leur ouverture d'esprit, elles franchissent plus rapidement la barrière psychologique d'un mode de vie plus moderne de leur société. Contrairement aux jeunes Amérindiens et Inuits, elles ne restent pas longtemps assises entre deux chaises. Elles apprivoisent plus facilement cette nouvelle société et savent en tirer le maximum sans pour autant renier quoi que ce soit de l'ancien monde.

Les jeunes femmes choisissent plus facilement de se faire instruire. Pendant que les jeunes hommes s'interrogent à savoir s'ils doivent continuer à chasser ou à pêcher, les jeunes femmes apprennent à vivre dans une société différente. Elles occupent déjà les postes importants dans les conseils de Bande, dans les écoles et dans les dispensaires.

Elles partent étudier dans les grands centres urbains et font les efforts nécessaires pour réussir. Lorsqu'elles reviennent dans leurs réserves, elles sont mieux équipées pour l'avenir que les jeunes hommes. Ces derniers ont souvent continué à se faire accroire qu'ils pouvaient encore vivre des fruits de la chasse, de la pêche et du piégeage. Ils restent ainsi, bien souvent, plus longtemps marginaux.

Les commissaires ont souligné qu'ils n'avaient pas la naïveté de croire qu'avant les premiers contacts avec les Européens, les femmes autochtones ne connaissaient aucun problème social dans leur vie.

« Mais les femmes autochtones nous ont dit qu'à l'arrivée des puissances coloniales, une nouvelle attitude d'esprit inquiétante s'est peu à peu établie dans leurs sociétés. Les politiques et les lois imposées par les gouvernements étrangers ont détruit les traditions culturelles et ont introduit la discrimination à l'égard des femmes ».

Aujourd'hui, selon les commissaires de la *Commission royale...*, les femmes autochtones se sont organisées. Elles sont en mesure de faire avancer les dossiers qui les préoccupent. Presque entièrement réduites au silence pendant de nombreuses années, affirment-ils, elles vont maintenant pouvoir faire entendre leur voix. Elles vont même jusqu'à dénoncer publiquement ce qu'elles souhaitent voir corriger comme, par exemple, la violence familiale.

Le premier souci des femmes est celui de leur famille immédiate et de leurs collectivités. Selon les commissaires, elles ont cependant été aux premières loges pour constater les conséquences désastreuses que peuvent avoir des lois et des politiques à l'emporte-pièce et non adaptées.

« Nous avons décrit les restrictions et les contrôles imposés aux Autochtones par la Loi sur les Indiens et par d'autres lois adoptées au XlX ième siècle. Les femmes étaient doublement désavantagées par la nature sexiste de cette loi fondée sur les notions victoriennes de race et de patriarcat. Pendant la plus grande partie de notre siècle, les femmes autochtones n'ont pas été autorisées à voter aux élections de la Bande; elles ne pouvaient pas être propriétaires de biens ni hériter et elles étaient, en fait, traiter comme la propriété de leurs époux en de nombreuses circonstances ».

Les femmes, plus que toutes autres personnes, parce qu'elles en ont été des victimes, souhaitent que les Autochtones guérissent des conséquences de la domination, du déracinement et de l'assimilation. Selon les commissaires de la *Commission royale...*, ces dernières ont pu constater les effets désastreux de politiques inconsidérées sur la structure sociale de leurs collectivités.

« Plusieurs d'entre-elles nous ont dit que l'autonomie gouvernementale n'est pas possible sans un processus de guérison préalable car la santé des nations est déterminée par celle des individus et des collectivités. »

Pour se libérer de la peine, de la colère et du ressentiment, hérités de leur passé colonial, soutiennent les commissaires, il faut que les Autochtones et leurs collectivités mettent en oeuvre leurs propres stratégies de guérison; ce qui implique des initiatives fondées sur les pratiques traditionnelles et sur une véritable compréhension de leurs besoins.

Les femmes autochtones, selon les commissaires de la *Commission royale*...,
veulent en outre des services sociaux et des soins de santé plus complets et de
meilleures qualités, dotés de ressources suffisantes et d'un personnel à
prépondérance autochtone.

Pour les commissaires, il semble évident que la violence familiale est une
manifestation particulièrement alarmante de la désagrégation des normes
traditionnelles de respect interpersonnel chez les peuples autochtones.
« Plusieurs femmes nous ont parlé de leurs craintes pour la sécurité de leurs
enfants et la leur et de la nécessité de pouvoir disposer de refuges. Dans
certaines collectivités, en particulier les plus petites, il est parfois difficile pour
une femme et ses enfants de trouver un endroit où se réfugier ».

Les femmes autochtones, ont souligné les commissaires, veulent que leurs
collectivités et les chefs de celles-ci adoptent **une politique de non-tolérance
absolue à l'égard de la violence familiale**. Elles estiment qu'il est extrêmement
important de mettre sur pied des services de *counselling* adaptés à la spécificité
culturelle des agresseurs et de leurs victimes.

LES JEUNES AMÉRINDIENS ET INUIT...

Les jeunes font partie du groupe le plus important de la population
autochtone actuelle: Quelque 56.2% ont moins de 25 ans, souligne le rapport de
la *Commission royale*... Ils sont la continuité. Ils perpétueront donc les rêves des
nations autochtones au cours du présent millénaire.

Ils ont démontré beaucoup de lucidité face au présent et à l'avenir au cours
des audiences de la *Commission royale*... , soulignent les commissaires dans leur
rapport. « Certains témoignages les plus dynamiques que nous avons entendus
ont été faits par les jeunes gens. Ils cherchent des solutions pratiques qui peuvent
être mises en oeuvre dès maintenant dans leurs collectivités. Les obstacles
politiques et administratifs ne les effraient pas. Ils veulent mener leur tâche à
bien de la manière la plus rapide et la plus efficace possible ».

Malheureusement, selon eux, mentionnent les commissaires, ils n'ont pas le
sentiment que leurs idées sont appréciées à leur juste valeur par leurs chefs. Ils
se considèrent donc comme une ressource gaspillée.

Devant les commissaires, les jeunes Autochtones ont décrit leurs objectifs
essentiels de la façon suivante:

- **Reconnaissance et participation**

Ils veulent prendre une part plus active à la vie de la collectivité et de la
nation et collaborer avec les jeunes des autres nations autochtones au règlement
des questions communes les concernant.

- **Pouvoir d'agir**

Les jeunes souhaitent acquérir les outils et les capacités qui leur
permettront de résoudre leurs propres problèmes. Ils désirent avoir une voix au
chapitre, sur le plan politique, aux échelons, local, provincial et national. Le
pouvoir économique est primordial s'ils veulent avoir des emplois qui leur
permettront de rompre le cercle infernal de la dépendance.

- **Guérison**

Comme c'est le cas pour les femmes autochtones, les jeunes ont dit aux commissaires de la *Commission royale...* que la guérison était la première étape, indispensable, de leur développement personnel.

Selon les jeunes, soulignent les commissaires, c'est avec l'aide des anciens que la guérison des émotions est la plus efficace. Ils considèrent que, lorsqu'ils sont en difficulté, ce sont les anciens qui sont les mieux placés pour leur donner conseils dans une perspective contemporaine modulée par une vision traditionnelle du monde.

« Nous estimons qu'il est indispensable d'établir un cadre de mesures coordonnées à l'échelle du Canada pour répondre aux préoccupations des jeunes Autochtones et qu'il faut adopter une approche intégrée à l'égard de l'éducation, de la justice, de la santé et de la guérison, de l'emploi, du sport et des loisirs, et des questions urbaines ».

LES MÉTIS...

Quelque 139 000 Canadiens se considèrent comme Métis, souligne le rapport de la *Commission royale...* Leur histoire remonte à des centaines d'années, mais la plupart des Canadiens ne savent pas grand-chose à leur sujet. Les Métis font partie des peuples autochtones reconnus par le Canada. Ils ont une histoire, une langue et une culture bien à eux.

Les commerçants de fourrure et les colons européens, souligne le rapport de la *Commission royale...*, ont commencé à courtiser les femmes autochtones et à les épouser peu de temps après leur arrivée en Amériques. « Au début, les enfants issus de ces unions étaient habituellement élevés dans une seule culture - européenne ou autochtone. Mais avec le temps, les enfants de ces mariages mixtes ont commencé à combiner les deux cultures, dont l'émergence d'un groupe de peuples autochtones original, celui des Métis ».

Selon les commissaires, la culture des Métis est le produit de leur mode de vie. Dans les Prairies, la langue des Métis - le *michif* et ses nombreux dialectes - était un mélange de français et de plusieurs langues amérindiennes. Certains Métis, mentionne le rapport de la *Commission royale...*, ont formé des établissements permanents autour de postes de traite. La chasse aux bisons a joué un rôle important dans l'organisation d'autres groupes métis plus mobiles.

« Les Métis ont utilisé leurs liens familiaux, leurs talents de survie dans la nature et leur connaissance de langues européennes et autochtones pour faciliter la pénétration européenne dans l'intérieur nord-américain. Ils ont ainsi joué un rôle crucial dans l'édification de notre pays. »

Pour les commissaires de la *Commission royale...*, les Métis constituent, depuis longtemps, un groupe culturellement distinct. Ils manifestent une solide cohésion sociale et ils ont fait la preuve de leur efficacité sur le plan politique. « Ils pourraient très bien être un des premiers peuples à acquérir le statut de nation selon la démarche que nous proposons. Nous nous attendons à ce que les Métis du Labrador et d'autres collectivités métisses suivent leur exemple par la suite ».

Lorsqu'il a affaire au Métis, le gouvernement du Canada, prétend le rapport de la *Commission royale...*, devrait traiter de Nation à Nation, comme pour tous les peuples autochtones. La *Loi constitutionnelle de 1982*, prétendent les commissaires, reconnaît déjà qu'ils sont un groupe de peuples autochtones, mais le gouvernement refuse de les faire bénéficier de la plupart des programmes et services destinés aux Autochtones.

« Le gouvernement soutient que sa responsabilité à l'égard des ¨Indiens et des terres réservées pour Indiens¨, aux termes du paragraphe 91(24) de la *Loi constitutionnelle de 1867*, ne s'étend pas aux Métis. Nous ne sommes pas d'accord. Il y a plus de 50 ans, la *Cour suprême du Canada* a statué que la compétence fédérale en vertu de 91(24) s'étendait aux Inuits. Le gouvernement leur offre maintenant la plupart des programmes et des services. Il est injuste et déraisonnable de priver les Métis des possibilités offertes aux autres peuples autochtones. »

Les commissaires mentionnent dans leur rapport que, d'une façon générale, les objectifs des Métis ne sont guère différents de ceux des autres Autochtones. Ils veulent, eux aussi, renforcer leur culture, assumer leur autonomie politique et obtenir suffisamment de terres pour poursuivre leur développement économique et culturel. Ils souhaitent, de plus, s'assurer que leurs enfants sont en bonne santé, qu'ils reçoivent une bonne éducation et qu'ils sont prêts à prendre la relève et à diriger la nation à leur tour.

Il est important, selon le rapport de la *Commission royale...*, qu'un territoire leur soit assigné car, à l'exception de l'Alberta, les Métis n'en ont pas. « De vastes étendues de terre dans les Prairies auraient dû leur être distribuées en vertu de la *Loi de 1870 sur le Manitoba* et de la *Loi sur les terres du Dominion* de 1879, grâce au système de certificats. Mais ceux qui ont essayé d'obtenir les terres qu'on leur devait se sont heurtés à des retards, à toutes sortes de tergiversations, voire à des escroqueries ».

Comme la notion de Nation autochtone a toujours été étroitement liée à la possession d'un territoire, soutiennent les commissaires dans leur rapport, pour pouvoir satisfaire leurs aspirations sociales, culturelles, politiques et économiques légitimes, il est indispensable que les Métis aient, eux aussi, des terres.

« Nous demandons instamment aux gouvernements fédéral, provinciaux et territoriaux d'agir rapidement afin de reconnaître la ou les nations métisses et de leur permettre de négocier des traités et des accords au même titre que les autres peuples autochtones. Ces traités définiraient les pouvoirs impartis à leurs gouvernements, l'étendue des terres qui leur reviendraient, les indemnisations qui devraient leur être versées pour les injustices passées, leurs droits ancestraux (comme le droit de chasser, de pêcher et de piéger sur les terres de la Couronne en toutes saisons) et la nature de leurs arrangements financiers avec les autres gouvernements. Ces négociations ne seront ni rapides, ni faciles - raison de plus pour qu'elles commencent dès maintenant. »

LES PREMIERS PEUPLES DU NORD...

Selon le rapport de la *Commission royale...*, le nord du Canada est peuplé par les Inuits, par les Premières Nations et par les Métis. Il l'est aussi par des non-Autochtones qui y ont été attirés par sa beauté extraordinaire, ses perspectives économiques et le mode de vie unique qu'il offre.

Les commissaires ajoutent que c'est un terrain d'essai pour les idées et les systèmes politiques, un endroit où il est possible de mettre à l'épreuve des initiatives audacieuses. « Le Nord demeure donc un lieu d'exploration et de découverte, un monde où l'on peut tracer des voies nouvelles et faire figure de pionnier ».

Les peuples autochtones du Nord vivent selon des structures politiques diverses.

En 1996, selon le rapport de la *Commission royale...*, dix-sept (17) collectivités de Premières Nations du Yukon ont négocié une entente-cadre finale qui augmente considérablement leurs terres et leurs ressources et met à leur disposition une masse considérable de capitaux. L'entente fournit également un cadre général pour les accords individuels d'autonomie gouvernementale et, pour la première fois, n'exige pas des Autochtones qu'ils renoncent à tous leurs titres ancestraux.

Les Dénés, toujours selon le rapport, ont signé deux traités historiques, le Traité 8 et le Traité 11. D'autres parts, deux revendications territoriales contemporaines ont été réglées, la première avec les Dénés Gwich'in et les Métis, la seconde avec les Dénés Sahtu et les Métis. Les Dogribs négocient actuellement un troisième règlement. Les autres Dénés du Nord s'attendent à ce que la mise en oeuvre de leurs traités les conduisent à l'autonomie gouvernementale. Les Métis du Nord du Canada ne sont pas signataires des traités 8 et 11, mais les deux ententes concluent sur les revendications récentes s'appliquent à eux.

Les 38 000 Inuits qui vivent dans le Nord comptent exercer leurs droits à l'autodétermination au moyen d'un gouvernement populaire. Pour pouvoir y participer, il faut être un résident de longue date sans nécessairement appartenir à une nation ou à un groupe autochtone. Cependant, soulignent les commissaires, comme les Inuits forment une majorité sur leurs territoires traditionnels, il leur est possible de contrôler l'activité du gouvernement.

Selon la *Commission royale...*, la plupart des Inuits du Nord sont parties à un des trois principaux accords sur les revendications territoriales: La *Convention de la Baie James et du Nord québébois*, signée en 1975; la *Convention définitive des Inuvialuit de 1984*, portant sur les Inuvialuit de l'Arctique de l'Ouest ainsi que la *Loi concernant l'Accord sur les revendications territoriales du Nunavut* et la *Loi sur le Nunavut* (1993), qui ont créé un nouveau territoire dans la partie des Territoires du Nord-Ouest en 1999.

Depuis 20 ans, rapportent les commissaires de la *Commission royale...*, la situation politique a évolué avec une rapidité remarquable dans le Nord. Les habitants de toutes les régions s'emploient à créer des institutions qui correspondent à la diversité sociale et culturelle qu'on trouve au nord du 60 ième parallèle.

La plupart des Autochtones du Nord, soulignent les commissaires, gagnent leur vie dans le cadre d'une économie mixte, c'est-à-dire que leurs revenus proviennent de deux types de sources: Emploi, aide sociale ou artisanat d'une part, chasse, pêche et récolte d'autre part.

« La santé de cette économie mixte dépend de celle de l'environnement. La protection de l'environnement est donc une question de survie pour les peuples autochtones du Nord. Il s'agit en effet de la survie de cette économie mixte et de leur mode de vie ».

SENSIBILISATION ET INFORMATION, LA PISTE DE LA BONNE ENTENTE

Les tâches arrêtées par les commissaires, dans le rapport de la *Commission royale...*, pour renouveler la relation entre les Autochtones et les non-

Autochtones sont énormes. Elles ne sont rien, cependant, en comparaison du fait qu'ils veulent changer le coeur et l'esprit des Canadiens afin que la majorité d'entre-eux comprenne les aspirations des Autochtones. Il faut qu'ils reconnaissent enfin leurs droits ancestraux historiques et leurs droits inhérents à l'autonomie gouvernementale identifiés d'une manière implicite lors de la signature des traités entre nations souveraines et par la *Constitution du Canada* à l'article 35(1).

Et tout ça ne s'effectuera pas d'un seul coup de baguette magique... C'est uniquement avec l'appui de la population *blanche* que les résultats se feront sentir. Le leadership des gouvernements est nécessaire, soulignent les commissaires de la *Commission royale sur les peuples autochtones du Canada*, mais il ne pourrait pas suffire. Il appartient à l'ensemble des Canadiens de faire l'effort essentiel pour comprendre les raisons sous-jacentes et leur caractère équitable à l'ambitieux programme de changement proposé par les commissaires. Ces derniers ont donc placé la barre excessivement haute...

En plus de pousser sur les gouvernements, qui hésitent, les Canadiens doivent se préparer à des reculs et à des surprises qui accompagneront inévitablement ces changements. Les audiences ont permis aux commissaires de constater à quel point les Canadiens connaissent mal la réalité actuelle et, moins encore, l'histoire des Autochtones. C'est pour ces raisons que les commissaires croient qu'en l'absence d'une compréhension mutuelle, une relation renouvelée est impossible. Et c'est cela que j'ai répété inlassablement à toutes les tables de négociation depuis une quinzaine d'années.

Il est primordial, tel que le recommande le rapport de la *Commission royale...*, de prendre les mesures nécessaires pour améliorer la qualité de l'information au sujet des Autochtones et de leurs préoccupations. Comme le soulignent si justement les commissaires, l'information, à elle seule, ne fera pas crouler le mur de l'indifférence, voire de l'hostilité.

Cela ne suffira pas. Il faut une véritable campagne de promotion télévisée basée sur des messages humains pour faire connaître les anciens et les jeunes Autochtones, une source immensurable. Il faut changer l'image négative, amplifiée par le racisme des *Blancs* et les erreurs des Autochtones.

Et ça, malheureusement, c'est une question de gros sous. Ce n'est pas par des conférences auprès d'une cinquantaine de personnes, comme je le fais régulièrement, que nous réussirons, au cours d'une très courte période, à changer la perception négative actuelle. Les médias de masse ne se préoccupent pas de la question autochtone, au moins dans sa partie positive. Ils le font uniquement pour les informations sensationnelles et négatives qui font les manchettes.

Souvenons-nous du port obligatoire de la fameuse ceinture de sécurité au Québec. Le législateur avait eu beau sévir dans sa loi en imposant de fortes amendes, les automobilistes ne voulaient rien entendre. Personne, ou à peu près personne, ne s'attachait au Québec... Ce n'est qu'après une campagne intensive à la télévision montrant les effets négatifs de ne pas attacher sa ceinture de sécurité que les Québécois ont commencé à le faire. Aujourd'hui, tout le monde s'attache au Québec.

De toute évidence, cela a dû coûter une fortune. On l'a fait quand même parce qu'il y avait une volonté politique affirmée d'atteindre l'objectif.

On pourrait raconter la même chose pour les fumeurs.

Or, dans le dossier autochtone, il n'y a pas cet objectif primordial de la part des gouvernements. Bien sûr, ils vous diront qu'informer fait partie de leurs objectifs et ils l'écriront dans leurs documents promotionnels. Cependant, quand il sera question de se donner de véritables moyens, ils s'enfuiront comme s'ils approchaient de pestiférés. C'est d'ailleurs l'attitude qu'ils ont aux tables de négociation.

Donc, à cause de cette image publique négative qui nous colle à la peau, les gouvernements avancent à pas de tortue pour ne pas heurter leurs commettants dans la réalisation des recommandations de la *Commission royale...* Ils vont continuer de le faire à cause de l'indifférence des Canadiens et même, malheureusement, des Autochtones.

Comme les gouvernements, fédéral et provinciaux, des Canadiens ne sont pas vraiment convaincus de leur devoir historique envers les Premiers peuples, ils se contenteront toujours de réformettes sans conséquences vraiment positives comme ils l'ont toujours fait. Et, sans un virage politique à 180 degrés, ils risquent de ne jamais l'être à cause des avis négatifs des conseillers juridiques des ministères de la Justice qui continuent à prétendre que les Autochtones n'ont pas de droits ancestraux existants.

C'est un secret de Polichinelle, les gouvernements ne veulent surtout pas que la population canadienne appuie trop fortement les Autochtones dans leurs revendications. Un tel appui les forcerait à accepter les propositions sensées, formulées par la *Commission royales sur les peuples autochtones du Canada.*

À ce rythme-là, je ne vivrai certainement pas assez vieux pour en voir les résultats positifs. Ce n'est pas d'une génération que nous aurons besoin, mais bel et bien d'un siècle.

Je m'imagine à observer les détracteurs acharnés de la cause autochtone qui jubilent en étant maintenant convaincus que cette fois-ci est la bonne: Les Indiens disparaîtront... Ils deviendront des objets d'études pour les anthropologues et les ethnologues tel que certains historiens l'avaient prévu. Ces derniers auront donc eu raison.

Par contre, ces diffamateurs seront offusqués, même insultés, quand une personne comme moi leur dira franchement que leur attentisme irresponsable aura l'effet d'un immense génocide planifié pour la deuxième fois. Est-ce qu'ils s'excuseront encore une fois ? Mais cette fois-là, il sera malheureusement trop tard. Cela est d'autant plus vrai qu'une commission royale, qu'ils ont constituée eux-mêmes pour éviter le pire au cours de certains événements violents à Oka, les aura avertis dans des termes clairs. L'inconséquence, voire l'insignifiance, des éléments destructeurs aura eu raison, encore une fois, du bon sens dans les officines et derrière les portes closes.

Cependant, comme il me reste encore quelques bonnes années, je n'ai pas l'intention de jeter les gants ni de baisser les bras comme vous le constaterez à la lecture de la conclusion de cet ouvrage. J'y ai trop mis d'efforts au cours des 40 dernières années pour laisser tomber. Et je l'ai promis à mon père avant qu'il décède...

D'ailleurs, comme je l'ai fait pour le *Forum paritaire Québécois-Autochtones,* j'utiliserai mes propres contacts auprès des Églises, des syndicats, des associations de droits de toutes sortes, des entreprises, des universités, des écoles, des grandes sociétés, etc., pour propager la bonne information. Les gouvernements eux se contenteront de travailler avec certaines firmes-conseil qui vont véhiculer, à petites doses, l'information officielle que ces derniers vont évidemment contrôler. Ils souligneront dans leurs rapports qu'ils ont fait beaucoup d'information...

Leur supposée neutralité devant les tiers, exprimée par une certaine passivité ou par le silence complice, continuera à appuyer le statu quo dénoncé par la *Commission royale sur les peuples autochtones du Canada.* Le gouvernement du Canada aura oublié que son rôle de fiduciaire allait jusque là.

Pour ce qui est des leaders autochtones, ils ne doivent pas oublier qu'eux aussi ont un rôle de premier plan à jouer dans le domaine de l'information. Ils doivent d'abord travailler, avec acharnement, à corriger leur image négative qui entache les résultats escomptés. Ce n'est pas par des discours pleurnichards qu'ils s'attireront le respect des autres Canadiens. Ils ne le feront pas plus d'ailleurs par un discours agressif contre tous les Blancs en les accusant de tous les péchés d'Israël.

Ils devront faire la preuve que le rapport de la *Commission royale...* contient les éléments nécessaires pour rebâtir leur crédibilité auprès des Canadiens et ne pas se contenter de charité chrétienne.

Ils devront surtout s'efforcer d'appliquer les recommandations qui les concernent directement pour bien démontrer leur volonté d'arriver à des résultats probants. Il serait beaucoup trop facile d'exiger que les autres agissent alors que nous, nous continuerions à nous complaire dans nos défauts de société parce que nous avons peur de l'effort. Ça ne serait pas sérieux!

Et, comme nous le verrons dans la conclusion de cet ouvrage, il nous appartient, en propre, d'être le porteur de ballon - le rapport de la *Commission royale sur les peuples autochtones du Canada.* Nous ne pouvons surtout pas nous contenter d'être des spectateurs qui regardent le ballon passer de main à main sur ce terrain. Pourquoi les autres le feraient-ils si nous n'avons pas le coeur de le faire nous-mêmes ? Pourquoi se battraient-ils pour nous alors qu'il s'agit bel et bien de nous et des enfants de nos petits enfants qu'il s'agit.

C'est en se demandant si toutes ces belles recommandations vont encore une fois dormir sur des étagères que les Autochtones ont participé aux audiences publiques de la *Commission royale...* Les membres des Premiers peuples en ont assez des belles paroles, ont relevé les commissaires. « Ils veulent un changement véritable ».

Pour ces derniers, le programme de changement proposé par le rapport de la *Commission royale...* est, de toute évidence, une entreprise à long terme. Il est donc logique d'en suivre les progrès jusqu'à ce que les changements soient accomplis.

La *Commission royale...* propose la mise en place d'une commission d'examen de la situation des peuples autochtones qui évaluera les mesures adoptées par les gouvernements en vue d'exécuter les tâches définies dans le programme de changement.

« L'importance de cette commission d'examen sera en fonction de son indépendance et de capacité d'inciter les législateurs et les gouvernements à se concentrer sur le processus continu de renouvellement. La commission devrait être indépendante des gouvernements et relever directement du Parlement. »

Précisant que la relation entre les Autochtones et les non-Autochtones du Canada a longtemps été difficile et que, depuis quelque temps, elle semble se détériorer encore davantage, les commissaires prétendent cependant qu'elle peut être rétablie. En fait, soulignent-ils, le problème actuel peut se transformer en atout et devenir une des plus grandes forces du pays.

« Le changement doit libérer les Autochtones de la domination qu'exercent sur eux les institutions et les gouvernements ainsi que la dépendance à l'égard des fonds publics. La fin de la dépendance est éminemment souhaitable tant pour les Autochtones que pour les non-Autochtones. Il serait tout à fait inacceptable pour les Premières Nations, les Inuits et les Métis de continuer à voir leur autonomie restreinte et limitée au XXI ième siècle. »

Les commissaires sont convaincus que le renouveau de la relation doit se faire en toute justice et générosité. Pour eux, l'histoire et la dignité humaine exigent qu'une part équitable de terres, des ressources et des pouvoirs soit rendue aux peuples autochtones. Sur ces bases, le respect de soi et l'autonomie s'affirmeront avec constance dans les collectivités autochtones. En leur absence, la colère et le désespoir ne cesseront de croître, croient les commissaires, et des conflits en découleront sans doute.

Le rapport de la *Commission royale sur les peuples du Canada* prétend que les Autochtones doivent être en mesure de fonctionner à nouveau comme nations. C'est là, ajoutent-ils, une façon neuve d'aborder des problèmes anciens et persistants. Depuis des années, l'expression du progrès des Autochtones est « l'autonomie gouvernementale ».

« Il ne s'agit toutefois que d'un aspect d'un problème plus vaste - la réédification des nations, non pas comme elles étaient par le passé, mais comme elles peuvent être aujourd'hui. Les terres et la vitalité économique sont des conditions essentielles à la réussite des gouvernements. Une population saine, remplie d'espoir, est un facteur encore plus essentiel. »

La *Commission royale*... propose un programme de changement échelonné sur 20 ans pour regrouper tous ces éléments et plus encore. En 20 ans à peine, mentionnent les commissaires, on peut aider un grand nombre de Nations autochtones à accéder à l'autonomie. On peut les assister à éliminer les coûts humains et financiers écrasants qu'entraîne la nécessité de soutenir des collectivités incapables de se gérer elles-mêmes. « À partir de ce point, les bénéfices pour le pays s'accumuleront ».

Les commissaires ajoutent qu'en faire autant dans de si brefs délais est une perspective qui devrait réjouir les Canadiens. « Les changements que nous proposons ont une portée considérable. Nous ne suggérons pas de modifier la *Loi sur les Indiens* ni de lancer de grands programmes tape-à-l'oeil. Ce que nous proposons est fondamental, ambitieux et peut-être dérangeant - mais en même temps exaltant, libérateur et riche de possibilités ».

Nous ne proposons pas non plus, soulignent les commissaires, un ensemble de lignes directrices paralysantes. « Nous offrons une vision de ce qui est possible et de nombreuses idées quant à la façon de commencer. Le programme de changement peut être mis en oeuvre dès aujourd'hui et il y a de nombreux points de départ qui sont possibles. En fait, on commence déjà à mesure que les bonnes idées se précisent et que l'enthousiasme s'éveille au sein des collectivités autochtones, d'un océan à l'autre ».

Pourtant, selon les commissaires, le changement doit se faire à un rythme qui permettra aux Autochtones et à leurs nations d'assumer les douleurs qui l'accompagnent et en encourageant les non-Autochtones à y participer. La transition doit être accomplie de concert.

« Nous avons tous une responsabilité dans l'établissement de cette nouvelle relation - citoyens et gouvernements, Autochtones et non-Autochtones, organisations de toutes tailles. Nous avons 20 ans de restructuration et d'expérimentation devant nous - et, pour la première fois depuis des décennies, nous ferons appel à toutes les énergies autochtones. Ainsi se réalisera leur rêve d'un Canada qu'ils peuvent partager avec les autres Canadiens sans avoir le sentiment d'y être des étrangers. »

Au cours de cette période - et au-delà -, prétendent les commissaires, nous pouvons nous préparer à l'avènement d'un Canada qui célèbre son patrimoine autochtone. Ce nouveau Canada s'inspirera de la force de ses peuples autochtones, partenaires à part entière d'une fédération renouvelée. C'est d'ailleurs ce que souligne le dernier paragraphe du document de 149 pages sur les points saillants du rapport de la *Commission royale sur les peuples autochtones du Canada*, intitulé: **À L'AUBE D'UN RAPPROCHEMENT**. Ce document a été publié en 1996 à la date de la sortie du rapport de la *Commission royale sur les peuples autochtones du Canada*.

Où en somme-nous réellement, plus de six ans plus tard, en l'an 2002, au début de ce présent millénaire, sur ce **RAPPROCHEMENT** ?

Pas bien loin, dois-je en déduire honnêtement...

CONCLUSION

À NOUS MAINTENANT
DE PORTER LE BALLON

IL FAUT ÊTRE FIERS
DE L'HÉRITAGE LAISSÉ PAR LES ANCIENS

Je tiens à signaler que la rédaction de cet ouvrage m'a obligé à utiliser la « machine à voyager dans le temps » virtuelle. Je suis retourné, à maintes reprises, pour piger dans mes souvenirs quelques fois oubliés, reculant même jusqu'à 40 ans en arrière.

Cette période fait partie des plus beaux jours de l'*Association des Indiens du Québec*. Elle se déroule à la mi-temps des années '60, en plein coeur de la révolution tranquille au Québec. C'était la révolte placide et pacifique des Indiens qui s'installait. Il s'agissait bel et bien du départ de ce long et difficile portage sur la piste envoûtante de la délivrance.

C'est avec les Andrew Delisle, de la Nation mohawk, Aurélien Gill, de la Nation innue (montagnaise), Max Gros-Louis « One Onti », de la Nation wendat (huronne), Tom Rankin, aujourd'hui décédé, de la Nation abitibiwinni (algonquine) de Pikogan, et Robert Kanatewat, de la Nation crie, que nous avons installé les fondements de l'*Association des Indiens du Québec*. Il s'agissait des premiers éléments dynamiques de ce qui allait devenir, quelques années plus tard, le mouvement pacifique du combat autochtone au Québec, ou la bataille des **GRANDS**...

Nous commencions alors à préparer les leaders politiques d'hier et ceux d'aujourd'hui tels que, entre autres, les Léonard Paul, aujourd'hui décédé, Marcel Boivin, Richard Kistabish, Ernest Ottawa, Simon Awashish, Ghislain Picard, René Simon, Gaston McKenzie et Billy Diamond.

Cette partie de ma carrière très chargée, consacrée à la défense des droits des Indiens et échelonnée sur quelque 40 ans de vie active, est divisée en deux temps bien distincts. J'ai d'abord effectué un travail plus discret à titre de conseiller bénévole, à travers la rédaction d'analyses et de textes de conception de société. J'ai de plus préparé certaines interventions publiques des divers leaders politiques de l'*Association des Indiens du Québec*.

Ajoutons cette somme de travail aux tâches que j'effectuais, au cours de cette période s'échelonnant sur quelque 25 ans, à titre de journaliste professionnel et de cadre, à plein temps, pour certains médias de masse. J'étais aussi professeur de journalisme et de communication à l'université *Laval*, à Québec.

Puis est venu le moment où je l'ai fait d'une façon beaucoup plus publique et visible à titre de négociateur en chef et de coordonnateur des négociations du *Conseil des Atikamekw et des Montagnais*, de consultant pour ma propre firme privée, **LE GROUPE CLEARY**, de négociateur pour plusieurs nations autochtones, de communicateur et d'écrivain, défenseur de la cause autochtone, au cours des 15 dernières années.

J'ai donc revécu, pendant six ans, la période de temps prise pour écrire cet ouvrage, tous ces moments passionnants; ce qui ne m'a pas empêché de faire partie, encore maintenant d'ailleurs, à titre d'analyste, de conférencier et d'acteur politique, de ce combat de titans.

Oui, à cette époque, ces circonstances pouvaient paraître difficiles. Pris un à un, dans le feu de l'action, les gestes posés ici et là semblaient très souvent anodins. Quand on les classe cependant en colonnes, sous les titres, avantages ou désavantages, victoires ou défaites, gains ou pertes, et qu'on en fait la somme, les constatations sont tout autres. Les bons coups ressortent beaucoup plus nombreux que les mauvais.

Ce travail de moine m'a permis de visionner, de reclasser et, surtout, d'analyser tout ce qui s'était passé depuis.

Il s'agissait de 40 ans de luttes difficiles avec des hauts et des bas... Quarante ans de victoires morales... Quarante ans de répétitions au point d'être souvent perçu par les plus jeunes comme un vieux *radoteux* qui repasse sans cesse le même disque, sur vinyle, *soixante-dix-huit-tours*... Quarante ans de combats acharnés contre ceux qui avaient pour objectif, avoué ou non, d'éteindre nos droits aboriginaux: C'est-à-dire de réaliser un génocide déguisé et trompeur pour les personnes qui faisaient partie des Premiers peuples comme cadeau empoisonné. Ce présent aurait pourtant dû avoir comme objectif de remercier ces derniers pour les gestes de leurs ancêtres qui avaient si bien reçu les premiers Européens... Quarante ans de discussions politiques lors de conférences sur des tribunes publiques, ou d'entrevues dans les médias écrits et électroniques, avec plusieurs individus qui soulèvent toujours les mêmes questions insignifiantes et empreintes de racisme du genre: Pourquoi les Indiens ne paient pas de taxes ?

Quand je revois les Clifford Moar, Rémy Kurtness, Alain Nepton, Ghislain Picard, Roméo Saganache, Denis Ross, Réginald Moreau, Zacharie Mollen, Michelle Rouleau, Édouard Robertson, Richard Kistabish, Jean-Charles Piétacho, Jean-Claude Vollant, Margot Rankin, Jean-Marie « Jack » Picard, Marcel Boivin, René Simon, Simon Awashish et bien d'autres, je pense à tous ces *pep-talk* nationalistes sur la fierté d'être Indiens et sur leur capacité de rayonner fièrement dans le monde des Blancs que je leur ai faits. « Cessez de longer les murs des corridors et marchez en plein centre. Allez vous battre sur leur terrain, là où je suis convaincu que vous allez exceller ».

C'est ce qu'ils ont fait par la suite et qu'ils font encore aujourd'hui avec beaucoup de de talents et de succès...

Petits à petits, avec la patience proverbiale qui caractérise les Amérindiens, nous avons amélioré notre sort d'un combat à l'autre, d'une entente à l'autre. Nous allons continuer à le faire.

De la même façon que je le faisais pour les clauses professionnelles lorsque j'ai commencé à négocier à titre de membre du *Syndicat des journalistes de Québec*, au *SOLEIL*, puis comme président, au début des années '60. À ce moment-là, nous avions réussi, avec les journalistes Clément Trudel et André Dionne, entre autres, à implanter la convention de travail la plus avancée dans le domaine des clauses professionnelles. C'était le départ de la véritable protection professionnelle pour les journalistes québécois dans les ententes de relations de travail et *LE SOLEIL* servait de modèle pour tous les grands quotidiens du Québec.

Cela a conduit à la mise en place de la *Fédération professionnelle des journalistes du Québec* et du *Conseil de presse du Québec* et à l'implantation de la *Fédération nationale des communications*, regroupant les syndicats des journalistes affiliés à la *Confédération des syndicats nationaux* (CSN).

Les sujets, tels que la pêche traditionnelle au filet et la récupération d'une partie de nos terres ancestrales, qui étaient impensables de discuter aux tables de négociations dans les dossiers autochtones, se sont retrouvés à l'agenda. Nous sommes passés de la tutelle sans borne du ministère des *Affaires indiennes et du Nord Canada* à la prise en charge, puis à une certaine autonomie gouvernementale.

Nous sommes rendus à des formules de partenariat politique et économique avec le gouvernement du Québec, comme l'a conclu dernièrement les Cris. Ces modèles nous donnent le contrôle de la gestion des ressources sur nos territoires ancestraux, celui de faire des choix de société économique et des retombées financières importantes.

Demain, nous appliquerons le droit inhérent à cette autonomie gouvernementale et, après demain, un peu plus tard, je l'espère même si je ne verrai probablement pas cela, nous aborderons la souveraineté interne, notre point de départ à l'arrivée des premiers Européens.

Nous passerons des terres de réserves - les ghettos actuels - aux territoires de pleine propriété, puis aux terres innues, micmaques, algonquines et, enfin, aux territoires ancestraux en partie retrouvés. Ces territoires ancestraux nous auront été rétrocédés après que les gouvernements auront compris et accepté que nous en soyons toujours les propriétaires.

Voilà ce sur quoi se fondaient nos réflexions et nos plans d'actions. Ce projet esquissé en groupe il a quelque 40 ans, je l'aurai suivi presque à la lettre, contre vents et marées, en y apportant les améliorations nécessaires permises par le moment, sans pour cela déroger de ses grands principes d'un iota.

Il n'est donc plus possible de revenir en arrière. Nous devons avancer, toute visière levée, la tête haute. Nos ancêtres sont sûrement fiers de ce que nous faisons puisque ces réalisations faisaient partie de leurs grands rêves.

Quand je lis les politiques gouvernementales actuelles d'Ottawa, ou de Québec, sur les revendications autochtones et la définition des droits ancestraux, j'y retrouve des idées que j'ai débattues avec énergie depuis 40 ans. Je les revois également dans le rapport de la *Commission royale sur les peuples autochtones du Canada*.

Il est des plus pénible, pour un défenseur de la cause des Premiers peuples et spécialiste des communications tel que moi, de constater que le rouleau compresseur de l'opinion publique vient de se mettre en marche. Cette atroce impression est alimentée par les *bonhommes-sept-heures* de tout acabit des deux côtés de la clôture.

Cette machine infernale peut écrabouiller toute volonté souhaitable de recherche, entre les Québécois et les Innus du Québec, en négociation depuis maintenant 23 ans, d'un nouveau contrat social acceptable mutuellement.

Quand on fait écho, dans un quotidien crédible comme LE SOLEIL, à des informations qui mentionnent que « l'ensemble des territoires de la Côte-Nord et du Saguenay-Lac-Saint-Jean serait sur le point de passer aux mains des Innus «, on comprend mieux ce que veut dire le terme désinformation. Il est, quant à moi, inconcevable que des gens sérieux puissent affirmer de telles énormités et, surtout, qu'elles soient rapportées intégralement, sans les nuances nécessaires pour bien comprendre.

Il faut qu'ils le fassent avec un objectif de détruire pour détruire. Qui peut s'imaginer réellement, un seul instant, qu'un gouvernement démocratique comme le gouvernement du Québec, qui doit se faire élire, puisse poser un tel geste. Voyons ça n'a aucun sens...

Depuis les débuts de ma carrière comme négociateur autochtone, à chaque négociation, j'implore les gouvernements d'informer la population québécoise sur les raisons du travail entrepris et sur les enjeux. Contrairement à certains leaders politiques autochtones, j'ai toujours été convaincu que nous devons lever le voile sur ces négociations. Les Québécois doivent constater que nous ne sommes pas en train de tripoter, sur leur dos, des ententes avec les gouvernements dans des *bunkers* pour obtenir des privilèges. Ils doivent s'apercevoir que nous sommes sérieusement à l'oeuvre pour déterminer des nouveaux contrats sociaux entre nos peuples en s'entendant sur l'application de nos droits ancestraux reconnus par la *Constitution du Canada.*.

Malheureusement, nos gouvernements ont toujours la fâcheuse habitude d'attendre à la dernière minute pour informer avec les résultats de panique que l'on connaît actuellement. Il y a plus de quinze ans, à la même table de négociation, comme négociateur en chef pour les Innus et les Atikamekw, je leur avais prédit de tels problèmes s'ils ne consultaient pas et n'informaient pas les gens du milieu. Il fallait, selon moi, que la terre soit bien préparée pour accueillir la semence d'un changement aussi radical des mentalités.

Tout le débat malsain qui se passe en ce moment autour de la négociation des Innus de Mamuitun et de Mamit Innuat en est un exemple incontestable. Les réactions de Québécois frustrés, comme on en entend trop souvent, sont des exemples frappants. Plutôt que de recevoir les propositions d'un nouveau contrat social plus honnête des Innus, ils préfèrent alimenter le feu et creuser un fossé presque infranchissable entre la vision autochtone, celle de la *Cour suprême du Canada* et celle de la *Commission royale sur les peuples autochtones du Canada* et la perception de certains Québécois bornés.

Pourtant, ces nouveaux contrats sociaux ne se négocient pas contre qui que ce soit. Ces négociations sont réalisées à partir de ce que souhaitent les Premiers peuples comme projets de société, bien sûr. Ils sont aussi acceptés par les gouvernements parce qu'ils sont conformes à leurs politiques autochtones. C'est souvent ce que propose la *Commission royale sur les peuples autochtones du Canada.* et le contenu de la majorité des jugements de la plus haute instance de la Justice canadienne.

J'ai été le premier à instaurer ces tournées d'information, en traînant presque de force les négociateurs gouvernementaux, dans les régions concernées par nos négociations, pour informer la population québécoise du contenu de nos discussions. Avec certaines associations d'utilisateurs des territoires négociés, j'ai eu l'occasion de bâtir des coalitions qui avaient comme objectifs de défendre la protection des ressources fauniques, halieutiques et forestières.

Je me souviendrai toujours de l'opération que nous avions effectuée avec les chefs innus de la Côte-Nord et de la Basse-Côte-Nord lors des conférences socio-économiques à Sept-Iles et à Baie-Comeau, relatée au chapitre huit: TRIBULATION DU NÉGOCIATEUR AMÉRINDIEN.

Au cours de la fin de semaine des 17, 18 et 19 juin 1988, à Sept-Iles, pour la première fois, une délégation innue acceptait de participer à une conférence socio-économique. Pour ces Bandes innues et le *Conseil des Atikamekw et des*

Montagnais (C.A.M.), les enjeux étaient importants: Se faire reconnaître comme une force politique incontournable et obtenir une part équitable des projets acceptés dans ce cadre de cette conférence.

Les Innus ont joué un rôle de chef de file régional en regroupant les petits villages avec les communautés autochtones dans un front commun circonstanciel. Le fait de s'appuyer entre-nous, au moment de certains votes, a donné comme résultats que nous avons ainsi obtenu notre quote part raisonnable des projets globaux face aux grandes villes comme Sept-Iles ou Baie-Comeau.

J'entends encore souvent des commentaires élogieux de la part des participants à cette coalition comme ayant été un grand moment de partenariat entre les Indiens et les Québécois. Bref, cette participation restera longtemps, dans la mémoire de ceux et de celles qui étaient à Sept-Iles cette fin de semaine-là, comme un merveilleux instant de fierté collective. La joie dans les yeux et le sourire aux lèvres des chefs innus et des leaders politiques et économiques des petits villages étaient perceptibles.

Je vous avoue que j'ai toujours eu beaucoup de difficultés à m'expliquer l'opposition du milieu au fait que les nations autochtones se développent de plus en plus. Il n'est pas nécessaire d'être des spécialistes du domaine économique pour savoir que 90% des revenus des Indiens se dépensent hors des réserves dans les municipalités *blanches* environnantes. L'industrie numéro un de Sept-Iles est sans aucun doute les Innus de Uashat mak Mani Utenam et des quatre communautés de Mamit Innuat sur la Basse-Côte-Nord. Il en est de même pour Baie-Comeau et la Haute-Côte-Nord avec Betsiamites et Essipit, ou pour Roberval et Saint-Félicien, au Lac-Saint-Jean, avec Mashteuiatsh (Pointe-Bleue).

Plus ces communautés autochtones se développeront, plus leur richesse collective sera grande, et plus elles auront des projets de développement économique pour faire travailler les Innus, plus leur pouvoir d'achat sera augmenté. Il s'agira alors de retombées économiques plus importantes pour les commerces de ces régions environnantes. Les Innus achèteront leurs automobiles ou leurs camions, leurs skidoos ou leurs véhicules tout terrain, leur linge et leurs cadeaux pour leurs enfants à Noël, etc., chez les commerçants québécois.

Les Indiens sont, à ne pas en douter, l'industrie la plus rentable qui puisse exister dans ces régions. Parlez-en aux Abitibiens avec les Cris et aux gens de La-Tuque, en Haute-Mauricie, avec les Atikamekw... Pourquoi alors ne pas le reconnaître comme les Québécois l'ont fait pour l'Iron Ore qui est partie après avoir ramassé le meilleur en laissant les trous sur le territoire, ou l'Alcan dans la région Saguenay-Lac-Saint-Jean, ou Alouette, ou la General Motor. Les Innus, eux, ne partiront pas. Au contraire, ils veulent s'établir à « leur compte « sur un territoire qui leur appartiendra, en partie, toujours en propre pour le développer.

Il faut que les gens des régions du Québec, avantagées par l'environnement d'une ou de plusieurs réserves indiennes, le réalisent honnêtement. Pourquoi chercher ailleurs et ne pas aider les Innus à prendre de l'expansion comme les Québécois le feraient pour des industries milliardaires comme l'Alcan, la General Motor, ou l'Aluminerie Alouette, à grands frais de subventions. Aider les Innus à développer leur projet de société est une assurance pour que l'économie régionale continue à prendre de l'expansion. En n'agissant pas en ce sens, les Québécois se tirent dans le pied... Pourquoi ne pas devenir ensemble de respectueux et réels partenaires au développement économique des régions.

Il n'est pas nécessaire d'être un analyste politique patenté pour conclure que c'est l'opinion politique tronquée de son essence même par la désinformation qui risque d'avoir gain cause sur nos politiciens. Je considère pourtant que les Bernard Landry, Premier Ministre du Québec, son ministre d'alors du *Secrétariat aux affaires autochtones du Québec*, Guy Chevrette, et celui d'aujourd'hui, Rémy Trudel, ont agi honorablement dans ce débat de première importance. Ils sont intervenus en politiciens des plus responsables.

Il faut que les gens bien pensants prennent position dans ce débat de société extrêmement important et soutiennent le gouvernement du Québec qui a enfin décider à mettre ses culottes. Quant au gouvernement fédéral, ils devraient lui recommander fortement de remplir son rôle de fiduciaire des Indiens du Canada. Il doit changer son attitude et faire en sorte de remplir ses responsabilités premières face aux Premiers peuples; ce qui aura pour effet réel de travailler à développer économiquement plusieurs régions du Québec.

Les vrais enjeux, tels que la reconnaissance des droits des Premiers peuples, reconnue par la *Constitution du Canada* à l'article 35(1), l'application de plusieurs recommandations de la *Commission royale sur les premiers peuples du Canada*, la correction de l'erreur historique et la fierté recouvrée par les Innus de devenir une population active ne vivant plus au crochet de l'État, risquent d'être totalement absents du débat à cause de la désinformation.

Ce n'est que l'évolution normale des choses qu'à la suite des récents jugements de la *Cour suprême du Canada*, des sujets tels que la pêche traditionnelle de subsistance au filet et la récupération d'une partie de nos terres ancestrales, qui étaient impossibles de discuter précédemment aux tables de négociations dans les dossiers autochtones, se retrouvent maintenant à l'agenda.

Contrairement à nos anciens, les leaders politiques actuels n'ont plus à s'isoler. Ils doivent utiliser ce passé protégé par ces derniers pour se développer et redevenir des peuples fiers en éliminant définitivement les marasmes sociaux qui ont affecté les dernières générations.

Ils n'ont plus à protéger cet autrefois comme l'ont fait les anciens. S'ils le font aujourd'hui, c'est qu'ils ont peur de l'avenir, ou qu'ils ne sont pas prêts à mettre de côté leur état d'assistés sociaux. La facilité trompeuse d'être des éternels entretenus aura dominé sur la joie immense qu'apporte la fierté de s'en sortir et, surtout, de se suffire comme peuples.

La table est maintenant servie. Il faut faire l'effort de manger. Les plats seront délicieux si nous savons utiliser la bonne recette. Prise par doses normales, la nourriture livrée redonnera, aux Indiens, la santé perdue. Puis, petit à petit, en faisant bien attention de ne pas ingurgiter du même coup, ils retrouveront la forme physique et mentale nécessaire pour retrouver le bonheur de vivre.

C'est à ce moment, et alors seulement, que l'apport des Indiens à la société canadienne redeviendra aussi important qu'il l'a été aux premiers temps de la *Colonie française* et, plus tard, de la *Colonie britannique*. Ils pourront démontrer, hors de tout doute, que la diversité culturelle des Premiers peuples est une richesse inestimable pour cette partie de l'Amérique.

Les Innus et les Québécois auront utilisé, à bon escient, la chance unique qu'ils ont de pouvoir clarifier les droits et avantages de chacun et la fierté qui en découle d'être arrivés enfin à un modus vivendi honorable et respectueux des promesses mutuelles faites par nos ancêtres dans des traités de Nation à Nation. Ils auront trouvé les formules de partenariats nécessaires et respectueuses qui découleront de telles ententes.

Ils auront choisi de regarder plus loin que le bout de leur nez et de ne pas avoir eu peur de perdre certains avantages anodins de part et d'autre.

Ils ne se contenteront pas d'une manière ridicule de voler au niveau des marguerites en se pétant des bretelles pour certains Indiens inconséquents, ou en criant au scandale pour certains Québécois irresponsables.

Un fait demeure incontournable: Les Innus et les Québécois seront appelés à cohabiter dans le futur comme les a conviés l'histoire. Ils peuvent le faire à couteaux tirés ou en se respectant mutuellement. Les deux parties ont un examen de conscience à faire; ce qui devrait leur permettre de façonner leurs propres choix de société. Les Indiens n'en sont surtout pas exclus.

Ce n'est pas dans la tourmente que peut se conclure un nouveau contrat social acceptable. Ce n'est pas de l'intolérance des uns et des autres que jaillira la lumière d'un projet de société à la hauteur des volontés des ancêtres des Premiers peuples, mais bien dans un contexte d'ouverture d'esprit.

Le défi consiste avant tout à définir une nouvelle relation, avantageuse et étapiste, pour les Premiers peuples du Québec dans un contexte qui lui est particulier. Ils ne doivent rien concéder sur les revendications historiques fondamentales des Premières Nations. La non-extinction des droits ancestraux et la reconnaissance de leur droit inhérent à l'autonomie gouvernementale ne doivent pas être négociables à la baisse. Il en est de même pour la rétrocession d'une partie importante de leurs terres ancestrales pour la pratique de leurs activités traditionnelles de chasse et de pêche et pour la mise en place d'activités de développement économique.

Ce qui est intéressant pour moi, c'est de constater à quel point le bilan de ces quarante années est positif.

Nos droits ancestraux sont de moins en moins menacés d'extinction. Les gouvernements n'ont plus d'autres choix que d'associer les peuples autochtones à titre de partenaires pour le développement de ce Canada, un des pays les plus développés et les plus riches de cette terre. Tout retour en arrière ne peut plus être envisageable. La nouvelle définition des droits ancestraux par la *Cour suprême du Canada* fait maintenant partie du panorama légal et politique.

La naïveté proverbiale des Indiens est heureusement, et souhaite-t-on le pour toujours, rangée dans les greniers de l'histoire. Elle fait partie d'un passé lointain et oublié. Nos jeunes, notre richesse naturelle la plus importante, ne reviendront plus en arrière. Nous le constatons constamment par les positions politiques de nos leaders nationaux comme Mathiew Coon Come, Phil Fontaine, Ovide Mercredi et George Érasmus. Dans des styles différents, ils ont bel et bien enterré cette époque révolue. Aujourd'hui fait place à l'espoir d'un monde meilleur où les Indiens joueront un rôle important à la hauteur de l'espérance des anciens.

Les verroteries et petits bouts de miroirs des traités du temps des colonies, française, britannique et canadienne, sont remplacés par un projet de société politique et économique à la hauteur des aspirations de nos ancêtres. Quelle douce revanche pour ces derniers... Les Indiens ne seront plus jamais moins considérés que les « abeilles et le poulamon » d'Hydro-Québec et que les « petites fleurs et les papillons », de *Parcs Canada*, tel que mentionné dans le chapitre huit: TRIBULATIONS DU NÉGOCIATEUR AMÉRINDIEN.

Voilà ce testament enfin dévoilé par la *Commission royale sur les peuples autochtones du Canada*. Il faut se souvenir qu'au prix de tant de sacrifices, les anciens ont su conserver cet héritage presque indemne pour leurs enfants et les enfants de leurs petits enfants.

Les héritiers doivent être fiers de leurs anciens et se montrer à la hauteur de l'héritage laissé par ces derniers. Ce sont eux qui ont choisi, avec beaucoup d'intelligence et de sagesse, de se terrer comme des cloportes pour se protéger pendant la tempête. La pression du nombre, la méconnaissance des méthodes des Blancs et les moyens limités de leurs époques les ont obligés à utiliser une telle stratégie, peu héroïque. La patience des Indiens, souvent dénoncée comme un défaut, a eu raison de l'impertinence des conquérants pacifiques, orgueilleux et beaucoup trop pressés de s'enrichir.

En ce début du troisième millénaire, les Canadiens constateront que les efforts mis en valaient la chandelle. Ils comprendront et apprécieront l'immense tâche de la *Commission royale sur les peuples autochtones du Canada* à cerner les problématiques et à proposer les correctifs à y apporter. Oui, ce millénaire sera celui des Indiens du Canada qui retrouveront leurs droits de Premiers peuples et jouiront de la richesse de leurs territoires ancestraux. Ils ne seront plus des assistés de l'État et ils seront libres...

Les Québécois reconnaîtront que les leaders de leur société de droit, les juges de la *Cour suprême du Canada*, avaient raison de sonner la fin de la récréation et d'obliger les gouvernements à reconnaître les droits des Premiers peuples. Des droits qui, bien appliqués, faciliteront la cohabitation dans le respect des uns et des autres. Respecter la parole donnée dans des traités est une valeur qui doit retrouver son droit de cité.

Les Canadiens seront fiers de la sagesse de leurs gouvernements, celui du fédéral et ceux des provinces, d'avoir réalisé le programme ambitieux mis de l'avant selon les recommandations de la *Commission royale sur les peuples autochtones du Canada*.

Donnons donc, pour quelques mois, au Premier Ministre du Canada, Jean Chrétien, la chance de réaliser les engagements qu'il a pris comme fiduciaire au lendemain de sa réélection: « Trop d'Autochtones ont des conditions de vie dignes du Tiers-Monde. En tant que libéral, je suis fermement convaincu que le gouvernement a la responsabilité de promouvoir la justice sociale. En tant que Premier Ministre, je suis déterminé à m'acquitter de cette responsabilité ».

Trois fois bravo...

Il lui reste quelques mois, comme Premier Ministre, pour réaliser cette promesse des plus importante avant de partir. C'est en appliquant les recommandations de la *Commission royale sur les peuples autochtones du Canada*, en mettant en application les jugements de la *Cour suprême du Canada* et en respectant la reconnaissance de l'article 35(1) sur les droits existants, ancestraux ou issus de traité, des Autochtones dans la *Constitution du Canada* qu'il y arrivera.

Même si, dans cet ouvrage, j'ai été critique pour Jean Chrétien, surtout sur sa vision constitutionnelle centralisatrice, je suis enclin à le croire dans cette déclaration. Son humanisme et son caractère bouillant sont deux qualités importantes pour réussir à imposer une vision différente du gouvernement du Canada. Je suis convaincu que, s'il le veut vraiment, il peut tasser et mettre à leur place les juristes de l'État du ministère de la *Justice du Canada*.

Il doit être assez responsable pour voir dans le rapport de la *Commission royale sur les peuples autochtones du Canada*, même si le mandat de cette commission a été confié par le *Parti Conservateur* de Brian Mulroney, tous les éléments nécessaires pour corriger les erreurs commises par le passé. Il doit faire en sorte de favoriser la guérison des Indiens et surtout de leur redonner leur fierté perdue. Il leur permettra de redevenir des actifs pour la société canadienne, dignes des efforts fournis.

Dans le fond, comme ancien ministre des *Affaires indiennes et du Nord Canada*, ami personnel de plusieurs Autochtones, il leur doit bien cela... Plus encore, réaliser cette promesse ferait de lui le Premier Ministre du Canada qui s'inscrirait en lettres majuscules dans les livres d'histoire de ce pays comme celui qui a admis les fautes du passé et surtout corrigé ces erreurs envers les Premiers peuples.

À la fin de ce bilan, je dois souligner qu'avant de mourir, j'assisterai sûrement à la reconnaissance de nos droits ancestraux au lieu de nous voir écrasés, faisant face à l'extinction. Ce sera, je crois, la meilleure récompense pour le travail accompli. Je dirai alors fièrement que les gestes posés ici et là ont donné les résultats escomptés.

Sans pour autant avoir complété la mission confiée par mon père (*L'enfant de 7 000 ans*, B. Cleary, 1990), je me suis appliqué à mettre tous les efforts nécessaires pour la reconnaissance de nos droits et pour faire progresser cette cause autochtone que j'aurai tant chérie.

Je pourrais maintenant passer le « bâton de la parole » à mes enfants et à d'autres jeunes Indiens sans regret et avec la satisfaction du travail accompli.

LE RÔLE MAJEUR DE LA COUR SUPRÊME DU CANADA

Dans le but évident d'éliminer les Indiens de ce coin de terre, comme le prévoyaient les historiens, le gouvernement du Canada, fiduciaire des Premiers peuples, par sa *Loi sur les sauvages*, a créé, de toutes pièces, ses instruments d'extermination. Il a mis en place des méthodes discriminatoires qui avaient, comme objectif fondamental, la disparition, à plus ou moins brève échéance, des Sauvages du Canada.

Ce devait être, à ne pas en douter, une forme de génocide tout aussi efficace que les guerres américaines menées contre les Indiens.

Le gouvernement du Canada a d'abord regroupé les Indiens dans des ghettos mieux connus aujourd'hui sous le nom de réserves. Ces derniers n'étaient plus considérés comme membres d'une nation indienne puisqu'on les avait amenés à éteindre leurs droits. Elles étaient maintenant des BANDES indiennes, comme des loups, ces animaux sauvages maintenant captifs dans des jardins zoologiques, leurs réserves à eux.

Le fiduciaire des Indiens du Canada, leur tuteur selon la Constitution canadienne, les a attirés hypocritement dans ces ghettos par des avantages insignifiants, les verroteries et les petits bouts de miroirs. Il leur a fait construire des cabanes de bois, pas plus grande que des boîtes d'allumettes, qu'il appelait maisons. Il leur a donné des soins de santé à rabais, une boîte de médicaments selon certains traités numérotés. Il leur a permis de s'instruire dans des pensionnats pour mieux les émanciper, puis les assimiler. Enfin, il les a épargnés de payer une partie de certains impôts et taxes, s'ils consentaient à demeurer dans ces ghettos, impôts qu'ils n'auraient cependant pas payés, d'une façon ou d'une autre, à cause de leur extrême pauvreté.

Les autres Canadiens, il ne faut pas l'oublier, ont, eux aussi, en presque totalité, les mêmes avantages dans des programmes sociaux différents et souvent beaucoup plus avantageux: Ils ont des programmes d'habitation à prix modiques dans de grandes et belles maisons avec des ascenseurs. Ils sont soignés gratuitement, chez eux, dans de vrais hôpitaux des mieux équipés et non pas dans des dispensaires sans médecin. Leurs enfants sont instruits sans bourse déliée, en ne s'expatriant pas, dans de réelles universités avec des enseignants de première qualité et du matériel pédagogique des plus sophistiqué.

Où est donc la grande différence qui attire, aux Indiens, l'opprobre des Canadiens ? Est-ce le fait qu'ils ne paient pas de taxes, ou d'impôts, quand ils achètent et travaillent sur réserve ? Il ne faudrait pas oublier que plus de 80% des gens qui vivent sur les réserves reçoivent de l'assistance sociale. Est-ce que les Canadiens, assistés sociaux qui ont peu de revenus, qu'ils vivent à Vancouver, à Toronto, à Montréal, ou ailleurs dans des petits villages reculés, paient de l'impôt ?

En retour de ces minimes avantages, la différence entre les programmes des uns et ceux des autres, le gouvernement pouvait dorénavant développer les territoires riches en ressources naturelles qui étaient réservés aux Indiens par la *Proclamation royale de 1763*. Il pouvait distribuer gracieusement, et c'est ce qu'il a fait allègrement, ces terres ancestrales autochtones, par parcelles, aux colons, les ancêtres des Canadiens actuels.

Aujourd'hui, tout le monde reconnaît, ou devrait reconnaître, qu'il s'agissait d'une escroquerie monumentale. La *Commission royale sur les peuples autochtones du Canada* a largement documenté cet état de faits. Et madame Jane Stewart, ex-ministre des *Affaires indiennes et du Nord Canada*, au nom du gouvernement fédéral, fiduciaire des Indiens, l'a reconnue dans sa *Déclaration de réconciliation*, en 1997, au premier anniversaire de la sortie du rapport de la *Commission royale...*

La *Cour suprême du Canada* a joué un rôle incommensurable pour asseoir solidement la reconnaissance des droits ancestraux des Premiers peuples.

Que de chemins parcourus depuis que le jugement Calder, en 1973, a rouvert la porte à des négociations entre le Canada et les Premiers peuples sur la base de la reconnaissance des droits ancestraux. La *Cour suprême du Canada* a statué que les droits ancestraux territoriaux des Amérindiens existaient bel et bien. Toujours selon la *Cour suprême du Canada*, ils subsistaient non seulement en vertu de la *Proclamation royale de 1763*, mais aussi en vertu d'un titre indien issu de l'occupation ancestrale des terres.

Feu le juge en chef Brian Dickson, en 1983, dans l'affaire *Nowergijick*, a décrété que les droits des Indiens devaient recevoir une interprétation « large et libérale ». Dans le jugement Sparrow, en 1990, ce dernier a précisé que les provinces avaient dorénavant l'obligation de justifier leurs gestes administratifs, ou légaux, avant de restreindre les droits ancestraux des Indiens. Ils ne pouvaient surtout plus se contenter d'employer la justification simpliste de l'intérêt public.

Par la suite, le juge en chef Antonio Lamer a pris le relais. D'autres jugements favorables à une définition équitable, mais généreuse des droits ancestraux des Premiers peuples ont marqué ce dernier quart de siècle juridique. Il s'agissait des jugements *Côté-Déconty*, l'*Affaire Sioui*, *Van der Peet*, *Gladstone*, *Smoke House*, *Delgamuukw*, dont l'ultime pourvoi *Marshall*, sur la définition des droits de subsistance.

Dans une société de droits, comme c'était son rôle d'ailleurs, la *Cour suprême du Canada* a donné un sens réel aux droits existants, ancestraux ou issus de traités, reconnus depuis 1982 par la *Constitution du Canada*.

Cependant, la partie politique et administrative de notre société, nos gouvernements, a été incapable d'imposer une volonté claire et bien arrêtée pour améliorer la relation entre les Premiers peuples et les Canadiens. Cette nouvelle coexistence doit tenir compte des engagements pris dans les traités des colonies française, britannique et canadienne et dans la *Proclamation royale de 1763*. Le fiduciaire des Indiens, la ministre Jane Stewart, du ministère des *Affaires indiennes et du Nord Canada*, a pourtant reconnu la faute du Canada. Elle s'en est même excusée en soulignant que le Canada « n'était pas particulièrement fier de son passé envers les Indiens ».

Cette bouffée d'air frais livrée par l'ancienne ministre, madame Jane Stewart, a été récupérée par les mandarins du gouvernement fédéral. Ils ont mis le couvercle sur cette marmite remplie d'une potion magique. Ils l'ont soudé pour que rien ne s'échappe. Les belles promesses de la ministre, qui tenaient compte des recommandations de la *Commission royale sur les peuples autochtones* du Canada, sont restées lettres mortes. Le Premier Ministre Jean Chrétien a tôt fait de retirer madame Stewart de ce ministère pour revenir aux méthodes anciennes qui consistent à écraser et à maintenir les Indiens dans leur état d'éternels assistés.

Je dois vous avouer que j'avais beaucoup de difficultés à croire que la *Cour suprême du Canada* irait si loin, aussi rapidement. Je pensais que les juges de la *Cour suprême du Canada* s'abriteraient derrière les lois, les paravents habituels, pour camoufler une faute aussi grande. Ils éviteraient ainsi de reconnaître une offense de cette importance pour le Canada et les suites qui venaient avec. Heureusement, ce n'est pas ce qu'ils ont fait et cela est tout à l'honneur de la Justice, avec une grand « J », du Canada.

Par expérience, je croyais, et je le pense encore aujourd'hui, que la négociation est la meilleure façon d'atteindre des résultats probants. Il faut cependant que cette négociation se fasse au moment où les Indiens ont un plus grand pouvoir de négociation. Or, ces moments sont peu nombreux. Seul un projet de développement économique majeur, comme cela a été le cas pour la construction du chemin de fer d'un océan à l'autre, ou d'un barrage électrique comme celui de la Baie-James, peut arriver à créer ce momentum.

Cela est d'autant plus vraisemblable que la *Cour suprême du Canada* renvoie les gouvernements et les nations autochtones aux tables de négociations. Pour elle, un nouveau contrat social se négocie d'égal à égal entre les parties et ce geste est politique et non pas juridique.

La *Cour suprême du Canada* a donné un certain pouvoir de négociation aux nations autochtones par ses nombreux jugements favorables au cours des dernières années. Elles en avaient grandement besoin.

Plus encore, le contenu des récents jugements ont appuyé solidement les positions de la *Commission royale sur les peuples autochtones du Canada*. Ces jugements majeurs ont mis la pression nécessaire sur les gouvernements. Ce qui devrait faire en sorte qu'ils appliquent le programme dynamique de changement échelonné sur 20 ans comme le propose la *Commission royale...* dans un volumineux rapport de quelque 2,000 pages.

Les représentants du ministère de la *Justice du Canada* ne pourront pas soutenir encore bien longtemps que le gouvernement fédéral ne reconnaisse pas, dans les faits, les droits ancestraux des Autochtones; ce que concède la *Constitution du Canada* et soutiennent la *Cour suprême du Canada* et le rapport de la *Commission royale sur les peuples autochtones du Canada*.

DÉBAT POLITIQUE AUTOUR DE L'EXERCICE DES DROITS FONDAMENTAUX

Il y a quelques mois, avait lieu un débat public autour du projet de la *Loi sur l'exercice des droits fondamentaux et des prérogatives du peuple québécois et de l'État du Québec*. À cette commission parlementaire de l'*Assemblée nationale* qui étudiait ce projet de loi, j'ai déposé un mémoire et j'ai été appelé à répondre aux questions des députés. Pour moi, ce débat était d'une extrême importance pour l'exercice actuel et à venir de ces droits fondamentaux. Plus encore, il devait inclure la reconnaissance des droits ancestraux des Premiers peuples.

Il est donc évident que toutes les prochaines années vont être cruciales.

Il n'était aucunement question, par cette participation, que je nie le principe majeur exprimé dans l'article 3 du projet de loi. Cet article soulignait: « Seul le peuple québécois, par l'entremise des institutions politiques qui lui appartiennent en propre, a le droit de statuer sur la nature, l'étendue et les modalités de l'exercice de son droit à disposer de lui-même ». À mon avis, ne pas admettre cette évidence démocratique frise l'absurde.

Sur ce sujet, le gouvernement du Canada, par la voix de son ministre Stéphane Dion, a manqué, une fois de plus, une belle occasion de garder le silence et de mettre ce trait de causticité politique d'un cégépien dans son plan « Z ».

Pour moi, il est incontestable que le gouvernement du Québec doive reconnaître le droit à l'autodétermination des Autochtones dans un futur Québec indépendant tel que recommandé par certaines forces vives du Québec dans le manifeste du *Forum paritaire Québécois-Autochtones* auquel j'ai également participé. (Revoir le chapitre six: INFLUENCE OBSCURE DES PLUS DESTRUCTRICE). De la même façon qu'il devrait le faire comme principe général. Il est quasi impensable, à l'aube du troisième millénaire, qu'un peuple évolué puisse nier ce droit prioritaire pour un état libre.

L'histoire, même biaisée, et la signature de nombreux traités de nation à nation avec la *Couronne française*, avec la *Couronne britannique* et avec le Canada, ont démontré que le droit à l'autodétermination existe depuis toujours pour les Premiers peuples du Canada. La *Commission royale sur les peuples autochtones du Canada* prétend même que ce droit inhérent, qui n'a pas été éteint par un geste juridique sérieux avant 1982, ne peut plus être éteint depuis que la *Constitution du Canada* reconnaît les droits ancestraux à l'article 35 (1).

C'est l'argument que j'ai défendu en commission parlementaire. Je dois souligner ici que le ministre Joseph Facal, celui qui a proposé cette loi, a tenu compte d'une bonne partie des propos apportés par certains représentants autochtones, dont les miens, et cela a amélioré grandement cette loi. Il reste encore beaucoup de travail à faire, mais le ministre a démontré une ouverture porteuse de promesses d'avenir.

Le projet de Loi 99 mentionnait faiblement, du bout des lèvres, dans le troisième considérant, « le respect des droits et libertés de la communauté anglophone et des nations autochtones du Québec ». Ça serait bien le bout du bout que l'on prive les Autochtones de leurs droits et libertés. De quels droits s'agissait-il ? De simples droits d'une infime minorité qui passe bien après celle de la minorité anglophone, comme m'ont rapporté certains péquistes, ou des droits faiblards parce que les Autochtones représentent peu de votes au référendum ?

Le ministre délégué aux *Affaires intergouvernementales canadiennes*, Joseph Facal, a revu en profondeur son projet de loi no 99 suite à la commission parlementaire. Sur la partie concernant les Autochtones, il a fait certaines corrections majeures. Cette loi dicte maintenant que « **le gouvernement doit veiller au maintien et au respect de l'intégrité territoriale du Québec** ».

Cette position est beaucoup plus nuancée puisque cette loi pourrait inclure, dans une future constitution d'un Québec indépendant, la reconnaissance du droit à l'autodétermination. Ce qui devrait être la vision d'un nouvel État québécois avant-gardiste.

Il s'agit bel et bien d'une bouffée d'air frais amenée par le ministre délégué aux *Affaires intergouvernementales canadiennes*, Joseph Facal.

Cette loi reconnaît de plus, « dans l'exercice de ses compétences constitutionnelles, les droits existants, ancestraux ou issus de traités, des nations autochtones du Québec ». Elle reprend textuellement le contenu de l'article 35(1) de la *Loi constitutionnelle de 1982* du Canada, loi que le Québec ne reconnaît pas actuellement.

C'était donc la première fois que le gouvernement du Québec s'engageait légalement à appliquer le contenu de l'article 35(1) de la Loi constitutionnelle de 1982 du gouvernement du Canada.

Bien naïvement, j'ai cru qu'à l'occasion du projet de Loi 99, le gouvernement de Lucien Bouchard en profiterait pour tendre les bras aux peuples autochtones. Il avait une occasion en or, par un retour d'ascenseur historique, de le faire en plus d'ouvrir la porte à la reconnaissance des droits fondamentaux des Premiers peuples.

Plus encore, il aurait pu, en inscrivant cette reconnaissance de droits fondamentaux des peuples autochtones dans une loi de l'*Assemblée nationale*, en profiter pour les inviter à faire partie d'une future assemblée constituante. Cette participation à la construction de ce nouvel État du Québec leur permettrait d'être du nombre des douze peuples fondateurs, de faire reconnaître leurs droits et de protéger leur distinction, leur culture, leur langue et leur mode de vie. C'est ce qu'a d'ailleurs préconisé le *Forum paritaire Québécois-Autochtones* dans son manifeste.

Le gouvernement du Québec aurait pu mettre en place une commission politique pour aller délibérer, Nation par Nation, et même bande par bande, avec les représentants des peuples autochtones sur la proposition québécoise. Les commissaires auraient eu comme mandat de chercher à les convaincre d'adhérer à ce nouveau projet de société inclusif des Québécois. Il faut se souvenir que c'est ce que faisaient les Wendats (Hurons) dans les grands moments de diplomatie. Cela a été le cas pour la Grande Paix de Montréal de 1701, commémorée avec pompe à l'été 2001.

Toute cette vaste opération aurait pu se conclure par la signature de traités de paix, d'alliance et d'amitié entre les nations autochtones du Québec et le gouvernement québécois. Quelle belle commémoration pour la Grande Paix de Montréal de 1701.

Le Québec doit amener les Premières Nations à faire partie des peuples fondateurs de ce nouvel État. Il doit, de plus, faire en sorte d'associer les Premières Nations au processus conduisant à la rédaction de la Constitution de l'État du Québec. Si ce n'était pas le cas, le gouvernement du Québec risquerait ainsi de perdre certains appuis auprès de pays qui auraient pu être de leur bord si ce nouvel État avait fait une place réelle aux Premières Nations.

Le Premier Ministre Bernard Landry a récemment réalisé un coup fumant en concluant, en 2002, une entente historique avec les Cris de la Baie-James. Cette entente économique, la plus avancée chez les Indiens à travers le Canada, a convaincu les Cris d'abandonner leurs luttes contre le Québec sur la scène internationale depuis un quart de siècle.

Plus encore, ils ont déclaré, devant des instances internationales, que le Québec était maintenant en tête du peloton dans la course des nations respectueuses des droits de ses Premiers peuples. Cette volte-face surprise a fait tomber à la renverse plusieurs observateurs internationaux habitués aux luttes des Cris à l'étranger contre le gouvernement du Québec.

N'oublions jamais que la France et l'Angleterre ont une dette envers les Indiens du Québec, l'endroit des premiers balbutiements des colonies, française et britannique, en Amérique du Nord. Ces pays auraient de la difficulté avec le fait que le nouvel État du Québec puisse refuser une reconnaissance réelle des droits ancestraux des Amérindiens.

D'autant plus que La France et l'Angleterre l'ont fait, à titre de colonisateurs, dans des traités de paix, d'alliance et d'amitié que reconnaît la *Cour suprême du Canada*. Pour eux, qui ont une réelle considération pour l'histoire de leur pays et de leurs colonies, ce ne sont pas « des vieux papiers sans signification » tels que le croient certains Canadiens intéressés. Au contraire, ce sont des engagements réels et solennels de leur Nation respective et jamais ils ne voudront les renier.

Les Québécois reprocheraient aux peuples autochtones de rappeler à ces nations européennes qu'ils ont reçu leurs ancêtres les bras ouverts, qu'ils les ont accueillis et nourris et qu'ils les ont soignés... Ils ont même marié leurs filles et leurs fils avec eux en faisant même de ces derniers des membres à part entière de leurs peuples. Les Cleary, les McKenzie, les Mercredi, les Fontaine, les Robertson, les Bellefleur, les Rankin, les Mark, les Mollen, les Boivin, les Nelson, les Gill, les Jean-Pierre, les Moar, les Saganache et bien d'autres, en sont des exemples les plus probants.

Et les Québécois tiendraient rigueur aux Premier peuples d'exiger de la France et de l'Angleterre de ne pas appuyer ce nouveau pays qui renie leurs propres engagements comme peuples colonisateurs...

Il s'agira de notre seule défense puisque le gouvernement du Québec n'aura pas su, avec la magnanimité nécessaire, faire une place réelle aux Premières Nations.

À cause de son attitude mesquine, inexplicable, il sera incapable de soutenir le débat sur la scène internationale. Vous pouvez être convaincus que je le favoriserai et que j'y participerai avec autant d'énergie que je l'ai fait au Québec au cours des 40 dernières années.

Si, pour leur part, les peuples autochtones refusaient cette main tendue, uniquement parce qu'ils sont inféodés au gouvernement fédéral, ils auraient à en porter la responsabilité. Puisque leur intérêt ne va pas dans le sens du mieux pour eux, ils auront à faire la démonstration que ce choix est le meilleur pour l'avenir de leurs nations. Ils devront démontrer pourquoi, ils ne sont pas prêts à en débattre honnêtement.

Enfin, ils auront à démontrer que leur mission est de protéger, à tout prix, l'union canadienne intégrale et centralisatrice, telle que vue par le gouvernement fédéral actuel. D'autant plus qu'ils pourraient le faire au détriment du développement de leurs propres peuples.

Ils devraient savoir que leur fiduciaire, le gouvernement du Canada, n'a pas démontré qu'ils travaillaient dans leur intérêt au cours des ans. Au contraire, la *Commission royale sur les peuples autochtones du Canada* a plutôt fait la preuve que leur tuteur avait travaillé contre eux en favorisant les nouveaux arrivants.

Le Québec pourra aussi, comme argument-massue, souligner qu'aucun pays colonisateur n'est allé aussi loin dans la reconnaissance des droits fondamentaux des Premiers peuples avant lui; ce qu'ont souligné dernièrement les Cris sur la scène internationale. Il améliorera, à ce moment-là, sa position face à une reconnaissance des peuples de la terre. Ou, tout au moins, il pourra clore le bec des pies jacasses qui racontent n'importe quoi à l'étranger.

Une chose est certaine, ils donneront les meilleurs arguments possibles au gouvernement du Québec pour démontrer, à la face de la terre, qu'il a fait tous les efforts pour associer les peuples autochtones à son projet de société. Le fardeau de la preuve reviendra aux Premiers peuples du Canada de démontrer que le Québec a mal agi contre eux; ce qui ne sera pas facile.

Se comporter ainsi est bien mal préparer cet avènement du rêve de certains Québécois qui est de bâtir ce nouvel État du Québec. Le fait d'écraser sans réfléchir, avec les gros pieds de ses propres normes de dominants, les droits fondamentaux des peuples autochtones, est un handicap majeur pour sa propre reconnaissance par les autres peuples de la terre. Ce n'est pas issu d'une très grande sagesse politique qu'en l'an 2001, ce nouveau pays ait une politique colonisatrice qui consiste à écraser ses Premiers peuples. Une telle réaction démontrerait une étroitesse d'esprit condamnable.

Et, je serais le premier à la condamner si le gouvernement du Québec n'effectue pas un revirement majeur de sa position. Je ne crois pas que les Québécois vont élever leurs droits fondamentaux en minimisant ceux des autres.

Évidemment, il n'est pas question que je nie les droits fondamentaux des Québécois d'aspirer à un état différent. Pas plus d'ailleurs que je devrais rejeter le fait que le Québec devienne un état indépendant à l'image de la volonté exprimée dans un projet de société de **TOUS** les Québécois (référence au chapitre trois: PROJET DE SOCIÉTÉ DE TOUS LES QUÉBÉCOIS).

Oui, pour moi, il est évident que le Québec peut disposer de lui-même. Il a le droit à son autodétermination dans ce Canada d'aujourd'hui.

D'ailleurs, c'est le cas pour tous les peuples autochtones du Canada, d'un océan à l'autre, avec pleins effets. Ils possèdent, eux aussi, ce droit fondamental même si le gouvernement fédéral est bien silencieux sur cette question et si les groupes autochtones font bien attention de lui poser clairement la question...

Enfin, il faut constater qu'affirmer est une chose pour le gouvernement du Québec et celui du Canada alors que respecter en est une toute autre quand cela concerne les Premières Nations. Les mots dans la *Constitution du Canada*, dans les résolutions de l'*Assemblée nationale*, dans les déclarations des politiciens, dans les programmes politiques et même dans les politiques gouvernementales sont là, mais les gestes concrets brillent souvent par leur absence.

Il faut cependant prendre en considération la nouvelle approche du Premier Ministre Bernard Landry, avec les Cris et les Inuits, qui est prometteuse d'avenir. Il a même déclaré qu'une telle façon de faire ne peut pas être exclusive à ces deux nations et qu'il entend l'appliquer pour les autres Premières Nations du Québec.

UN CLIMAT SOCIAL DIFFICILE, MAIS UNE CONJONCTURE POLITIQUE FAVORABLE

Le Canada et le Québec vivent une période économique difficile. Le niveau record de la dette et du chômage et les coupures budgétaires des dernières années par les gouvernements pèsent lourds sur les épaules des Canadiens et des Québécois. Ces derniers voient d'un très mauvais oeil toute dépense gouvernementale pouvant être assimilée, à tort ou à raison, à un traitement de faveur. La morosité caractérise, trop souvent, le panorama politique, social et économique actuel.

À cet égard, la situation des nations autochtones en négociation est précaire. La responsabilité sociale des dominants - ce qui n'est déjà pas évident pour tous

- semble annulée. La conjoncture économique difficile, la publicité négative faite par les médias de masse autour de certains événements concernant les Autochtones et le racisme latent occupent les pôles-positions de cette course effrénée pour le contrôle de l'avenir.

À cause d'un manque d'information objective, la population québécoise fait montre de peu de connaissance du dossier autochtone. Elle ne manifeste pas beaucoup de compréhension face aux problèmes vécus par les premiers habitants de ce coin de terre. Elle entretient plutôt le préjugé que les Autochtones sont « des profiteurs du système de sécurité sociale et des opportunistes politiques ».

Les ouvertures faites par le gouvernement du Québec aux propositions des Indiens sont perçues, trop souvent, par plusieurs Québécois comme une largesse à visée référendaire. On ne voit pas l'ensemble de mesures prises visant l'établissement d'une nouvelle relation entre nations.

Le lobby efficace de nombreuses associations d'utilisateurs des territoires ancestraux des Amérindiens a tôt fait d'ouvrir le bal. Leurs interventions soulignent au gouvernement du Québec qu'il devrait limiter ses prodigalités.

La position extrémiste de ces nombreux électeurs pourrait avoir comme résultat de le faire se refermer comme une huître.

Depuis quelques années, plusieurs irritants ont alimenté le refus des Québécois de comprendre. La position adoptée par certains leaders autochtones, lors de la dernière campagne référendaire, en a indisposé plus d'un, particulièrement les nationalistes. Ces derniers considèrent les Autochtones comme les alliés naturels du gouvernement fédéral pour s'opposer à leurs velléités de changements politiques.

Certains dossiers autochtones ont souvent été menés sans se soucier de l'opinion publique québécoise. L'opposition des Cris au projet de Grande-Baleine en est un bon exemple. Légitimes ou non, leurs positions véhiculées hors du Québec et souvent incontrôlées ont été perçues comme une stratégie de dénigrement du gouvernement du Québec et d'Hydro-Québec. Tout comme elles ont été qualifiées d'entraves à la création d'emplois et au développement économique du Québec.

Les gestes radicaux, ou quasi illégaux, posés par certains groupes autochtones au cours des dernières années n'ont pas aidé non plus. Les événement de Kanesatake et de Kahnawake, qui datent pourtant de 1990, sont encore très présents à la mémoire des Québécois. Ils semblent avoir imprimé une tendance persistante dans la presse du Québec.

Il suffit de lire les journaux, de regarder la télévision et d'écouter la radio pour constater le contexte destructeur dans lequel il est fait mention des Amérindiens: Actions d'éclat posées par des groupes extrémistes, contrebande d'alcool et de cigarettes, ventes d'armes, loteries et bingos, combats extrêmes, etc.

On parle que très rarement de gestes positifs des Autochtones...

Bien que l'on puisse regretter les méthodes journalistiques actuelles, force nous est d'admettre cependant qu'elles s'expliquent par le contexte général de la presse d'aujourd'hui. La compétition est féroce entre les différents médias. Elle conduit les journalistes à se complaire dans le spectaculaire facile au détriment de l'analyse sérieuse. Une telle façon de voir les choses font vendre plus facilement des copies de journaux, ou donnent de bonnes cotes d'écoute dans les médias électroniques.

Leurs politiques d'information avantagent les *hells angels*, les *rocks machines* et les *bandidos* sur les Premiers peuples dans leur priorisation... On ne peut pas dire que c'est responsable pour des médias sérieux, mais c'est quand même ça que leurs utilisateurs constatent à tous les jours.

Il aura fallu qu'un journaliste de faits divers du journal de MONTRÉAL, Michel Auger, soit l'objet d'une tentative de meurtre pour que la presse québécoise constate que leur politique d'information les ont conduits à une telle aberration. D'ailleurs, je me demande si les journalistes l'ont fait puisque rien n'a changé.

Le fait de parler à tous les jours, dans leurs bulletins de nouvelles ou dans leurs pages des journaux, de ces groupes de criminels ne pouvait que conduire à de tels gestes. Ce sont ces mêmes journalistes qui, quotidiennement, font de ces criminels des héros en les suivant à la trace et en rapportant presque sympathiquement tous leurs faits et gestes. À presque tous les jours, nos médias sérieux rapportent à pleines pages ou comme manchette à la télévision, ou à la radio, les singeries criminelles des *hells angels*, des *bandidos*, ou des *rocks machines*.

On n'essayera tout de même pas de me faire croire que la population québécoise sera privée de son droit sacré à l'information si on ne leur parle pas de ces bandits à tous les jours...

Que voulez-vous que ça me fasse personnellement, comme citoyen du Québec, de savoir que ces bandits font entre eux des ententes, qu'ils festoient avec l'argent de leurs ventes de drogue, ou même qu'ils se tuent les uns les autres dans des guerres ? La seule chose que je voudrais savoir un jour, c'est que les gouvernements m'ont, une fois pour toutes, débarrassé de ces indésirables qui détruisent nos enfants et les enfants de nos petits enfants par leurs ventes de drogue.

Même nos chanteurs populaires, Jean-Pierre Ferland et Ginette Renaud, ont pu croire qu'ils pouvaient impunément valoriser les réjouissances des *hells angels* en y participant...

Plus encore, un cinéaste de chez nous a immortalisé, d'une façon *vachement sympa*, sur grand écran, les exploits de nos héros québécois sur deux roues, tatoués, portant une veste de cuir sur laquelle ils sont clairement identifiés comme meurtriers, avec un casque de guerre allemand. Ce film a tellement eu de publicité gratuite dans les émissions d'affaires publiques de Radio-Canada que c'en était gênant.

En même temps, les journalistes défilaient dans les rues et demandaient aux gouvernements de passer une loi antigang. Pourquoi ne commenceraient-ils pas d'abord par donner l'exemple en cessant de leur faire de la publicité pour en faire des héros ?

Dans ces circonstances et compte tenu du climat actuel, les Premières Nations ont peu d'occasions de redorer leur blason auprès de l'opinion publique québécoise.

Même si les gouvernements tentent de nous faire croire qu'ils font des efforts pour sensibiliser les Québécois et les Canadiens en général sur les Autochtones, la vérité est cependant tout autre. Ils ne lèvent pas le petit doigt pour le faire véritablement. D'ailleurs, aussitôt que l'on parle de coupures budgétaires au ministère des *Affaires indiennes et du Nord Canada*, c'est dans le domaine de l'information aux Canadiens que ça se passe.

Au contraire, ils semblent plutôt heureux de sentir que des citoyens irresponsables cognent à bras raccourcis sur le dos des Indiens. Ca leur évite ainsi de corriger leurs erreurs historiques coûteuses en appliquant les recommandations de la *Commission royale sur les peuples autochtones du Canada*.

Jamais les gouvernements ne vont mettre en péril leur réélection pour s'acquitter de leurs responsabilités de fiduciaires face aux Autochtones. Ils préféreront, sans aucun doute, plaire à la très grande majorité de leurs électeurs en traitant, au mieux, les nations autochtones sur le même pied que les Québécois. Une telle attitude, totalement fausse dans la réalité, a même l'allure de générosité pour certains.

C'est un secret de polichinelle qu'au ministère des *Affaires indiennes et du Nord Canada* et qu'au ministère de la *Justice du Canada,* les fonctionnaires, incités par les politiciens, prétendent qu'appuyer les demandes autochtones n'est pas politiquement rentable dans tous les sondages. Selon eux, le gouvernement fédéral actuel doit donc faire le minimum pour ne pas s'attirer les foudres de l'électorat. Il s'ensuit que le rapport de la *Commission royale sur les peuples autochtones du Canada* est définitivement rangé sur une tablette et que les promesses de réconciliation de madame Jane Stewart restent des voeux pieux que l'on a fait miroiter.

Pour leur part, les détracteurs d'une définition généreuse des droits des Premières Nations laissent entendre malicieusement, dans l'opinion publique, que les Autochtones devraient être heureux et fiers de se faire traiter sur un même pied d'égalité qu'eux. Ils ajoutent qu'il ne peut pas y avoir deux sortes de citoyens au Québec: Ceux qui ont l'obligation de respecter les lois et de payer des impôts et les Indiens qui n'ont pas ces engagements et qui jouissent de privilèges.

Aussi erroné, un tel message a un effet dévastateur. Il trouve, dans la population, une écoute favorable. Ce message est très difficile à combattre. Avec nos maigres moyens et souvent par la méthode archaïque du bouche à oreille, il est improbable que nous puissions songer à renverser cette opinion publique ancrée depuis longtemps et renforcie par les événements de l'été '90.

La perspective d'un référendum dans un avenir rapproché pourrait être favorable au dossier des revendications territoriales globales des peuples autochtones.

Il ne faut pas oublier que le gouvernement du Québec, après son accession à l'indépendance, devra convaincre les autres pays du monde de reconnaître ce choix politique.

Le gouvernement du Québec a conséquemment intérêt à démontrer à l'opinion publique internationale qu'il fait preuve d'ouverture et d'équité envers ses minorités et particulièrement envers les populations autochtones.

Il aurait avantage à régler la question territoriale afin d'éviter que le discours partitionniste ne refasse surface en entraînant dans son sillon ceux qui sont contre l'indépendance du Québec. Ces derniers attendent le signal d'une contestation autochtone sur la base des droits ancestraux territoriaux pour relancer le débat; ce qui irait dans le même ordre d'idées de certains leaders politiques du gouvernement actuel du Canada comme le ministre Stéphane Dion.

Cependant, pour servir entièrement le Québec, l'entente conclue avec les peuples autochtones devra démontrer que les Indiens veulent s'associer avec les Québécois pour développer le Québec de demain. Cette future association pourrait prendre bien des formes. C'est le rôle de la négociation en cours d'établir les termes d'un futur contrat social entre les Premiers peuples, le gouvernement du Canada et celui du Québec. Ce futur contrat social doit cependant débuter par la reconnaissance évidente et la définition claire des modes d'application des droits ancestraux reconnus par la *Constitution du Canada.*

Puisque le Québec serait indépendant, certains politiciens québécois, de la catégorie des purs et durs, considèrent que cette nouvelle association avec les Indiens devrait éliminer toute relation entre le gouvernement fédéral et les communautés autochtones. Cette nouvelle association, selon eux, nierait toute prétention de ces nations à leur droit à l'autodétermination sur le territoire québécois. C'est dans cette perspective, croient-ils, que le gouvernement du Québec montrerait une certaine hâte à négocier; ce n'est qu'à ce prix que ces extrémistes estimeraient être rentable de défier l'opinion publique anti-autochtone.

Ça, c'est leur position, une vision inacceptable pour les Indiens. Il nous faut donc combattre, avec toutes nos forces, cette position indéfendable.

Dans son programme actuel, le Parti Québécois favorise un partenariat du Québec indépendant avec le gouvernement du Canada. Sous quelle base d'argumentation logique pourrait-il empêcher les Premières Nations du Québec, reconnues souveraines par la *Cour suprême du Canada* et par la *Commission royale sur les peuples autochtones du Canada*, d'avoir des relations avec le gouvernement du Canada ?

Jamais les nations autochtones ne pourraient accepter quelqu'entente que ce soit qui n'aura pas défini le rôle du Canada et du Québec comme fiduciaires des Autochtones du Québec.

Quant au droit à l'autodétermination des peuples autochtones, la *Commission royale sur les peuples autochtones du Canada* a conclu qu'il existait bel et bien. Il serait donc difficile pour le peuple québécois, qui revendique le sien, de refuser cette même prérogative aux Nations autochtones du Québec et de défendre ce refus sur la place publique internationale.

La reconnaissance du droit inhérent à l'autonomie gouvernementale, qui fait partie intégrante de l'article 35(1) de la *Loi constitutionnelle* amendée en 1982, fait en sorte que ce titre existe. Il ne peut plus être éteint unilatéralement par un gouvernement. Ajoutons à cela qu'il est reconnu par la *Commission royale sur les peuples autochtones du Canada* et par la *Cour suprême du Canada* pour les Nations autochtones qui n'ont pas éteint leurs droits ancestraux par un traité avant cette date.

C'est dire que ces Premières Nations ont le pouvoir de se déterminer par soi-même à cause de leur souveraineté reconnue. Elles pourraient donc, quant à moi, selon ce même droit inhérent à l'autodétermination, décider de demeurer lier au gouvernement du Canada.

La question est surtout de savoir si le gouvernement fédéral va vouloir continuer à agir à titre de fiduciaire de ces Indiens qui vont vivre sur un territoire qui ne fera plus partie du Canada - s'il s'agit d'une indépendance totale pour le Québec. Il est fort probable, quant à moi, que le Canada va transférer ce rôle, lourd de conséquences, au gouvernement du Québec qui deviendra, à son tour, le fiduciaire des Indiens du Québec. Le Québec héritera des responsabilités de fiduciaires des Indiens comme le Canada en a hérité quand la *Couronne britannique* a transféré ses pouvoirs au gouvernement canadien.

C'est pour cette raison que je crois que les Premières Nations du Québec, qui ne désirent pas se séparer du Canada après que le Québec aura décidé démocratiquement de le faire, devraient immédiatement conclure avec le Canada un traité d'alliance. Dans ce traité d'alliance, le gouvernement du Canada, à titre de fiduciaire des Indiens, devrait prendre l'engagement formel de continuer à agir en ce sens si la Nation autochtone concernée décidait d'appliquer son droit à l'autodétermination en faveur du Canada.

Sinon, ces Premières Nations risquent d'être utilisées pour tenter de contrer les choix démocratiques des Québécois. S'ils n'y arrivent pas et qu'ils sont abandonnés par le Canada, ils devront vivre au Québec, marqués au fer rouge par ce qu'ils auront fait contre les Québécois.

On devrait se remémorer et réfléchir à ce que nos ancêtres ont fait tout au début de la colonie pour la France et pour l'Angleterre. Ils les ont soutenus comme alliés dans leur guerre après avoir signé des traités d'alliance, mais la Grande Histoire, écrite par les descendants des Européens, a retenu qu'ils avaient effectué des massacres. Ils ne les ont pas soutenus par la suite dans les difficultés et ils en n'ont jamais fait de réels partenaires du développement... Nous devons encore nous battre aujourd'hui pour faire reconnaître et respecter ces traités...

Enfin, le statut des futures terres des Premières Nations n'a pas encore vraiment été déterminé par les groupes en négociation. Il fera l'objet du principal chapitre de toute entente territoriale globale de principe. La signification de l'intégrité territoriale exigée par le gouvernement du Québec ne concorde pas du tout avec ce que souhaite la partie autochtone.

Il ne faut surtout pas oublier que la relation passée et future avec les Québécois francophones et la situation géographique de leur territoire ancestral placent les Indiens du Québec dans une situation différente des autres Indiens du Canada. Dans ce contexte bien particulier, je sais que les Premiers peuples d'ici doivent décider eux-mêmes de ce qui est bon pour eux. Les leaders des Premières Nations du Québec ont la responsabilité de négocier ce nouveau contrat social entre elles et les gouvernements du Canada et du Québec.

Ils doivent faire avancer la cause des négociations autochtones sans pour autant se donner la mission de tout régler. Ce n'est que par l'accumulation de la charge des uns et des autres, au cours de ce processus pour la définition de leur projet de société, que la victoire des Autochtones sera complète. C'est de cette façon que seront vengées les années de souffrance des anciens.

Une chose semble évidente, la conjoncture actuelle du débat constitutionnel entre le Québec et le Canada avantage les peuples autochtones d'ici. Par le projet d'indépendance du Québec, les Autochtones de l'ensemble du Canada peuvent espérer un pouvoir de négociation beaucoup plus évident. Plus les Indiens du Québec vont profiter de leur position conjoncturelle de force pour négocier de nouveaux contrats sociaux plus avantageux, plus les autres Indiens du Canada seront privilégiés par ces négociations.

Par le fait que les Québécois recherchent un Canada renouvelé, ce qui favoriserait, sans aucun doute, une meilleure place aux peuples autochtones, cette province devient un allié naturel pour ces derniers. Il serait donc envisageable de travailler ensemble, peuple québécois et Premiers peuples du Québec et du Canada, pour forcer le gouvernement fédéral à revoir cette fédération centralisatrice passée date afin d'en faire une véritable confédération de peuples associés dans le style *Parlement européen* tel que le suggère Bernard Landry, Premier Ministre du Québec.

Ce n'est pas certaines provinces de l'Ouest, comme on l'a vu au cours du débat des dernières années entourant la signature de l'entente des Nishga's, en Colombie britannique, qui vont montrer une grande ouverture. Elles auront plutôt tendance à rechercher le plus bas dénominateur commun. Le débat politique malsain et anti-autochtone, mené, dans les provinces de l'Ouest, par l'*Alliance canadienne*, ne présage rien de bon. Cette altercation vole vraiment très bas.

Comme l'ont déclaré, à maintes reprises, plusieurs *leaders* politiques autochtones pour justifier leurs positions, ces nations sont toutes particulières, différentes, souveraines et indépendantes les unes envers les autres.

Elles l'étaient, entre autres, pour les Nishga's, à la suite de la signature récente d'une entente avec les gouvernements du Canada et de la Colombie britannique, pour les Wendat (Hurons), pour les Innus (Montagnais), pour les Dénés, pour les

Inuits, pour les Atikamekw, pour les Naskapis, pour les Algonquins, pour les Mohawks, pour les Cris (surtout avant la signature de l'entente de la Baie James) et pour les Inuits. Et pour toutes celles qui ont signé des traités depuis la *Proclamation royale de 1763*. Elles répondaient toujours à des critiques des autres Indiens du Canada qui soulignaient leur manque de solidarité.

Elles ont à décider du contenu de leur traité, ou de leur entente. Il leur appartient donc, en propre, de choisir ce qui est bon pour leur population.

Il en est de même pour les Premiers peuples actuellement en négociation au Québec, ou ailleurs au Canada. Pourquoi s'enfermeraient-ils dans des scrupules face à la solidarité autochtone qui n'existe malheureusement pas d'ailleurs.

Considérant l'état actuel de l'opinion publique et l'incertitude quant à la tenue prochaine d'un référendum, il faut constater que, globalement, les Indiens détiennent un bien mince pouvoir de négociation. Ce pouvoir est surtout entre les mains de certaines nations autochtones avantagées par les ressources naturelles comme l'hydroélectricité et la forêt, objets de convoitises des développeurs de tout acabit.

Les gouvernements pourraient même utiliser la vague anti-autochtone à travers le Canada pour terminer de s'approprier légalement et à bon compte des terres ancestrales des Premiers peuples.

Pourquoi seraient-ils généreux envers les Autochtones au moment où leur électorat leur reproche déjà de trop donner ? Pourquoi les gouvernements céderaient-ils aux demandes, souvent qualifiée d'exagérées et d'irréalistes de la part de certains groupes, pour la définition de leurs droits ancestraux alors que leurs commettants affirment toujours de plus en plus fort que les Autochtones n'ont pas plus de droits qu'eux ? Pourquoi, enfin, les gouvernements auraient-ils peur des négociations de groupuscules autochtones qui n'ont plus vraiment de pouvoirs de négociation et qui sont écrasés par un courant public anti-autochtone?

Il est donc impératif que les Indiens se rebâtissent un pouvoir de négociation. C'est uniquement par l'information et par les relations publiques avec les groupes de pression québécois et canadiens qu'ils y arriveront.

Dans le cadre d'une campagne de relations publiques, les Autochtones pourront expliquer qu'ils disposent de plusieurs points de convergence avec la société québécoise. Par exemples, plusieurs nations actuellement en négociation ont, comme langue seconde, le français. Ils sont, tels les Québécois, à la recherche de la reconnaissance de droits collectifs. Ils ont une volonté d'autonomie et un projet nationaliste. Ils représentent une minorité dans l'ensemble nord américain. Ils ont intérêt à protéger le caractère unique de leur culture et de leur langue.

Cependant, pour arriver à présenter ces éléments de façon convaincante aux Québécois, il est nécessaire que les Indiens en négociation s'éloignent des positions radicales de certaines nations du Québec. Ils doivent se rapprocher davantage des Québécois. Après tout, c'est avec ces derniers qu'ils devront vivre avec, ou sans entente.

Bref, dans un contexte social aussi défavorable, la cause autochtone n'est pas politiquement rentable. Il ne fait aucun doute que la signature d'un nouveau contrat social avec le gouvernement du Canada et celui du Québec passe par le rapprochement avec la population québécoise. Sans une campagne de relations publiques bien orchestrée, il sera impossible de conclure des ententes qui soient avantageuses et satisfaisantes pour les groupes en négociations.

La campagne de relations publiques pourra se fonder sur les points de convergence déjà cités entre les Indiens et les Québécois. Ces points de convergence ressortent d'ailleurs des jugements récents de la *Cour suprême du Canada* et du rapport de la *Commission royale sur les peuples autochtones du Canada*. Ils confirment donc le bien-fondé des revendications.

Plus que jamais, les Indiens doivent faire montre de sérieux dans leurs demandes aux gouvernements du Canada et du Québec. Ils dépendent malheureusement de la bonne volonté de ces derniers. Il sera sans doute facile pour eux de démontrer qu'ils ont tout fait pour conclure des ententes satisfaisantes, mais que l'irréalisme des peuples autochtones est tel que les gouvernements ne peuvent pas les contenter.

Or, après plus de 25 ans de négociations, les gouvernements n'ont pas démontré, outre mesure, cette bonne volonté politique, souhaitée et attendue. Ils sont plutôt enclins à la passivité, telle que l'a soulignée la *Commission royale sur les peuples autochtones du Canada* dans son rapport, et, surtout récemment, à laisser voir des signes très inquiétants de désintérêt face au dossier des négociations territoriales globales.

On est habilement en train de bâtir la preuve que ces négociations coûtent chères inutilement aux Canadiens et aux Québécois. Une telle démonstration, faite à des convaincus, causera des torts inestimables. D'ailleurs, le ministère des *Affaires indiennes et du Nord Canada*, contre ses habitudes du passé, élève la voix. La colère du faible étant toujours imprévisible, on ne peut que s'interroger sur la cohérence potentielle de ses gestes.

Il commencera sans aucun doute, comme c'est son habitude, à s'attaquer aux plus faibles. C'est donc les négociations d'autonomie gouvernementale avec les Bandes sans pouvoir de négociation réel, puisqu'il s'agit d'une seule communauté, qui subiront en premier lieu ses foudres. On continuera bravement à mettre de l'huile sur les roues qui grincent des communautés avec un important pouvoir de négociation, comme c'est le cas pour les Mohawks.

On le constate présentement - au moi d'octobre 2002 - avec la négociation d'autonomie gouvernementale des Micmacs de Gespeg, à Gaspé. Le gouvernement fédéral tente de toutes ses forces d'imposer son approche qui a comme objectif le plus bas dénominateur commun.

Le ministère des *Affaires indiennes et du Nord Canada* a tout entrepris pour que cette négociation avorte. Il a fait toute l'agitation politique nécessaire pour retarder cette négociation afin d'y mettre fin. Heureusement, la manoeuvre a été découverte et le ministre Guy Chevrette, du *Secrétariat aux affaires autochtones du Québec*, a remis la locomotive sur la voie ferrée avec un mandat clair à ses négociateurs de conclure une entente satisfaisante pour les parties.

Il a repris, d'une autre façon, le combat au cours des derniers mois en essayant de ne plus tenir compte de l'Entente cadre qu'il a signée. Il veut imposer, aux autres parties, la vision de ses fonctionnaires. Il renie donc sa propre signature de l'Entente cadre signée par les trois parties. Les fonctionnaires du ministère des *Affaires indiennes et du Nord Canada* ont décidé unilatéralement de changer le mandat de leur négociateur qui ne respecte pas la signature de l'ancienne ministre, madame Jane Stewart.

Maintenant, dans plusieurs négociations en cours, on devrait sérieusement se poser la question si, à vouloir trop gagner, on ne risque pas de tout perdre... Ne serait-on pas plus avisé de négocier des contrats sociaux qui pourront se conclure et s'appliquer par étapes.

Une campagne de relations publiques, aussi bien conçue et organisée soit-elle, ne pourra jamais suffire à regagner d'un seul coup tout le terrain perdu.

Pour atteindre des résultats satisfaisants dans le processus de négociation qui s'amorce, il sera nécessaire de présenter des demandes réalistes et sérieuses. Il faudra démontrer une intention évidente de négocier véritablement en recherchant les solutions. Les compromis nécessaires à toute entente devront être faits pour y arriver, sans évidemment concéder sur les principes fondamentaux. La démonstration de l'unité des groupes autochtones en négociation et de la puissance du leadership des négociateurs en chef devra être faite clairement. Enfin, les négociateurs autochtones devront s'assurer de l'appui indéfectible des communautés qu'ils représentent.

Toute défaillance à ces niveaux ne manquera pas d'être exploitée par les gouvernements qui ne demandent pas mieux, à ce moment-ci, qu'on leur fournisse une excuse pour fermer le dossier. Il ne fait aucun doute dans mon esprit que la démarche entreprise actuellement est celle de la dernière chance; il importe donc de ne pas l'oublier.

Par ailleurs, les négociateurs autochtones affectés aux négociations importantes devraient se concerter entre-eux et faire un front commun pour les questions importantes. Ils se donneraient ainsi un pouvoir de négociation beaucoup plus grand qui s'approcherait de celui des négociateurs gouvernementaux qui, eux, se concertent. Encore là, nos divisions internes servent aux gouvernements qui en profitent allègrement et qui, souvent, les alimentent.

LA COMMISSION ROYALE....
DEMEURE INCONTOURNABLE

La *Commission royale sur les peuples autochtones du Canada* a proposé un programme audacieux et ambitieux comme vous l'avez lu dans les quatre chapitres précédents.

Pourtant, le gouvernement fédéral et les gouvernements des provinces tardent à mettre en application les recommandations de la *Commission royale...* Ils reconnaissent pourtant, en privé, qu'ils n'ont pas le choix à cause des récents jugements de la *Cour suprême du Canada*.

Le gouvernement fédéral et ceux des provinces ne peuvent pas continuer à se mettre la tête dans le sable et à retarder la réalisation de ce que préconise le rapport de la *Commission royale...* Ce rapport va d'ailleurs dans le même sens que plusieurs autres études sérieuses, commandées, au cours des ans, ont recommandés aux gouvernements fédéraux successifs.

À moins que la démonstration amenée par les commissaires « sur les coûts du statu quo, le prix de l'aide gouvernementale et le bon investissement » soit complètement farfelue, le rapport de la *Commission royale...* donne la recette pour que les gouvernements agissent en excellents administrateurs de fonds publics. D'ailleurs, il faut souligner qu'aucun spécialiste sérieux indépendant, à ma connaissance, n'a contredit cette allégation des commissaires. Les seules réactions que je connaisse sont parties des provinces de l'Ouest pour appuyer les positions racistes de l'*Alliance canadienne* contre les négociations autochtones conclues récemment dans ces provinces, surtout l'entente des Nishga's. (Voir le chapitre seize: MANIFESTATION D'UN RAPPROCHEMENT).

Dans son rapport, la *Commission royale sur les peuples autochtones du Canada* demande aux gouvernements d'investir, aujourd'hui, les fonds publics nécessaires pour que les Autochtones redeviennent, demain, ce qu'ils ont été dans le passé: Des nations fières, indépendantes et utiles.

Par cet investissement de nouveaux fonds, les Indiens évolueront de la condition d'éternels assistés, avec les marasmes sociaux qui l'accompagnent, à la guérison et à la fierté de gagner honorablement leur vie. Et les gouvernements n'auront plus à les entretenir...

En premier lieu, nos politiciens, sans aucune originalité et sans logique, ont dénoncé l'irréalisme du rapport de la *Commission royale sur les peuples autochtones du Canada*. Cette dénonciation s'appuyait sur le fait que les commissaires ont suggéré des augmentations de budget substantielles au cours des dix premières années pour réaliser le programme proposé.

J'espère que nos *brillants* gestionnaires de fonds publics ne s'imaginaient pas que, d'un simple coup de baguette magique, les commissaires allaient faire disparaître les problèmes causés par des siècles d'injustices. Ils ne pouvaient que constater ce qui s'est fait réellement. Par la suite, ils se devaient de proposer des solutions réparatrices qui s'avérent très coûteuses à cause des troubles causés pendant des générations et des retards pris par le fait que les gouvernements n'ont pas réalisé leurs promesses découlant des traités conclus.

J'escompte de tout coeur que ces politiciens négatifs ne pensaient pas que les gens bien-pensants, Canadiens et Autochtones, se contenteraient d'une pompeuse *Déclaration de réconciliation*. Même si cette déclaration solennelle est intéressante en soi, elle ne peut certes pas remplacer les mesures réelles et nécessaires. Ce sont de telles solutions, proposées par les commissaires de la *Commission royale...*, qui ramèneront la situation actuelle des Premiers peuples à un état social et économique acceptable.

Ben voyons, croire et accepter que les suites du rapport de la *Commission royale...* puissent se résumer à une simple déclaration de réconciliation et quelques réformettes sans conséquence constitueraient la preuve évidente de leur irrespect et de leur cynisme envers les Premières Nations. Quand même...

Je trouve cependant curieux qu'aucun politicien fédéral, ou sénateur, n'ait pensé, ni même exprimé publiquement, lors de la dernière campagne électorale fédérale d'utiliser maintenant une partie de leurs surplus budgétaires pour aider les Premiers peuples.

On n'a jamais vu autant d'Indiens se présenter comme candidats du *Parti libéral du Canada* aux élections fédérales. Pourtant, on n'a presque pas parlé des Indiens dans cette élection fédérale; comme s'il s'agisssait d'un sujet tabou, ou honteux... Le moment aurait pourtant été tout indiqué pour aborder la question autochtone et, surtout, s'engager à réaliser les principales recommandations de la *Commission royale...*

Ces fonds, tels que proposés par la *Commission royale...*, permettraient aux membres des Premières Nations de se sortir des marasmes sociaux amenés par le développement économique des autres.

On aurait pu croire qu'au moment d'une plus grande aisance financière du gouvernement fédéral, ce qui est présentement le cas, ils en profiteraient pour corriger leurs erreurs historiques. Madame la ministre Jane Stewart a dénoncé avec force cette faute. Les commissaires de la *Commission royale sur les peuples autochtones du Canada* avaient fait de même dans leur rapport rendu public un an plus tôt.

Le gouvernement du Canada est en posture de le faire parce qu'il a en main un plan documenté complet s'étalant sur 20 ans. Ce plan n'a pas été élaboré par les Autochtones eux-mêmes, mais à grands frais par une commission royale d'enquête instaurée par le gouvernement du Canada. Cette *Commission royale...* totalement indépendante fonde la réussite de ce programme sur l'injection massive de fonds supplémentaires. Ce programme fera en sorte que les Indiens guériront de leurs maux amenés par les décisions gouvernementales passées. Ils sortiront de leur situation d'éternels citoyens entretenus par l'État. Ils redeviendront des gens actifs améliorant positivement le développement social et économique du Canada.

Espérons que l'actuel ministre des *Affaires indiennes et du Nord Canada*, Robert Nault, a dit vrai au quotidien LE DEVOIR, au cours d'une entrevue en début de l'année 2001 lorsqu'il a déclaré: « Les 20 dernières années ont traité de la place du Québec au Canada, les 20 prochaines années seront celles de la place des Premières Nations au Canada ».

Qu'attend-il alors pour appliquer le plan sur 20 ans proposé par la *Commission royale sur les peuples autochtones du Canada*, cette oeuvre colossale de commissaires totalement indépendants. J'espère qu'il ne croit pas, d'une façon ridicule, que sa consultation-bidon sur la gouvernance, imposée de force pour permettre au ministère des *Affaires indienne et du Nord Canada* d'assujettir les Premiers peuples à ses propres visions pour redorer son image publique, va faire oublier le rapport de la *Commission royale*...

Le Premier Ministre du Canada, Jean Chrétien, et le ministre des *Affaires indiennes et du Nord du Canada*, Robert Nault, ont attendu leur réélection avant de parler des Indiens. Ils n'auraient jamais osé le faire pendant la campagne électorale de peur de perdre des votes. Une telle attitude, qui consiste à ne pas parler des devoirs du Canada envers les Indiens, ne promet guère de résultats tangibles. Aussitôt que les détracteurs de la cause autochtone se mettront à s'agiter sur la place publique, et ils le feront rapidement, nos valeureux politiciens oublieront leurs belles promesses enjôleuses et iront se terrer.

Le gouvernement fédéral, par sa *Déclaration de réconciliation*, faite par la ministre des *Affaires indiennes et du Nord Canada*, madame Jane Stewart, a annoncé un changement évident des mentalités. Même si la réalisation de cette belle promesse retarde, à cause de certains fonctionnaires retors du gouvernement du Canada, cette déclaration du renouveau ne peut plus s'effacer.

Le gouvernement fédéral n'a plus le choix. Le Premier Ministre du Canada, Jean Chrétien, doit *mettre ses culottes* et respecter les engagements pris par madame Jane Stewart, ex-ministre des *Affaires indiennes et du Nord Canada*, fiduciaire des Indiens, Inuits et Métis du Canada. Dans cette *Déclaration de réconciliation*, elle a pris des engagements officiels et formels pour le Canada. J'espère qu'elle ne l'a pas fait à la légère en croyant que, comme d'habitude, les Indiens oublieraient de si belles promesses.

C'est ce genre de gestes qu'elle a d'ailleurs dénoncés vertement en précisant que « le Canada en était peu fier ».

Était-ce des mots sans signification prononcés par une langue fourchue ? Le subterfuge serait tout même un peu gros...

Cette même attitude a d'ailleurs été fortement dénoncée par la *Commission royale sur les peuples autochtones du Canada*. « C'est une mauvaise ligne de conduite qui a été suivie pendant plus de 150 ans par les gouvernements coloniaux et par les gouvernements canadiens antérieurs ».

C'est donc à partir des résultats de cette *Commission royale sur les peuples autochtones du Canada* et des récents jugements de la *Cour suprême du Canada*, un fondement solidement documenté, que les gouvernements du Canada, du Québec et des autres provinces doivent bâtir l'avenir des peuples autochtones. Les solutions sont toutes là, à portée de main.

Même si, à prime abord, le prix peut paraître élevé, le gouvernement responsable des Canadiens, fiduciaire des Autochtones, doit en toute justice corriger l'erreur historique de l'occupation pacifique. Ce n'est surtout pas parce que la faute est si grande, comme c'est le cas pour d'autres causes de droits des citoyens, telles l'équité salariale dans la *Fonction publique canadienne*, ou le sang contaminé, qu'il doit s'en abstenir.

La Justice, sous toutes ses formes, commande une action réparatrice équivalente au tort causé; ce qui est le fondement même d'une société de droit dont le mot Justice s'écrit avec un grand « J », tel qu'on le prétend au Canada. La *Cour suprême du Canada*, par ces récents jugements sur les causes autochtones, a d'ailleurs donné de solides exemples positifs en ce sens.

QU'ATTENDONS-NOUS POUR ATTRAPER LE BALLON

Quelques semaines après que le rapport de la *Commission royale sur les peuples autochtones du Canada* ait été rendu public, en 1996, j'ai participé, à titre de paneliste, à un important colloque sur le contenu du rapport de la *Commission royale...* Cette réunion de spécialistes des questions autochtones avait été organisée par l'*Université McGill* de Montréal. Elle avait pour objectif de sensibiliser la population québécoise sur l'importance de ce plan d'actions. Les participants pouvaient en connaître ainsi les principales facettes et en analyser les contenus.

J'ai souligné, en assemblée générale, qu'ils nous appartenaient en propre, comme Autochtones, de porter le ballon que constitue le rapport de la *Commission royale...* C'est principalement à nous de faire en sorte que les conclusions soient appliquées par les gouvernements et non pas aux Canadiens, ou aux Québécois, de le faire à notre place. Il est évident cependant que nous avons besoin du support de tous et de chacun. Mais cet appui doit demeurer une aide. Il ne peut pas remplacer nos efforts et surtout prendre notre place.

Je dois conclure, quelque six ans plus tard, que nous n'avons pas su attraper ce ballon et faire en sorte de le porter au but. Nous nous sommes contentés de rechercher ce qui faisait notre affaire dans le domaine de la guérison, par exemple, soit le financement pour certains événements.

Entre parenthèses, ce n'était pas une très bonne idée que George Érasmus, le co-président de la *Commission royale sur les peuples autochtones du Canada* et l'ex-Grand Chef de l'*Assemblée des Premières Nations du Canada*, accepte le principal poste de la commission mise en place par le ministère des *Affaires indiennes et du Nord Canada* sur la guérison.

C'est dommage pour les Premiers peuples qu'il ne soit pas demeuré en réserve pour suivre l'application des conclusions de son rapport et critiquer le gouvernement face à son inaction. Il lui appartenait en propre, comme co-président de cette commission royale et leader politique autochtone, de défendre son rapport sur la place publique. En ne le faisant pas, qui peut le faire à sa place? On a d'ailleurs constaté ce qui s'est passé au cours des six dernières années...

En acceptant cette fonction importante du gouvernement fédéral, il s'est volontairement attaché les deux mains... Il s'est bâillonné lui-même en ne pouvant plus traiter de cette question sans se placer en conflit d'intérêt. Il a donc fait le jeu du gouvernement du Canada qui a, de son côté, posé un geste indécent en lui offrant ce poste. Son oeuvre, celui du juge René Dussault et ceux des commissaires risquent ainsi de demeurer inachevés.

Par le fait que le juge René Dussault, pour sa part, soit retourné où il était partie, soit à la magistrature - donc lui aussi est en position de se mettre en conflit d'intérêt en critiquant les gouvernements -, il s'ensuit qu'aucun des co-présidents prend réellement la défense des conclusions de cette commission royale d'enquête. Les gouvernements du Canada et ceux des provinces ont tout le champ voulu pour critiquer le rapport et ne pas appliquer ses conclusions. Les deux co-présidents sont tous les deux cadenassés...

Par la suite, comme Autochtones, nous avons critiqué d'autres éléments du rapport très souvent anodins en comparaison avec l'ensemble du projet de société proposé par les commissaires.

En aucun temps, nos représentants politiques influents se sont déclarés entièrement satisfaits d'un tel rapport. Ils l'ont bien sûr appuyé du bout des lèvres. Jamais, ils ne l'ont défendu avec acharnement et ils n'ont pas exigé, avec conviction et fermeté, que le programme proposé sur 20 ans soit mis en oeuvre immédiatement par le gouvernement fédéral.

Quant à moi, certains leaders autochtones auraient dû oublier les quelques frustrations pour permettre aux autres Indiens de jouir de l'ensemble d'un projet de société avantageux pour tous. Il est évident que, sur 2,000 pages contenant des centaines de conclusions, nous pouvons trouver plusieurs propositions qui ne vont pas dans le sens que nous aurions individuellement souhaité. Ceux-ci n'ont pas su départager l'intérêt collectif de l'intérêt individuel. Certains ont préféré préserver leur petit fief au détriment de ce projet de société prometteur; ce geste n'est pas issu d'une très grande sagesse.

La génération actuelle, par insignifiance collective, serait-elle prête à rejeter du revers de la main ce que nos anciens ont protégé si jalousement pendant des générations au prix de tant de sacrifices ? Serait-elle consentante à laisser passer une occasion unique, les conclusions de la *Commission royale sur les peuples autochtones du Canada*, qui ne se reproduira jamais plus ?

Parce que nos leaders n'ont pas la force de caractère pour s'imposer comme chef de file d'un projet de société exigeant qui va au-delà de toutes nos espérances, nous refuserions ce projet de société...

Il est vrai que la tâche ne sera pas facile et que nous devrons remettre à leur place ceux qui, dans nos communautés, détruisent, consciemment ou non, notre avenir. Il est vrai aussi que nous devrons dénoncer certains de nos frères qui n'agissent pas dans l'intérêt de ce projet de société. Il est vrai enfin que nous devrons changer certaines de nos autorités politiques actuelles qui n'ont pas de vision d'avenir et qui protègent naïvement le statu quo qui nous détruit.

Nos anciens doivent prendre la situation en main et secouer sérieusement ces étourdis qui nous conduisent nulle part. Ils doivent jouer le rôle qu'on attend d'eux qui est d'indiquer la bonne voie. Pour le faire avec sagesse, ils auront à comprendre le contenu du rapport de la *Commission royale...*, donc être totalement informés, et favoriser, dans chacune de leur communauté, un sain débat. Cette discussion, objective et sans désinformation, produira sans aucun doute les résultats escomptés. Nous choisirons ce qui est bon pour nous, pour nos enfants et pour les enfants de nos petits enfants.

Il faut admettre que nous avons plusieurs défauts de société à corriger si nous voulons atteindre les objectifs visés par le rapport. Nous sommes bien loin d'être parfaits. Nous ne pourrons pas éternellement nous satisfaire d'utiliser le misérabilisme comme seule défense et tout mettre sur le dos des autres. Nous ne serions d'ailleurs plus crédibles.

Malheureusement, encore une fois, nous n'avons pas su oublier nos luttes fratricides pour faire front commun. Nos divisions auront servi aux gouvernements en leur permettant ainsi l'inaction. Ils ont appliqué ici et là quelques réformettes sans conséquence réelle pour satisfaire quelques-uns parmi nous en oubliant évidemment l'essentiel.

Nos organisations politiques, comme c'est trop souvent le cas, n'ont pas expliqué le contenu du rapport de la *Commission royale sur les peuples autochtones du Canada* aux membres de nos communautés, laissant la population dans l'ignorance la plus complète sur les contenus de ce rapport. Elles ont ainsi empêché les membres de nos communautés de faire de débats sérieux sur les propositions qui les concernaient en propre et surtout d'appliquer certaines de ces conclusions. C'est ce que j'appellerais contrôler l'information et la détourner à ses fins personnelles.

Il faut, coûte que coûte, que tous les Indiens aient une idée précise sur le contenu de ce rapport car leur avenir et celui de leurs enfants et de leurs petits enfants en dépendent. Ils veulent être consultés sur toutes sortes d'insignifiances, mais négligeraient de l'être sur ce projet de société qui les concerne au premier chef... Voyons, ça n'a aucun sens!

Ils doivent connaître le contenu, en débattre correctement et, surtout, prendre les décisions qui s'imposent. Si nous ne le faisons pas, le fiduciaire des Indiens du Canada le fera à notre place. Il le fera d'abord dans l'intérêt des Canadiens comme il l'a toujours fait selon le rapport de la *Commission royale...*

Nous n'avons pas besoin des gouvernements canadiens pour arriver à réaliser les conclusions qui nous concernent. Il s'agit d'en avoir la volonté politique et de faire les efforts nécessaires.

Les commissaires ont mis certains pré requis tels que travailler sérieusement à la guérison, se regrouper par nation, soit cesser nos divisions internes, créer de véritables institutions autochtones dans nos communautés, dénoncer ceux qui détruisent notre jeunesse et les punir, assainir la gestion de nos conseils de Bande, se débarrasser de nos marasmes sociaux tels les drogues et l'alcoolisme, appliquer une tolérance zéro face à la violence sous toutes ses formes dans les réserves, appuyer les luttes des femmes autochtones et celles des plus faibles d'entre nous, respecter les droits individuels, faire de la place aux jeunes, etc.

C'est par nos efforts personnels pour corriger les situations qui nous touchent directement que nous démontrerons aux gouvernements et à la face de la terre que nous méritons le coup de pouce nécessaire pour retrouver notre fierté et sortir de cet état de stagnation. Nous devons faire la preuve que nous voulons réellement nous en sortir et non pas attendre béatement que les autres le fassent à notre place. L'autonomie réelle, c'est dans la tête de chacun d'entre nous que ça commence.

Comment pourrions-nous convaincre les gouvernements de notre autonomie collective si nous n'agissons pas pour démontrer notre autonomie individuelle en leur prouvant notre volonté d'y arriver ?

Personnellement, après six ans d'attente inutile, je ne sursois plus ma décision d'agir et je sonne le départ de cette **Marche vers l'espoir**.

Il faut que tous les Autochtones s'unissent et posent les gestes nécessaires qui feront en sorte que les gouvernements ne pourront pas laisser sur les tablettes, encore une fois, les recommandations de la *Commission royale...*

Nous devons convaincre nos leaders autochtones, anciens, politiciens, intellectuels, femmes et jeunes, de faire partie de cette **Marche vers l'espoir**. Ce sont ces gouttes d'eau unies et ajoutées les unes aux autres qui forment les océans et transforment cette planète terre.

Il faut créer un mouvement apolitique. Il doit regrouper toutes celles et ceux qui veulent véritablement agir pour préparer l'avenir de leurs enfants et des enfants de leurs petits enfants. Nous devons reprendre le flambeau porté par les anciens et répondre positivement au testament qu'ils nous ont laissé. Notre plan d'avenir est là, bien arrêté. Il faut maintenant le réaliser en commençant, bien entendu, par ce que nous pouvons décider nous-mêmes. Il sera plus facile par la suite d'exiger des autres.

Bien sûr, nous avons besoins des Québécois, des Canadiens et des autres nations de la terre pour nous soutenir. Notre pari est élevé et nous aurons besoin de tout le support nécessaire en respectant cependant nos propres orientations.

La piste amérindienne / THE NATIVE TRAIL (autochtones.com), site internet de référence pour les Premiers peuples, sera consacrée à mettre en place cette **Marche vers l'espoir**. *La piste...* deviendra le lien planétaire entre nous pour s'informer de son développement et pour adhérer à ce projet pour favoriser le meilleur pour notre avenir. *La piste...* sera la rampe de lancement de ce projet. Par exemples, les Conseils de bandes pourraient s'engager publiquement à concrétiser les recommandations de la *Commission royale...* qui les concernent. De tels engagements auraient des effets mobilisateurs et démontreraient à tous leur sens collectif des responsabilités.

Un autre mouvement de la **Marche vers l'espoir**, la *Fondation de l'espoir*, verrait au financement de cette opération pour garder le maximum de liberté d'action possible pour agir. La *Fondation de l'espoir* aurait pour mandat d'amasser et de gérer les fonds accumulés. Des chefs de file de la **Marche vers l'espoir** donneraient une série de conférences-bénéfices dans les communautés autochtones, les associations canadiennes et les clubs sociaux. Nous pourrions aussi vendre des cartes de membres et passer le chapeau pour amasser des fonds.

Enfin la *Fondation de l'espoir* solliciterait le plus de personnes et de groupes possibles, au Canada et dans les autres pays du monde, pour nous aider à financer nos campagnes d'information, de sensibilisation et de débats objectifs dans les communautés autochtones. J'espère que d'autres groupes autochtones du Canada, que nous rejoindrons par *The Native Trail Canada*, emboîteront le pas et organiseront chez eux cette **Marche vers l'espoir**.

JE SUIS VRAIMENT TROP VIEUX POUR CHANGER FONDAMENTALEMENT

Lors du congrès du *Bloc québécois*, à Québec, tenu au printemps du début de ce troisième millénaire, j'ai participé à titre de conférencier invité, indépendant de ce parti politique, sur les questions autochtones. J'ai pris le repas de clôture du colloque en compagnie de l'ancien Premier Ministre du Québec, monsieur Jacques Parizeau, qui était conférencier invité à ce souper, et Gilles Duceppe, chef du *Bloc québécois*.

Nous avons longuement discuté de la période précédant le premier mandat du *Parti québécois*, époque où j'étais chroniqueur politique à l'*Assemblée nationale* pour le quotidien *LE SOLEIL* de Québec. C'était une période fort active où certaines forces vives du Québec travaillaient d'arrache-pied à mettre en place un parti politique, nouveau genre et social-démocrate, ayant comme objectif principal de réaliser la souveraineté-association du Québec.

Regroupés autour de René Lévesque, plusieurs Québécois bâtissaient de toutes pièces le *Parti québécois* que l'on connaît aujourd'hui. Ils étaient stimulés par l'énergie emmagasinée au cours de la période de « grande noirceur » de Maurice « Le Noblet » Duplessis. De plus, les travaux de la révolution tranquille inachevée qui a suivi, un laboratoire pour préparer l'avenir, dont faisaient partie le haut-fonctionnaire Jacques Parizeau et plusieurs autres employés importants de l'État, dont, entre autres, Bernard Landry et Claude Morin, futurs Premier Ministre et ministre du *Parti québécois*, ont enrichi cette période effervescente.

Le politicien charismatique, René Lévesque, attirait les jeunes et leur insufflait un souffle d'espoir. Il les regroupait autour des idées de fierté d'un peuple écrasé depuis les années 1760. Il reprenait le flambeau nationaliste servant à attiser les promesses d'avenir d'un grand peuple francophone en Amérique, disait-il sur toutes les tribunes publiques.

C'était une période politique emballante pour le journaliste que j'étais. Cette phase dynamique était un moment privilégié au Québec pour brasser des idées nouvelles. Sur la table de travail, tout était possible. Ce nouveau Québec échafaudait, étage par étage, un projet de société mobilisateur.

René Lévesque, ce journaliste qui avait été des plus populaires comme animateur à la télévision de Radio-Canada, ce politicien qui avait redonné aux Québécois sa richesse naturelle que constituait l'hydroélectricité et qui avait été un promoteur et réalisateur de la révolution tranquille, rassemblait.

Et les Québécois le suivaient en masse...

Ce grand Québécois des années enthousiastes, où tout semblait possible, aura donc été pour moi ce semeur nécessaire, ce modèle et ce motivateur. Il m'a aidé à plonger corps et âme dans l'arène politique non partisane, le lieu privilégié pour la défense de la cause autochtone. Après mon père, il aura vraiment été celui qui, par l'exemple d'un gladiateur, ou d'un samourai, qui se bat jusqu'au bout, m'a incité à tout tenter pour faire avancer la cause des Premiers peuples.

Tout à coup, sans aucune introduction, M. Parizeau me dit:

« Monsieur Cleary, depuis une bonne quinzaine d'années, je m'intéresse à vos interventions publiques sur le dossier autochtone. Je suis moralement convaincu que plusieurs ont atteint leurs objectifs et que vous avez fait avancer le débat sur les questions aborigènes dans notre société.

Je crois maintenant que vous devriez intervenir là où se prennent les décisions importantes, soit à l'*Assemblée nationale du Québec* ou à la *Chambre des Communes du Canada*. Vous devriez enfin faire le saut en politique. Je suis convaincu que votre influence serait immensément plus importante et utile aux Premiers peuples du Québec et même du Canada tout entier. »

Sans le savoir, Jacques Parizeau venait de réveiller le vieux débat qui sommeille en moi depuis très, très longtemps, sur un rôle actif potentiel en politique. N'ayant jamais été réglée définitivement, cette question remontait régulièrement à la surface.

Il savait sûrement, que l'ex-Premier Ministre du Québec, René Lévesque, m'avait déjà invité, à deux occasions, à faire partie de son équipe comme candidat à un poste de député.

La première fois, à la demande de Marc-André Bédard, futur ministre de la *Justice du Québec* et un confrère du *Petit séminaire de Chicoutimi*, le chef du *Parti québécois* m'avait demandé de me présenter dans le comté de Dubuc, au Saguenay. J'ai rapidement refusé son invitation parce que je considérais que ma carrière journalistique était rendue à son apogée, mais elle n'était pas encore terminée. De plus, je croyais, à ce moment-là. que la politique était plutôt une fin de carrière qu'un commencement et que le monde de l'information me tenait encore beaucoup à coeur.

Contrairement à son habitude après un refus, M. Lévesque a récidivé et est revenu à la charge quelques années plus tard à la demande d'organisateurs politiques du comté de Vanier dans la région métropolitaine de Québec. Les discussions ont été, cette fois-là, beaucoup plus longues. Elles ont cependant achoppé sur la question autochtone.

Il était impensable pour moi, à cause de mon statut d'Indien et du rôle que j'avais joué et que je tiendrais à titre de défenseur de cette cause, que je m'engage loyalement à toujours suivre la ligne du parti sur les questions concernant les Premières Nations. D'autant plus que la politique du *Parti québécois* sur les questions autochtones n'était pas définie.

Je ne croyais pas d'ailleurs qu'il s'agissait d'une question importante pour M. Lévesque. Évidemment, ce dernier a tenté de me convaincre que je pourrais l'influencer ainsi que mes confrères députés pour donner, à ce parti, une telle politique; ce qui n'était pas faux en soi. Je m'imagine souvent aujourd'hui que j'aurais certainement pu influencer différemment si j'avais été partie prenante du débat politique québécois, du côté des décideurs... Ce point de vue me soulève encore d'ailleurs bien des interrogations.

M. Lévesque n'avait pas compris que la cause autochtone puisse avoir, à ce moment-là, une plus grande importance à mes yeux que celle de l'avenir du Québec. Il ne pouvait pas accepter de faire une exception, au sujet des questions autochtones, à ce sacro-saint principe politique.

En homme de parti politique traditionnel, il était évident et clair pour René Lévesque qu'aucun accroc ne pouvait être toléré sur la fameuse ligne de parti. Il ne pouvait donc pas acquiescer à une telle exigence qui ouvrirait potentiellement la porte à d'autres demandes d'exception. Nos discussions se sont terminées en queue de poisson avec comme résultats que nos relations personnelles n'ont plus jamais été les mêmes.

M. Lévesque avait déjà oublié, à cause de son rôle différent de chef d'un parti politique, qu'il était personnellement un de ces genres d'hommes... Et que c'était la principale raison de son renvoi du *Parti libéral du Québec* de Jean Lesage. Orgueilleux, il avait même été irrité que je lui rappelle simplement ce fait, ou ce changement d'attitude.

Rancunier de nature, il ne m'a jamais pardonné d'avoir refusé sa confiance.

À plusieurs reprises après cette période, des personnalités autochtones, ou québécoises, ont soulevé cette question d'action politique potentielle avec moi. Ces gens croyaient que je devrais m'impliquer dans ce domaine. Ils étaient convaincus que je pourrais influencer et que j'aiderais ainsi à faire avancer cette cause pour laquelle je me battais.

Ils n'avaient pas complètement tort. Ils oubliaient cependant que le monde autochtone est spécial. Et que, comme toute minorité divisée, il est difficile pour un interlocuteur de prétendre parler en son nom.

J'ajouterais que mon indépendance personnelle est un handicap majeur face à un rôle de porte-parole politique pour la cause que je défends. Je ne suis pas la personne indiquée pour oublier mes idées personnelles et ensuite véhiculer des positions dans lesquelles je ne suis pas vraiment à l'aise.

J'ai toujours eu beaucoup de difficultés à me taire devant des gestes qui devraient être, selon moi, objets de dénonciation. Mes habitudes de vie personnelle et professionnelle, comme journaliste et défenseur de la cause autochtone, m'ont toujours conduit à dénoncer ce qui était condamnable. Ne pas le faire constitue pour moi un accroc évident à un principe fondamental d'honnêteté. Il est donc extrêmement difficile pour moi de fermer les yeux, ou de faire semblant...

Il ne semble pas qu'actuellement, en politique partisane, ce genre de franchise et d'honnêteté intellectuelle soit une bien grande qualité. Au contraire, elle est plutôt un défaut pour certains eunuques, adeptes du *politiquely correct*.

Ces derniers voient plutôt comme politiciens ceux qui, tels des caméléons, changent facilement de positions et adoptent, sans retenue, les idées des autres. Ils peuvent ainsi influencer sans avoir besoin de s'impliquer réellement. Ils sont les tireurs de ficelles invisibles et souvent les marionnettistes qui envoient lâchement les autres au combat pour éviter de prendre des coups.

Malheureusement, plusieurs Autochtones influents, habitués à prendre de la civilisation *blanche* ce qui fait partie du pire, ont adopté facilement le *politiquely correct* comme principe de base. Ils prônent ainsi l'approche sans épine dorsale comme qualité dominante avec les résultats que l'on connaît.

Non, merci, je n'ai pas du tout envie de jouer un tel rôle...

Au contraire, je suis un guerrier encore d'attaque et jeune, au moins d'esprit et de coeur, pour mener le combat, tel que je l'ai fait depuis les quarante dernières années, toute visière levée pour la défense de cette cause que je chéris plus que toute autre. Je n'ai pas du tout envie de parler pour les autres en sauvant la chèvre et le chou. Je préfère de loin m'exprimer pour moi-même et dire sincèrement ce que je pense et ce que je ressens.

Cela a été ma méthode personnelle pour défendre la cause autochtone depuis 40 ans et je crois que je n'ai pas si mal réussi. Et, comme le disent souvent les gens de mon âge même si je ne crois pas vraiment à cet adage: Je suis maintenant trop vieux pour changer...

Cependant, je ne rejette pas la possibilité de faire de la politique provinciale, ou fédérale, une autre et dernière carrière, après le journalisme et les communications, l'enseignement universitaire, le métier d'écrivain, les négociations et les affaires, comme ultime tour de piste.

Le parti politique qui saura m'attirer sera celui qui me permettra de continuer à défendre cette cause toute visière levée, sans oeillère, comme un magnifique cheval sauvage, la crinière au vent et libre de tout harnais.

Ils ne devront pas rechercher en moi le porte-parole des Indiens de quelque endroit que ce soit et l'Amérindien de service. Je souhaiterai me faire élire comme représentant des citoyens de ce comté du Québec avec ce que ça implique. Je serai d'abord le défenseur de ces gens, rôle primordial d'un député élu.

Évidemment, ces derniers auront accepté, en me choisissant comme candidat, que je sois un Indien statué et que je puisse défendre cette cause. Je le ferai honnêtement sans pour autant nuire à mon rôle premier de député. Il ne sera pas possible que, sur la question autochtone, je doive suivre aveuglément la ligne de parti qui pourrait contrecarrer mes principes fondamentaux. Pas plus d'ailleurs que je m'engagerais à suivre les orientations des associations politiques des Indiens du Québec, ou du Canada.

Non, je préfère de beaucoup pouvoir agir librement en ayant en tête que ces organisations qui défendent la même cause que moi aient logiquement les mêmes visions. Si ce n'était pas le cas, nous aurions, l'un et l'autre, de graves problèmes qu'il faudrait d'abord résoudre entre nous.

À la suite du parti politique, mes électeurs auront accepté, en votant pour moi, qu'une telle situation puisse se produire. Tout aura donc été clairement défini et personne ne sera surpris d'une telle éventualité.

Suis-je Péquiste, Libéral du Québec, Libéral du Canada, Bloquiste, Progressiste Conservateur, pour le Nouveau parti démocratique... Je ne le sais pas vraiment et je ne me suis jamais sérieusement poser la question. Le profession de journaliste m'a tenu à l'écart de la politique partisanne.

J'ai d'ailleurs eu l'occasion, pendant toutes ces années, de voter pour chacun de ces partis politiques: Pour feu René Lévesque, pour Jacques Pariseau et pour

Lucien Bouchard, pour feu Jean Lesage, pour feu Daniel Johnson, père, pour feu Pierre Elliott-Trudeau et pour Jean Chrétien, pour Gilles Duceppe, pour Brian Mulroney et pour Ed Broadbent.

Les étiquettes m'impressionnent peu et ce sont les idées véhiculées par les partis et les hommes politiques qui m'attirent. Les personnages qui ont des principes me séduisent beaucoup plus que les arrivistes politiques sans idée et calculateurs. Je m'accommoderais probablement de l'un ou de l'autre de ces partis politiques si j'avais la possibilité de débattre mes idées et de défendre la cause autochtone sans limite.

Ce que je sais pourtant, c'est que je suis en faveur de l'entreprise privée et pour le développement économique des Premiers peuples, que je suis aussi pour le développement social et culturel et que je suis un démocrate. En politique, je ne suis pas conservateur du tout et j'aime les idées nouvelles. Je suis donc plus enclin à débattre puis à accepter les nouveaux concepts qui m'emballent.

Ce que je sais aussi, comme je l'ai exprimé à maintes reprises et comme je le fais dans cet ouvrage, c'est que je souhaite vraiment que nous trouvions, pour les Premiers peuples et pour le Québec, une place importante dans un Canada **TOTALEMENT** renouvelé.

Comme les René Lévesque, Daniel Johnson père, Robert Bourassa, Bernard Landry, Lucien Bouchard, Gilles Duceppe, Jacques Parizeau et une très, très, grande majorité de Québécois, je ne veux plus de ce Canada centralisateur à la Pierre Elliott-Trudeau et ses mandarins intéressés. Je souhaite un Canada composé d'états indépendants, deux, trois, dix ou cinq, peu m'en chaut, dans une véritable Confédération, comme l'ont exprimé les pères de la *Confédération canadienne* en 1867 et comme nous devrions le faire par nos sages contemporains après des états généraux pour l'ensemble du Canada en ce début d'un nouveau millénaire

Oui, je suis régionaliste et je crois à un pouvoir politique décentralisé, près du « monde ordinaire ». Les différences entre les provinces de l'Ouest, celles des Maritimes et celles du centre, en plus du Québec français, sont d'une évidence évidente. Il faut être intellectuellement malhonnête et foncièrement borné et toqué pour ne pas voir ce phénomène clairement exprimé par l'ensemble des Canadiens. Encore une fois, les résultats de la dernière élection fédérale en ont fait une démonstration plus que probante...

Qui pourrait m'expliquer maintenant pourquoi nous nous acharnons toujours à ne pas vouloir construire le Canada politique de maintenant autour de cette conception du « monde ordinaire ». Les électeurs canadiens ont exprimé, encore une fois avec certitude, de ne plus vouloir être soumis à une utopie centralisatrice sans aucune vision. La dernière élection devrait être considérée comme le meilleur et le plus explicite référendum national contre cette vision centralisatrice passée date.

Où sont donc les véritables sauveurs du Canada, indépendants du *Parti libéral du Canada*. Ils devraient au moins utiliser ce sondage démocratique auprès de toute la population canadienne pour orienter leurs actions. Enfin, ils devraient exiger de ce nouveau gouvernement d'agir en fonction de ce que souhaitent **TOUS** les Canadiens, et non seulement les extrémistes bornés d'un parti politique fort intéressé, pour repenser ce Canada contemporain.

C'est le seul moyen, quant à moi, de sauver ce pays. Le *Parti libéral du Canada* ne pourra plus bien longtemps imposer sa propre vision de ce nouvel état qui pourrait ainsi devenir un des grands peuples de la terre.

J'espère que les politiciens libéraux qui aspirent à remplacer le Premier Ministre actuel, le ministre Paul Martin en tête, réfléchiront à cette question sans traîner la vision dépassée des Trudeau, des Chrétien et de leurs comparses d'un État canadien centralisateur.

Pourquoi, ne favoriseraient-ils pas des états généraux indépendants des partis politiques actuels pour permettre aux Canadiens, d'un océan à l'autre, de se concocter un projet de société véritablement national. D'autres grands peuples l'ont fait à travers la planète et cela a donné des résultats phénoménaux pour la démocratie. Pourquoi cela ne serait-il pas bon chez nous ? Serait-ce à cause de nos grands démocrates qui ont peur de cette opération sociale et politique d'un peuple libre ? Ou serait-ce qu'ils ne croient pas réellement à l'intelligence politique des Canadien ordinaires, leurs électeurs ?

Enfin, pourquoi, ne rangerions-nous pas, pour de bon, dans les greniers de l'histoire, les fantômes comme Trudeau et Chrétien ?

Notre voisin américain, les États-Unis, n'est-il pas le pays ayant le plus grand impact sur le monde actuel avec un pouvoir politique très décentralisé ? Les nombreux États qui composent ce grand pays, modèle contemporain de la réussite, sont presque indépendants. Les États-Unis s'en portent pourtant à merveille...

Pourquoi continuer à nous bourrer le crane en soutenant que la centralisation à outrance est la panacée sociale, économique et politique au développement du Canada au point d'être considérés comme des ignorants, ou des traîtres, si nous pensons le contraire.

Nous, les Canadiens, pour nous distinguer bêtement, nous privilégions la centralisation à outrance, dans un pays aussi grand et diversifié, qui, on le sait bien, ne fonctionne pas. On nous a *embarqués* dans une idée totalement farfelue qui s'exprime, entre autres, par le bilinguisme d'une côte à l'autre. Le bilinguisme intégral ne pourra jamais se réaliser pleinement à cause de son irréalisme. On a, par la suite, amendé la Constitution de 1867, en 1982, pour concrétiser cette utopie. Et, on se demande après pourquoi ça ne fonctionne pas...

Comme l'a prétendu, avec justesse et avec une grande sagesse, feu Daniel Johnson père, ex-Premier Ministre du Québec, les constitutions sont faites pour les hommes et non les hommes pour les constitutions. « Le fédéralisme, c'est essentiellement la recherche d'un équilibre entre l'unité et la séparation, entre les forces qui tendent à unir et celles qui tendent à diviser. Cet équilibre ne peut pas toujours se réaliser de la même façon car les forces à concilier diffèrent d'un pays à l'autre et même d'une époque à l'autre à l'intérieur d'un même pays. Le fédéralisme peut donc prendre des formes diverses. »

Nous devons revivre des états généraux indépendants des partis politiques. Nous devons choisir ensemble, sans *partisanerie* politique indue, dans quel genre de société nous souhaitons vivre. Personnellement, ce que je veux pour le Québec, c'est vivre dans un coin de terre où le projet de société aura été arrêté par **TOUS** les Québécois et non seulement par un seul parti politique.

Voilà donc résumées, les grandes lignes des positions politiques que je défendrais dans tout parti politique qui me ferait une place.

Maintenant que certains petits organisateurs politiques miteux cessent de m'étiqueter pour me *charrier* parce que je refuse le statu quo politique que je juge indéfendable. Je souhaite des changements profonds de société au Canada. Si ces personnes se sentent menacées parce qu'elles craignent perdre « l'assiette à beurre » et bien tant pis pour elles. Elles ont déjà profité allègrement et depuis trop longtemps de cette conjoncture comme nous le démontrent allègrement tous les scandales politiques des dernières années...

Oui, je continuerai à accepter toutes les tribunes possibles où j'aurai l'occasion de faire avancer la cause autochtone. Si les libéraux, provinciaux ou fédéraux, veulent m'avoir qu'ils m'invitent et j'accepterai sûrement... Ils ne me dicteront surtout pas cependant quoi dire et ils devront accepter la critique; ce qui semble inacceptable pour plusieurs...

En terminant, pour revenir à la possibilité d'une action politique active, je dois admettre que je suis de plus en plus tiraillé. La conjoncture politique actuelle me porte à m'interroger de l'endroit où je pourrais être le plus utile, soit à la *Chambre des communes* du Canada, ou à l'*Assemblée nationale du Québec*. Il ne faut pas oublier que c'est à la Chambre des communes que ça se passe pour les Premiers peuples.

Il est, sans aucun doute, nécessaire d'avoir quelqu'un dans cette enceinte qui va harceler le gouvernement fédéral sur le dossier autochtone.

En cela, je crois que Mathiew Coon Come, Grand-Chef actuel de l'*Assemblée des Premières Nations du Canada*, et Ovide Mercredi, ex-Grand-Chef, qui ont un sens politique assez développé pour le reconnaître et qui travaillent pour l'intérêt de la cause autochtone avec énergie, y verraient, à ce moment-ci, une importance capitale.

Il faut un député, dans l'Opposition et non pas au pouvoir, même si c'est moins noble pour certains, qui va poser les bonnes questions au gouvernement fédéral sur sa responsabilité de fiduciaire des Premiers peuples. Ce gouvernement a des comptes à rendre et il devra le faire dans le cas de son rôle de fiduciaire des Indiens du Canada.

Il faut quelqu'un qui va le forcer à appliquer les jugements de la *Cour suprême du Canada* favorables aux Premières Nations sur la reconnaissance des droits ancestraux reconnus par la *Constitution du Canada*.

Il faut un député qui va suivre, à la trace, le gouvernement fédéral sur l'application des recommandations de la *Commission royale sur les peuples autochtones du Canada* et les promesses de madame Jane Stewart, ex-ministre des *Affaires indiennes et du Nord Canada*, fiduciaire des Indiens, face aux Premiers peuples.

Il faut donc un critique sincère, possédant très bien le dossier autochtone et les politiques du ministères des *Affaires indiennes et du Nord Canada* sur les Autochtones; cela sans aucune attache à la ligne d'un parti politique quelconque, ou à une association politique autochtone.

Il faut un batailleur, un guerrier expérimenté qui n'a peur de rien et qu'on ne pourra pas influencer indûment.

Je pourrais probablement être cet énergumène, exalté et enthousiaste pour la défense de la cause autochtone.

Plus encore, par le fait qu'un futur gouvernement du Canada pourrait être un jour minoritaire pour le plus grand bien du peuple canadien, il est primordial que les Premières Nations aient, dans l'enceinte du Parlement d'Ottawa, un défenseur sincère de la cause autochtone dans l'Opposition. Ce n'est certes pas dans le nouveau parti fédéral de l'Ouest canadien, anti autochtone avoué, de l'*Alliance canadienne* que pourra se retrouver ce député.

Évidemment, le *Parti libéral du Canada* va trouver quelques candidats autochtones de service qu'il réussira sûrement à faire élire. Cependant, le passé nous a démontré que de tels députés ont peu d'influence sur ce parti politique au pouvoir et qu'ils doivent respecter intégralement la ligne du parti avec ce que ça implique...

Le seul parti fédéral qui pourrait prendre un tel risque politique m'apparaît être le *Bloc québécois* de Gilles Duceppe. Le *Bloc québécois* m'a démontré que le dossier autochtone était important à ses yeux et qu'il avait l'intention de travailler honnêtement à améliorer les relations entre les Québécois, les autres Canadiens et les Autochtones. Le Bloc québécois s'est déclaré publiquement en faveur du rapport de la *Commission royale sur les peuples autochtones du Canada*. Il croit également à une très grande partie du contenu du manifeste du *Forum paritaire Québécois-Autochtones*.

Gilles Duceppe est convaincu que ce parti politique fédéral doit travailler au rapprochement réel entre les peuples autochtones du Québec et le peuple québécois.

Il a la sagesse politique de comprendre l'importance, pour un futur État du Québec, d'avoir réglé le plus tôt possible la place future des Premiers peuples dans ce nouveau pays. Le gouvernement actuel doit le faire bien avant que les Québécois aient choisi leur propre place dans le Canada de demain. Gilles Duceppe est convaincu qu'une forte opposition des Autochtones dans certains pays comme la France, l'Angleterre, ou les États-Unis, serait un handicap majeur pour la reconnaissance de cet état indépendant par ces pays.

Enfin, le chef du *Bloc québécois* est convaincu que le travail auprès des Autochtones doit commencer dès maintenant. Il est important, pour ce dernier, que les Premières Nations puissent analyser, le plus tôt possible, les avantages qu'ils retireraient comme peuples autochtones d'un Québec indépendant.

Il est indéniable que le parti fédéral qui est le plus proche des idées véhiculées dans cet ouvrage et des prises de positions que j'ai adoptées au cours des ans est le *Bloc québécois*.

Je dois ajouter cependant que les visions politique d'un Bernard Landry sur l'avenir du Canada me séduisent. Il y voit une formule politique qui pourrait, je crois, faire une place importante aux Indiens du Canada. Plus encore, par la signature de la dernière entente du Québec avec les Cris de la Baie-James, il a démontré une grande ouverture. Cette vision, où les Premiers peuples occupent une place à la hauteur de leurs grands rêves, promet énormément. Jamais, selon moi, aucun Premier Ministre du Canada, René Lévesque en tête, n'est allé aussi loin.

C'est donc dire que je pourrais défendre cette vision d'un « Parlement européen » pour le Canada de demain qui inclurait les Premiers peuples comme peuples fondateurs. Selon moi, les Indiens du Canada auraient intérêts à travailler en ce sens à redéfinir ce nouveau pays. Ils retrouveraient alors leur souveraineté interne des premiers temps de la colonie qui les a conduits à signer des traités de nation à nation.

Il faut dire aussi que, depuis quarante ans, je mentionne aux leaders politiques des peuples autochtones d'ici que c'est au Québec que les chances sont plus grandes d'une reconnaissance à la hauteur de nos désirs. Les probabilités de rapprochement entre les Québécois et les membres des Premiers peuples sont beaucoup plus évidentes. Notre volonté commune d'autonomie et notre caractère distinct font de nous des partenaires politiques naturels.

Mon âge avancé ne me permettra probablement pas de me présenter à une autre campagne électorale fédérale puisque j'aurai à ce moment plus de soixante-sept (67) ans. Plus encore, l'urgence d'agir en fonction, entre autres, de l'application du rapport de la *Commission royale sur les peuples autochtones*, telle que démontrée préalablement dans cette conclusion, commande une action immédiate. Pour moi, demain pourrait être déjà trop tard...

Comme vous l'avez constaté dans cette conclusion, j'ai pris l'engagement formel de lancer la **Marche vers l'espoir**, ce mouvement apolitique qui va travailler à la mise en place du plan sur 20 ans proposé par le rapport de la *Commission royale sur les peuples autochtones du Canada.* Je vais donc me consacrer à cet objectif collectif.

Table des matières

Achevé d'imprimer en novembre 2002
sur les presses de
Imprimerie Dolbeau à Dolbeau-Mistassini
pour le compte de
GillCom Communication
de Mashteuiatsh